D1155570

Prévention des problèmes d'adaptation

chez les enfants et les adolescents

Tome I
Les problèmes internalisés

PRESSES DE L'UNIVERSITÉ DU QUÉBEC
2875, boul. Laurier, Sainte-Foy (Québec) G1V 2M3
Téléphone : (418) 657-4399 • Télécopieur : (418) 657-2096
Courriel : secretariat@puq.uquebec.ca • Internet : www.puq.uquebec.ca

Distribution :

CANADA et autres pays

DISTRIBUTION DE LIVRES UNIVERS S.E.N.C.
845, rue Marie-Victorin, Saint-Nicolas (Québec) G7A 3S8
Téléphone : (418) 831-7474 / 1-800-859-7474 • Télécopieur : (418) 831-4021

FRANCE

DIFFUSION DE L'ÉDITION QUÉBÉCOISE
30, rue Gay-Lussac, 75005 Paris, France
Téléphone : 33 1 43 54 49 02
Télécopieur : 33 1 43 54 39 15

SUISSE

GM DIFFUSION SA
Rue d'Etraz 2, CH-1027 Lonay, Suisse
Téléphone : 021 803 26 26
Télécopieur : 021 803 26 29

Prévention des problèmes d'adaptation

chez les enfants et les adolescents

Tome I
Les problèmes internalisés

Sous la direction de
Frank Vitaro et Claude Gagnon

2000

Données de catalogage avant publication (Canada)

Vedette principale au titre :

Prévention des problèmes d'adaptation chez les enfants et les adolescents

Comprend des réf. bibliogr.

ISBN 2-7605-1039-5 (v.1)
ISBN 2-7605-1040-9 (v.2)

1. Enfants – Psychopathologie – Prévention. 2. Adolescents – Psychopathologie – Prévention. 3. Problèmes sociaux – Prévention. 4. Adaptation sociale. 5. Enfants – Psychopathologie. 6. Adolescents – Psychopathologie. I. Gagnon, Claude, 1953- . II. Vitaro, Frank.

RJ499.P73 2000 618.92'8905 C00-941554-8

Nous reconnaissons l'aide financière du gouvernement du Canada par l'entremise du Programme d'aide au développement de l'industrie de l'édition (PADIÉ) pour nos activités d'édition.

Nous remercions le Conseil des arts du Canada de l'aide accordée à notre programme de publication.

Révision linguistique : Gislaine Barrette

Mise en pages : Info 1000 mots inc.

Conception graphique : Caron & Gosselin communication graphique

1 2 3 4 5 6 7 8 9 PUQ 2000 9 8 7 6 5 4 3 2 **1**

Dépôt légal – 3e trimestre 2000
Bibliothèque nationale du Québec / Bibliothèque nationale du Canada
Imprimé au Canada

TABLE DES MATIÈRES

INTRODUCTION

Frank Vitaro
Université de Montréal
Claude Gagnon
Université de Montréal

Ce livre sur la prévention des problèmes d'adaptation chez les enfants et les adolescents s'ajoute aux très nombreux efforts visant à comprendre et à aider les jeunes et leurs familles aux prises avec de graves problèmes de développement et de réalisation de soi dans une société de plus en plus complexe. Les chercheurs de différentes disciplines, les cliniciens et les éducateurs ont beaucoup écrit au cours du dernier siècle sur leur compréhension des origines de ces problèmes d'adaptation psychosociale et sur les moyens d'y remédier. Ces dernières années, la recherche en psychopathologie développementale a enrichi nos connaissances sur les facteurs de risque prédisant et engendrant différentes formes d'inadaptation (voir Dumas, 1999 ; Habimana, Éthier, Petot et Tousignant, 1999). Des trajectoires développementales ont été décrites en montrant comment divers facteurs de risque en se conjuguant pouvaient produire des effets néfastes ou être tempérés par des facteurs de protection. Ces connaissances ont guidé et inspiré les chercheurs et les intervenants préoccupés de fournir une aide appropriée aux individus concernés et à leur entourage. Beaucoup de moyens d'intervention ont été expérimentés ; les livres sur les traitements des différentes problématiques abondent. L'efficacité du curatif dans ce domaine se heurte aux limites inhérentes à toute entreprise de traitement de maladies chroniques. Or, plusieurs problématiques dans le domaine psychosocial ont des causes multiples qui se conjuguent et s'amplifient avec le temps, et peu d'interventions, même intensives, peuvent y changer quoi que ce soit à long terme. Devant les limites de l'approche curative et avec l'avancement de nos connaissances sur les trajectoires développementales de ces problématiques, l'approche préventive a progressivement pris le relais. Comme dans le cas de la santé physique des populations, où la prévention à plusieurs niveaux a réduit l'incidence et la prévalence de plusieurs maladies, l'intervention en santé mentale s'est engagée dans la voie de la prévention.

Dans la foulée des travaux sur la prévention en santé publique (Caplan, 1964), une nouvelle discipline, appelée « science de la prévention », est en train d'émerger à l'interface de la psychopathologie, de la psychiatrie, de la criminologie, de l'épidémiologie, de la psychologie du développement et de l'éducation. Une nouvelle société scientifique a été fondée dans cette perspective en 1992, The Society for the Study of Prevention Research, et vient de publier (en juin 2000) le premier numéro d'une revue scientifique (*Prevention Science*). Un comité de spécialistes américains, à la demande du National Institute of Mental Health, a produit un document établissant les bases conceptuelles de ce que pourrait être une science de la prévention en santé mentale (Coie *et al.*, 1993). Bien des indices nous autorisent à penser que la prévention mobilisera les énergies de plusieurs intervenants et chercheurs dans les prochaines décennies. Ce livre s'inscrit dans cette perspective et met à la portée du public francophone un ensemble de travaux menés principalement aux États-Unis et dans d'autres pays anglo-saxons.

Le but de la prévention en santé mentale est d'éviter autant que possible l'apparition (incidence) des problèmes en agissant sur leurs causes. C'est pourquoi la recherche en prévention repose sur l'étude systématique de la description des problèmes et de leur étendue (épidémiologie), de même que des facteurs précurseurs susceptibles de les engendrer (facteurs de risque) ou de les atténuer (facteurs de protection). Le présent ouvrage applique ces principes à la prévention d'un éventail de problèmes psychosociaux (17 problématiques) vécus par les enfants, les adolescents et leurs familles. Chaque chapitre tente d'identifier l'état de nos connaissances sur les moyens de prévenir, tant chez les individus que dans leur environnement, une forme ou l'autre de dysfonctionnement psychosocial. Pour chaque type de problème, la recension des facteurs de risque et de protection devrait faire ressortir les éléments sur lesquels intervenir pour éliminer ou diminuer les risques et renforcer les compétences des individus afin qu'ils puissent relever les défis que posent les transitions développementales et les situations de crise. Mais avant d'indiquer la direction qui devrait être prise, les auteurs ont recensé les expériences de prévention déjà réalisées pour en dégager les forces et les faiblesses. C'est ainsi que, pour une même problématique, une gamme assez large d'expériences ont été tentées. L'exposé de ces essais contrôlés de prévention est particulièrement éclairant pour ceux et celles qui souhaitent s'engager dans ce mouvement de prévention. Chaque expérience systématique de prévention permet d'évaluer si le choix des cibles d'intervention était pertinent, si le moment choisi pour sa mise en œuvre était approprié, si la qualité et le dosage de son contenu étaient suffisants, si la formation et la supervision des intervenants étaient adéquates, si les contrôles méthodologiques des sources d'invalidité interne étaient à la hauteur, etc. Dans la recension des expériences de prévention, les raisons qui amènent un programme à produire ou non des effets durables sont tout aussi importantes, du point de vue des connaissances scientifiques, que les résultats eux-mêmes. C'est de ce genre d'analyses que les lecteurs de cet ouvrage sont conviés à prendre connaissance ; leur choix d'un type d'interventions n'en sera que plus éclairé.

Ce livre s'adresse à tous ceux qui sont concernés par l'aide à être apportée aux jeunes en difficulté et à leurs familles, qu'ils œuvrent en prévention ou non. Pour chaque problématique, les auteurs présentent d'abord une synthèse bien documentée des facteurs étiologiques connus ; le lecteur intéressé y trouvera une mise à jour des connaissances ainsi que de nombreuses références. Par la suite, les expériences de prévention qui ont été menées sont répertoriées donnant un aperçu des expériences passées et en cours. Il est important pour tout intervenant de s'inspirer des leçons du passé, d'en éviter les erreurs ou de ne pas avoir à réinventer la roue. Enfin, dans chaque chapitre, les auteurs traitent des voies d'avenir en prévention, en conjonction avec les autres formes d'intervention. Le fait que les auteurs soient tournés vers la prévention ne signifie pas pour autant qu'ils croient que l'intervention curative n'a plus sa place : ils sont plutôt partisans d'une approche intégrée de différentes formes d'intervention. Et à l'intérieur même de l'approche préventive, plusieurs enjeux restent à élucider, notamment le meilleur moment pour mettre en œuvre des moyens de prévention, sa durée et son intensité, ses lieux et ses composantes, et, surtout, les processus par lesquels les actions sur des variables proximales peuvent avoir des effets durables sur des variables distales. Les lecteurs de ce livre seront ainsi au fait des préoccupations les plus actuelles du monde de l'intervention psychosociale auprès des jeunes et de leurs familles. C'est pourquoi l'un des lectorats privilégiés de ce livre est celui des futurs intervenants psychosociaux ; ils auront en main un instrument précieux de travail pour les champs de connaissance, la documentation et les questions à approfondir.

QUELLE EST LA PERSPECTIVE ÉPISTÉMOLOGIQUE ET MÉTHODOLOGIQUE DE CE LIVRE ?

Comme nous l'avons mentionné précédemment, cet ouvrage traite de la prévalence, des facteurs de risque et de la prévention des problèmes d'adaptation chez les enfants et les adolescents. La prévalence de ces problèmes est tributaire des définitions, des instruments de mesure et des critères cliniques, légaux ou statistiques utilisés pour situer la frontière entre le normal et le pathologique ; ces aspects sont abordés au début de chaque chapitre.

Les facteurs de risque et de protection exposés ensuite se rapportent principalement aux caractéristiques de l'individu ou de son environnement social et physique ; il s'agit en l'occurrence d'événements ou de traits dont la présence augmente ou diminue la probabilité d'apparition ou d'aggravation d'un ou de plusieurs des problèmes traités dans cet ouvrage.

Quant aux problématiques abordées, elles sont nombreuses et variées, presque exhaustives des problèmes de nature psychosociale que les enfants et les adolescents peuvent éprouver. Quoique traditionnel, le découpage des problèmes d'adaptation semble quelque peu artificiel à la lumière des travaux récents qui soulignent la coexistence de plusieurs problématiques et la présence de facteurs de risque communs (voir Vitaro et Caron, dans cet ouvrage, pour plus de détails). Malgré cela, nous avons préféré organiser les chapitres autour de problématiques bien ciblées et assez bien circonscrites afin de refléter la vision actuelle des problématiques et de leur prévention. Nous espérons que cette vision continuera à évoluer au fil du temps. Nous proposons d'ailleurs dans la conclusion de cet ouvrage (tome II) une vision moins fragmentée des problèmes d'adaptation psychosociale chez les jeunes et des stratégies pour les prévenir.

Même si les problématiques traitées dans les divers chapitres sont variées, les auteurs endossent sans exception une vision commune qui se caractérise par les trois éléments suivants : 1) une perspective développementale ; 2) une frontière ouverte entre les divers niveaux ou formes de prévention et entre les conceptions dimensionnelle ou catégorielle des problèmes d'adaptation ; 3) une approche scientifique rigoureuse surtout de nature quantitative.

Une perspective développementale. Une démarche de prévention exige l'adoption d'une perspective développementale et une connaissance approfondie des modèles étiologiques des problèmes d'adaptation à prévenir. Sinon, comment identifier les facteurs de risque et de protection à cibler à divers moments du développement des individus ? Comment repérer les individus et les groupes vulnérables ? Et, enfin, comment choisir les meilleures stratégies pour enclencher les mécanismes susceptibles de déboucher sur une atténuation ou sur l'élimination des problématiques à venir ?

Comme il sera possible de le constater en lisant les divers chapitres, les études portant sur les facteurs de risque sont de nature prospective et longitudinale. Sans pour autant permettre l'établissement de liens de causalité, ce type de recherche aide au moins à déterminer la direction des liens entre les facteurs de risque et leurs conséquences négatives eu égard à leur agencement chronologique. En cela, le présent ouvrage s'inscrit dans la tradition plutôt récente de la psychopathologie développementale. Quant aux programmes de prévention traités ici, ils sont analysés dans le cadre conceptuel que Coie et ses collègues (1993) ont proposé pour considérer la prévention comme une science. Dans ce contexte, la recherche en prévention a comme principal objectif l'étude systématique des facteurs de risque et des facteurs de protection ainsi que de leurs mécanismes d'action. Les connaissances ainsi acquises devraient nous permettre d'élaborer des programmes d'intervention préventive. Elles devraient aussi permettre d'identifier le ou les moments les plus favorables pour intervenir ainsi que les facteurs de risque et de protection qu'il faut cibler. L'implantation et l'évaluation de ces programmes de prévention, en retour, devraient nous renseigner davantage sur les causes de l'inadaptation et sur les processus qui accroissent le risque ou confèrent une certaine protection.

Une frontière ouverte. Nous avons voulu éviter le piège du débat stérile opposant les partisans de la prévention universelle et ceux de la prévention ciblée. Aux plans idéologique et pratique, ces deux approches sont compatibles (Tome II, voir Vitaro et Caron, dans cet ouvrage pour plus de détails). En outre, chaque approche a ses mérites et ses limites propres que nous résumerons brièvement ici, après avoir rappelé la définition de prévention universelle et de prévention ciblée.

D'après Mrazek et Haggerty (1994), la *prévention universelle* vise l'amélioration des compétences personnelles ou des ressources environnementales de tous les membres d'un groupe ou d'une population sans sélection préalable ; cette notion de prévention universelle remplace plus ou moins celle de prévention primaire ou de promotion. La *prévention ciblée*, quant à elle, s'adresse à des individus à risque en raison de caractéristiques personnelles : elle est alors *de type indiqué*. Toutefois, si les facteurs de risque renvoient à des variables liées à l'environnement sociofamilial ou physique, elle est *de type sélectif*. La notion de prévention ciblée remplace plus ou moins celle de prévention secondaire. Quoi qu'il en soit, la prévention universelle et la prévention ciblée ont un élément en commun : les individus ou les groupes concernés ne sont pas référés et n'ont pas fait de demande d'aide, soit que les problèmes sont encore inexistants ou tolérables. En ce sens, ces deux formes de prévention se distinguent clairement de l'intervention curative.

Les avantages et les limites de la prévention universelle et de la prévention ciblée sont exposés dans les paragraphes qui suivent afin d'inciter le lecteur à adopter une vision non partisane. Ces propos sont largement inspirés de ceux d'Offord, Chmura Kraemer, Kazdin, Jensen et Harrington (1998).

Une première difficulté à laquelle se bute la prévention ciblée concerne la faible prévalence de certaines problématiques en lien avec les efforts considérables de dépistage des cas à risque (peu nombreux). Il est relativement facile de convaincre les décideurs, les intervenants et le public d'investir dans la prévention de l'abandon scolaire, de la toxicomanie et de la violence en raison de la prévalence relativement élevée de ces problèmes et des conséquences financières et humaines qu'ils entraînent. La prévalence étant élevée, il vaut la peine d'investir des ressources importantes dans le dépistage des cas à risque et de centrer nos efforts de prévention sur eux. Paradoxalement, une prévalence très élevée milite plutôt en faveur d'une approche universelle comme cela ne vaut pas la peine de dépister les cas à risque puisqu'une majorité d'individus seraient à risque. C'est le paradoxe inverse dans le cas d'un problème peu prévalent. À première vue, une démarche de prévention universelle est un gaspillage de temps et d'argent puisque seulement 3 % à 8 % des jeunes seraient à risque, comme c'est le cas pour le jeu pathologique ou les problèmes d'hyperactivité. Il semble donc préférable de dépister les cas à risque et de centrer nos efforts sur eux, à moins qu'on ne veuille profiter d'une démarche universelle pour fortifier les compétences de tous les enfants d'un milieu donné. D'un autre côté, on peut se demander s'il vaut la peine d'investir des énergies considérables pour dépister 3 % à 8 % des enfants. Cela dépend évidemment du rapport coût-bénéfice entre le dépistage, l'intervention et les résultats. Une façon de résoudre ce dilemme serait de disposer d'outils peu coûteux, faciles à utiliser et sans risque de marquage négatif. Ils devraient, en plus, posséder des qualités psychométriques, telle une sensibilité élevée, afin de ne pas « échapper » les individus ou groupes à risque, quitte à inclure des cas positifs non valides. Prôner une sensibilité élevée entraîne, évidemment, le sacrifice de la contrepartie, soit la spécificité (c'est-à-dire la faculté d'inclure seulement des cas à risque par opposition à la sensibilité qui renvoie à la faculté d'inclure tous les cas à risque).

Le second obstacle que doit surmonter la prévention ciblée découle du premier. Puisqu'il s'agit de sélectionner les individus à risque en raison de leurs caractéristiques personnelles (soit de type indiqué) ou liées à leur milieu de vie (soit de type sélectif), il importe de disposer de marqueurs précoces valides et d'instruments appropriés. Pour certaines problématiques telles que la délinquance ou le trouble des conduites, il existe des traits de comportement ou des conditions sociofamiliales qui permettent de prédire avec une probabilité élevée l'apparition éventuelle de ces problématiques (voir les chapitres de Gagnon et Vitaro, et de Le Blanc et Morizot, tome II). Par contre, il y a d'autres problématiques pour lesquelles les marqueurs (c'est-à-dire les indicateurs, les facteurs de risque, les prédicateurs ou les précurseurs) sont difficiles à établir (p. ex., les abus sexuels, voir Hébert, dans cet ouvrage, tome I) ou encore méconnus (p. ex., la violence dans les relations amoureuses, le jeu pathologique).

Le prochain point découle du précédent. Peu importe le type d'instrument utilisé, il s'agit de déterminer un point de coupure valide ou une catégorisation claire afin d'identifier les cas à risque. Nous croyons qu'il s'agit d'une question d'ordre empirique, mais reconnaissons que l'entreprise est de taille compte tenu de la variété des problématiques et des instruments de dépistage. Ces aspects sont repris dans le chapitre de Le Blanc et Morizot (chap. 2, tome I) traitant du dépistage. Une autre difficulté à laquelle la prévention ciblée doit faire face concerne la stabilité du statut de risque. En effet, certains facteurs de risque d'ordre personnel sont plutôt stables (les comportements agressifs, les difficultés scolaires, etc.), d'autres le sont moins ; il en va de même pour les facteurs de risque associés à l'environnement sociofamilial. Il faut toutefois reconnaître que des facteurs de risque, même transitoires, peuvent laisser des séquelles (p. ex., le rejet par les pairs). La relative instabilité des facteurs de risque se conjugue avec la présence de facteurs de protection qui peuvent atténuer ou même freiner l'action des facteurs de risque. Sans la prise en compte de ces facteurs de protection d'ordre personnel ou liés à l'environnement sociofamilial, la prédiction des problèmes d'adaptation et, par conséquent, le statut de risque ne seront pas aussi précis. Les connaissances relatives aux facteurs de protection et à leur mode d'opération sont encore peu développées, ce à quoi la recherche devrait remédier dans les prochaines années.

Les deux derniers obstacles ne sont pas faciles à surmonter si la prévention ciblée ne s'inscrit pas dans un cadre plus vaste de prévention universelle. Le premier de ces obstacles fait référence de marquage négatif auquel s'exposent les individus à risque. Une façon d'atténuer ce problème consiste à formuler les objectifs du programme de prévention en des termes positifs (p. ex., favoriser la réussite scolaire plutôt que prévenir l'abandon scolaire). Une autre façon consiste à y associer des individus qui ne sont pas à risque, ce qui peut se révéler en soi une stratégie éducative intéressante. Le dernier obstacle se rapporte aux variables de nature macrosociale qu'il peut être nécessaire d'inclure afin de rendre la démarche préventive plus efficace ; par exemple, une augmentation de taxes sur le tabac ou l'orchestration d'une campagne publicitaire ou encore la mise sur pied d'une organisation communautaire soutenante. Ces stratégies et objectifs commandent une démarche préventive de nature universelle.

Lorsque cela se révèle nécessaire, nous croyons, à l'instar d'Offord *et al.* (1998), qu'une approche universelle peut et doit être combinée à une approche ciblée ; et vice-versa. Une telle stratégie mixte peut être déployée par étapes. La première étape comporterait des éléments ou des composantes s'adressant à tous les individus ou mobilisant toute la communauté ; cette étape devrait surtout viser la mise en place et le renforcement de facteurs de protection. Pour les enfants ou les familles à risque, une seconde étape peut être prévue ; elle consiste en des mesures plus intensives visant à contrer les facteurs de risque. Cette seconde étape concernait principalement la famille et l'école (pour les enfants d'âge scolaire) ou d'autres milieux de vie des individus (p. ex., la garderie). Sans cette seconde étape qui assure une certaine intensité et une meilleure centralisation des efforts de prévention, la première étape risque d'être insuffisante. Il s'agit ici, à nouveau, d'une question d'ordre empirique que des recherches futures devraient tenter d'éclairer.

Les auteurs des divers chapitres ont eux-mêmes évité le piège de la partisannerie en répertoriant des programmes de prévention universelle et des programmes de prévention ciblée. En raison de la nature de certaines problématiques, certains chapitres traitent surtout des programmes de prévention universelle (par exemple, celui de Bowen *et al.*, d'Hébert ou de Lavoie), alors que d'autres mettent l'accent sur des programmes de prévention ciblée (par exemple, celui de Gagnon et Vitaro, de Charlebois ou de Marcotte). Mais la plupart rapportent à la fois des programmes de prévention universelle et ciblée, en les distinguant lorsque cela est possible. Cependant, très peu ont décrit des programmes intégrant à la fois des stratégies de prévention universelle et de prévention ciblée, comme l'ont recommandé Offord et collaborateurs (1998). La rareté de tels programmes explique ce fait. Mais il y a des exceptions qui méritent d'être soulignées : à titre illustratif, les programmes Fast Track et Early Alliance décrits par Gagnon et Vitaro (dans cet ouvrage, tome II).

Les auteurs ont aussi évité le piège du sectarisme en ce qui a trait à la conceptualisation et à la mesure des problèmes d'adaptation. Au plan de la conceptualisation des problèmes d'adaptation psychosociale, nous nous référons aux conceptions continue (centrée sur les variables) et catégorielle (centrée sur les personnes) des problèmes d'adaptation personnelle et sociale. La conception continue place les difficultés d'adaptation sur un continuum dont les paramètres quantitatifs sont la fréquence, l'intensité et la durée. Un comportement est inapproprié s'il se situe à l'une ou l'autre extrémité du continuum. Cette conception est répandue en milieu scolaire et dans certains milieux cliniques. Les instruments d'évaluation qui en découlent sont principalement l'observation directe et les échelles d'évaluation. Son objectif premier est de pointer les déficits ou les excès au plan des comportements manifestes ou externes. L'approche catégorielle, quant à elle, met l'accent sur la discontinuité entre les conduites normales et les conduites pathologiques. Surtout répandue en milieu pédopsychiatrique, elle utilise principalement l'entrevue clinique et son objectif premier est d'établir un diagnostic clinique.

Les auteurs ne se sont pas cantonnés dans une seule conceptualisation, mais ont plutôt suivi la conceptualisation naturelle du problème. Par exemple, l'abandon prématuré de l'école commande une approche plutôt catégorielle, quoique l'âge auquel l'abandon survient constitue un indicateur de nature continue. La plupart ont véhiculé les deux conceptualisations de front, adoptant tantôt une perspective dimensionnelle, tantôt une perspective catégorielle de la problématique, au gré de la conceptualisation originale proposée par les auteurs des programmes de prévention recensés. Peu importe la perspective, les résultats devaient reposer sur des instruments de mesure dont les qualités métriques de validité et de fidélité étaient reconnues.

La rigueur scientifique. Ce dernier point annonce la troisième caractéristique commune aux divers chapitres : la rigueur de la démarche scientifique. En effet, les programmes de prévention recensés devaient avoir fait l'objet d'une évaluation rigoureuse. Cela signifie que le protocole de recherche retenu dans chaque étude devait offrir des garanties au plan de la validité interne (voir le chapitre 2 de Vitaro, dans cet ouvrage, tome I). Autrement dit, il devait correspondre à un protocole de type expérimental ou de type quasi-expérimental. Sans de telles garanties, il est impossible de tirer des conclusions fiables des résultats obtenus. Cela signifie aussi qu'au niveau des instruments de mesure, on devait disposer de mesures (fiables) se rapportant obligatoirement aux comportements, connaissances ou attitudes des adolescents concernés. Conséquemment, les programmes de prévention dont l'évaluation reposait sur la satisfaction des participants étaient exclus. Enfin, la période de suivi après la fin d'un programme de prévention devait être raisonnablement longue afin de pouvoir déceler des effets à moyen ou à long terme. Ces critères de rigueur méthodologique ont été respectés par la plupart des auteurs des programmes recensés. Il y a toutefois quelques exceptions ici et là ; elles se justifient (temporairement) par le fait que le domaine de recherche est relativement nouveau (par exemple, voir les chapitres de Lavoie, Ferland et Ladouceur ou de Saint-Jacques, Drapeau et Cloutier dans cet ouvrage).

QUELLE EST L'ORGANISATION GÉNÉRALE DE L'OUVRAGE ?

Les chapitres sont regroupés en deux tomes et chacun d'eux comprend une douzaine de chapitre. Outre l'introduction, le tome I présente deux séries de textes. Les quatre premiers textes abordent des éléments conceptuel et d'ordre stratégique. Les aspects couverts sont le dépistage des individus ou des groupes à risque, l'évaluation des programmes de prévention, les stratégies pour motiver les parents à participer à des programmes de prévention et pour intervenir auprès et par l'entremise des parents. Les sept autres chapitres font le tour des programmes de prévention centrés sur les problèmes internalisés ou sur les situations à risque : anxiété, dépression, suicide, problèmes d'attachement à la petite enfance, transitions familiales, abus et négligence, abus sexuels.

Le tome II comprend 11 chapitres exposant divers problèmes de type externalisé, tels que l'échec scolaire, l'abandon prématuré des études, l'hyperactivité, la violence, le trouble des conduites, la délinquance, la consommation abusive ou précoce de psychotropes, le jeu pathologique, la violence dans les relations amoureuses, les grossesses précoces et les maladies transmissibles sexuellement. La conclusion fait aussi partie du tome II.

La décision de publier cet ouvrage en deux tomes est motivée par la volonté de réduire le coût d'achat et de favoriser une plus grande circulation de chaque tome. Toutefois, il ne faut pas oublier que les deux tomes constituent un tout.

Chaque chapitre débute par une définition de la problématique et un rappel des difficultés que cette tâche représente. Les taux de prévalence sont ensuite passés en revue ainsi que les facteurs de risque associés à la catégorie de problèmes à l'étude. Les facteurs de risque sont regroupés selon leur nature ou leur origine : personnelle, génétique, familiale, scolaire, sociale ou socioéconomique. S'il y a lieu, les facteurs de protection sont également décrits. Enfin, sont abordés les programmes de prévention, surtout de type primaire, ayant subi l'épreuve d'une évaluation rigoureuse selon un devis expérimental ou quasi expérimental, comme nous l'avons indiqué précédemment. Les programmes de prévention, souvent à volets multiples, sont regroupés selon leur contexte de réalisation. La description de ces programmes est précédée d'une recension des facteurs de risque et de protection, eux-mêmes réunis suivant la sphère de fonctionnement où ils se manifestent : société, communauté, école-quartier, groupe de pairs, famille, individu. Ces programmes de prévention sont surtout d'inspiration américaine, mais plusieurs références à des études de prévention menées dans quelques pays européens, au Canada anglais et au Québec sont également incluses. Les programmes de prévention sont regroupés selon l'âge des enfants auxquels ils s'adressent, selon le contexte où ils se déroulent (famille, garderie, école, communauté) ou selon les objectifs qu'ils poursuivent. Une attention particulière est accordée à l'évaluation des effets, à court et à long terme, de même qu'à l'évaluation de la mise en œuvre de ces programmes de prévention.

Chaque chapitre se termine par la proposition d'un programme de prévention optimal à la lumière des connaissances actuelles. La conclusion, quant à elle, tente de faire ressortir ce que le découpage des problèmes d'adaptation psychosociale en catégories plus ou moins distinctes comporte d'artificiel. Compte tenu des liens de parenté soulignés précédemment, nous proposons au contraire une vision unifiée des problèmes d'adaptation psychosociale et des programmes de prévention destinés à les contrer.

Cet ouvrage collectif ne constitue pas une recension exhaustive des études faisant état de la prévalence, des facteurs de risque et des programmes de prévention des divers problèmes d'adaptation chez les enfants et les adolescents. Il s'agit plutôt d'une recension d'études illustrant les difficultés qui se posent sur divers plans : sur le plan des concepts et des définitions ; sur le plan de la multiplicité des instruments de mesure et taux de prévalence variables selon les critères retenus ; sur le plan de la définition des facteurs de risque et de leurs interactions complexes ; sur le plan de la conception de programmes de prévention qui ne reposent pas toujours sur des bases théoriques et empiriques solides ; enfin, sur le plan d'une évaluation rigoureuse des retombées de ces programmes.

En ce sens, cet ouvrage s'adresse aux lecteurs intéressés aux aspects conceptuels et méthodologiques entourant les efforts des chercheurs pour, d'une part, définir et mesurer les phénomènes d'inadaptation et, d'autre part, mettre au point et évaluer des programmes de prévention pour s'attaquer à ces problèmes en réduisant les facteurs de risque ou en établissant des facteurs de protection susceptibles de contrebalancer les facteurs de risque non modifiables.

RÉFÉRENCES

CAPLAN, G. (1964). *Principles of preventive psychiatry.* New York : Basic Books.

COIE, J.D., WATT, N.F., WEST, S.G., HAWKINS, J.D., ARSANOW, J.R., MARKMAN, H.J., RAMEY, S.L., SHURE, M.B. et LONG, B. (1993). The science of prevention. A conceptual framework and some directions for a national research program. *American Psychologist, 48*(10), 1013-1022.

DUMAS, J. (1999). *Psychopathologie de l'enfant et de l'adolescent.* Bruxelles : De Boeck.

HABIMANA, E., ÉTHIER, L.S., PETOT, D. et TOUSIGNANT, M. (1999). *Psychopathologie de l'enfant et de l'adolescent : Approche intégrative.* Boucherville : Gaëtan Morin Éditeur.

MRAZEK, P.J. et HAGGERTY, R.J. (1994). *Reducing risks for mental disorders : Frontiers for preventive intervention research.* Washington, D.C. : National Academy of Sciences.

OFFORD, D.R., CHMURA KRAEMER, H., KAZDIN, A.E., JENSEN, P. et HARRINGTON, R. (1998). Lowering the burden of suffering from child psychiatric disorder : Trade-offs among clinical, targeted, and universal interventions. *Journal of the American Academy of Child and Adolescent Psychiatry, 37*, 686-694.

CHAPITRE 1

LE DÉPISTAGE DES PROBLÈMES D'ADAPTATION

STRATÉGIES ET INSTRUMENTS[1]

Marc Le Blanc
Université de Montréal
Julien Morizot
Université de Montréal

1. Ce chapitre est une adaptation d'un rapport de recherche de Marc Le Blanc pour le Study Group on Serious/Violent/Chronic Offenders of the Office of Juvenile Justice and Delinquency Prevention of the Department of Justice of the United States of America qui a été publié dans R. Loeber et D.P. Farrington (dir.) (1998). *Serious and violent juvenile offenders : Risk factors and successful interventions*. Thousands Oaks : Sage.

Résumé

Lorsque les préventionnistes désirent implanter un programme de prévention ciblée, une des questions primordiales qu'ils doivent considérer est la sélection des individus qui y participeront. Il ressort de la recension de la littérature qu'une stratégie séquentielle comportant plusieurs informateurs, contextes et méthodes de collecte de données semble plus adéquate. Cette stratégie est efficace pour trois raisons : elle permet d'augmenter le taux de base des individus à risque dans l'échantillon ciblé, limitant ainsi le nombre de cas positifs non valides ; elle permet de repérer les enfants les plus à risque en évaluant les individus dans plusieurs contextes ; elle permet d'augmenter la fidélité du dépistage par l'utilisation de plusieurs informateurs. Par la suite, un certain nombre d'instruments de dépistage sont inventoriés. Des recommandations pour la mise au point d'un instrument de dépistage sont également proposées ; la sélection des variables de référence et prédictives, la démonstration de leur fidélité, l'assemblage des facteurs prédictifs et la mesure de l'efficacité prédictive sont discutés. Enfin, des questions légales, éthiques, stratégiques et pratiques liées au dépistage sont discutées.

L'implantation d'un programme de prévention de type ciblé[2] implique la sélection des individus à qui il sera offert ; il s'agit d'une démarche cruciale à laquelle les chercheurs et les praticiens doivent accorder une attention spéciale. Dans ce contexte, plusieurs questions doivent être posées. Le dépistage des enfants et des adolescents à risque d'inadaptation psychosociale est-il aujourd'hui possible ? Est-ce que les praticiens désireux d'implanter un programme de prévention disposent d'une stratégie reconnue pour dépister les individus à risque ? Des instruments brefs, simples d'utilisation et qui présentent des propriétés psychométriques adéquates existent-ils ?

Les réponses à ces questions sont complexes. Comme nous le verrons, les sciences humaines disposent des connaissances techniques nécessaires pour mettre au point une stratégie et un instrument de dépistage des enfants et des adolescents à risque de problèmes d'adaptation. Mais, nous verrons aussi qu'aucun instrument existant n'est pleinement satisfaisant sur le plan scientifique. Après avoir précisé le but du dépistage, nous présenterons certaines stratégies et analyserons certains instruments. Beaucoup d'exemples proviendront du champ de la conduite délinquante parce qu'il s'agit du type de problème d'adaptation pour lequel la tradition est la plus longue et la plus riche dans le domaine de la prédiction, tant sur le plan de la méthodologie que sur celui de l'identification empirique des facteurs de risque. Cette démarche exposera les critères méthodologiques servant à l'évaluation et à la conception d'instruments de dépistage. Pour terminer, nous relèverons plusieurs questions légales, éthiques, politiques et pratiques que le dépistage pose aux experts et aux citoyens. L'objectif de ce chapitre est d'aider les praticiens à choisir une stratégie de dépistage et à mettre au point un instrument fiable et efficace pour identifier les enfants et les adolescents risquant d'éprouver des problèmes d'adaptation.

LA RAISON D'ÊTRE DU DÉPISTAGE

Le dépistage peut cibler différents problèmes d'adaptation. En effet, un instrument peut tenter de détecter les personnes qui éprouveront des problèmes de délinquance, de consommation de psychotropes, de décrochage scolaire ou encore de dépression. Pour chacune de ces catégories de problèmes, des sous-catégories peuvent devenir le point de mire. Par exemple, un instrument peut tenter de détecter les délinquants chroniques ou les consommateurs abusifs de psychotropes. En outre, la cible du programme

---

2. Par opposition à la prévention universelle qui n'implique pas de sélection puisqu'elle s'adresse à tous les membres d'une communauté. Voir le chapitre d'introduction de ce livre pour une description des avantages et des inconvénients de chaque type de prévention.

de prévention a des implications importantes pour la stratégie de dépistage à adopter et le choix d'un instrument. Ainsi, le dépistage des délinquants potentiels nécessitera possiblement des mesures et des sources d'informations différentes de celles requises pour le dépistage de la dépression.

La question de la cible du programme de prévention est fondamentale certes, mais il y a deux autres questions tout aussi importantes. Premièrement, sur quels critères les préventionnistes vont-ils s'appuyer pour effectuer le dépistage ? Par exemple, ces derniers peuvent discriminer le comportement délinquant à partir de critères comme le nombre ou la nature des délits, le patron de spécialisation des délits, la conduite délinquante officielle ou en utilisant des mesures de la conduite délinquante autorévélée. Les chercheurs peuvent également faire le dépistage des délinquants potentiels en se basant sur leur personnalité : des traits de la personnalité antisociale, le contrôle de soi faible, la psychopathie, etc. En outre, les préventionnistes peuvent choisir de discriminer les délinquants en considérant leurs expériences sociales, comme vivre dans un foyer brisé, le statut socioéconomique, la fréquentation de pairs délinquants, la performance scolaire, etc. Enfin, ils peuvent choisir une combinaison de plusieurs catégories de critères. Deuxièmement, est-ce que le dépistage est vraiment nécessaire ? En effet, une stratégie ou un instrument de dépistage est moins utile dans le cas d'un programme universel de prévention puisqu'il est appliqué à l'ensemble des individus d'une population. Hormis ces questions importantes, le dépistage exige toujours une évaluation des risques et des besoins et il s'agit forcément d'une prédiction à propos d'un comportement futur ; cette prédiction repose sur les caractéristiques des individus ou de leur environnement sociofamilial.

En dépit de limites inhérentes au dépistage (voir Offord, Kraemer, Kazdin, Jensen et Harrington, 1998), le dépistage des personnes à risque d'inadaptation est relativement fiable pour deux raisons. Premièrement, les facteurs de risque associés au développement des problèmes d'adaptation sont de mieux en mieux connus (voir les recensions dans les autres chapitres de cet ouvrage). Deuxièmement, il existe un certain consensus dans la littérature scientifique au sujet de certaines caractéristiques associées aux problèmes d'adaptation, par exemple les troubles du comportement précoce, et sur leur relative stabilité dans le temps (Caspi, Elder et Herbener, 1990 ; Farrington, 1991 ; Loeber, 1982, 1991 ; Olweus, 1979 ; Robins, 1966). Néanmoins, le dépistage peut se révéler difficile en raison de la prévalence élevée de certains symptômes dans la population (Offord, Boyle et Racine, 1991) ; il peut alors être difficile de faire la distinction entre un problème d'adaptation sérieux et une difficulté transitoire.

Par ailleurs, la question du dépistage revêt une importance nouvelle étant donné la dialectique entre les programmes de prévention universelle et les programmes ciblés de prévention, comme l'illustrent d'autres chapitres de cet ouvrage. L'identification précoce des individus susceptibles de présenter des problèmes d'adaptation est donc une étape essentielle pour que les interventions préventives soient utiles et efficaces, en conjonction ou non des efforts de prévention universelle. Ces programmes peuvent être appliqués à un grand nombre de personnes. Cependant, étant donné le taux de base faible de la plupart des problèmes d'adaptation, plusieurs individus peuvent participer aux programmes de prévention sans en avoir vraiment besoin, car ils ne développeront pas de problème de toute façon. L'inverse est également possible et probablement plus grave : des individus qui ne semblent pas à risque, selon les variables et les critères utilisés, éprouveront néanmoins un ou des problèmes d'adaptation. Afin d'éviter ces erreurs coûteuses sur les plans économique et humain, des stratégies de dépistage sont mises en œuvre pour réduire le nombre de personnes qui participeront à l'intervention préventive sans en avoir réellement besoin (c'est-à-dire les cas positifs non valides) et pour réduire le nombre de personnes qui ne feront pas l'objet d'intervention faute d'un dépistage adéquat (c'est-à-dire les cas négatifs non valides). Le dépistage est alors la recherche systématique de ce qui n'est pas apparent chez un individu, ou l'est peu. Contrairement à une évaluation complète des forces et déficits de l'enfant qui peut se révéler une procédure longue et coûteuse (Sattler, 1992), le dépistage se veut une procédure simple et rapide (Durlak, 1995).

Le dépistage peut reposer sur différentes caractéristiques (Offord *et al.*, 1998) et différents types de facteurs de risque (Kraemer *et al.*, 1997). Il peut viser les caractéristiques individuelles (prévention ciblée indiquée), par exemple l'agressivité ou l'hyperactivité, ou les caractéristiques de l'environnement sociofamilial (prévention ciblée sélective), par exemple celles d'une famille monoparentale dirigée par la mère ou d'une école d'un quartier défavorisé. Il est également possible de cibler à la fois des caractéristiques individuelles et socioenvironnementales (prévention ciblée mixte). De plus, quatre types de facteurs de risque peuvent servir de cible à une procédure de dépistage selon Kraemer *et al.* (1997). Il y a, d'abord, les *facteurs de risque variables* qui peuvent changer spontanément chez un individu, par exemple l'âge et le poids, ou qui peuvent changer à la suite d'une intervention psychosociale ou d'une médication. Il y a, ensuite, les *marqueurs fixes* qui ne peuvent être changés ou modifiés comme le sexe, l'ethnicité, etc. Il y a, en plus, les *facteurs de risque causaux*, c'est-à-dire les facteurs qui peuvent être manipulés et changer le niveau de risque, à la hausse ou à la baisse, de la variable de référence ; les habiletés parentales déficientes ou les troubles du comportement sont des exemples de facteurs de risque causaux. Enfin, il faut tenir compte des facteurs qui peuvent être manipulés, mais qui n'ont pas démontré leur capacité de changer le niveau de risque relativement à la variable de référence : ce sont des *marqueurs variables*. Il est évident que les études empiriques, surtout les études longitudinales prospectives, doivent avoir démontré que ces différents types de facteurs de risque sont présents avant l'apparition de la variable de référence d'intérêt pour le programme de prévention, sinon ces facteurs sont appelés des *corrélats* ou des *facteurs concomitants*.

Quel que soit le type de facteurs de risque, une stratégie et un ou plusieurs instruments sont nécessaires pour détecter les individus ou les groupes à risque. Par ailleurs, indépendamment de la stratégie ou des instruments utilisés, ceux-ci peuvent varier selon le niveau de prévention, le groupe d'âges ou d'autres caractéristiques. Ces stratégies ou instruments doivent parfois être plus spécifiques, par exemple lorsqu'il s'agit de cibler les délinquants chroniques et violents plutôt que les délinquants en général. Toutes ces questions seront abordées à tour de rôle dans le présent chapitre.

STRATÉGIES DE DÉPISTAGE

Les sciences humaines appliquées comme la psychologie, la psychoéducation, la criminologie ou le travail social, de même que les sciences médicales et paramédicales, ont une longue expérience avec la démarche de dépistage. Après un bref rappel historique, nous présenterons une synthèse des leçons apprises au cours des ans et nous ferons certaines recommandations pour la mise au point d'un instrument de dépistage des problèmes d'adaptation.

UN RAPPEL HISTORIQUE

Binet et Simon, dans un livre publié en 1907, ont probablement été les premiers à proposer une stratégie de dépistage des enfants qu'ils nommaient à l'époque « anormaux » et potentiellement délinquants et qui devaient être placés dans des classes spéciales. Leurs critères étaient les suivants : avoir des retards scolaires, que deux enseignants relèvent des problèmes graves de discipline en classe et avoir des résultats faibles au test du quotient intellectuel. Quelques décennies plus tard, des psychologues américains ont pris leur relève. Dans les années 1920 et 1930, plusieurs travaux ont proposé des instruments de dépistage. Au moins deux instruments ont été construits et validés spécialement pour le dépistage des délinquants potentiels. Il s'agit de l'Inventaire d'ajustement social de Washburn (1929) et de l'Indice personnel de Riggs et Joyal (1938).

Ce n'est qu'après la Deuxième Guerre mondiale que les instruments de dépistage ont été soumis à des études de validation ; la plupart de ces outils sont des inventaires de personnalité. Par exemple, l'Inventaire multiphasique de personnalité du Minnesota (MMPI ; Hathaway et Monachesi, 1953) ou le Test de Maze (Porteus, 1942) ont été utilisés pour différencier les délinquants des non-délinquants. À la même époque, quelques instruments ont été construits et validés à partir d'indices de l'adaptation sociale des individus, dont la Table de prédiction sociale des Glueck (Glueck et Glueck, 1950), les Cartes comportementales (Stodgill, 1950), l'Échelle de tendance KD (Kvaraceus, 1953) et l'Échelle d'ajustement social de Bristol (Stott, 1960). Tous ces instruments servent à prédire la conduite délinquante officielle des adolescents, c'est-à-dire ceux qui seront pris et accusés d'un délit ou encore qui seront institutionnalisés (Kvaraceus et Miller, 1959). Deux de ces instruments méritent d'être commentés parce que leurs auteurs ont introduit des innovations intéressantes dans le domaine du dépistage.

La première innovation concerne l'introduction d'une stratégie complexe de dépistage par Kvaraceus et Miller (1959). Cette stratégie de dépistage des délinquants potentiels en plusieurs étapes, appliquée en milieu scolaire, impliquait l'enseignant, les parents et le travailleur social ; l'enfant n'est pas encore intégré comme source de données dans le processus. Plus important encore, ces auteurs ont esquissé une procédure à plusieurs étapes. Le premier niveau de discrimination est celui du groupe de référence primaire ; on cherche alors à identifier de quel milieu proviennent les individus. Deux milieux peuvent être identifiés selon la combinaison de la situation de la famille, des performances scolaires et des attitudes : le milieu de la classe sociale peu élevée et le milieu de la classe sociale moyenne. Le second niveau de discrimination comporte des indicateurs intragroupes : l'enracinement des préoccupations culturelles et des pressions internes. Kvaraceus et Miller (1959) ont ainsi dressé une liste des facteurs de vulnérabilité pour chaque milieu, ces facteurs pouvant être évalués à l'aide de l'Échelle de tendance KD (Kvaraceus, 1953).

La deuxième innovation fut la célèbre Table de prédiction sociale des Glueck (1950). Cette table de prédiction utilise cinq variables familiales : la discipline par le père, la supervision par la mère, l'affection par le père et la mère et la cohésion familiale. Les Glueck (1950) ont obtenu des résultats remarquables pour discriminer les délinquants des non-délinquants et ils recommandaient que leur instrument soit utilisé dès l'entrée scolaire pour identifier les délinquants potentiels. Cette table de prédiction a d'ailleurs été validée à huit reprises (Craig et Glick, 1963 ; Dootjes, 1972 ; Feldhusen, Thurston et Benning, 1973 ; Havinghurst, Bowman, Liddle, Matthews et Pierce, 1962 ; Hodge et Tait, 1963 ; Loftus, 1974 ; Trevvett, 1965 ; Veverka, 1971). Cependant, la table de prédiction des Glueck, malgré une bonne validité, a soulevé tellement de critiques méthodologiques et morales (voir la recension de Farrington et Tarling, 1985), que le thème du dépistage des délinquants potentiels a été relégué aux oubliettes à partir du début des années 1970 (Feldhusen, Aversano et Thurston, 1976 ; Wadsworth, 1978). Ainsi, la criminologie a dû attendre la formulation du paradigme de la carrière criminelle (Blumstein, Cohen, Roth et Visher, 1986) et les résultats encourageants de certains programmes de prévention (Wilson, 1987) pour voir renaître l'intérêt pour l'identification des délinquants potentiels.

QUELLE STRATÉGIE DE DÉPISTAGE RETENIR ?

La littérature des 10 dernières années propose une grande variété de stratégies de dépistage des délinquants potentiels. Ces stratégies se différencient les unes des autres en regard des caractéristiques suivantes : le nombre d'étapes, les sources d'information, les domaines de variables considérés et les méthodes de collecte des données.

Une stratégie séquentielle

L'instrument des Glueck (1950) implique une source d'information et une méthode de collecte des données (l'intervieweur qui visitait la famille), un domaine de variables (des caractéristiques du fonctionnement de la famille) et une seule étape. Par la suite, des stratégies à étapes multiples (Kvaraceus, 1953), à domaines de variables multiples (personnalité et famille ; Briggs, Wirt et Johnson, 1961) de même qu'avec des informateurs multiples (professeurs et sujets ; Le Blanc, Marineau, Fréchette et Limoges, 1971) ont été proposées pour l'identification des délinquants potentiels ; ces stratégies séquentielles sont inspirées des méthodes de sélection du personnel (Cronbach et Glaser, 1965). La logique de ces stratégies est d'ajouter des étapes supplémentaires de plus en plus coûteuses dans la mesure où elles améliorent l'efficacité de la prédiction. Même si d'autres stratégies ont fait varier le nombre d'étapes, de domaines de variables ou d'informateurs, il a fallu attendre les années 1980 pour que soit validée une stratégie recourant simultanément à plusieurs étapes, plusieurs informateurs et plusieurs méthodes de collecte de données pour identifier les délinquants potentiels. Il s'agit de la stratégie séquentielle proposée par Loeber, Dishion et Patterson (1984).

La première étape consiste à recueillir l'évaluation du comportement des enfants par l'enseignant. Au cours de la deuxième étape, l'évaluation du comportement de l'enfant est obtenue, mais par le biais d'une entrevue téléphonique avec les parents. À la troisième étape, une entrevue brève est réalisée à la maison avec les parents et l'enfant afin d'obtenir de l'information sur le fonctionnement de la famille et les habiletés parentales. Cette stratégie comporte donc trois étapes, plusieurs informateurs (enseignant, enfant et mère) et plusieurs méthodes de collecte de données : évaluation du comportement par l'enseignant ; entrevue téléphonique avec les parents sur le fonctionnement de la famille, les activités de l'enfant et ses conduites ; évaluation par l'enfant, ses parents et l'intervieweur des troubles de comportement de l'enfant et des habiletés parentales (supervision et pratiques disciplinaires). La variable de référence est la conduite délinquante officielle validée par la conduite délinquante autorévélée. Cette stratégie a augmenté l'efficacité prédictive (RIOC)[3] de l'identification des délinquants potentiels de 38 % à la première étape à 74 % pour la troisième étape. La proportion de cas positifs valides est passée de 25 % à 56 % pour les mêmes étapes, et cela, à un coût moindre que l'évaluation complète de tous les enfants.

Dishion et Patterson (1993) ont testé une telle stratégie pour le dépistage des enfants qui présenteront des comportements antisociaux (conduite délinquante et consommation de psychotropes) avec des mesures plus spécifiques de la conduite délinquante aux deux premières étapes ; ils concluent que deux étapes sont suffisantes. Cette stratégie a fait passer l'efficacité prédictive (RIOC) de 35 % à la première étape à 43 % pour la deuxième. Cependant, l'ajout d'une troisième étape ne permet pas d'augmenter l'efficacité prédictive qui revient à 35 %. Cette stratégie permet donc d'identifier 60 % des enfants qui présentent des comportements antisociaux à 15 et 16 ans. Ce qui est intéressant avec cette stratégie, c'est que le dépistage entre 9 et 10 ans a permis d'identifier 47 % des délinquants violents, 50 % des fumeurs quotidiens, 49 % des consommateurs abusifs d'alcool et 51 % de ceux qui consomment régulièrement du cannabis à 15 et 16 ans.

Pour leur part, Charlebois *et al.* (Charlebois, Le Blanc, Gagnon, Larivée et Tremblay, 1993 ; Charlebois, Le Blanc, Gagnon et Larivée, 1994) ont ciblé la conduite délinquante autorévélée chez des garçons de 10 ans. Ces chercheurs ont proposé une procédure en trois étapes faisant appel à plusieurs informateurs (enseignant et parent), plusieurs méthodes de collecte de données (échelle d'évaluation du comportement et observation directe) et plusieurs contextes (école, maison et laboratoire). Les étapes sont les suivantes : sélection d'écoles situées dans des quartiers défavorisés sur le plan socioéconomique, évaluation du comportement de l'enfant par l'enseignant et les parents et observation directe du comportement de l'enfant au cours d'activités d'apprentissage en classe, à la maison et au laboratoire. Ces auteurs ont montré que l'efficacité prédictive augmente avec le nombre d'étapes et d'informateurs (des parents aux enseignants) et selon le type de méthode de collecte de données (des échelles d'évaluation du comportement par la mère ou l'enseignant jusqu'à l'observation dans un et plusieurs contextes). Charlebois *et al.* (1994) soutiennent en outre que l'efficacité prédictive est supérieure si la définition de la variable de référence est plus

3. L'indice RIOC (*Relative Improvement Over Chance*) a été développé afin d'obtenir une estimation de l'efficacité prédictive qui permet de contrôler les différences entre le taux de base et le taux de sélection. Cet indice permet d'estimer à quel degré les valeurs dans un tableau croisé sont différentes du hasard (Copas et Loeber, 1990 ; Farrington et Loeber, 1989 ; Loeber et Dishion, 1983). Le RIOC est présenté dans une section ultérieure du texte.

spécifique. En effet, ces derniers ont considéré certains paramètres développementaux pour définir le critère de sévérité dont l'opérationnalisation s'articule autour de la fréquence et de la variété des comportements antisociaux. Cette manière innovatrice d'évaluer les enfants à risque dans plusieurs contextes (à l'école, à la maison et au laboratoire) pose toutefois des difficultés techniques (accès aux écoles, élèves absents, amener les parents au laboratoire, etc.) et entraîne des coûts élevés.

Plusieurs applications de la stratégie séquentielle de dépistage ont d'autres cibles que la conduite délinquante. Par exemple, la procédure de August, Realmuto, Crosby et MacDonald (1995) permet de dépister les enfants à risque de développer un trouble de la conduite. Ces auteurs proposent également une démarche en trois étapes qui sollicite l'enseignant et les parents. Cette stratégie a permis de différencier les sujets à risque élevé de développer un trouble de la conduite des sujets dont le risque est moyen ou faible. Cette procédure aide également au dépistage des autres troubles perturbateurs. En effet, l'information recueillies à la première étape contribue au dépistage du trouble de déficit de l'attention avec hyperactivité (TDAH) et du trouble oppositionnel avec provocation (TOP). L'information recueillie à la deuxième étape ajoute à la prédiction du TDAH, mais pas à celle du TOP. La troisième étape contribue à améliorer le dépistage du TOP, mais pas celui du TDAH. Pour leur part, Wehby, Dodge, Valente et le CPPRG (1991) proposent une stratégie semblable pour le même type de problème d'adaptation. Par ailleurs, Lochman et le CPPRG (1995) utilisent la même démarche, mais tentent de faire le dépistage des enfants à risque de troubles extériorisés et intériorisés. Les évaluations des enseignants et des parents recueillies au début de la première année du primaire permettent de prédire adéquatement les troubles du comportement extériorisés et intériorisés à la fin de l'année. Les résultats sont cependant plus probants pour les problèmes extériorisés. De plus, Lochman *et al.* (1995) ont testé l'ajout d'une étape supplémentaire : un questionnaire d'évaluation des pratiques parentales qui ne permet pas d'améliorer l'efficacité prédictive du dépistage. Enfin, il est important de noter qu'en dépit du fait que 70 % des individus identifiés comme étant à risque présentent effectivement des problèmes d'adaptation, il demeure que 30 % sont des cas positifs non valides. En plus, 50 % de ceux qui présentent des problèmes à la fin de la première année sont des cas négatifs non valides.

Pour dépister les élèves à risque de présenter des troubles graves du comportement à l'école, Walker et Severson (1992 ; Walker *et al.*, 1994) proposent une stratégie en trois étapes s'appliquant en milieu scolaire. D'abord, les professeurs évaluent de façon sommaire, par ordre décroissant, tous les élèves de leur classe sur certains comportements. Ensuite, les trois élèves identifiés comme étant les plus à risque pour chaque type de comportement sont évalués par l'enseignant à l'aide d'une série d'instruments psychométriques standardisés. Enfin, pour les élèves qui présentent des résultats extrêmes à l'étape précédente, une observation directe est effectuée à l'aide de grilles d'observation standardisées, en classe et dans la cour de récréation. Ce qui est particulièrement intéressant avec la stratégie séquentielle de ces auteurs, c'est qu'elle concerne non seulement les problèmes de type extériorisé, mais également les problèmes de type intériorisé.

Dans le cas des problèmes intériorisés, une stratégie à étapes et informateurs multiples apparaît d'autant plus importante que ces problèmes sont généralement moins remarqués par les professeurs ou par les pairs (Kauffman, 1993 ; Walker et Severson, 1992). Compte tenu qu'un des facteurs de risque parmi les plus puissants pour la prédiction de ce type de problèmes est d'avoir déjà présenté un épisode de dépression ou d'anxiété (Kovacs et Devlin, 1998), les chercheurs emploient des questionnaires autorévélés. Kovacs et Devlin (1998) notent aussi que certains traits de personnalité peuvent être de bons facteurs prédictifs des problèmes intériorisés ultérieurs ; il s'agirait de traits qui indiqueraient une forte sensibilité aux stimuli négatifs. Contrairement aux problèmes d'adaptation, tels que la délinquance ou le trouble de la conduite, les problèmes de type intériorisé, tels que l'anxiété ou la dépression, sont essentiellement de nature épisodique ; cette situation limite l'efficacité de la prédiction. Toutefois, certaines études montrent qu'il est possible de prédire la dépression ultérieure dès la première année du primaire (par exemple, Ialongo, Edelsohn, Werthamer-Larsson, Crockett et Kellam, 1995). À notre connaissance, il existe très peu de stratégies de dépistage des problèmes intériorisés qui ont été rigoureusement évaluées sur le plan empirique et qui pourraient être avantageusement utilisées. Quoi qu'il en soit, certains chercheurs ont également utilisé une stratégie séquentielle en trois étapes pour le dépistage de la dépression (par exemple Kahn, Kehle, Jenson et Clark, 1990 ; Stark, Reynolds et Kaslow, 1987). En somme, pour ce qui est des problèmes de type intériorisé, il semble que peu d'efforts aient été faits pour élaborer et tester une stratégie de dépistage efficace.

Les procédures de dépistage inventoriées comportent toutes, à une étape ou à une autre, l'évaluation de facteurs de risque causaux impliqués dans le développement des problèmes d'adaptation. Pillow, Sandler, Braver, Wolchik et Gersten (1991) soutiennent qu'une stratégie de dépistage efficace devrait essentiellement reposer sur ces facteurs de risque qu'ils nomment des « variables médiatrices ». Comme nous l'avons mentionné, contrairement aux facteurs prédictifs de nature structurelle, le statut socioéconomique ou la monoparentalité par exemple, ces facteurs de risque, comme les habiletés parentales, les problèmes de comportement ou les pairs déviants, sont modifiables et ils peuvent constituer la cible directe des interventions préventives. Pillow *et al.* (1991) soutiennent que l'utilisation de telles variables permet d'accroître la puissance statistique nécessaire pour détecter les effets des interventions préventives, d'optimiser le rapport coûts-efficacité de l'intervention et de diminuer les effets iatrogènes, tout en augmentant les bénéfices potentiels pour les participants.

Les stratégies présentées jusqu'à maintenant ciblent essentiellement les individus sur la base de caractéristiques personnelles, ce qui donne lieu à des programmes ciblés de prévention indiquée. Il est également possible de viser des groupes à risque à partir de caractéristiques socioenvironnementales communes à plusieurs individus, ce qui donne lieu à des programmes ciblés de prévention sélective. Ainsi, les chercheurs peuvent viser certains quartiers, certaines familles, certaines écoles ou certains gangs. Beaucoup de programmes de prévention procèdent de cette manière puisque cette stratégie réduit les coûts. En effet, plusieurs programmes utilisant une telle stratégie de dépistage permettent de réduire la conduite délinquante (voir les recensions Tolan et Guerra, 1994 ; Tremblay et Craig, 1995 ; Wasserman et Miller, 1998 ; Yoshikawa, 1994). Cette stratégie apparaît bien adaptée à un programme de prévention qui s'applique à toute la population d'une collectivité. Certains programmes de cette nature sont le Yale Child Welfare Research Program (Provence et Naylor, 1983), qui cible les enfants en bas âge de milieu défavorisé, et le Perry Pre-School Project (Berrueta-Clement, Schweinhart, Barnett, Epstein et Weikart, 1984), qui cible les enfants d'âge préscolaire, d'un milieu défavorisé et de familles monoparentales. Les programmes ciblés de prévention sélective peuvent également viser des groupes spécifiques comme des écoles ou des gangs plutôt que des communautés. Par exemple, des gangs sont sélectionnés pour des programmes visant à amener les adolescents à substituer les comportements d'agression par des comportements prosociaux (voir la recension de Howell, 1998).

L'utilité du dépistage selon le type de prévention

Le dépistage ne demande pas la même rigueur selon le type de programme de prévention. La prévention de type universel est en contradiction avec le fait de vouloir cibler les individus pouvant manifester des problèmes d'adaptation. En effet, les programmes universels s'appliquent à l'ensemble de la population d'une communauté. Dans ce cas, ces programmes ne seront pas spécifiques à un problème d'adaptation en particulier puisque le but du dépistage est en fait de réduire des facteurs de risque à large spectre comme la pauvreté ou encore de mettre en place des facteurs de protection utiles à tous comme la réussite scolaire. Par ailleurs, à l'aide de tels facteurs, il est virtuellement impossible d'identifier de façon fiable un problème d'adaptation potentiellement persistant parce que son taux de prévalence est trop bas dans la population générale. Qui plus est, nous n'avons encore aucune indication que les programmes ciblés de prévention sélective, par exemple le Perry Pre-School Project (Berrueta-Clement *et al.*, 1984), ont un impact positif sur les problèmes graves d'adaptation comme les conduites délinquantes graves ou violentes, bien qu'ils aient un effet significatif sur la conduite délinquante en général.

En revanche, pour la prévention ciblée indiquée, c'est-à-dire l'intervention sur les individus qui manifestent déjà des signes d'inadaptation, une stratégie séquentielle avec des informateurs et des domaines de variables multiples provenant de plusieurs situations de vie semble plus efficace selon les données que nous avons consultées. D'abord, cette stratégie est essentielle en raison du faible taux de base des problèmes d'adaptation dans la population. En effet, comme nous le verrons plus loin, plus le taux de base du problème augmente, plus le dépistage est efficace. Ensuite, le recours à des informateurs et à des domaines de variables multiples apparaît également préférable compte tenu de la complexité des influences sur la conduite délinquante. Par ailleurs, en raison de la prévalence élevée de certains symptômes antisociaux dans la population générale (Offord, Boyle et Racine, 1991), le recours à des informateurs multiples provenant de différents contextes peut augmenter la fidélité du dépistage. De plus, compte tenu de l'accord faible à modéré qui est typiquement obtenu entre différents évaluateurs du comportement, l'utilisation de plusieurs informateurs de diverses provenances constitue une stratégie recommandable pour obtenir un profil plus fiable et plus valide des enfants (Achenbach, McConaughy et Howell, 1987 ; Offord *et al.*, 1996). Qui plus est, Walker et Severson (1992) notent que l'information recueillie au cours des différentes étapes du processus de dépistage peut ensuite servir à prendre des décisions pour une mesure ultérieure. Cette information pourrait aussi être utile pour proposer une composante supplémentaire adaptée aux besoins des individus et offerte dans le cadre d'un programme de prévention différentiel comme le propose Le Blanc (1995 ; Le Blanc et Morizot).

Questions pratiques à considérer lors du dépistage

Combien d'étapes faut-il prévoir : une, deux, trois, quatre ? À quel âge convient-il de dépister les problèmes d'adaptation ? Faut-il conduire le dépistage seulement à l'école ou ailleurs ? Quels sont les informateurs essentiels : les parents, les professeurs, les enfants, les pairs, des observateurs indépendants ? Quelles sont les variables nécessaires ? Les réponses à ces questions pratiques peuvent dépendre de la nature du programme de prévention et du contexte dans lequel il est implanté. Dans certains cas, il faudrait faire le dépistage des problèmes d'adaptation dans les communautés ou dans les écoles, dans une première étape, alors que dans d'autres cas, d'autres options devraient être envisagées. Le dépistage en milieu scolaire est le plus simple, mais il n'est pas sans poser de problèmes techniques (difficultés d'accès aux écoles, absence de certains élèves, etc.).

La question du nombre d'étapes nécessaires a été examinée empiriquement. Ainsi, nous savons qu'une stratégie en trois étapes est efficace (Loeber *et al.*, 1984 ; Walker et Severson, 1992), mais qu'une stratégie en deux étapes peut être suffisante (Dishion et Patterson, 1993). Par ailleurs, les résultats obtenus par des stratégies séquentielles de dépistage sont parfois comparables à ceux obtenus à l'aide d'une seule étape. Par exemple, Durlak et Jason (1984) rapportent que parmi les études préventives en milieu scolaire qui ont employé l'AML (Agression, Moody and Learning Disability Teacher Rating Scale ; Cowen *et al.*, 1973), entre 86 % et 93 % des enfants avec des marques élevées à l'AML ont été identifiés ultérieurement comme présentant effectivement des problèmes d'adaptation scolaire (problèmes extériorisés, intériorisés et difficultés d'apprentissage), bien qu'il ne soit pas clair combien de cas négatifs non valides sont obtenus à l'aide de l'instrument (Durlak, 1995). En somme, il faudra que la question du nombre d'étapes nécessaires soit évaluée rigoureusement sur le plan empirique puisque l'inclusion de mesures supplémentaires plus coûteuses n'est justifiable que si elle augmente l'efficacité prédictive de la stratégie de dépistage ; sinon, un instrument simple et peu coûteux suffira.

L'âge optimal pour le dépistage en vue de la prévention ciblée des problèmes d'adaptation est probablement la question à laquelle il est le plus difficile de répondre. Certains privilégient l'âge préscolaire, d'autres l'entrée à l'école primaire et d'autres encore la période de la latence, soit l'âge de l'apparition de la conduite délinquante autorévélée, entre 8 et 10 ans. Ces choix sont arbitraires et relèvent de convictions personnelles basées sur une interprétation de la littérature scientifique. Cependant, ce choix ne peut s'appuyer sur des données empiriques puisqu'il n'existe aucune comparaison systématique de l'efficacité de différents âges dans une même banque de données longitudinales. Voyons comment serait débattue cette question dans le domaine de la conduite délinquante ; le type d'argumentation serait probablement semblable pour les autres problèmes d'adaptation.

Si la perspective développementale est adoptée et si l'objectif du programme de prévention est de dépister les délinquants persistants par opposition aux délinquants de transition, il faudra faire le dépistage assez tôt. Des données récentes autorisent à penser que ces deux trajectoires de conduites délinquantes peuvent effectivement être identifiées sur le plan empirique (Fréchette et Le Blanc, 1987 ; Moffitt, Caspi, Dickson, Silva et Stanton, 1996 ; Patterson, Capaldi et Bank,1991 ; Simons, Wu, Conger et Lorenz, 1994). De façon générale, contrairement aux délinquants de transition, les individus qui sont à risque de poursuivre une carrière délinquante persistante présentent des caractéristiques personnelles et familiales distinctives tôt au cours de l'enfance. Par ailleurs, on sait que l'âge d'apparition précoce des conduites antisociales est l'un des meilleurs facteurs prédictifs de la conduite délinquante et de la criminalité ultérieure (Farrington *et al.*, 1990 ; Le Blanc et Loeber, 1998 ; Lipsey et Derzon, 1998 ; Loeber, 1982, 1991 ; Loeber et Stouthamer-Loeber, 1987). L'efficacité prédictive serait probablement meilleure à la fin de l'enfance parce que l'âge moyen de l'apparition de la conduite délinquante autorévélée des futurs délinquants officiels est autour de 10 ans (Le Blanc et Fréchette, 1989). Toutefois, certaines études démontrent que l'efficacité prédictive s'accroît avec l'âge, à mesure que s'approche l'apparition effective de la conduite délinquante ou de la conduite violente (voir, par exemple, Lipsey et Derzon, 1998). Si l'efficacité prédictive était le critère privilégié, il faudrait donc attendre la fin de l'enfance avant de chercher à dépister les délinquants potentiels pour un programme de prévention ciblée. À cet âge, la plupart des délinquants sérieux ont présenté des comportements délinquants ou antisociaux et la conduite délinquante autorévélée permet de le vérifier ; il serait toutefois déjà tard pour parler de prévention.

Plusieurs praticiens préféreront le début de la scolarisation comme point de repère pour le dépistage, comme l'ont proposé les Glueck (1950). Quelques programmes de prévention de la conduite violente ont été implantés à cet âge (voir Guerra, Tolan et Hammond, 1994), mais aucun n'a montré une réduction de la conduite délinquante sérieuse. Les chercheurs qui proposent cet âge pour le dépistage des délinquants potentiels s'appuient sur une littérature révélant que la conduite délinquante est habituellement précédée d'autres problèmes de comportement, par exemple les comportements agressifs, et que le lien entre ces comportements et la conduite délinquante sont suffisamment forts pour conduire à une prédiction fiable (Farrington, 1991). Dans cette veine, les chercheurs du projet Fast Track (Lochman *et al.*, 1995 ; Wehby *et al.*, 1991) et de l'Étude longitudinale-expérimentale de Montréal (voir, par exemple, Vitaro, Brendgen et Tremblay, 1999) dépistent les enfants à la maternelle et obtiennent des résultats plutôt encourageants. Bennett *et al.* (1999) obtiennent aussi des résultats prometteurs avec les données de la Tri-Ministry Study en Ontario. Toutefois, selon Loeber et Stouthamer-Loeber (1987), ce lien n'est pas si fort avec la conduite délinquante officielle et il n'est pas véritablement meilleur pour d'autres facteurs psychosociaux (voir Lipsey et Derzon, 1998). En fait, la recension de Bennett *et al.* (1998) révèle que la sensibilité des symptômes dans des échantillons représentatifs d'enfants de la maternelle et de première année est souvent inférieure à 50 % ; en conséquence, les interventions implantées à cet âge pourraient rater la majorité des enfants qui en auraient besoin. Quoi qu'il en soit, la méta-analyse de Lipsey et Derzon (1998) montre que les meilleurs facteurs prédictifs de la conduite délinquante entre 6 et 12 ans sont, dans l'ordre, la conduite délinquante antérieure, la consommation abusive de psychotropes, le fait d'être un garçon, d'avoir des parents antisociaux et un statut socioéconomique faible.

D'autres auteurs préconisent l'identification des individus à risque à partir de 3 à 5 ans ; des programmes existent pour ces enfants et ils parviennent à réduire la conduite délinquante ultérieure (Tolan et Guerra, 1994 ; Tremblay et Craig, 1995). Il est possible d'identifier les délinquants potentiels à cet âge et deux stratégies séquentielles sont proposées à cette fin. Kellam et Rebok (1992) suggèrent d'utiliser les programmes universels de prévention à titre de dépistage initial, les échecs de ces programmes deviennent l'objet des programmes ciblés de prévention. Pour sa part, Le Blanc (1995 ; Le Blanc et Morizot, cet ouvrage) propose une stratégie impliquant l'identification des délinquants potentiels qui participent à des programmes universels de prévention ayant montré leur efficacité. Par la suite, il s'agit de sélectionner les individus présentant des caractéristiques cliniques, clairement identifiées sur le plan empirique, des délinquants persistants et sérieux par exemple, pour ensuite leur offrir des composantes spéciales ajoutées au programme universel de base. La stratégie de Le Blanc (1995) est semblable à celle du « *bootstraping* » statistique et clinique proposée par Gottfredson (1987). Lynam (1996), pour sa part, préconise d'utiliser la dernière composante de cette stratégie pour repérer des enfants qui présentent des problèmes d'hyperactivité / impulsivité / déficit d'attention et de troubles de la conduite, car ils sont à haut risque de développer une personnalité antisociale à l'âge adulte.

Comme le notent Dishion et Patterson (1993), une question importante lors du dépistage est celle d'obtenir le consentement de tous les parents. Cette question n'est pas banale puisque le taux de refus est plus élevé chez les parents dont les enfants sont le plus à risque (Rose, 1985). Si trop peu d'efforts sont déployés pour obtenir le consentement de tous les parents, il y a un risque de « perdre » des inadaptés potentiels qui auraient bénéficié du programme de prévention et avec lesquels l'efficacité prédictive aurait été supérieure.

En somme, quel que soit le groupe d'âges et le niveau de prévention envisagé, il semble que les stratégies séquentielles comportant plusieurs étapes, divers informateurs, plusieurs domaines de variables et diverses méthodes de collecte de données soient les plus appropriées pour dépister les individus à risque de développer divers problèmes d'adaptation. Contrairement à ces propos, Wasserman et Miller (1998) montrent que la plupart des programmes de prévention de la conduite délinquante des années 1980 utilisent une seule étape (37 sur 41) et ciblent des individus plutôt que des groupes à risque (29 sur 41), tout en se servant d'un seul informateur et de quelques domaines de variables. La recension de Durlak (1995) laisse voir que la situation est semblable pour les programmes relatifs aux problèmes d'adaptation en milieu scolaire. En conséquence, force est de constater qu'il y a encore un fossé entre la recherche et la pratique. Dans le futur, le recours à des stratégies de dépistage à étapes, informateurs, domaines de variables et méthodes de collecte de données multiples devrait être privilégié.

QUEL INSTRUMENT CHOISIR ?

À l'heure actuelle, il y a très peu d'instruments qui sont conçus et validés spécifiquement pour le dépistage, que ce soit le dépistage des délinquants ou des jeunes aux prises avec d'autres problèmes d'adaptation. Généralement, les instruments employés n'ont pas été mis au point à cette fin. Souvent, les préventionnistes utilisent des échelles d'évaluation brèves ou une sous-échelle d'un instrument plus global. Ainsi, rares sont les instruments qui possèdent les caractéristiques suivantes : une variable de référence éprouvée, des facteurs prédictifs appropriés et valides, une validation sur une variété d'échantillon et une efficacité prédictive démontrée.

Concernant la conduite délinquante, un seul instrument possède plusieurs de ces caractéristiques ; il s'agit de l'Instrument de dépistage des délinquants de Cambridge (Farrington, 1985, 1987). Pour les problèmes d'adaptation scolaire, le AML (Cowen *et al.*, 1973) présente aussi la plupart de ces caractéristiques. Par contre, dans le domaine de la prédiction de la conduite violente, il n'y a pas un instrument qui soit satisfaisant parce que les faiblesses méthodologiques des instruments existants sont encore trop nombreuses selon Chaiken, Chaiken et Rhodes (1994). Par ailleurs, pour la plupart des programmes de prévention recensés, aucun instrument n'est utilisé et les préventionnistes ne s'appuient que sur quelques repères simples (Catalano, Arthur, Hawkins, Berglund et Olson, 1998 ; Durlak, 1995 ; Guerra *et al.*, 1994 ; Le Blanc, 1995 ; Mulvey, Arthur et Reppucci, 1993 ; Reid et Eddy, 1997 ; Tolan et Guerra, 1994 ; Tremblay et Craig, 1995 ; Wasserman et Miller, 1998 ; Yoshikawa, 1994 ; Zigler, Taussig et Black, 1992). Par exemple, dans la recension de Wasserman et Miller (1998), parmi les 41 programmes de prévention examinés, 25 (61 %) utilisent une liste de critères, généralement moins de cinq, comme la pauvreté, la monoparentalité, etc. Pour les 16 programmes ciblés de prévention qui utilisent un instrument (9 programmes) ou une combinaison de critères et un instrument (7 programmes) pour le dépistage, 11 programmes ciblent des enfants d'âge scolaire. Lorsqu'un instrument est utilisé, il s'agit la plupart du temps d'une évaluation du comportement par les enseignants. Cette situation caractérise la plupart des programmes universels et un bon nombre de programmes ciblés de prévention. À titre d'exemples, examinons quelques instruments parmi les plus solides sur les plans de la construction et de la validation.

L'Instrument de dépistage des délinquants de Cambridge (Farrington, 1985, 1987 ; Blumstein, Farrington et Moitra, 1985) s'appuie sur six caractéristiques mesurées avant l'âge de 10 ans ; ces caractéristiques permettent de discriminer les délinquants des non-délinquants. Il s'agit de présenter des comportements perturbateurs entre 8 et 10 ans, d'avoir des parents qui ont déjà été condamnés, d'afficher des signes de nervosité, de démontrer de faibles acquis scolaires, d'être défiant et d'avoir des parents séparés. Par ailleurs, il y a quatre caractéristiques qui permettent de discriminer les délinquants chroniques (six condamnations ou plus) des autres contrevenants. Ces facteurs prédictifs entre 8 et 10 ans sont les suivants : avoir été condamné, une condamnation dans la fratrie, des comportements perturbateurs et de faibles acquis scolaires. L'inconvénient de cet instrument est qu'il ne considère que des caractéristiques mesurées à la fin de l'enfance. En revanche, les avantages de cet instrument sont de deux ordres. Premièrement, le critère de six condamnations ou plus a été testé dans quatre banques de données et il demeure approprié. Deuxièmement, des comparaisons entre deux cohortes, celle de Cambridge des années 1960 et celle de Pittsburgh des années 1980, par Farrington et Loeber (1999), montrent que beaucoup de facteurs de risque sont les mêmes, c'est-à-dire l'hyperactivité et l'impulsivité, de faibles résultats scolaires, une faible supervision parentale, des conflits entre les parents, l'antisocialité d'un parent, une mère adolescente, de faibles revenus, un foyer brisé et une large fratrie. En conséquence, cet instrument pourrait être utilisé à notre époque et dans diverses sociétés occidentales.

Pour ce qui est de l'instrument de dépistage des problèmes d'adaptation scolaire, l'AML, et sa version révisée, l'AML-R (Agression, Moody and Learning disability teacher rating scale-Revised ; Cowen *et al.*, 1973, 1996), il a été construit spécifiquement pour le dépistage de masse à l'école dans la cadre d'un programme de prévention des difficultés d'adaptation scolaire, le Primary Mental Health Project (voir Cowen *et al.*, 1996). Bien que cet instrument n'ait pas été développé à l'aide de données longitudinales pour identifier ses facteurs prédictifs comme celui de Cambridge, il s'agit d'un bon modèle à employer. L'AML a été largement utilisé aux États-Unis depuis plus de 30 ans (Cowen *et al.*, 1996 ; Durlak, 1995). Il s'agit d'un instrument bref (12 items) à compléter en quelques minutes par un enfant ; environ une demi-heure suffit pour évaluer tous les enfants d'une classe. L'enseignant doit noter la fréquence de chacun des 12 comportements sur une échelle en 5 degrés (de « jamais » à « toujours ou la plupart du temps »). Chacune des trois échelles compte quatre items, soit les problèmes de comportement extériorisés (se bat ou se querelle avec les autres enfants ; est agité ; perturbe la discipline de classe ; est impulsif), les problèmes de comportement intériorisés (doit être amené ou forcé à travailler ou jouer avec les autres enfants ; est triste ; se sent blessé lorsque critiqué, est d'humeur changeante) et les problèmes d'apprentissage (est désordonné ou confus dans ses travaux scolaires ; a de la difficulté à se concentrer sur une tâche ; a besoin d'aide avec ses travaux scolaires ; a des difficultés d'apprentissage). Les propriétés psychométriques de l'AML et l'AML-R ont été rigoureusement vérifiées et apparaissent satisfaisantes. Des normes, calculées selon le degré scolaire, le sexe et le lieu de résidence, sont disponibles pour les élèves de la maternelle et du primaire. La sensibilité de l'instrument semble adéquate : parmi les études qui ont employé cet instrument, entre 86 % et 93 % des enfants ayant obtenu des résultats élevés à l'AML ont été identifiés ultérieurement comme présentant des problèmes d'adaptation scolaire (Durlak et Jason, 1984). Cependant, la question du nombre de cas négatifs non valides n'est pas claire puisque les chercheurs ne rapportent pas toujours ces données (Durlak, 1995). Par ailleurs, comme pour l'instrument de Cambridge, l'AML ne peut être utilisé dépassé l'âge de 9 ou 10 ans.

S'il y a peu d'instruments construits spécialement pour le dépistage des problèmes d'adaptation et dont les qualités métriques sont irréprochables, il existe toutefois une voie intéressante pour en construire un : il s'agit d'utiliser les résultats d'une méta-analyse. Lipsey et Derzon (1998) montrent que le contenu de l'instrument serait différent pour les enfants et les adolescents et, puisque leur méta-analyse s'applique seulement à la conduite délinquante grave et violente, il est probable que son contenu changerait avec la nature de la conduite délinquante. Leurs résultats laissent croire que l'instrument devrait être adapté selon l'origine ethnique et le sexe des individus. Ainsi, selon ces auteurs, les facteurs de risque de la conduite délinquante grave et des agressions contre les personnes entre 15 et 25 ans, pour les enfants de 6 à 11 ans, sont, dans l'ordre, les autres délits, la consommation de psychotropes, le sexe, le statut socioéconomique de la famille, des parents antisociaux, les agressions et l'ethnicité. Pour les adolescents de 12 à 14 ans, les principaux facteurs prédictifs sont, dans l'ordre, les liens sociaux faibles, le fait d'avoir des pairs antisociaux, les autres délits, les agressions, les attitudes et la performance scolaire, l'état psychologique, les relations entre parents et enfants, le sexe et la conduite violente physique. Ces deux listes de facteurs prédictifs font ressortir des différences importantes selon l'âge ; certains facteurs prédictifs apparaissent, tandis que d'autres disparaissent avec l'âge. Cependant, certains facteurs de risque sont significatifs dans les deux groupes d'âges : les délits, les pairs et les parents antisociaux et, enfin, l'attitude à l'égard de l'école et la performance scolaire.

En somme, il faut prévoir, à la lumière des instruments existants et des méta-analyses, que les facteurs prédictifs varieront selon l'âge auquel se fait le dépistage, le sexe, l'ethnicité et la nature et la gravité des problèmes d'adaptation. Par ailleurs, si les méta-analyses donnent de bonnes indications quant à la nature des domaines de variables les plus importants à considérer, elles ne permettent pas d'identifier les facteurs prédictifs spécifiques parce qu'elles ne rapportent que des résultats à propos des domaines de variables et que les indicateurs spécifiques à l'intérieur de ces domaines varient d'une étude à l'autre. Par exemple, dans la méta-analyse de Lipsey et Derzon (1998), le domaine de variables de l'attitude à l'égard de l'école et de la performance scolaire est représenté par sept facteurs prédictifs spécifiques comme l'abandon scolaire, un intérêt faible pour l'éducation, de pauvres acquis scolaires, une réussite scolaire faible, une école de pauvre qualité et l'absentéisme.

S'il est habituel de penser les instruments de dépistage en fonction d'un problème d'adaptation précis, il faut également noter que plusieurs facteurs de risque peuvent être associés à différents problèmes d'adaptation. Par exemple, Hawkins, Catalano et Miller (1992) identifient plusieurs facteurs de risque qui sont associés à la consommation abusive de psychotropes, à la conduite délinquante, à la grossesse adolescente, aux troubles du comportement à l'école ou au décrochage scolaire. Ce phénomène pourrait s'expliquer par la comorbidité entre les différents problèmes d'adaptation, ce qui est bien illustré par l'identification empirique d'un « syndrome général » de troubles du comportement ou de déviance (Jessor et Jessor, 1977 ; Le Blanc et Girard, 1997 ; McGee et Newcomb, 1992). Cela est d'autant plus pertinent que plusieurs chercheurs considèrent que les programmes de prévention devraient cibler une gamme de facteurs de risque associés à différents problèmes d'adaptation pour optimiser l'investissement (Coie *et al.*, 1993 ; Mrazek et Haggerty, 1994). Ainsi, dans le cadre de tels programmes, l'instrument de dépistage devrait être mis au point afin d'identifier les individus à risque de présenter des problèmes multiples : ce sont eux qui peuvent coûter le plus cher à la société. Par exemple, il est bien connu que les délinquants chroniques – environ 6 % de la population – sont responsables de plus de la moitié de tous les crimes commis (Elliott, Huizinga et Menard, 1989 ; Le Blanc et Fréchette, 1989). Cependant, des données longitudinales révèlent que, bien que certains facteurs de risque soient associés à plusieurs problèmes d'adaptation, la prudence est de mise puisqu'ils ne le sont pas tous (Loeber, Farrington, Stouthamer-Loeber et Van Kammen, 1998).

En résumé, pour certains problèmes d'adaptation, nous disposons d'instruments de dépistage intéressants et d'indications précises quant aux domaines de variables à considérer grâce aux résultats des méta-analyses. Toutefois, la plupart des instruments ne peuvent être utilisés qu'à certains âges. De plus, il reste beaucoup à faire sur le plan méthodologique avant de pouvoir proposer un instrument de dépistage d'utilisation générale comprenant une variable de référence bien définie et validée ainsi que des facteurs prédictifs appropriés et fidèles, c'est-à-dire qui ont été validés et qui ont montré une bonne efficacité prédictive. En dépit de ces difficultés, il existe plusieurs banques de données longitudinales qui peuvent combler ce manque. Compte tenu de cette situation, voyons les recommandations issues de la littérature scientifique pour le développement d'un instrument de dépistage adéquat.

COMMENT DÉVELOPPER UN INSTRUMENT DE DÉPISTAGE ?

La lecture des ouvrages de Farrington et Tarling (1985) et de Gottfredson et Tonry (1987) indique clairement que le domaine de la prédiction a atteint un certain degré de maturité, tout au moins en regard de la conduite délinquante. Bien que la façon de faire proposée dans cette littérature ne soit pas vraiment répandue dans le domaine de la prévention, il apparaît essentiel de dresser une liste des leçons méthodologiques que nous devrions tirer de cette documentation scientifique. Ces leçons ne sont pas présentées en ordre d'importance, mais selon la logique du processus de développement d'un instrument de dépistage.

SÉLECTIONNER UNE VARIABLE DE RÉFÉRENCE

L'instrument de dépistage voudra nécessairement faire la distinction entre deux groupes, c'est-à-dire ceux qui ne manifesteront pas de problèmes d'adaptation et ceux qui le feront probablement et qui devraient participer au programme de prévention. Qu'il s'agisse d'une dichotomie naturelle ou d'un seuil sur une échelle, la question de la sélection du point de coupure sera toujours d'actualité. Voyons comment se pose cette question en nous référant à nouveau à la conduite délinquante.

Généralement, les chercheurs utilisent la conduite délinquante officielle comme variable de référence et ils tendent à sélectionner la mesure de Wolfgang, Figlio et Sellin (1972) de la conduite délinquante chronique (six arrestations). Cependant, d'autres études sont nécessaires afin de tester d'autres points de coupure et, depuis que les délits violents ont augmenté au cours de la dernière décennie, le critère de six arrestations ou plus pourrait devoir être révisé. Cette question pratique pourrait être résolue partiellement avec des données longitudinales comme l'ont fait Blumstein *et al.* (1985) à l'aide de quatre banques de données. Cette question est beaucoup plus complexe pour la conduite délinquante autorévélée, et ce, pour plusieurs raisons : les échelles varient énormément dans leur contenu, dans la formulation des comportements et dans le nombre de comportements considérés. Il est alors très difficile de reprendre une variable de référence comme l'ont fait Blumstein *et al.* (1985) pour la conduite délinquante officielle. Certains peuvent préconiser l'utilisation de variables continues parce que les variables dichotomiques ne sont pas suffisamment sensibles aux variations des variables continues qui leur sont sous-jacentes (Blumstein *et al.*, 1986). Cependant, l'utilisation de variables continues comme variable de référence devra probablement attendre le développement de méthodes statistiques appropriées pour analyser les combinaisons des facteurs prédictifs puisque, comme nous le verrons plus loin, à l'heure actuelle les méthodes additives simples sont les plus efficaces. Cette question de la sélection d'un point de coupure est complexifiée par le fait qu'il devrait varier selon l'âge des individus puisque la fréquence du comportement criminel varie énormément avec l'âge (Blumstein *et al.*, 1986 ; Le Blanc et Fréchette, 1989) ; le point de coupure pourrait également changer selon le groupe ethnique et le sexe.

De plus, la détermination du point de coupure crée des problèmes énormes pour le taux de base, c'est-à-dire la fréquence relative des individus ayant des problèmes d'adaptation dans une population. En effet, si l'on prend les délinquants chroniques et sérieux, nous obtenons alors un taux de base très faible. Généralement, il y a autour de 6 % de la population générale qui sont des délinquants sérieux. Ces derniers représentent 20 % des jeunes qui ont déjà été arrêtés et 45 % de la population des jeunes judiciarisés. Selon le point de coupure choisi, par exemple le nombre d'infraction qui définit la conduite délinquante chronique, le taux de base des délinquants potentiels peut atteindre 80 % puisqu'il s'agit de la proportion des adolescents qui rapportent commettre une infraction criminelle au cours d'une année (Blumstein *et al.*, 1986 ; Fréchette et Le Blanc, 1987). À l'autre extrême, le taux de base est de 6 % puisqu'il s'agit de la proportion des adolescents qui sont arrêtés six fois ou plus (Wolfgang *et al.*, 1972). Entre ces deux extrêmes, le taux de base peut varier selon la définition de la variable de référence, la mesure et l'échantillon.

Gottfredson (1987) rappelle que la difficulté de prédire s'accroît à mesure que l'on s'éloigne d'un taux de base de 50 %. Ainsi, lorsque le taux de base est bas, par exemple 6 %, il est très facile de prédire que 94 % des individus ne deviendront pas des délinquants chroniques. Gottfredson (1987) propose deux solutions pour circonvenir la difficulté des faibles taux de base : 1) utiliser une variable de référence continue comme la fréquence des comportements délinquants ; 2) effectuer une prédiction séquentielle, par exemple prédire ceux qui sont les individus potentiellement délinquants et ensuite, parmi eux, identifier ceux qui seront les délinquants chroniques. Conséquemment, le taux de base devient théoriquement assez élevé, dans le premier groupe et dans le second, mais l'échantillon doit alors être grand.

Une solution pour établir le taux de base optimal est d'utiliser les courbes ROC (Receiver Operating Characteristics ; voir Farrington, Loeber, Stouthamer-Louber, Van Kammen et Schmidt, 1996 ; Mossman, 1994a, 1994b ; Rice et Harris, 1995). La courbe ROC représente la probabilité d'obtenir un cas positif, par exemple d'identifier un délinquant potentiel, par rapport à la probabilité d'obtenir un cas négatif, par exemple un non-délinquant. Il s'agit d'une mesure de la force de la relation qui n'est pas affectée par la taille de l'échantillon ni les totaux dans les colonnes et les rangées. Mossman (1994a) a utilisé les courbes ROC afin de synthétiser le pouvoir discriminant des facteurs prédictifs de sa méta-analyse et Farrington *et al.* (1996) l'ont employé pour valider leur échelle de délinquance sérieuse utilisant plusieurs informateurs.

Si la question de la sélection du point de coupure est importante, il ne faut pas oublier la question de la limite temporelle de la période de suivi. Puisque la probabilité de commettre un délit augmente avec l'âge, comme les autres problèmes d'adaptation, la durée de la période de suivi peut devenir déterminante pour le point de coupure. Par exemple, prédire les délinquants potentiels avant 15 ans et avant 18 ans n'impose pas les mêmes contraintes au taux de base. Cependant, comme il est ici question de délinquance après 18 ans, l'effet de césure est limité. Après l'âge de 18 ans, seulement un groupe restreint d'individus vont devenir des délinquants sérieux. D'ailleurs, Farrington (1989, 1991) a montré que les adolescents qui deviendront des délinquants chroniques peuvent généralement être identifiés avant l'âge adulte.

En somme, la nature de la variable de référence, la conduite délinquante, impose le choix de deux des trois stratégies de prévention. En raison du faible taux de base et, conséquemment, de la faible efficacité prédictive pour les délinquants sérieux, la prévention universelle devrait être écartée au profit de la prévention ciblée ou de l'intervention clinique. Le manque de spécificité des types de facteurs impliqués dans l'identification des délinquants potentiels empêche la prévention de type universel de cibler adéquatement les délinquants chroniques et sérieux par exemple. Nous ne voulons pas insinuer ici que les programmes universels ne sont pas utiles pour freiner la conduite délinquante en général, mais si l'on cible les délinquants chroniques, ils sont inapplicables ou peu efficaces. De plus, dans le contexte d'un taux de base aussi bas, une stratégie de dépistage séquentielle est probablement la seule solution appropriée ; il est probable qu'une telle stratégie de dépistage doive aussi être utilisée pour plusieurs autres problèmes d'adaptation compte tenu des taux de base peu élevés qui les caractérisent.

Ces commentaires soulignent l'importance de porter une attention particulière à la sélection d'un point de coupure pour l'identification des individus qui pourraient manifester des problèmes d'adaptation, en particulier s'il s'agit d'une mesure continue du problème d'adaptation. Le taux de base peut donc influencer la sélection d'un point de coupure, mais également les relations entre la variable de référence et les facteurs prédictifs. En outre, le point de coupure doit être adapté aux groupes d'âges, aux sexes et aux groupes ethniques qui composent la population où sont dépistés les individus pouvant développer des problèmes d'adaptation.

SÉLECTIONNER LES FACTEURS PRÉDICTIFS

Il existe une grande variété de méthodes de collecte de données et une myriade d'instruments potentiellement utiles pour faire le dépistage des problèmes d'adaptation. Par exemple, l'évaluation par des adultes peut se faire par le biais d'échelles d'évaluation ou d'entrevues. Les mesures autorévélées, c'est-à-dire provenant des individus ciblés, peuvent être des échelles d'évaluation, des entrevues structurées ou semi-structurées. On peut aussi faire de l'observation directe dans différents contextes. Par ailleurs, les mesures sociométriques, les mesures des interactions parents-enfant et des processus familiaux, les mesures des déficits cognitifs ou neuropsychologiques ou les mesures des facteurs socioculturels peuvent également se révéler utiles. Chacune de ces techniques comporte des avantages et des inconvénients, mais une telle discussion dépasse l'objectif du présent chapitre. Pour une discussion détaillée de ces différentes sources d'information potentiellement utiles lors du processus de dépistage, les lecteurs intéressés peuvent consulter Hinshaw et Zupan (1997), Kazdin (1995), Mash et Terdal (1997), Sattler (1992) et Singer, Singer et Anglin (1993).

Farrington et Tarling (1985) et Gottfredson (1987) proposent de chosir les instruments de dépistage en fonction de considérations théoriques. Toutefois, il arrive souvent que les préventionnistes n'ont pas le choix de la méthode de collecte de données et le choix des facteurs prédictifs dépend des données disponibles dans les dossiers. De plus, comme nous l'avons déjà mentionné, il existe une autre procédure pour sélectionner des facteurs de risque : la méta-analyse. Voyons les avantages et les inconvénients de ces différentes procédures de choix des facteurs prédictifs.

La méthode de la méta-analyse pour sélectionner des facteurs prédictifs présente l'avantage de reposer sur une base empirique solide, de nombreuses études et des centaines de relations. En revanche, elle a l'inconvénient de rassembler de nombreux résultats qui sont souvent contradictoires en raison des méthodes d'échantillonnage et des mesures variées. De plus, elle peut laisser de côté des facteurs prédictifs importants parce qu'ils ne font pas partie des études existantes. Par ailleurs, la méthode de la méta-analyse implique des échantillons et des mesures différentes qui sont combinées pour former des effets globaux. De fait, les chercheurs en sciences humaines sont bien au fait des limites qu'implique ce genre de combinaisons.

S'en remettre à une théorie pour sélectionner les facteurs prédictifs d'un problème d'adaptation est également hasardeux puisqu'il n'y a pas une théorie qui fasse consensus, et ce, même si certaines théories semblent dominer dans certaines disciplines. Une solution serait de sélectionner les facteurs prédictifs qui reposent sur une théorie et qui ont démontré leur importance sur le plan empirique. À cet égard, les théories de la régulation sociale et les théories de l'apprentissage sont probablement les seules qui satisfont à ces deux critères lorsqu'il s'agit de la conduite délinquante. Brennan (1987a) préfère la clarté théorique à l'anarchie de l'empirisme qui consiste à utiliser le maximum possible de facteurs prédictifs. Qu'il s'agisse de la démarche empirique ou de la démarche théorique, Brennan (1987b) rappelle la nécessité de faire attention aux variables non pertinentes, peu fiables et redondantes, qui introduiront des inconsistances dans l'instrument de dépistage.

De plus, la liste de facteurs prédictifs potentiels peut contenir des items corrélés et les spécialistes du dépistage ont généralement accordé peu d'attention au problème de la multicolinéarité. Par conséquent, des facteurs de risque peuvent être de bons facteurs prédictifs dans une échelle additive, mais il est peu probable qu'ils soient totalement indépendants. Il est plausible qu'avec l'avancement de la recherche certains facteurs prédictifs latents[4] pourront être identifiés et résumer une liste de facteurs prédictifs ; ces facteurs prédictifs latents pourraient être plus efficaces dans les instruments de dépistage que l'ensemble des variables qui les composent.

Quelle que soit la stratégie retenue pour établir les facteurs prédictifs potentiels, il faudra toujours faire attention à la nature et à la source des données. Dans le domaine de la conduite délinquante, tout au moins, les connaissances nous permettent d'affirmer que les facteurs prédictifs doivent être de nature à la fois comportementale et psychosociale (Lorion, Tolan et Wahler, 1987). Les stratégies d'orientation comportementale ciblent les comportements antisociaux et d'agressivité qui précèdent la conduite délinquante. La littérature scientifique permet de pointer certains facteurs de risque puissants comme les troubles du comportement précoces et l'âge d'apparition précoce des comportements délinquants par exemple. Pour ce qui est des stratégies d'orientation psychosociale, elles ciblent un grand nombre de facteurs prédictifs individuels et sociaux. Cependant, contrairement à l'approche comportementale, il n'y a pas de consensus dans ce domaine de recherche sur les facteurs prédictifs appropriés parce que, traditionnellement, les études se centrent sur un groupe spécifiques de facteurs de risque (par exemple les variables familiales) plutôt que sur un ensemble compréhensif de facteurs prédictifs.

Comme dans le cas des sources d'information, Farrington et Tarling (1985) rapportent plusieurs études montrant que l'utilisation des données des dossiers est améliorée par des données sur les antécédents comportementaux et des tests de personnalité. Dans le domaine de l'identification des délinquants, les données disponibles révèlent que les facteurs prédictifs provenant d'informateurs multiples et de domaines de variables multiples sont essentiels (Farrington et Tarling, 1985 ; Loeber *et al.*, 1984 ; Charlebois *et al.*, 1994).

---

4. À l'instar des variables latentes inférées à l'aide d'analyses statistiques structurales (voir Bollen, 1989), un facteur prédictif latent est un prédicteur représentant un construit théorique qui ne peut être observé directement et qui est présumé être sous-jacent à des facteurs prédictifs (mesures) observés ou manifestes particuliers. Le concept de variable latente s'apparente à celui de facteur en analyse factorielle.

Rappelons que, peu importe la source d'information ou la stratégie utilisée pour sélectionner les facteurs prédictifs, la question de la sélection d'un point de coupure pour chaque facteur prédictif est également d'actualité parce que, comme nous le verrons, les méthodes de combinaison des facteurs prédictifs pour ce type de variables sont plus efficaces que celles utilisées pour les facteurs prédictifs mesurés de manière continue. De plus, le point de coupure sur un facteur prédictif pose avec acuité le problème du taux de sélection. Selon Loeber et Dishion (1983), le taux de sélection est la distribution marginale de l'échantillon sur le facteur prédictif, alors que le taux de base est plutôt la distribution marginale sur la variable de référence. Comme pour la variable de référence, le point de coupure peut modifier le taux de sélection (le nombre de cas positifs valides et de cas négatifs valides). De plus, de faibles taux de sélection, par exemple de 5 %, 10 % ou même 20 %, requièrent l'utilisation de très grands échantillons pour garantir la fiabilité de la relation entre le facteur prédictif et la variable de référence.

En somme, les facteurs prédictifs doivent provenir de plusieurs informateurs et de plusieurs domaines de variables et ils doivent représenter les connaissances empiriques et théoriques. Quelle que soit la nature des facteurs prédictifs, des variables structurelles comme le statut socioéconomique, des variables discrètes telles que la fréquentation de l'école ou encore des variables changeantes comme des mesures des liens sociaux ou du contrôle de soi, les chercheurs qui désirent développer un instrument de dépistage des problèmes d'adaptation doivent être très prudents dans le choix des points de coupure. Ainsi, ce point de coupure doit éliminer l'arbitraire et reposer sur la vérification systématique de plusieurs possibilités ; cela peut être réalisé à l'aide des courbes ROC. Enfin, il faudrait que les travaux futurs tiennent davantage compte des facteurs de protection d'ordre personnel ou social dont la présence peut diminuer ou même bloquer l'action des facteurs de risque et ainsi affecter considérablement l'efficacité du dépistage (Rutter, 1990 ; Werner et Smith, 1992).

DÉMONTRER LA FIDÉLITÉ DES FACTEURS PRÉDICTIFS ET DE LA VARIABLE DE RÉFÉRENCE

La fidélité se définit comme la stabilité avec laquelle une mesure peut être effectuée. Il s'agit en fait d'un indice de la confiance que l'utilisateur de la mesure peut lui accorder : les résultats doivent être reproductibles, stables et être signifiants. Autrement dit, il s'agit de savoir quelle est la part d'erreur que contiennent les résultats. Malgré le fait que les chercheurs reconnaissent qu'il faut toujours vérifier la fidélité des variables de référence et des facteurs prédictifs, peu d'études le font rigoureusement. À cet égard, Gottfredson (1987) note que les chercheurs vérifient souvent la fidélité des facteurs prédictifs, mais négligent de vérifier la fidélité de la variable de référence. La question de la fidélité de la variable de référence devient complexe si les chercheurs utilisent des mesures autorévélées du problème d'adaptation plutôt qu'une constatation formelle de celui-ci, de même que lorsque les facteurs prédictifs sont des variables d'état, comme les liens sociaux ou le contrôle de soi, plutôt que des variables structurelles, comme le statut socioéconomique, le sexe ou l'âge, ou des variables discrètes, telles que fréquenter l'école ou non, être sur le marché du travail ou non, être marié ou non. Il serait souhaitable que des variables d'état et la révélation du problème d'adaptation soient plus utilisées dans le futur, que ce soit pour la mesure des facteurs prédictifs ou pour celle des variables de référence parce qu'il est plus facile d'en évaluer la fidélité. Il faut donc rappeler que les instruments pour le dépistage des problèmes d'adaptation doivent vérifier systématiquement la fidélité des facteurs prédictifs, sans négliger la fidélité de la variable de référence.

Assembler les facteurs prédictifs

Une fois que les préventionnistes ont trouvé une variable de référence et des facteurs prédictifs appropriés et fiables, la question à laquelle ils doivent répondre est la suivante : comment assembler les facteurs prédictifs pour obtenir un instrument de dépistage présentant une efficacité prédictive maximale ? Il existe deux méthodes principales pour assembler les facteurs prédictifs.

Il y a d'abord la méthode additive de Burgess (1928). Cet auteur propose que la présence d'un facteur prédictif donne un point additionnel pour calculer la probabilité que l'individu manifeste un problème d'adaptation. Ainsi, chaque point, ou groupe de points, représente la probabilité de devenir délinquant par exemple. Les Glueck (1950) préfèrent d'abord établir une pondération pour chaque facteur prédictif selon son degré d'association à la variable de référence avant de faire l'addition qui conduit à la probabilité de devenir un délinquant. Aujourd'hui, les méta-analyses nous donnent des indications sur l'importance relative des variables. Elles pourraient remplacer la méthode des Glueck pour déterminer l'importance respective des facteurs de risque. Farrington et Tarling (1985) rapportent des études montrant que les résultats de ces deux méthodes additives sont fortement corrélés et que l'efficacité prédictive obtenue est alors semblable. Pour la deuxième méthode, la méthode multiplicative, il s'agit d'assembler les facteurs prédictifs à l'aide d'une technique statistique multivariée, par exemple la régression multiple hiérarchique ou encore des techniques logistiques ou loglinéaires. Ces techniques statistiques sont nombreuses et utiles, mais elles n'ont pas encore produit les résultats escomptés.

Notre revue de la littérature milite en faveur de la prudence quant au choix d'une méthode de combinaison des facteurs prédictifs ; elle nous pousse à recommander les méthodes additives simples plutôt que les méthodes multiplicatives puisque les chercheurs ayant comparé les deux méthodes sur une même base de données concluent à l'avantage des premières. En effet, la recension des écrits de Farrington et Tarling (1985) et les comparaisons de Farrington (1985), Gottfredson et Gottfredson (1985), ainsi que Wilbanks (1985), permettent de conclure que les méthodes additives sont aussi efficaces, sinon plus, que les méthodes statistiques multivariées. De plus, les méthodes additives possèdent un avantage pratique indéniable : elles sont plus faciles à utiliser par les initiateurs de programmes de prévention parce que la probabilité de manifester un problème d'adaptation est beaucoup plus simple à calculer. L'objectif d'un instrument de dépistage est justement d'être rapide et simple d'utilisation. Ces derniers n'ont qu'à recueillir quelques informations et, avec une table simple, ils peuvent obtenir le score de prédiction pour un individu. Toutefois, il faut mentionner qu'avec le développement rapide de la micro-informatique, il est aujourd'hui plus facile, à l'aide de logiciels conviviaux, d'obtenir un score de prédiction pour toutes les méthodes multivariées de combinaison de facteurs prédictifs.

L'avantage des méthodes additives sur les méthodes multivariées diverge de la position dominante sur la prédiction des problèmes d'adaptation. Les chercheurs parlent volontiers de l'effet cumulatif et de l'effet d'interaction entre les multiples facteurs associés au développement normal ou pathologique de l'individu (par exemple Caspi et Moffit, 1995 ; Wachs, 1999). En effet, plusieurs études longitudinales ont démontré que les risques de présenter une psychopathologie augmentent avec le nombre de facteurs de risque. Par exemple, Rutter (1979) a observé que parmi six variables familiales associées à un trouble psychiatrique chez les enfants (discorde conjugale, statut socioéconomique faible, famille nombreuse, criminalité du père, problèmes psychiatriques de la mère et intervention de l'aide sociale à l'enfance), les enfants exposés à l'un de ces facteurs ne sont pas plus à risque que ceux qui ne sont exposés à aucun de ces facteurs. Cependant, pour les enfants exposés à deux de ces facteurs de risque, les probabilités sont quatre fois plus élevées de développer un problème d'adaptation que pour ceux qui ne sont exposés à aucun ou à un seul de ces facteurs. De plus, selon Rutter (1979), la relation entre les facteurs de risque n'est pas simplement additive, mais plutôt multiplicative puisque des effets d'interaction sont observés entre certaines variables, et ces effets peuvent accroître considérablement les risques de développer un problème ultérieur. Pour la criminalité, à l'aide d'une liste de facteurs prédictifs familiaux, comparables à ceux de Rutter (1979), mesurés avant l'âge de cinq ans, Kolvin, Miller, Fleeting et Kolvin (1988) ont aussi observé que la probabilité de commettre un crime augmente au fur et à mesure que le nombre de facteurs de risque progresse. L'étude des enfants résistants de Werner et Smith (1992) montre aussi que l'effet des facteurs de risque est cumulatif. Il faut toutefois reconnaître que les données empiriques disponibles ne permettent pas actuellement de connaître l'ensemble des effets cumulatifs et d'interaction entre les facteurs de risque pour la plupart des problèmes d'adaptation. L'hypothèse d'un effet cumulatif et interactif entre les facteurs de risque favorise l'utilisation de méthodes multivariées. Cette position va à l'encontre des pratiques actuelles dans le domaine de la conduite délinquante même si les chercheurs conviennent des effets cumulatifs et interactifs des facteurs de risque et de protection.

Mesurer l'efficacité prédictive

Avant de discuter de l'efficacité prédictive, il est essentiel de présenter certains indices statistiques couramment employés pour l'évaluer. Le tableau 1 présente les quatre résultats possibles du dépistage et les différents indices de l'efficacité prédictive.

Tableau 1
Indices pour évaluer l'efficacité prédictive d'une procédure ou d'un instrument de dépistage

		Statut de l'individu après le dépistage	
		Besoin d'une intervention préventive	Pas besoin d'une intervention préventive
Résultat du dépistage	Individu à risque élevé (+)	Cas positifs valides **(A)**	Cas positifs non valides **(B)**
	Individu à risque faible (–)	Cas négatifs non valides **(C)**	Cas négatifs valides **(D)**
Taux de base (TB) (Prévalence)		(A + C) / (A + B + C + D)	
Taux de sélection (TS)		(A + B) / (A + B + C + D)	
Fraction correcte (FC)		(A + D) / (A + B + C + D)	
Taux de cas positifs valides (TCPV) (Sensibilité)		A / (A + C)	
Taux de cas négatifs valides (TCNV) (Spécificité)		D / (B + D)	
Pouvoir prédictif positif (PPP)		A / (A + B)	
Pouvoir prédictif négatif (PPN)		D / (C + D)	
Taux de cas positifs non valides (1 – spécificité) (TCPNV)		B / (B + D)	
Proportion de risques (*risk ratio*)		TCPV / TCPNV	
Proportion de chances (*odds ratio*)		(A · D) / (B · C)	
Amélioration relative sur le hasard (RIOC)		$\frac{FC - [(TB)(TS) + (1 - TB)(1 - TS)]}{[1 - (TS - TB)] - [(TB)(TS) + (1 - TB)(1 - TS)]}$	

Un individu dont les risques sont élevés de présenter des problèmes d'adaptation est un *cas positif valide* (A) lorsque qu'il est reconnu comme tel, alors qu'il est un *cas négatif non valide* (B) lorsqu'il est considéré à risque faible, malgré la présence ultérieure d'un problème d'adaptation. Un individu dont les risques sont faibles de présenter des problèmes d'adaptation est un *cas positif non valide* (C) lorsqu'il est identifié à risque élevé, alors qu'il est un *cas négatif valide* (D) lorsqu'il est classifié comme étant à risque faible. Ces résultats du dépistage sont obtenus lorsque les individus ont un résultat au-dessus ou au-dessous d'un point de coupure sur la variable de référence ou un facteur de risque. Pour connaître les proportions d'individus correctement classés, deux autres indices sont utilisés : la sensibilité et la spécificité.

La *sensibilité* correspond à la proportion d'individus à risque qui obtiennent effectivement un résultat égal ou plus élevé que le seuil limite : c'est le taux de cas positifs valides. La *spécificité* renvoie à la proportion d'individus à risque faible qui obtiennent un résultat en dessous du seuil limite : c'est le taux de cas négatifs valides. La sensibilité et la spécificité varient en fonction du point de coupure sélectionné, comme nous l'avons mentionné précédemment. Bien que la sensibilité et la spécificité soient des indices utiles pour déterminer l'efficacité d'une procédure de dépistage, Gambrill (1990) souligne que ce sont des indices rétrospectifs de la précision du dépistage chez des individus dont on connaît le statut. Afin de déterminer si un résultat positif ou négatif est adéquat, il faut calculer le pouvoir prédictif. Le *pouvoir prédictif positif* correspond à la probabilité qu'un individu qui obtient un résultat égal ou dépassant le seuil limite lors du dépistage soit effectivement un individu à risque élevé. Le *pouvoir prédictif négatif,* quant à lui, renvoie à la probabilité qu'un individu ayant un résultat sous le seuil limite ne soit pas un individu à risque. Les valeurs prédictives vont varier en fonction de la sensibilité et de la spécificité ainsi que du taux de base du problème d'adaptation ciblé (Glaros et Kline, 1988). De façon générale, lorsque la sensibilité et la spécificité sont élevées, le pouvoir prédictif est élevé. Par ailleurs, pour des indices de sensibilité et de spécificité donnés, lorsque le taux de base est faible, la valeur prédictive négative d'un résultat négatif sera supérieure à la valeur prédictive positive d'un résultat positif. Ainsi, lorsque le taux de base d'un problème d'adaptation est trop bas dans la population (par exemple 5 % pour la conduite délinquante persistante), un résultat positif lors du dépistage n'est ni utile ni fiable pour confirmer sa présence. Au contraire, lorsque le taux de base est très élevé (près de 90 %), la valeur prédictive positive d'une procédure de dépistage sera meilleure que sa valeur prédictive négative. Ainsi, lorsque le taux de base est très élevé, un résultat positif lors du dépistage est plus fiable qu'un résultat négatif. La figure 1 illustre cette relation entre les valeurs prédictives et différents taux de base pour un instrument fictif avec une sensibilité de 85 % et une spécificité de 90 %.

Figure 1
POUVOIR PRÉDICTIF EN FONCTION DU TAUX DE BASE POUR UN INSTRUMENT DONT LA SENSIBILITÉ EST DE 85 % ET LA SPÉCIFICITÉ, DE 90 %

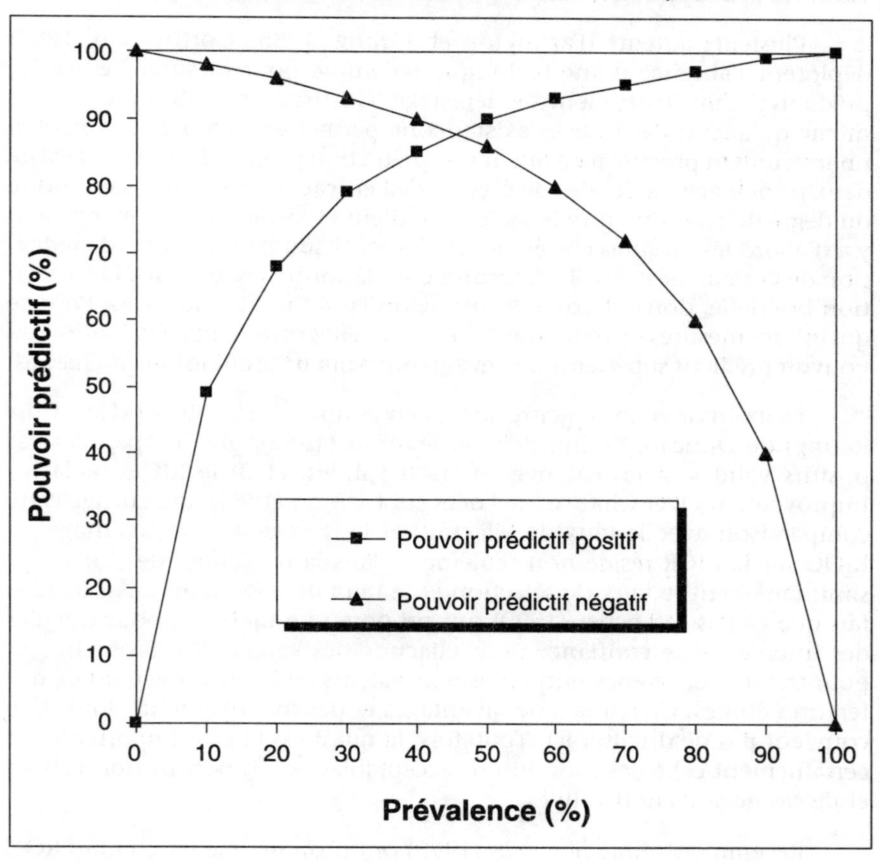

L'examen de la figure 1 permet de constater que la situation idéale pour obtenir une efficacité prédictive maximale du dépistage est lorsque le taux de base du problème d'adaptation tourne autour de 50 %. Les stratégies séquentielles de dépistage permettent d'augmenter le taux de base d'individus à haut risque dans un échantillon. Offord (1997) souligne qu'il y a toujours une concession à faire entre le pouvoir prédictif positif et la sensibilité, quelle que soit la stratégie de dépistage. Si le préventionniste tente d'augmenter le pouvoir prédictif positif, la sensibilité diminue. Si le pouvoir prédictif positif est bas, l'intervention offerte devra alors être peu coûteuse et non stigmatisante parce que la plupart des individus ne sont pas vraiment à risque de développer un problème d'adaptation. En revanche, si le pouvoir prédictif est élevé et la sensibilité est faible, le taux de base du problème diminuera, même si l'intervention est efficace, puisque les individus les plus à risque n'auront pas été identifiés lors du dépistage.

Plusieurs auteurs (Farrington et Tarling, 1985 ; Gottfredson, 1987) déplorent l'absence d'une technique reconnue pour mesurer l'efficacité prédictive d'un instrument de dépistage. Gottfredson (1987) mentionne même qu'aucun des indices existants ne permet de savoir exactement si un instrument procure réellement une prédiction précise. Toutefois, il existe deux principales catégories de mesure de l'efficacité prédictive, c'est-à-dire du degré de relation entre le facteur prédictif et la variable de référence. Il y a d'abord les mesures corrélationnelles et, ensuite, les mesures de réduction de l'erreur aléatoire. Les mesures corrélationnelles, du phi à la corrélation bisérielle, doivent être choisies selon la nature des données. Pour ce qui est des mesures de réduction de l'erreur, elles offrent une évaluation du pouvoir prédictif supérieure aux évaluations qui utilisent le taux au hasard.

Deux indices de ce genre sont bien connus : 1) le MCR (Mean Cost Rating) de Duncan, Ohlin, Reiss et Stanton (1952), qui compare les cas positifs valides et les cas négatifs non valides, et 2) le RIOC (Relative Improvement Over Chance) de Loeber et Dishion (1983), qui corrige cette comparaison avec le taux de sélection et le taux de base. L'avantage du RIOC sur le MCR réside non seulement dans la possibilité de considérer simultanément le taux de sélection et le taux de base, mais aussi dans le fait que Copas et Loeber (1990) ont proposé une méthode pour calculer des intervalles de confiance pour chacune des valeurs RIOC obtenue et pour tester la différence entre plusieurs valeurs de RIOC provenant de différentes études. Chacune a des avantages et des inconvénients dont il ne convient pas de discuter ici. Toutefois, la question la plus importante est certainement celle des proportions acceptables de cas positifs non valides et de cas négatifs non valides.

Récemment, Kraemer *et al.* (1999) ont proposé que les courbes ROC (Receiver Operating Characteristics) soient l'indice à privilégier pour évaluer l'efficacité prédictive des instruments de dépistage. Par exemple, Mossman (1994a, 1994b) et Rice et Harris (1995) préconisent l'utilisation des courbes ROC pour évaluer l'efficacité des prédictions de la conduite violente. Une courbe ROC correspond à la représentation graphique du taux de cas positifs valides en fonction du taux de cas positifs non valides (1 – spécificité) selon plusieurs seuils (pour une explication détaillée, voir Hsaio, Bartko et Potter, 1989 ; Kraemer *et al.*, 1999 ; Rice et Harris, 1995). En fait, les courbes ROC permettent de quantifier le rapport entre la sensibilité et la spécificité d'un instrument de dépistage. Sans discuter en détail des avantages et inconvénients, mentionnons que le principal avantage des courbes ROC est qu'elles sont indépendantes d'un changement du taux de base (lorsque le nombre d'individus vraiment à risque dans l'échantillon varie) ou du taux de sélection (lorsque le seuil servant à déterminer si un individu est à risque est modifié).

En somme, les méthodes d'estimation de l'efficacité prédictive sont suffisamment développées pour des facteurs prédictifs et des variables de référence de nature dichotomique. En conséquence, elles peuvent être appliquées à des procédures additives de combinaison des facteurs prédictifs. Lorsque les procédures multiplicatives de combinaison des facteurs prédictifs sont employées, la proportion de variance expliquée ou des indices statistiques de similarité peuvent remplacer les mesures de l'efficacité prédictive pour des variables discrètes. Cependant, il n'existe aucun indice similaire au RIOC pour les facteurs prédictifs non dichotomiques, qu'ils soient de nature continue ou catégorielle.

Quelle que soit la mesure de l'efficacité prédictive employée, la question des proportions appropriées de cas positifs non valides et de cas négatifs non valides demeure. Ces proportions découlent directement des points de coupure sur la variable de référence et les facteurs prédictifs qui produisent le taux de base et le taux de sélection. Toute modification pour diminuer le taux de base, même si la sensibilité de l'instrument est maintenue constante, réduira donc les cas positifs non valides. À l'opposé, toute augmentation du taux de base augmentera la proportion des cas négatifs non valides. Le dilemme que pose la modification du taux de base est résolu de deux manières dans la littérature, selon la solution statistique ou celle de l'utilité sociale.

La solution statistique consiste à rechercher la combinaison optimale entre les points de coupure, les proportions de cas positifs non valides et de cas négatifs non valides ainsi que l'efficacité prédictive. Il s'agit de déterminer les points de coupure sur la variable de référence et les facteurs prédictifs qui réduisent au minimum les erreurs tout en augmentant le plus possible l'efficacité prédictive de l'instrument. Le meilleur exemple d'une telle tentative est probablement celui de Blumstein *et al.* (1986) avec l'Échelle de Greenwood comportant cinq facteurs. Ces auteurs concluent qu'aucune solution statistique n'est satisfaisante, c'est-à-dire qu'aucune ne procure une base suffisante pour définir la meilleure règle de classification reflétant toutes les exigences statistiques pertinentes. En conséquence, ces auteurs favorisent la solution de l'analyse de l'utilité sociale pour évaluer le rapport entre les points de coupure, le taux de base, les proportions d'erreur et l'efficacité prédictive.

Wilkins (1985) arrive également à la conclusion que la question des cas positifs non valides et des cas négatifs non valides n'est pas vraiment une question statistique, mais plutôt un dilemme moral. Il affirme que même si la proportion des erreurs est la plus faible possible, il faudra toujours décider laquelle est la plus pertinente, identifier moins d'individus comme pouvant manifester des problèmes d'adaptation qui n'en présenteront pas ou déclarer sans problèmes potentiels des individus qui vont en présenter ultérieurement. Il faut en arriver à un consensus social sur ce qui est plus important, c'est-à-dire choisir entre la société (les cas négatifs non valides) et les individus (les cas positifs non valides). Pour ce qui est des cas négatifs non valides, il y a des coûts pour les futures victimes des délits des délinquants potentiels et des coûts pour la société en termes de traitement ou autres conséquences sociales. En ce qui a trait aux cas positifs non valides, les coûts se manifestent pour les individus et éventuellement pour les membres de leur famille à faire partie d'un programme de prévention sans en avoir vraiment besoin.

Si l'efficacité prédictive optimale est une question de morale plutôt qu'un problème statistique, Wilkins (1985) note que les chercheurs sont dans l'obligation de chercher à savoir quelles sont les proportions de cas positifs non valides et de cas négatifs non valides pour chaque moyen de dépistage. Il ajoute ensuite que, de son côté, le gouvernement est dans l'obligation morale d'allouer une partie de son budget à la recherche dans les sciences humaines. En somme, la question de l'efficacité prédictive sera toujours une question de morale plutôt qu'une question de statistique.

VALIDER ET RÉUTILISER UN INSTRUMENT

La validation et la réplication sont des conditions essentielles à la progression des connaissances. La validation est une procédure empirique utilisée pour obtenir une estimation de la précision des prédictions ; elle nécessite l'emploi d'échantillons représentatifs et exige également la réplication. Ces conditions prennent des formes particulières lorsqu'il s'agit de construire ou d'utiliser un instrument de dépistage d'individus pouvant manifester des problèmes d'adaptation.

Gottfredson (1987) insiste pour que l'instrument de prédiction soit validé avec un échantillon représentatif de la population dans laquelle le dépistage sera réalisé. Cette validation permet de connaître le taux de base et l'efficacité prédictive de cette population. Cette démarche permet également d'éliminer toute sous-estimation ou surestimation des relations entre les facteurs prédictifs et la variable de référence. Gottfredson (1987) mentionne en outre que, dans la mesure où les groupes sont toujours différents l'un de l'autre, surtout lorsque l'on considère la relation entre les facteurs prédictifs et la variable de référence, il y a un danger de surestimation de cette relation. Dans ce cas, la prédiction sur la façon dont un membre d'un autre groupe va se comporter sera nécessairement biaisée. En conséquence, on peut affirmer, par exemple, que l'utilisation de la définition opérationnelle des délinquants chroniques nés à Philadelphie en 1945 de Wolfgang *et al.* (1972) est probablement peu représentative d'échantillons nationaux ou locaux pour la décennie qui a suivi. Conséquemment, le taux de base peut donc varier même si l'on utilise la même variable de référence. Il est bien connu que l'ampleur de ces relations change dans le temps et avec les échantillons (voir, par exemple, la comparaison de Farrington et Loeber, 1999, concernant un échantillon à Londres dans les années 1960 et à Pittsburgh dans les années 1980). De plus, Gottfredson (1987) fait remarquer que, quelle que soit la représentativité de l'échantillon, il y a toujours une réduction de l'efficacité prédictive entre l'échantillon de construction et l'échantillon d'application de l'instrument. Farrington et Tarling (1985) notent que le problème s'accentue avec les techniques statistiques multivariées. Cette situation a des conséquences pour les méthodes de sélection des facteurs prédictifs. Il est possible qu'une sélection des facteurs prédictifs en fonction d'une méta-analyse ou d'une combinaison de considérations théoriques et empiriques puisse diminuer la réduction de l'efficacité prédictive, mais cela reste à vérifier empiriquement.

Selon Gottfredson (1987), il y a une autre façon de valider un instrument de prédiction : il s'agit de la validation intra-échantillonnage. À l'aide de cette méthode, l'échantillon est divisé en deux ; une moitié sert à la construction de l'instrument et l'autre, à sa validation. La validation intra-échantillonnage aide à distinguer les résultats qui sont propres aux caractéristiques de l'échantillon et ceux qui reflètent des relations sous-jacentes entre les facteurs prédictifs et la variable de référence. Cette procédure suppose que l'efficacité prédictive des sous-échantillons se distribue normalement, ce qui oblige le chercheur à fonctionner dans le cadre de l'hypothèse que l'efficacité prédictive a une distribution d'échantillonnage. Seule la validation longitudinale permet de sortir du cercle vicieux créé par la question de la représentativité de l'échantillon. Cependant, il faut attendre la fin de l'adolescence des sujets afin de vérifier s'ils ont effectivement manifesté des problèmes d'adaptation. Lorsqu'un tel instrument de dépistage sera validé, la question de la représentativité soulevée auparavant refera surface dans l'espace et le temps.

Une autre solution serait le « *bootstrapping* », c'est-à-dire la détermination de groupes homogènes, le calcul de l'efficacité prédictive pour chacun et, ensuite, la combinaison de ces résultats dans une équation générale de prédiction. Gottfredson (1987) recommande un autre type de « *bootstrapping* », soit la combinaison d'une prédiction statistique et d'une prédiction clinique. L'utilité de la méthode du « *bootstrapping* » dépend en fait du type de prévention. Pour la prévention ciblée sélective, si de grands échantillons et des facteurs de risque de nature épidémiologique (par exemple, le statut socioéconomique faible, la monoparentalité, etc.) sont utilisés, cette procédure peut être trop onéreuse et inutile sur le plan statistique. Pour la prévention ciblée indiquée, elle peut être avantageuse. Ainsi, pour intervenir auprès de délinquants chroniques potentiels, le préventionniste pourrait se baser sur des domaines de facteurs prédictifs comme les traits de personnalité et envisager par la suite une prédiction clinique. Il faudra identifier les adolescents potentiellement délinquants et, ensuite, parmi ces derniers, ceux qui sont potentiellement des délinquants chroniques.

En somme, la meilleure solution aux problèmes de validation, tout comme pour la sélection des facteurs prédictifs, semble être l'utilisation des résultats des méta-analyses qui contiennent assez d'études employant une variable de référence similaire. La réplication des facteurs prédictifs d'une étude à l'autre est la forme la plus puissante de validation. Une telle réplication, telle que l'ont recommandée Farrington, Ohlin et Wilson (1986), devrait inclure les territoires et le temps.

QUESTIONS LÉGALES, ÉTHIQUES, STRATÉGIQUES ET PRATIQUES

Jusqu'ici nous avons fait un inventaire des stratégies et des instruments destinés au dépistage des inadaptés potentiels et des prérequis méthodologiques pour construire des instruments de dépistage des problèmes d'adaptation. À cet égard, nous n'avons pas trouvé d'instrument de dépistage qui respecte tous les critères scientifiques. Quoi qu'il en soit, une stratégie de dépistage et certains facteurs prédictifs semblent valides et réplicables, ce qui constitue de bonnes indications pour le développement d'un instrument de dépistage adéquat et efficace. Tout en construisant ou en utilisant de tels instruments de dépistage des individus pouvant manifester des problèmes d'adaptation, les chercheurs et les praticiens sont aux prises avec de nombreuses questions légales, éthiques, stratégiques et pratiques. Il ne convient pas dans ce texte de s'y attarder, toutefois, il est nécessaire de les mentionner rapidement parce qu'elles doivent être l'objet d'une préoccupation constante de la part des préventionnistes ; certaines de ces questions peuvent même constituer des contraintes incontournables.

QUESTIONS LÉGALES ET RELATIVES AUX DROITS DE L'HOMME

Tonry (1987) analyse en profondeur les questions légales et constitutionnelles que soulève la prédiction compte tenu de la situation aux États-Unis. Même si les conditions peuvent varier d'un pays à l'autre, il est évident que des questions aussi fondamentales se posent de manière assez semblable dans la plupart des pays occidentaux et, en particulier, au Canada, avec la Charte des droits et libertés. Voyons trois recommandations principales qui découlent de l'analyse de ce contexte.

Premièrement, il est préférable que les facteurs prédictifs ne concernent pas directement le sexe, la race ou l'ethnicité, les croyances politiques et la religion. Nous avons vu, dans le domaine de la conduite délinquante, par exemple, que la plupart des instruments ne retiennent pas ces facteurs prédictifs, à l'exception du sexe. Si la race ou l'ethnicité prend place parmi la liste des facteurs prédictifs, il s'agit d'un facteur prédictif secondaire dont on peut facilement se passer parce que son importance n'est pas primordiale (voir la méta-analyse de Lipsey et Derzon, 1998). Deuxièmement, il serait préférable que le sexe ne soit pas un facteur prédictif, à moins de justifications substantielles. Cependant, il apparaît difficile de l'écarter de la liste des facteurs prédictifs, car il est un facteur de risque très important de la conduite délinquante dans l'ensemble de la population. En effet, les justifications scientifiques sont tellement incontestables qu'il est probable que l'utilisation de la variable du sexe dans un instrument de dépistage pourrait être défendue facilement devant un tribunal. Par exemple, dans la méta-analyse de Lipsey et Derzon (1998), être de sexe masculin est le troisième facteur prédictif en importance entre 6 et 12 ans pour la conduite délinquante sérieuse et violente, bien qu'il soit un facteur prédictif moins significatif entre 12 et 15 ans. En fait, l'argument principal pour l'utilisation du sexe comme facteur prédictif vient du fait qu'environ 10 garçons pour 1 fille sont délinquants et que très peu de filles deviennent des délinquantes sérieuses. Troisièmement, il ne faut pas éliminer des instruments de dépistage tout facteur prédictif qui serait indirectement défavorable à un groupe racial ou ethnique s'il n'est pas dans l'intention de faire de la discrimination. Pour le dépistage de la plupart des problèmes d'adaptation, de tels facteurs prédictifs sont courants, pensons au statut socioéconomique ou à la monoparentalité. Il serait donc possible de les utiliser si les préventionnistes n'ont pas l'intention de favoriser ou de défavoriser un groupe en particulier, par exemple offrir le programme de prévention seulement aux enfants caucasiens provenant de familles pauvres et monoparentales. Il faut reconnaître que, de façon générale, les instruments de dépistage disponibles se conforment à ces différentes recommandations. Toutefois, il convient de continuer dans la même voie.

Questions éthiques

Parmi les questions éthiques, il y a d'abord celle de se servir des délits antérieurs pour prédire la conduite délinquante future ; il est possible d'avancer le même argument pour les autres problèmes d'adaptation. Moore (1986) et Tonry (1987) considèrent que cette pratique est empiriquement valide, mais potentiellement injuste. Elle peut être injuste parce que le programme de prévention n'est pas offert aux cas négatifs non valides et qu'il peut être inutile pour les cas positifs non valides. En fait, il n'y a pas de solution éthique à ce problème. D'abord, la seule issue à ce dilemme est la réduction des erreurs de classification, mais elle est toujours imparfaite comme nous l'avons mentionnée précédemment. Ensuite, l'argument de l'inutilité de l'intervention pour les cas positifs non valides est remis en doute par les travaux de Farrington et West (1993) qui montrent que ces individus pouvaient bénéficier d'une intervention préventive parce qu'ils affichaient des problèmes sérieux d'adaptation à l'âge adulte, même s'ils n'étaient pas devenus des délinquants. En somme, il n'y a pas de solution éthique à ce dilemme, mais seulement des réponses pratiques.

La deuxième question éthique concerne l'utilisation de facteurs prédictifs qui devraient être éliminés des instruments de dépistage en raison de leur nature ; Tonry (1987) les classe en trois catégories : les facteurs prédictifs visant une caractéristique sur laquelle la personne n'exerce aucun contrôle, le sexe par exemple ; son statut social, par exemple la pauvreté ; ou ses problèmes d'adaptation passés, par exemple la consommation antérieure de psychotropes. Cependant, il s'agit de facteurs prédictifs dont la contribution est importante pour le dépistage des délinquants potentiels (voir, par exemple, Lipsey et Derzon, 1998). Si l'on accepte cette position éthique, seuls les programmes universels pourront être offerts dans une communauté et les programmes ciblés de prévention seront à éviter en raison de la faiblesse des instruments. Une telle position idéologique est insoutenable puisque, selon les recensions des écrits, beaucoup de programmes de prévention donnent des résultats positifs (voir Catalano *et al.*, 1998 ; Guerra *et al.*, 1994 ; Le Blanc,1995 ; Mulvey *et al.*, 1993 ; Reid et Eddy, 1997 ; Tolan et Guerra, 1994 ; Tremblay et Craig, 1995 ; Wasserman et Miller, 1998 ; Yoshikawa, 1994 ; Zigler *et al.*, 1992).

Une troisième question éthique concerne l'information transmise aux participants potentiels d'un programme de prévention. Sans discuter la question des règles à suivre lors du dépistage, la question la plus importante est probablement la suivante : est-ce que les participants potentiels à un programme de prévention sont informés du but ultime du programme, par exemple la prévention de la conduite délinquante ? Souvent les programmes de prévention présentent des objectifs généraux d'amélioration du comportement ou de développement de la personne sans faire mention du but réel du programme, soit empêcher l'apparition ou le développement de l'inadaptation. Cette pratique est-elle acceptable ? On y recourt souvent pour éviter les effets potentiellement stigmatisants de la participation à un programme de prévention de l'inadaptation. Toutefois, il n'existe pas de recherche empirique pour appuyer l'une ou l'autre position.

La quatrième question éthique se rapporte justement aux effets éventuellement stigmatisants de la prévention ciblée. Les programmes universels de prévention s'appliquent à tous les individus d'une population, en conséquence, l'étiquetage n'est pas une question pertinente. Cependant, pour la prévention ciblée, il peut y avoir stigmatisation, par exemple parce que les délinquants persistants potentiels forment un sous-groupe clairement identifié parmi les délinquants. Comme nous l'avons mentionné plus haut, l'impact de la stigmatisation potentielle a été évité dans la plupart des programmes de prévention grâce à des objectifs intermédiaires ou développementaux comme objectifs officiels plutôt que la conduite délinquante, l'objectif ultime. Cependant, comme l'observent Farrington et Tarling (1985), les recherches empiriques rigoureuses font défaut pour répondre à cette question.

La dernière question éthique qu'il convient de traiter est celle des effets iatrogènes de la participation à un programme de prévention que documentent Dishion, McCord et Poulin (1999) pour des programmes particuliers. McCord (1978) relève de tels effets pour le programme de Cambridge-Sommerville. En effet, plus la participation au programme de prévention était longue et l'intervention intensive, plus les effets négatifs ont été importants sur l'adaptation à l'âge adulte. Ces effets iatrogènes ne sont pas propres à ce programme puisque McCord (1988) cite d'autres évaluations qui rapportent des effets similaires. Nous ne savons pas à quelle fréquence ces effets indésirables se présentent puisqu'il n'existe aucune recension systématique documentant cette question ni aucune méta-analyse comme celle de Lipsey (1989) sur le traitement des adolescents en difficulté par exemple.

Toutes ces questions ne trouvent pas de réponse dans le domaine de l'éthique ; elles peuvent prendre de l'ampleur ou devenir peu pertinentes, suivant l'amélioration des instruments de dépistage et des programmes de prévention. Cependant, certaines d'entre elles peuvent être résolues sur le plan stratégique.

QUESTIONS STRATÉGIQUES

Les questions stratégiques relatives au dépistage et à l'identification des individus pouvant manifester des problèmes d'adaptation concernent avant tout les avantages et les inconvénients des proportions des cas positifs non valides et des cas négatifs non valides. Quels sont les coûts et les bénéfices de ne pas identifier une personne qui manifestera un problème d'adaptation (cas négatifs non valides) ? Quels sont les coûts et les bénéfices d'étiqueter une personne qui n'affichera pas un problème d'adaptation (cas positifs non valides) ? Nous avons résumé cette discussion d'un point de vue technique, c'est-à-dire sur les façons d'améliorer les instruments de dépistage, et d'un point de vue de l'utilité sociale de chaque type d'erreur (Le Blanc, 1998). Il y a une autre façon de répondre à ces questions, en inventoriant les coûts et les gains individuels, sociaux et économiques de l'application d'un programme de prévention.

Les coûts et les gains pour les individus sont amplement documentés dans les recensions des évaluations des programmes de prévention (voir Catalano *et al.*, 1998 ; Guerra *et al.*, 1994 ; Le Blanc, 1995 ; Mulvey *et al.*, 1993 ; Reid et Eddy, 1997 ; Tolan et Guerra, 1994 ; Tremblay et Craig, 1995 ;

Wasserman et Miller, 1998 ; Yoshikawa, 1994 ; Zigler *et al.*, 1992). Les bénéfices sociaux peuvent donc sembler évidents si ces programmes aident à freiner le développement d'un problème d'adaptation. De plus, certaines études empiriques appuient la position qu'un programme de prévention peut être bénéfique pour les individus et pour la société. Par exemple, Farrington et West (1993) en arrivent à cette conclusion parce que même les garçons identifiés comme vulnérables, c'est-à-dire exposés à plusieurs facteurs de risque, qui n'ont été accusés d'aucun délit à l'âge adulte vivent beaucoup de difficultés à 32 ans ; les programmes préventifs peuvent donc être justifiés pour tous les jeunes à risque, éliminant ainsi le problème habituel des cas positifs non valides. En revanche, du point de vue de la société, les coûts et les gains économiques et sociaux des programmes de prévention sont rarement comptabilisés. Notamment, les bénéfices financiers sont insuffisamment documentés, mais certaines indications laissent croire qu'à long terme ils peuvent être considérables (Cohen, 1998). Par exemple, le Perry Pre-School Project permet de sauver sept dollars pour chaque dollar investi dans le programme (Berrueta-Clement *et al.*, 1984).

En somme, les lignes directrices concernant les questions légales sont plutôt claires, alors qu'elles le sont moins pour les questions éthiques ou stratégiques. C'est seulement en effectuant plus d'études expérimentales et évaluatives que nous pourrons faire plus de recommandations en ce qui a trait aux questions stratégiques.

QUESTIONS PRATIQUES

Les questions pratiques à propos du dépistage sont les mêmes que pour les programmes de prévention ; elles tournent autour de la transition entre l'implantation d'un programme de prévention à petite échelle et celle d'un programme gouvernemental à large spectre effectuée de façon routinière. Au cours de cette transition, certains résultats se volatilisent parce que le programme n'est pas implanté adéquatement. Ainsi, la question fondamentale est certainement la suivante : pourquoi des programmes de prévention expérimentaux si efficients et efficaces sont si difficiles à implanter sur une large échelle en milieu scolaire, dans les services sociaux ou de santé, sans des pertes notables au regard de l'intégrité du programme ou de ses effets ? Voilà une question importante à laquelle les chercheurs devront s'attaquer en collaboration avec les praticiens.

D'autres questions pratiques se rapportent davantage au dépistage comme tel. Gabor (1986) donne une longue liste de questions pratiques concernant le dépistage des délinquants potentiels qu'il regroupe sous trois problèmes principaux. Premièrement, dans le but de « vendre » une stratégie et un instrument de dépistage aux personnes qui s'occupent des politiques et des questions stratégiques, les initiateurs de programmes de prévention peuvent être tentés de considérer l'utilité sociale plutôt que strictement la précision de l'instrument. Ils peuvent, en plus, modifier un facteur prédictif, la race par exemple, pour corriger d'éventuelles iniquités sociales. Deuxièmement, les personnes qui établissent les politiques peuvent employer un moyen de dépistage pour promouvoir leur position dans une organisation. Troisièmement, lorsque la stratégie ou l'instrument de dépistage est appliqué par le praticien, certains biais peuvent être introduits. Par exemple, un instrument peut être appliqué de façon mécanique par les praticiens ou être utilisé seulement par un petit groupe de personnes qui prennent les décisions.

CONCLUSION

Dans ce chapitre, nous avons décrit une stratégie de dépistage des problèmes d'adaptation pour la prévention ciblée qui semble appropriée : il s'agit d'une démarche séquentielle comprenant plusieurs étapes, plusieurs informateurs, plusieurs méthodes de collecte de données et plusieurs facteurs prédictifs provenant de différents domaines de variables. Typiquement, à l'*étape 1,* il s'agit de recueillir l'évaluation du comportement par les enseignants ou de sélectionner un groupe à risque, par exemple tous les élèves d'une école située dans un quartier défavorisé. À l'*étape 2*, il convient d'obtenir l'évaluation du comportement par les parents ; dans ce cas, il peut aussi s'agir d'une entrevue téléphonique. À l'*étape 3*, il est préférable d'effectuer une entrevue avec l'enfant ou les parents afin d'obtenir des informations plus détaillées ou réaliser une observation directe dans différents contextes.

Quel que soit le problème d'adaptation ciblé, les stratégies de dépistage séquentielles semblent être les plus efficaces pour trois raisons. Premièrement, elles permettent d'augmenter le taux de base des individus à risque dans l'échantillon ciblé, limitant ainsi le nombre de cas positifs non valides. Deuxièmement, en évaluant les individus dans plusieurs contextes, elles permettent de repérer les enfants les plus à risque. Troisièmement, elles permettent éventuellement d'augmenter la fidélité du dépistage par l'utilisation de plusieurs informateurs. Cependant, il faut toujours analyser le rapport entre la précision statistique et l'utilité sociale de la stratégie de dépistage.

Pour ce qui est des instruments, il a été impossible d'en identifier de pertinents, fiables et valides pour dépister certains problèmes d'adaptation ; les instruments généralement employés n'ont pas été mis au point spécialement pour le dépistage et tous ceux qui existent souffrent de faiblesses méthodologiques. Malgré l'existence d'instruments relativement adéquats identifiés et de données de certaines méta-analyses, il n'y a pas un instrument actuellement au point, et ce, même si les domaines de variables à privilégier font généralement consensus. Il y a donc encore loin de la coupe aux lèvres avant de pouvoir disposer d'un instrument de dépistage valide et fiable pouvant servir à réaliser un dépistage à grande échelle de tous les problèmes d'adaptation.

Les stratégies séquentielles et les instruments disponibles permettent de faire de meilleures prédictions que celles qui sont obtenues au hasard ; cependant, il ne faut pas espérer disposer un jour d'une stratégie ou d'un instrument qui permette d'obtenir une prédiction parfaite. L'identification des individus qui manifesteront des problèmes d'adaptation 5 ou 10 ans plus tard sera toujours difficile parce qu'il ne faut pas oublier que les nombreuses influences sur le comportement peuvent grandement varier sur une telle période de temps. Il est ainsi illusoire d'espérer faire des prédictions exactes. La meilleure solution serait probablement d'adopter une perspective différentielle, c'est-à-dire faire le dépistage de ceux qui présenteront des problèmes chroniques par opposition à des problèmes ponctuels ou transitoires. En effet, les difficultés des individus qui éprouvent des problèmes chroniques sont plus stables dans le temps, elles se manifestent dans plusieurs contextes et les facteurs de risque sous-jacents sont souvent plus graves (Kazdin, 1995 ; Loeber, 1990). L'amélioration des performances du dépistage passe donc par la spécificité de la variable de référence.

En somme, il reste encore beaucoup de travail technique à réaliser avant de pouvoir disposer d'un ou de plusieurs instruments conformes aux standards scientifiques et aux objectifs du dépistage effectué lors de l'implantation d'un programme de prévention des problèmes d'adaptation. Nous avons énuméré des standards scientifiques auxquels on doit se conformer pour concevoir de tels instruments ; ces standards s'appliquent aux instruments de dépistage de tous les problèmes d'adaptation. Les chercheurs et les praticiens auront à perfectionner ces instruments au cours de la prochaine décennie, tout en continuant à expérimenter et à évaluer les programmes de prévention auxquels les sujets « dépistés » participeront.

BIBLIOGRAPHIE

ACHENBACH, T.M., MCCONAUGHY, S.H. et HOWELL, C.T. (1987). Child/adolescent behavioral and emotional problems : Implications of cross-informant correlations for situational specificity. *Psychological Bulletin, 101* (2), 213-232.

AUGUST, G.J., REALMUTO, G.M., CROSBY, R.D. et MACDONALD, A.W. (1995). Community-based multiple-gate screening of children at risk for conduct disorder. *Journal of Abnormal Child Psychology, 23*, 521-544.

BENNETT, K.J., LIPMAN, E.L., BROWN, S., RACINE, Y., BOYLE, M.H., OFFORD, D.R. (1998). Do measures of externalizing behaviour in normal populations predict later outcomes? Implications for targeted interventions to prevent conduct disorder. *Journal of Child Psychology and Psychiatry, 39*, 1059-1070.

BENNETT, K.J., LIPMAN, E.L., BROWN, S., RACINE, Y., BOYLE, M.H., OFFORD, D.R. (1999). Predicting conduct problems: Can high-risk children be identified in kindergarten and grade 1? *Journal of Consulting and Clinical Psychology, 67* (4), 470-480.

BERRUETA-CLEMENT, J.R., SCHWEINHART, L.J., BARNETT, W.S., EPSTEIN, A.S. et WEIKART, D.P. (1984). *Changed lives: The effects of the Perry Preschool Program on youths through age 19*. Ypsilanti, MI: The High / Scope Press.

BINET, A. et SIMON, T. (1907). *Les enfants anormaux: Guide pour l'admission des enfants anormaux dans les classes de perfectionnement*. Paris: Armand Colin.

BLUMSTEIN, A., COHEN, J., ROTH, J.A. et VISHER, C.A. (1986). *Criminal career and career criminals* (vol. 1 et 2). Washington, DC: National Academy Press.

BLUMSTEIN, A., FARRINGTON, D.P. et MOITRA, S. (1985). Delinquency careers: Innocents, desisters, and persisters. *Crime and Justice: An Annual Review, 7*, 187-219.

BOLLEN, K.A. (1989). *Structural equations with latent variables*. New York: John Wiley & Sons.

BRENNAN, T. (1987a). Classification for control in jails and prisons. *Crime and Justice: An Annual Review, 9*, 323-366.

BRENNAN, T. (1987b). Classification: An overview of selected methodological issues. *Crime and Justice: An Annual Review, 9*, 201-248.

BRIGGS, P.F., WIRT, R.D. et JOHNSON, R. (1961). An application of prediction tables to the study of delinquency. *Journal of Consulting Psychology, 25*, 46-50.

BURGESS, E.W. (1928). Factors determining success or failure on parole. Dans A.A. Bruce, E.W. Burgess et A.J. Arn (dir.), *The working of the intermediate sentence law and the parole system in Illinois* (p. 205-249). Springfield, IL: State Board Parole.

CASAT, C.D., NORTON, H.J. et BOYLE-WHITESEL, M. (1999). Identification of elementary school children at risk for disruptive behavioral disturbance: Validation of a combined screening method. *Journal of the American Academy of Child and Adolescent Psychiatry, 38*, 1246-1253.

CASPI, A., ELDER, G.H. et HERBENER, E.S. (1990). Childhood personality and the prediction of life-course patterns. Dans L.N. Robins et M. Rutter (dir.), *Straight and devious pathways from childhood to adulthood* (p. 13-35). New York: Cambridge University Press.

CASPI, A. et MOFFITT, T.E. (1995). The continuity of maladaptive behavior: From description to understanding in the study of antisocial behavior. Dans D. Chicchetti et D. Cohen (dir.), *Developmental Psychopathology, vol. 2: Risk, disorder and adaptation* (p. 472-511). New York: John Wiley & Sons.

CATALANO, R.F., ARTHUR, M.W., HAWKINS, J.D., BERGLUND, L. et OLSON, J.J. (1998). Comprehensive community and school-based interventions to prevent antisocial behavior. Dans R. Loeber et D.P. Farrington (dir.), *Serious and violent juvenile offenders: Risk factors and successful interventions* (p. 248-283). Thousand Oaks, CA: Sage.

CHAIKEN, J., CHAIKEN, M. et RHODES, W. (1994). Predicting violent behavior and classifying violent offenders. Dans A.J. Reiss et J.A. Roth (dir.), *Understanding and preventing violence, Volume 4 : Consequences and control* (p. 217-295). Washington, DC : National Academy Press.

CHARLEBOIS, P., LE BLANC, M., GAGNON, C., LARIVÉE, S. et TREMBLAY, R.E. (1993). Age trends in early behavioral predictors of serious antisocial behaviors. *Journal of Psychopathology and Behavioral Assessment, 15* (1), 23-41.

CHARLEBOIS, P., LE BLANC, M., GAGNON, C. et LARIVÉE, S. (1994). Methodological issues in multiple-gating screening procedures for antisocial behaviors in elementary students. *Remedial and Special Education, 15* (1), 44-55.

COHEN, M.A. (1998). The monetary value of saving high-risk youth. *Journal of Quantitative Criminology, 14*, 5-33.

COIE, J.D., WATT, N.F., WEST, S.G., HAWKINS, J.D., ASARNOW, J.R., MARKMAN, H.J., RAMEY, S.L., SHURE, M.B. et LONG, B. (1993). The science of prevention : A conceptual framework and some directions for a national research program. *American Psychologist, 48* (10), 1013-1022.

COPAS, J.B. et LOEBER, R. (1990). Relative improvement over chance (RIOC) for 2 X 2 tables. *British Journal of Mathematical and Statistical Psychology, 43*, 293-307.

COWEN, E.L., DORR, D., CLARFIELD, S.P., KRELING, B., MCWILIAMS, S.A., PKRACKI, F., PRATT, D.M., TERRELL, D.L. et WILSON, A.B. (1973). The AML : A quick screening device for early identification of school maladaptation. *American Journal of Community Psychology, 1*, 12-35.

COWEN, E.L., HIGHTOWER, A.D., PEDRO-CARROLL, J.L., WORK, W.C., WYMAN, P.A. et HAFFEY, W.G. (1996). *School-based prevention for children at risk : The Primary Mental Health Project*. Washington, DC : American Psychological Association.

CRAIG, M.M. et GLICK, S.J. (1963). Ten years' experience with the Glueck Social Prediction Table. *Crime and Delinquency, 9*, 249-261.

CRONBACH, L.J. et GLASER, G.C. (1965). *Psychological tests and personal decisions*. Urban, IL : University of Illinois Press.

DISHION, T.J., MCCORD, J. et POULIN, F. (1999). When interventions harm : Peer groups and problem behavior. *American Psychologist, 54* (9), 755-764.

DISHION, T.J. et PATTERSON, G.R. (1993). Antisocial behavior : Using a multiple gating strategy. Dans M.I. Singer, L.T. Singer et T.M. Anglin (dir.), *Handbook for screening adolescent at psychosocial risk* (p. 375-399). New York : Lexington Books.

DOOTJES, I. (1972). Predicting juvenile delinquency. *Australian and New Zealand Journal of Criminology, 5*, 157-171.

DUNCAN, O.D., OHLIN, L.E., REISS, A.J. et STANTON, H.R. (1952). Formal devices for making selection decisions. *American Journal of Sociology, 58*, 573-584.

DURLAK, J.A. (1995). *School-based prevention programs for children and adolescents*. Thousand Oaks, CA : Sage.

DURLAK, J.A. et JASON, L.A. (1984). Preventive programs for school-aged children and adolescents. Dans M.C. Roberts et L. Peterson (dir.), *Prevention of problems in childhood : Psychological research and applications* (p. 103-132). New York : John Wiley & Sons.

ELLIOTT, D.S., HUIZINGA, D. et MENARD, S. (1989). *Multiple problem youth : Delinquency, substance use, and mental health problems*. New York : Springer-Verlag.

FARRINGTON, D.P. (1985). Predicting self-report and official delinquency. Dans D.P. Farrington et R. Tarling (dir.), *Prediction in criminology* (p. 150-173). New York : State University of New York Press.

FARRINGTON, D.P. (1987). Early Precursors of frequent offending. Dans J.Q. Wilson et G.C. Loury (dir.), *From children to citizens : Families, schools, and delinquency prevention* (p. 27-50). New York : Springer-Verlag.

FARRINGTON, D.P. (1989). Early predictors of adolescent aggression and adult violence. *Violence and Victims, 4*, 79-100.

FARRINGTON, D.P. (1991). Childhood aggression and adult violence : Early precursors and later life outcomes. Dans K.H. Rubin et D. Pepler (dir.), *The development and treatment of childhood aggression* (p. 5-29). Hillsdale, NJ : Lawrence Erlbaum.

FARRINGTON, D.P. et LOEBER, R. (1995). Relative improvement over chance (RIOC) and phi as measures of predictive efficiency and strength of association in 2 X 2 tables. *Journal of Quantitative Criminology, 5*, 201-213.

FARRINGTON, D.P. et LOEBER, R. (1999). Transatlantic replicability of risk factors in the development of delinquency. Dans P. Cohen, C. Slomkowski et L.N. Robins (dir.), *Where and when : The influence of history and geography on aspects of psychopathology*. Mahwah, NJ : Lawrence Erlbaum.

FARRINGTON, D.P., LOEBER, R., ELLIOTT, D.S., HAWKINS, J.D., KANDEL, D.B., KLEIN, M.W., MCCORD, J., ROWE, D.C. et TREMBLAY, R.E. (1990). Advancing knowledge about the onset of delinquency and crime. *Advances in Clinical Child Psychology*, 13, 283-342.

FARRINGTON, D.P., LOEBER, R., STOUTHAMER-LOEBER, M., VAN KAMMEN, W.B. et SCHMIDT, L. (1996). Self-reported delinquency and a combined delinquency seriousness scale based on boys, mothers, and teachers : Concurrent and predictive validity for African-American and Caucasians. *Criminology, 34*, 493-517.

FARRINGTON, D.P., OHLIN, L.E. et WILSON, J.Q. (1986). *Understanding and controlling crime : Toward a new research strategy*. New York : Springer Verlag.

FARRINGTON, D.P. et TARLING, R. (dir.) (1985). *Prediction in criminology*. New York : State University of New York Press.

FARRINGTON, D.P. et WEST, D.J. (1993). Criminal, penal and life histories of chronic offenders : Risk and protective factors and early identification. *Criminal Behavior and Mental Health, 3*, 492-523.

FELDHUSEN, J.F., AVERSANO, F.M. et THURSTON, J.R. (1976). Prediction of youth contacts with law enforcement agencies. *Criminal Justice and Behavior, 3*, 235-253.

FELDHUSEN, J.F., THURSTON, J.R. et BENNING, J.J. (1973). A longitudinal study of delinquency and other aspects of children's behavior. *International Journal of Criminology and Penology, 1*, 341-351.

FRÉCHETTE, M. et LE BLANC, M. (1987). *Délinquances et délinquants*. Boucherville, Québec : Gaëtan Morin Éditeur.

GABOR, T. (1986). *The prediction of criminal behavior*. Toronto, Ontario : University of Toronto Press.

GAMBRILL, E. (1990). *Critical thinking in clinical practices : Improving the accuracy of judgments and decisions about clients*. San Fransisco, CA : Jossey-Bass.

GLAROS, A.G. et KLINE, R.B. (1988). Understanding the accuracy of tests with cutting scores : The sensitivity, specificity, and predictive value model. *Journal of Clinical Psychology, 44*(6), 1013-1023.

GLUECK, S. et GLUECK, E. (1950). *Unraveling juvenile delinquency*. New York : Commonwealth Fund.

GOTTFREDSON, D.M. (1987). Prediction and classification in criminal justice decision making. *Crime and Justice : An Annual Review, 9*, 1-20.

GOTTFREDSON, S.D. et GOTTFREDSON, D.M. (1985). Screening for risk among parolees : Policy, practice, and method. Dans D.P. Farrington et R. Tarling (dir.), *Prediction in criminology*. New York : State University of New York Press.

GOTTFREDSON, D.M. et TONRY, M. (dir.) (1987). *Crime and Justice : An Annual Review, vol, 9 : Prediction and classification : Criminal justice decision making*. Chicago, IL : University of Chocago Press.

GUERRA, N.G., TOLAN, P.H. et HAMMOND, R. (1994). Prevention and treatment of adolescent violence. Dans L.D. Eron, J. Gentry, P. Schlegel (dir.), *Reason to hope : A psychological perspective on violence and youth* (p. 383-404). Washington, DC : American Psychological Association.

HATHAWAY, S.R. et MONACHESI, E.D. (1953). *Analyzing and predicting juvenile delinquency with MMPI*. Minneapolis, MN : University of Minnesota Press.

HAVINGHURST, R.J., BOWMAN, P.H., LIDDLE, G.P., MATTHEWS, C.V. et PIERCE, J.V. (1962). *Growing up in River City*. New York : John Wiley & Sons.

HAWKINS, J.D., CATALANO, R.F. et MILLER, J.Y. (1992). Risk and protective factors for alcohol and other drug problems in adolescence and early adulthood : Implications for substance abuse prevention. *Psychological Bulletin, 112* (1), 64-105.

HINSHAW, S.P. et ZUPAN, B.A. (1997). Assessment of antisocial behavior in chlidren and adolescents. Dans D.M. Stoff, J. Breiling et J.D. Maser (dir.), *Handbook of antisocial behavior* (p. 36-50). New York : John Wiley & Sons.

HODGE, E.F. et TAIT, C.D. (1963). A follow-up study of potential delinquents. *American Journal of Psychiatry, 120*, 449-453.

HOWELL, J.C. (1998). Promising programs for youth gang violence prevention and intervention. Dans R. Loeber et D.P. Farrington (dir.), *Serious and violent juvenile offenders : Risk factors and successful interventions* (p. 284-312). Thousand Oaks, CA : Sage.

HSIAO, J.K., BARTKO, J.J. et POTTER, W.Z. (1989). Diagnosing diagnoses : Receiver operating characteristic methods and psychiatry. *Archives of General Psychiatry, 46*, 664-667.

IALONGO, N., EDELSOHN, G., WERTHAMER-LARSSON, L., CROCKETT, L et SHEPPARD, K. (1993). Are self-reported depressive symptoms in first-grade children developmentally transient phenomena ? A further look. *Development and Psychopathology, 5*, 433-457.

JESSOR, R. et JESSOR, S.L. (1977). *Problem behavior and psychosocial development*. New York : Academic Press.

KAHN, J.S., KEHLE, T.J., JENSON, W.R. et CLARK, E. (1990). Comparison of cognitive-behavioral, relaxation, and self-modeling interventions for depression among middle-school students. *School Psychology Review, 19*, 196-211.

KAUFFMAN, J.M. (1993). *Characteristics of emotional and behavioral disorders of children and youth* (5e éd.). New York : MacMillan.

KAZDIN, A.E. (1995). *Conduct disorders in childhood and adolescence* (2e éd.). Thousand Oaks, CA : Sage.

KELLAM, S.G. et REBOK, G.W. (1992). Building developmental and etiological theory through epidemiological based preventive intervention trials. Dans J. McCord et R.E. Tremblay (dir.), *Preventing antisocial behavior : Interventions from birth through adolescence* (p. 162-195). New York : Guilford Press.

KOLVIN, I., MILLER, F.J., FLEETING, M. et KOLVIN, P.A (1988). Social and parenting factors affecting criminal-offense rates : Findings from the Newcastle Thousand Family Study (1947-1980). *British Journal of Psychiatry, 152*, 80-90.

KOVACS, M. et DEVLIN, B. (1998). Internalizing disorders in childhood. *Journal of Child Psychology and Psychiatry, 39*(1), 47-63.

KVARACEUS, W.C. (1953). *KD Proneness Scale and Checklist*. Yonkers-on-Hudson, New York : World Book.

KVARACEUS, W.C. et MILLER, W.B. (1959). *Delinquent behavior : Culture and the individual*. Washington, DC : National Education Association of the United States.

KRAEMER, H.C., KAZDIN, A.E., OFFORD, D.R., KESSLER, R.C., JENSEN, P.S. et KUPFER, D.J. (1997). Coming to terms with the term of risk. *Archives of General Psychiatry, 54*, 337-343.

KRAEMER, H.C., KAZDIN, A.E., OFFORD, D.R., KESSLER, R.C., JENSEN, P.S. et KUPFER, D.J. (1999). Measuring the potency of risk factors for clinical or policy significance. *Psychological Methods, 4*(3), 257-271.

LE BLANC, M. (1995). Common, temporary, and chronic delinquencies : Prevention strategies during compulsory school. Dans P-O Wikström, J. McCord et R.W. Clarke (dir.), *Integrating crime prevention strategies : Motivation and opportunity* (p. 169-205). Stockholm : The National Council for Crime Prevention.

LE BLANC, M. (1998). Screening of serious and violent juvenile offenders : Identification, classification, and prediction. Dans R. Loeber et D.P. Farrington (dir.), *Serious and violent juvenile offenders : Risk factors and successful interventions* (p. 167-193). Thousand Oaks, CA : Sage.

LE BLANC, M. et FRÉCHETTE, M. (1989). *Male criminal activity, from childhood through youth : Multilevel and developmental perspectives*. New York : Springer-Verlag.

LE BLANC, M. et LOEBER, R. (1998). Developmental Criminology Updated. *Crime and Justice : A Review of Research, 23*, 115-198.

LE BLANC, M., MARINEAU, D., FRÉCHETTE, M. et LIMOGES, T. (1971). Quelques résultats d'un projet de prévention spécifique. *Revue canadienne de criminologie, 13*, 232-250.

LIPSEY, M.W. (1989). *Juvenile delinquency treatment : A meta-analysis inquiry into the variability effects*. New York : Russell Sage Foundation.

LIPSEY, M.W. et DERZON, J.H. (1998). Predictors of violent and serious delinquency in adolescence and early adulthood : A synthesis of longitudinal research. Dans R. Loeber et D.P. Farrington (dir.), *Serious and violent juvenile offenders : Risk factors and successful interventions* (p. 86-105). Thousand Oaks, CA : Sage.

LOCHMAN, J.E. et THE CONDUCT PROBLEMS PREVENTION RESEARCH GROUP (1995). Screening of child behavior problems for prevention programs at school entry. *Journal of Consulting and Clinical Psychology, 63*(4), 549-559.

LOEBER, R. (1982). The stability of antisocial and delinquent child behavior : A review. *Child Development, 53*, 1431-1446.

LOEBER, R. (1990). Development and risk factors of juvenile antisocial behavior and delinquency. *Clinical Psychology Review, 10*, 1-41.

LOEBER, R. (1991). Antisocial behavior : More enduring than changeable ? *Journal of the American Academy of Child and Adolescent Psychiatry, 30*(3), 393-397.

LOEBER, R. et DISHION, T.J. (1983). Early predictors of male delinquency : A review. *Psychological Bulletin, 94* (1), 68-99.

LOEBER, R., DISHION, T.J. et PATTERSON, G.R. (1984). Multiple gating : A multistage assessment procedure for identifying youths at risk for delinquency. *Journal of Research in Crime and Delinquency, 21*, 7-32.

LOEBER, R., FARRINGTON, D.P., STOUTHAMER-LOEBER, M. et VAN KAMMEN, W.B. (1998). Multiple risk factors for multiproblem boys : Co-occurrence of delinquency, substance use, attention deficit, conduct problems, physical agression, covert behavior, depressed mood, and shy / withdrawn behavior. Dans R. Jessor (dir.), *New perspectives on adolescent risk behavior* (p. 90-149). New York : Cambridge University Press.

LOEBER, R. et STOUTHAMER-LOEBER, M. (1987). Prediction. Dans H.C. Quay (dir.), *Handbook of juvenile delinquency* (p. 325-282). New York : John Wiley & Sons.

LOFTUS, A.P.T. (1974). Predicting recidivism using the Glueck Social Prediction Scale with male first offender delinquents. *Australian and New Zealand Journal of Criminology, 7*, 31-43.

LORION, R.P., TOLAN, P.H. et WAHLER, R.G. (1987). Prevention. Dans H.C. Quay (dir.), *Handbook of juvenile delinquency* (p. 383-416). New York : John Wiley & Sons.

LYNAM, D.R. (1996). Early identification of chronic offenders : Who is the fledgling psychopath ? *Psychological Bulletin, 120*, 209-234.

MASH, E.J. et TERDAL, L.G. (dir.)(1997). *Assessment of childhood disorders* (3e éd.). New York : Guilford Press.

MCCORD, J. (1978). A thirty-year follow-up of treatment effects. *American Psychologist, 33*, 284-289.

MCCORD, J. (1988). L'évaluation des interventions : En premier lieu, ne pas nuire. Dans P. Durning (dir.), *Éducation familiale : Un panorama des recherches internationales*. Paris, France : Édition Matrice.

MOFFITT, T.E., CASPI, A., DICKSON, N., SILVA, P. et STANTON, W. (1996). Childhood-onset versus adolescent-onset antisocial conduct problems in males : Natural history from ages 3 to 18 years. *Development and Psychopathology, 8*, 399-424.

MOORE, M.H. (1986). Purblind justice : Normative issues in the use of prediction in the criminal justice system. Dans A. Blumstein, J. Cohen, J.A. Roth et C.A. Visher (dir.), *Criminal career and career criminals* (vol. 2 ; p. 314-355). Washington, DC : National Academy Press.

MOSSMAN, D. (1994a). Assessing predictors of violence : Being accurate about accuracy. *Journal of Consulting and Clinical Psychology, 62*(4), 783-792.

MOSSMAN, D. (1994b). Further comments on portraying the accuracy of violence predictions. *Law and Human Behavior, 18*, 587-593.

MRAZEK, P.J. et HAGGERTY, R.J. (1994). *Reducing risks for mental disorders : Frontiers for preventive intervention research.* Washington, DC : National Academy Press.

MULVEY, E.P., ARTHUR, M.W. et REPPUCCI, N.D. (1993). The prevention and treament of juvenile delinquency : A review of the research. *Clinical Psychology Review, 13*, 133-167.

OFFORD, D.R. (1997). Bridging development, prevention, and policy. Dans D.M. Stoff, J. Breiling et J.D. Maser (dir.), *Handbook of antisocial behavior* (p. 357-364). New York : John Wiley & Sons.

OFFORD, D.R., BOYLE, M.H. et RACINE, Y.A. (1991). The epidemiology of antisocial behavior in childhood and adolescence. Dans D.J. Pepler et K.H. Rubin (dir.), *The development and treament of childhood aggression* (p. 31-54). Hillsdale, NJ : Lawrence Erlbaum.

OFFORD, D.R., BOYLE, M.H., RACINE, Y., SZATMARI, P., FLEMING, J.E., SANFORD, M. et LIPMAN, E. (1996). Integrating assessment data from multiple informants. *Journal of the American Academy of Child and Adolescent Psychiatry, 35*, 1078-1085.

OFFORD, D.R., KRAEMER, H.C., KAZDIN, A.E., JENSEN, P.S. et HARRINGTON, R. (1998). Lowering the burden of suffering from child psychiatric disorder : Trade-offs among clinical, targeted, and universal interventions. *Journal of the American Academy of Child and Adolescent Psychiatry, 37*(7), 686-694.

OLWEUS, D. (1979). Stability of aggressive reaction patterns in males : A review. *Psychological Bulletin, 85*, 852-875.

PATTERSON, G.R., CAPALDI, D. et BANK, L. (1991). An early starter model for predicting delinquency. Dans D.J. Pepler et K.H. Rubin (dir.), *The development and treatment of childhood aggression* (p. 139-168). Hillsdale, NJ : Lawrence Erlbaum.

PILLOW, D.R., SANDLER, I.N., BRAVER, S.L., WOLCHIK, S.A. et GERSTEN, J.C. (1991). Theory-based screening for prevention : Focusing on mediating processes in children of divorce. *American Journal of Community Psychology, 19*(6), 809-836.

PORTEUS, S.D. (1942). *Qualitative performance in the Maze Test.* New York : Psychological Corporation.

PROVENCE, S. et Naylor, A. (1983). *Working with disadvantage parents and their children : Scientific and practice issues.* New Haven, CT : Yale University Press.

REID, J.B. et EDDY, J.M. (1997). The prevention of antisocial behavior : Some considerations in the search for effective interventions. Dans D.M. Stoff, J. Breiling et J.D. Maser (dir.), *Handbook of antisocial behavior* (p. 343-356). New York : John Wiley & Sons.

RICE, M.E. et HARRIS, G.T. (1995). Violent recidivism : Assessing predictive validity. *Journal of Consulting and Clinical Psychology, 63*(5), 737-748.

RIGGS, W.C. et JOYAL, A.E. (1938). A validation of the Loofbourrow-Keys personal index of problem behavior in junior high schools. *Journal of Educational Psychology, 19*, 194-201.

ROBINS, L.N. (1966). *Deviant children grown up*. Baltimore, MD : Wiliams & Wilkins.

ROSE, G. (1985). Sick individuals and sick populations. *International Journal of Epidemiology, 14*, 32-38.

RUTTER, M. (1979). Protective factors in children's responses to stress and disadvantage. Dans M.W. Kant et J.E. Rolf (dir.), *Primary prevention of psychopathology, vol. 3 : Social competence in children* (p. 49-74). Hanover, NH : University Press of New England.

RUTTER, M. (1990). Psychosocial resilience and protective mecanisms. Dans J. Rolf, A.S. Masten, D. Cicchetti, K.H. Nuechterlein et S. Weintraub (dir.), *Risk and protective factors in the development of psychopathology* (p. 181-214). New York : Cambridge University Press.

SATTLER, J.M. (1992). *Assessment of children* (3e éd., revue et corrigée). San Diego, CA : auteur.

SINGER, M.I., SINGER, L.T. et ANGLIN, T.M. (dir.)(1993). *Handbook for screening adolescent at psychosocial risk*. New York : Lexington Books.

SIMONS, R., WU, W.-I., CONGER, R. et LORENZ, F. (1994). Two routes to delinquency : Differences between early and late starter in the impact of parenting and deviant peers. *Criminology, 32*, 247-275.

STARK, K.D., REYNOLDS, W.M. et KASLOW, N.J. (1987). A comparison of the relative efficacy of self-control therapy and a behavioral problem-solving therapy for depression in children. *Journal of Abnormal Child Psychology, 15*, 91-113.

STODGILL, R.M. (1950). *Behavior Cards : A test-interview for delinquent children*. New York : Psychological Corporation.

STOTT, D.H. (1960). A new delinquency prediction instrument using behavioral indications. *International Journal of Social Psychiatry, 6*, 195-205.

TOLAN, P.H. et GUERRA, N.G. (1994). Prevention of delinquency : Current status and issues. *Applied and Preventive Psychology, 3*, 251-273.

TONRY, M. (1987). Prediction and classification : Legal and ethical issues. *Crime and Justice : An Annual Review, 9*, 367-423.

TREMBLAY, R.E. et CRAIG, W.M. (1995). Developmental crime prevention. *Crime and Justice : An Annual Review, 19*, 151-236.

TREVVETT, N.B. (1965). Identifying delinquency-prone children. *Crime and Delinquency, 11*, 186-191.

VEVERKA, M. (1971). The Gluecks' Social Prediction Table in a Czechoslovak research. *British Journal of Criminology, 11*, 187-189.

VITARO, F, BRENDGEN, M. et TREMBLAY, R.E. (1999). Prevention of school dropout through the reduction of disruptive behaviors and school failure in elementary school. *Journal of School Psychology, 37*(2), 205-226.

WACHS, T.D. (1999). *Necessary but not sufficient : The respective roles of single and multiple influences on individual development*. Washington, DC : American Psychological Association.

WADSWORTH, M.E.J. (1978). Delinquency prediction and its uses. *International Journal of Mental Health, 7*, 43-62.

WALKER, H.M. et SEVERSON, H.H. (1992). *Systematic screening for behavioral disorders (SSBD) : User's guide and technical manual* (2e éd.). Longmont, CA : Sopris West.

WALKER, H.M., SEVERSON, H.H., NICHOLSON, F., KEHLE, T., JENSON, W.R. et CLARK, E. (1994). Replication of the Systematic Screening for Behavior Disorders (SSBD) procedure for the identification of at-risk children. *Journal of Emotional and Behavioral Disorders, 2*, 66-77.

WASHBURN, J.W. (1929). An experiment on character measurement. *Journal of Juvenile Delinquency, 13*, 1-8.

WASSERMAN, G.A. et MILLER, L.S. (1998). The prevention of serious and violent juvenile offending. Dans R. Loeber et D.P. Farrington (dir.), *Serious and violent juvenile offenders : Risk factors and successful interventions* (p. 197-247). Thousand Oaks, CA : Sage.

WEHBY, J.H., DODGE, K.A., VALENTE, E. et THE CONDUCT PROBLEMS PREVENTION RESEARCH GROUP (1991). School behavior of first grade children identified as at-risk for development of conduct problems. *Behavioral Disorders, 19*, 67-78.

WERNER, E.E. et SMITH, R.S. (1992). *Overcoming the odds : High risk children from birth to adulthood.* Ithaca, New York : Cormall University Press.

WILBANKS, W.L. (1985). Predicting failure in parole. Dans D.P. Farrington et R. Tarling (dir.), *Prediction in Criminology* (p. 78-95). New York : State University of New York Press.

WILKINS, L.T. (1985). The politics of prediction. Dans D.P. Farrington et R. Tarling (dir.), *Prediction in Criminology* (p. 34-53). New York : State University of New York Press.

WILSON, J.Q. (1987). Strategic opportunities for delinquency prevention. Dans J.Q. Wilson et G.C. Loury (dir.), *From children to citizens, Vol. 3 : Families, schools, and delinquency prevention.* New York : Springer-Verlag.

WOLFGANG, M.E., FIGLIO, R.M. et SELLIN, T. (1972). *Delinquency in a birth cohort.* Chicago, IL : University of Chicago Press.

YOSHIKAWA, H. (1994). Prevention as cumulative protection : Effects of early family support and education on chronic delinquency and its risks. *Psychological Bulletin, 115*(1), 28-54.

ZIGLER, E., TAUSSIG, C. et BLACK, K. (1992). Early childhood intervention : A promising preventative for juvenile delinquency. *American Psychologist, 47*(8), 997-1006.

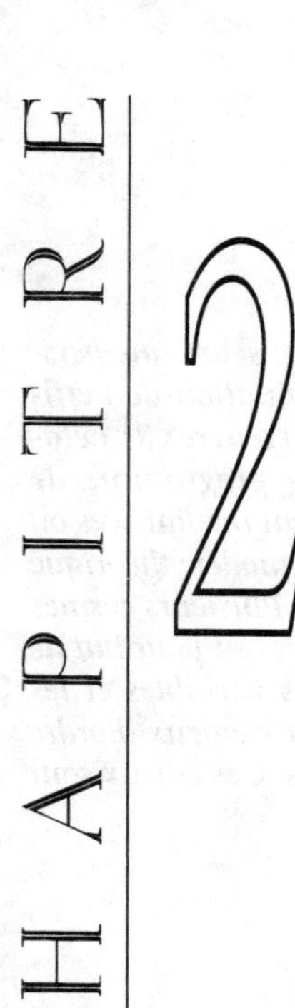

ÉVALUATION DES PROGRAMMES DE PRÉVENTION

PRINCIPES ET PROCÉDURES

FRANK VITARO
Université de Montréal

Résumé

Ce chapitre traite de l'évaluation des programmes de prévention selon une perspective développementale. Divers aspects sont traités : 1) l'évaluation de l'efficacité ou de l'atteinte des objectifs ; 2) l'évaluation de la mise en œuvre : 3) l'établissement d'un lien de causalité entre les résultats et le programme de prévention ; 4) l'estimation statistique des variables présumément médiatrices ou modératrices ; 5) l'évaluation de l'efficience ; 6) la validation du modèle théorique ayant présidé à la conception des programmes de prévention. Plusieurs termes nouveaux en français sont proposés dans ce chapitre. Ces termes ont pour but de clarifier et d'uniformiser le vocabulaire utilisé pour décrire les variables et les processus impliqués dans une démarche de prévention. Plusieurs enjeux d'ordre théorique, méthodologique et statistique sont également abordés. Ces enjeux sont assortis de suggestions pratiques et de références pertinentes.

Les chapitres de cet ouvrage collectif rapportent les résultats de divers programmes de prévention. La qualité de ces résultats, il faut le reconnaître, est tributaire des stratégies et outils d'évaluation mis en œuvre par les responsables de ces programmes ou leurs mandataires. En outre, plusieurs chercheurs se sont contentés de rapporter les résultats à court terme de leurs programmes de prévention ; ces résultats à court terme font partie d'une chaîne développementale dont la problématique à prévenir constitue l'aboutissement et ils représentent des variables *proximales* intéressantes et importantes. Cependant, ces premiers chaînons ne peuvent se substituer aux mesures à plus long terme (soit les mesures *distales*) qui se rapportent directement à la problématique à prévenir. L'intervalle de temps entre les variables proximales et les variables distales peut être plus ou moins long, selon la période où le programme de prévention entre en jeu par rapport à la chaîne développementale et selon la période d'apparition du problème à prévenir. Pendant cet intervalle de temps, il importe de mesurer les variables potentiellement *médiatrices* susceptibles d'éclairer le lien entre les changements dans les variables proximales et une réduction de la problématique distale.

Cela dit, même une évaluation complète des effets d'un programme de prévention au chapitre des variables proximales, distales et médiatrices ne serait pas suffisante ; encore faudrait-il procéder à une évaluation de la *mise en œuvre* du programme. Une telle évaluation peut révéler des variables *modératrices* (ou modulatrices) susceptibles d'expliquer les effets variables du programme selon les conditions d'application ou les caractéristiques des participants. Il importe aussi de démontrer *l'efficience* (ou rendement) du programme de prévention, en plus de son efficacité. Enfin, il peut être intéressant de vérifier si les résultats ont été obtenus à travers une chaîne développementale compatible avec celle qui a présidé à la conception du programme.

Le présent chapitre porte précisément sur les principes et les procédures reliés à l'évaluation des divers aspects d'un programme de prévention. Ces aspects concernent à : 1) l'évaluation de l'efficacité ou de l'atteinte des objectifs ; 2) l'évaluation de la mise en œuvre ; 3) l'établissement d'un lien de causalité entre les résultats et le programme de prévention ; 4) l'estimation statistique des variables présumément médiatrices ou modératrices ; 5) l'évaluation de l'efficience ; 6) la validation du modèle théorique ayant présidé à la conception des programmes de prévention.

ÉVALUATION DE L'ATTEINTE DES OBJECTIFS OU ÉVALUATION DE L'EFFICACITÉ (OU DE L'IMPACT)

Un programme de prévention vise à retarder, diminuer ou éviter un problème d'adaptation : 1) en réduisant les facteurs de risque ou en augmentant les facteurs de protection (soit les variables proximales) et 2) en espérant que ces changements se répercuteront sur les éléments de la chaîne développementale (soit les variables intermédiaires présumément médiatrices) qui, selon les modèles théoriques pertinents et les données longitudinales disponibles, exercent de manière probable une influence sur le problème d'adaptation à prévenir (soit la variable distale). Par conséquent, une évaluation complète des effets d'un programme de prévention doit inclure, dans l'ordre, 1) une mesure des variables proximales, 2) une mesure des variables présumément médiatrices qui composent la chaîne développementale et 3), enfin, une mesure de la variable distale. Il sera ainsi possible de s'assurer que les variables proximales ont subi le changement désiré, que la chaîne développementale a été mise en branle et s'est comportée comme prévu et, enfin, que les problèmes d'adaptation ont été retardés, éliminés ou réduits. Dans le tableau 1, nous définissons brièvement quelques termes techniques utilisés dans ce paragraphe.

Tableau 1
DÉFINITIONS DE QUELQUES TERMES TECHNIQUES

Variable proximale	Variable sur laquelle le programme de prévention devrait avoir un effet à court terme. En fait, les variables proximales sont les facteurs de risque que le programme vise à diminuer et les facteurs de protection qu'il vise à augmenter.
Variable distale	Variable sur laquelle le programme de prévention devrait avoir un effet à moyen ou à long terme. En fait, il s'agit du problème d'adaptation que l'on veut prévenir.
Variable médiatrice	Variable intermédiaire qui permet au lien entre la variable proximale et la variable distale d'exister. En fait, il s'agit des variables intermédiaires de la chaîne développementale. Ces variables intermédiaires sont, en principe, mises en branle par les changements que le programme de prévention a produits dans les variables proximales. Ainsi, selon un effet de domino, les changements entraînés par le programme se répercutent, à terme, sur la variable distale. Par conséquent, une analyse du déroulement des variables médiatrices permet de comprendre le mécanisme ou le processus selon lequel une variable proximale (ou facteur de risque) est reliée à une variable distale.
Variable modératrice (ou modulatrice)	Variable qui peut modifier le lien entre deux variables. Si la première variable est un programme d'intervention (soit la variable indépendante) et l'autre variable est une variable dépendante (proximale) alors la variable modératrice (supposons le sexe des participants) sert à expliquer l'effet différentiel du programme d'intervention selon les niveaux de la variable modératrice. Une variable modératrice peut aussi faire référence aux éléments se rapportant à la mise en œuvre du programme. De façon plus générale, une variable modératrice peut amplifier (exacerber ou précipiter) le lien

entre deux variables ou l'atténuer. Lorsque les deux variables sont, respectivement, un facteur de risque et un problème d'adaptation, alors la variable modératrice devient une variable de protection si elle atténue le lien entre ces deux variables. Sinon, il s'agit d'un facteur aggravant ou précipitant. On peut dire qu'une variable modératrice conditionne, qualifie ou exerce un effet modulateur sur le lien qui unit deux variables (p. ex., le programme de prévention et les résultats dans le cadre de ce chapitre).

Facteur de risque — Variable de nature personnelle, familiale, sociale ou environnementale qui augmente la probabilité d'apparition d'un problème d'adaptation. Certains auteurs utilisent l'expression « facteurs de vulnérabilité » ou « facteurs prédisposants » lorsque les facteurs de risque renvoient à des caractéristiques personnelles. Cette variable peut être concomitante ou antérieure au problème. Dans ce dernier cas, le facteur de risque constitue un prédicteur ou un précurseur, lorsqu'il s'agit d'une forme encore bénigne du problème ultérieur annoncé. Le rôle d'une variable prédictrice (ou d'un précurseur) ne peut être déterminé de façon précise dans les recherches longitudinales. Il peut s'agir d'un simple marqueur ou indicateur (qui indique le risque mais n'y contribue pas directement) ou un déterminant (qui participe à la chaîne d'événements responsables du problème ultérieur d'adaptation). Il est même possible qu'un précurseur et un problème ultérieur d'adaptation de même type (ou homotypique) ou de type apparenté mais différent (ou hétérotypique) soient liés par des tierces variables qui leur sont communes. Par exemple, le lien (du moins une partie) entre les comportements agressifs-oppositionnels à l'enfance et la délinquance (variable distale homotypique), la toxicomanie ou l'abandon scolaire à l'adolescence (variables distales hétérotypiques) peut s'expliquer par des pratiques disciplinaires inadéquates.

Facteur de protection — Facteur d'ordre personnel, familial, social ou environnemental qui diminue la probabilité d'apparition d'un problème d'adaptation. On parle de facteur de résilience lorsque le facteur de protection correspond à des caractéristiques de l'individu. Un facteur de protection ou de résilience agit dans un contexte où il y a déjà un risque, en diminuant l'impact d'un facteur de risque. Cela peut survenir de trois façons : 1) le facteur de protection atténue directement le problème ou les conséquences qu'a entraînées le facteur de risque ; 2) le facteur de protection peut interagir avec un facteur de risque afin d'en modérer l'effet ; 3) le facteur de protection peut bloquer l'émergence d'un facteur de risque. Dans tous les cas, le facteur de protection représente une variable modératrice.

Toutefois, avant de vérifier si les objectifs d'un programme de prévention sont atteints au plan des variables proximales, médiatrices et distales, il importe de préciser les objectifs visés. Ces objectifs sont inspirés des chaînes développementales qui font état de manière organisée des facteurs de risque et de protection pertinents selon le stade de développement de l'enfant. Ces chaînes développementales (ou modèles théoriques de développement) reposent sur des données empiriques issues d'études longitudinales. Comme nous l'avons mentionné précédemment, la modification de ces facteurs de risque et/ou de protection constitue l'*objectif proximal* du programme de prévention. Il importe de s'assurer que les études longitudinales ont établi un lien empirique causal[1] entre ces facteurs de risque et/ou de protection et le problème ultérieur qu'il s'agit de prévenir. Nous le rappelons : une modification positive de ce problème ultérieur constitue l'*objectif distal* (ou la variable distale). Les modèles théoriques et les recherches longitudinales ont mis au jour un certain nombre de variables intermédiaires par l'entremise desquelles un changement dans les variables proximales devrait se traduire par un effet positif sur la variable distale. Ces variables intermédiaires jouent, en principe, un rôle médiateur (ou de relais) entre les variables proximales et la variable distale. L'exemple suivant devrait illustrer les notions de variables proximales, intermédiaires (ou médiatrices) et distales. Selon plusieurs modèles théoriques prévalants (dont une synthèse est présentée à la figure 1), une intervention précoce destinée à prévenir la délinquance à l'adolescence (soit la variable distale) devrait d'abord viser une amélioration des pratiques parentales et une réduction des problèmes de comportement au cours de la petite enfance (soit les variables proximales). Les modèles prédisent, de plus, qu'une amélioration des variables proximales devrait entraîner un effet positif sur les variables distales par le truchement d'un certain nombre de variables intermédiaires (par exemple, des pairs déviants). Ces dernières devraient également se trouver modifiées à la suite d'une amélioration des variables proximales. Toutefois, avant de montrer que les variables intermédiaires ont effectivement joué un rôle médiateur[2], il importe :

1. Un lien prédictif entre un facteur de risque et un problème ultérieur d'adaptation n'en garantit pas la nature causale. En effet, un facteur de risque peut être un marqueur valide de risque sans nécessairement contribuer de manière causale à la chaîne développementale qui aboutit au problème ultérieur d'adaptation. Dans ce cas, un tel facteur de risque peut tout de même servir au dépistage des enfants à risque, mais il ne constituerait pas une cible pertinente pour un programme de prévention. Il est extrêmement difficile d'établir avec certitude un lien de causalité puisque cela implique une manipulation expérimentale qui est souvent impratiquable. En fait, les seules manipulations expérimentales autorisées consistent à éliminer les facteurs de risque ou à mettre en place des facteurs de protection dans le cadre d'un programme de prévention. Toutefois, les études longitudinales qui incluent les variables de contrôle pertinentes (incluant le niveau initial de la variable dépendante) autorisent l'établissement de liens directionnels, investis d'une présomption de causalité. C'est le cas en particulier des études qui tentent de valider des modèles théoriques à l'aide d'équations structurales.
2. Ce point est repris plus loin dans le texte.

1. De définir en objectifs opérationnels les variables proximales, distales et intermédiaires prescrites par le modèle théorique dont s'inspire le programme de prévention. De cette manière, il sera possible d'évaluer les effets du programme de prévention et d'expliquer comment ces effets se sont matérialisés, en particulier au chapitre des variables distales. La nature et le nombre de variables intermédiaires ou présumément médiatrices devraient varier en fonction du modèle théorique adopté et de la problématique ciblée par le programme de prévention.

2. De développer ou d'adopter des instruments de mesure dont les qualités psychométriques sont bien établies pour évaluer les variables proximales, intermédiaires et distales. En raison de l'erreur inhérente à chaque type de mesure et à la perspective limitée de chaque source d'information (enseignants, parents, pairs, sujets, cliniciens, observateurs indépendants, appareils automatisés, etc.), il est souhaitable d'utiliser, autant que possible, plus d'un instrument de mesure et de faire appel à plus d'une source d'évaluation. Diverses techniques peuvent ensuite être utilisées pour combiner les diverses mesures et les diverses sources d'évaluation. Un examen de l'écart entre les instruments de mesure ou les sources d'évaluation pourrait aussi s'avérer fort révélateur. Cette procédure est connue sous l'expression « multitrait-multiméthode » (Achenbach, 1985) ou « multisource-multiméthode » (Jensen, 1995).

3. De prendre la peine d'évaluer ces trois ordres de variables. Trop souvent, les programmes de prévention se contentent d'évaluer les effets sur les variables proximales ; cela est nettement insuffisant, car un changement dans les variables proximales ne garantit pas un effet positif sur les variables distales. La chaîne développementale proposée par le modèle théorique peut être erronée ou encore certaines variables intermédiaires demeureront inchangées malgré l'atteinte des objectifs en ce qui concerne les variables proximales. Autrement dit, l'effet de domino escompté ne s'est pas produit. Cela peut exiger un certain temps avant d'être en mesure d'évaluer les effets d'un programme de prévention sur des variables distales. Sans cette patience et des efforts soutenus, il n'est tout simplement pas possible de savoir si un programme de prévention a vraiment atteint tous ses objectifs. Afin de tempérer une possible impatience à mesurer les variables distales, il est proposé de recueillir les précieuses mesures au regard des variables intermédiaires afin d'essayer de comprendre comment les changements dans les variables proximales se sont traduits par des effets positifs sur des variables distales ou encore pourquoi il y a eu un échec à ce niveau. Nous présentons plus loin une procédure pour évaluer précisément le rôle médiateur des variables intermédiaires afin de comprendre comment des changements sur des variables proximales peuvent se traduire à terme par une modification des

variables distales auxquelles elles sont reliées prédictivement. Le repérage de variables intermédiaires particulièrement importantes qui sont demeurées inchangées pourrait amener l'ajout de composantes propres à influencer ces variables intermédiaires, ce qui permettrait d'améliorer la prochaine version du programme de prévention.

Figure 1

UN MODÈLE ÉTIOLOGIQUE DES PROBLÈMES D'ADAPTATION DE LA NAISSANCE À L'ADOLESCENCE (VERSION LINÉAIRE SCHÉMATISÉE)

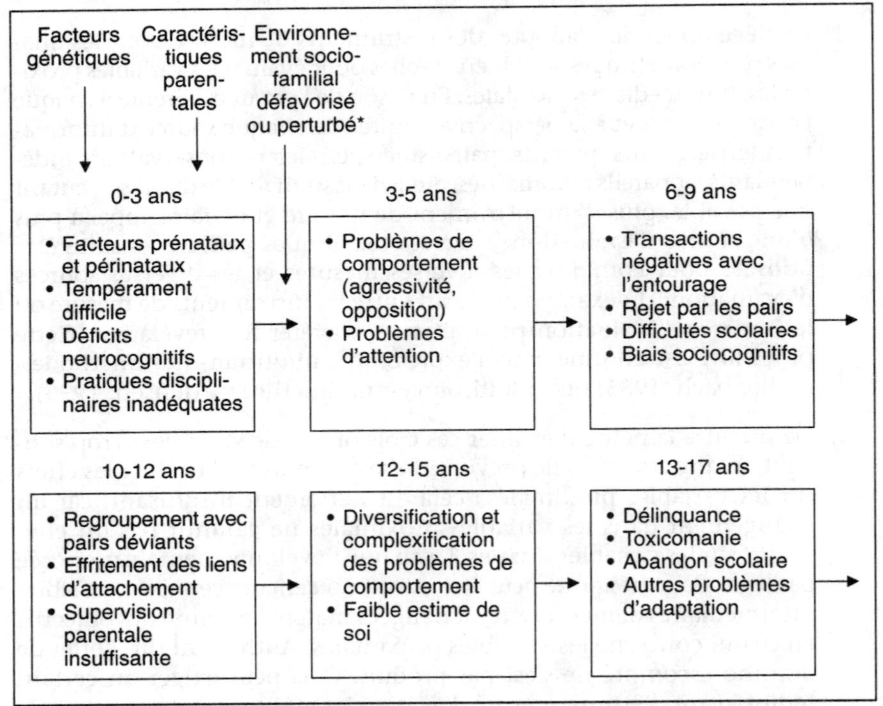

* Cette variable peut jouer un rôle modérateur à toutes les étapes de la chaîne développementale. De plus, elle peut jouer un rôle direct dans le développement proposé ici.

Nous le répétons : l'atteinte des objectifs proximaux ne garantit pas la mise en branle de la chaîne développementale et l'atteinte des objectifs distaux. En retour, un programme qui ne parvient pas à améliorer les variables proximales a peu de chances, en théorie, d'avoir des effets positifs sur les variables intermédiaires et, plus tard, sur les variables distales. Il est également important de se préoccuper des effets iatrogènes (pervers ou négatifs) qu'un programme de prévention peut entraîner. Les effets iatrogènes, de même que les effets collatéraux qui sont abordés dans le prochain paragraphe, peuvent être regroupés sous la rubrique « *Évaluation de l'impact* » d'un programme de prévention. Plusieurs exemples d'effets iatrogènes sont rapportés dans les autres chapitres de cet ouvrage. Rappelons, à titre illustratif, que certains programmes de prévention de la délinquance ont augmenté les problèmes de criminalité (Dishion, McCord et Poulin, 1999 ; McCord, 1992) ; de même, certains programmes de prévention des toxicomanies ont entraîné une augmentation de la consommation de substances psychotropes (Dishion et Andrews, 1995 ; Hosteller et Fisher, 1997). Dans certains cas, une analyse détaillée du déroulement du programme a permis de comprendre ces effets iatrogènes, ce qui peut être aussi utile et informatif que de comprendre la production d'effets positifs.

Il peut être utile également d'évaluer les effets collatéraux d'un programme de prévention, c'est-à-dire les effets positifs dans d'autres domaines que les domaines cibles ou chez d'autres individus que les enfants cibles. Certains programmes bien connus tel le Perry Preschool Program ont produit les effets positifs les plus probants au chapitre de la délinquance même si leur principal objectif était l'amélioration des habiletés intellectuelles (Schweinhart et Weikart, 1997). Compte tenu que plusieurs problèmes d'adaptation ont des facteurs de risque communs, il est possible d'imaginer que la réduction de quelques-uns des facteurs de risque communs pourrait donner des résultats intéressants au-delà de l'objectif visé par le programme de prévention. Par exemple, l'amélioration des compétences parentales à la suite d'une participation à un programme de prévention pourrait amener des interventions éducatives plus efficaces auprès de l'enfant cible et des autres enfants de la famille. En conséquence, les comportements de tous les enfants ainsi que les relations parents-enfants en général devraient s'en trouver améliorés. De la même manière, il est possible de penser qu'un programme de prévention du tabagisme devrait aussi réduire la vente de cigarettes à la tabagie en plus d'amener des changements d'attitudes et de comportement chez les jeunes. Il pourrait même inciter un certain nombre de parents fumeurs à abandonner la cigarette.

D'autres aspects peuvent également être évalués en ce qui concerne l'impact d'un programme de prévention. Par exemple, les résultats positifs d'un programme de prévention peuvent entraîner des changements dans les politiques sociales ou dans les pratiques des intervenants ou encore dans la sensibilisation d'une communauté à l'égard d'une problématique particulière. Ces « impacts » sur des scènes un peu éloignées de la scène où se déroule le programme ne doivent pas être négligés. Au contraire, il faut essayer de les favoriser en orchestrant une campagne de promotion et de diffusion ainsi qu'une appropriation des éléments du programme auprès des intervenants, des décideurs et du public en général. Évidemment, il faut s'assurer d'abord de l'efficacité du programme à court et à long terme.

Concluons cette section en explorant quelques réponses à trois questions importantes.

Première question : Jusqu'à quand doit-on évaluer les effets d'un programme de prévention ?

Nous avons déjà souligné que trop souvent les intervenants et les chercheurs se contentent d'évaluer l'atteinte des objectifs proximaux qui correspondent aux facteurs de protection ou de risque qui, théoriquement, prédisent l'issue développementale à prévenir[3]. Nous avons signalé que la réduction des facteurs de risque ou la mise en place de facteurs de protection ne constitue pas une garantie de succès pour la prévention des problèmes ultérieurs d'adaptation. Au mieux, l'atteinte des objectifs proximaux permet de conclure que la probabilité d'atteindre l'objectif distal est augmentée, mais seule une évaluation, le moment venu, permettra vraiment de le confirmer.

Une mesure adéquate de la variable distale s'impose donc. Afin de déterminer le moment optimal pour mesurer la variable distale, il faut d'abord consulter les trajectoires de développement que les recherches longitudinales ont permis d'établir. Ainsi, il sera possible de connaître à quel moment le problème d'adaptation prend son envol au sein de la population générale, à quel moment il atteint son apogée et à quel moment, s'il y a lieu, il amorce son déclin. Si l'objectif distal consiste à retarder le début des conduites délinquantes, à réduire les conduites les plus graves ou à activer l'abandon de telles conduites, le moment pour procéder à la mesure distale pourra varier en conséquence des données développementales disponibles.

L'idéal, cependant, consiste à procéder à plusieurs points de mesure tout au long de la trajectoire développementale. Premièrement, il sera possible de vérifier si les effets sur la variable distale sont perceptibles à certains points de mesure et pas à d'autres. En effet, un programme de prévention pourrait être efficace pour retarder le début de la consommation de psychotropes au début de l'adolescence, mais pas pour réduire l'ampleur de la consommation au milieu de l'adolescence. Deuxièmement, les nouveaux logiciels d'analyse statistique permettent d'évaluer l'effet d'un programme de prévention sur des trajectoires de développement (ou courbes de croissance). Les analyses de courbes de croissance permettent d'examiner le patron d'évolution de la variable distale en indiquant le point d'intercept et la pente (linéaire, quadratique, etc.) du comportement évalué. Le point d'intercept correspond au niveau initial du comportement cible alors que

---

3. Parfois, il n'y a même pas d'évaluation des efforts de prévention au regard des variables proximales (voir Lebeau, Sirois et Viens, 1996), ce qui, d'une part, traduit un manque d'éthique à l'égard des participants au programme et, d'autre part, empêche toute amélioration du programme. Par ailleurs, une évaluation de la satisfaction et de la perception des intervenants et des participants à l'égard du programme peut être intéressante, mais tout à fait discordante par rapport aux effets réels du programme sur leurs comportements (voir McCord, 1992).

la pente reflète son augmentation ou sa diminution en fonction du temps. Ainsi, pour les comportements délinquants, il est possible de déterminer si la trajectoire développementale des enfants qui ont participé au programme de prévention correspond à celle des délinquants transitoires (ou *late onset-adolescence limited delinquents* ; Moffit, 1993 ; voir aussi Le Blanc et Morizot, dans cet ouvrage) alors que celle des sujets du groupe de contrôle correspondrait à la trajectoire des délinquants chroniques (ou *early onset-life persistant delinquents*). Une illustration de ce type d'analyse est décrite dans Vitaro, Brendgen et Tremblay (sous presse). De plus, ces analyses autorisent l'absence occasionnelle de points de mesure ; cela réduit les biais d'estimation qu'une attrition élevée pourrait autrement entraîner.

Deuxième question : Quand les résultats d'un programme de prévention sont-ils probants ?

1. Lorsque la différence au post-test entre le groupe qui participe au programme de prévention et le groupe de contrôle est significative au plan statistique (après avoir contrôlé les différences initiales, si nécessaire). Les différences au post-test, pour être probantes, doivent être rapportées par différentes sources d'évaluation à l'aide de différents instruments. Puisque les informations provenant des enseignants et des parents sont souvent contaminées du fait qu'ils connaissent l'appartenance des enfants au groupe expérimental ou de contrôle (il est même possible qu'ils participent eux-mêmes à l'intervention), il est préférable d'inclure des sources d'information plus objectives tels les pairs ou des observateurs indépendants. Cela permet d'obtenir des résultats vraiment convaincants, puisque non contaminés par un effet probable de désirabilité sociale.

   Les résultats des tests statistiques sont grandement influencés par la taille des effectifs, de sorte qu'une différence modeste entre le groupe expérimental et le groupe de contrôle pourrait se révéler significative si le nombre de participants est élevé. Par contre, une différence importante pourrait être portée au compte du hasard si les effectifs sont très réduits et les variances intragroupes, élevées. Cohen (1988) a proposé un indice statistique qui tient compte de ces disparités afin d'apprécier l'ampleur « réelle » d'une différence entre deux ou plusieurs groupes. Cette méthode est connue sous le vocable d'*effect size*[4] (ou ampleur de l'effet). Comme son nom l'indique, cet indice permet

---

4. En plus de l'intérêt que le calcul de l'ampleur de l'effet représente en soi, il importe de noter qu'il sert aux méta-analyses qui visent à dégager une ampleur globale ou moyenne à travers plusieurs études et à établir les facteurs responsables de la variation dans les ampleurs de l'effet d'une étude à l'autre.

d'apprécier l'importance « réelle » de l'effet d'une variable indépendante. De plus, il est relativement simple à calculer (voir Cohen, 1988, pour les formules). Enfin, Cohen (1988) propose qu'une ampleur de l'effet entre 0,30 et 0,70 peut être considérée modérée alors qu'une ampleur de l'effet inférieur à 0,30 est considérée comme faible. En conclusion, une ampleur de l'effet minimale de 0,30 est souhaitable pour conclure qu'un programme est efficace (en fait, une ampleur de 0,30 indique que la moyenne du groupe expérimental est supérieure à celle du groupe de contrôle par un facteur de 0,30 écart type).

2. Lorsqu'un critère préétabli est atteint ; par exemple, un critère de réussite socialement valide est satisfait ou une proportion significative de participants possèdent le profil souhaité. De façon plus précise, quel pourcentage de jeunes qui abandonnent l'école sans diplôme d'études secondaires, font une tentative de suicide ou donnent naissance à un enfant avant l'âge de 18 ans une société est-elle capable de tolérer ?

3. Lorsque les individus du groupe qui participent au programme de prévention fonctionnent à l'intérieur d'un écart type (ou moins) par rapport à la moyenne issue de la population générale d'individus semblables. Autrement dit, lorsqu'ils fonctionnent à l'intérieur des normes. Évidemment, il faut connaître les normes au préalable, ce qui est le cas pour peu de mesures et peu de comportements.

Il n'est pas nécessaire que les trois critères précédents soient toujours atteints ; cela dépend des objectifs particuliers d'un programme. Il importe cependant que les résultats soient persistants dans le temps et, si possible, généralisables à divers contextes.

Troisième question : Qui devrait être responsable de la conception et de l'application d'un programme de prévention : les chercheurs, afin d'assurer un contrôle maximal de l'intervention, ou les intervenants, afin de favoriser l'appropriation du programme ?

Il s'agit ici d'un faux débat puisque les deux approches sont compatibles et peuvent être combinées. La première permet de connaître l'efficacité optimale et spécifique du programme puisqu'il est appliqué dans les meilleures conditions possibles, dans toute son intégrité et en contrôlant la contamination possible des variables étrangères ; cette approche est connue en anglais sous l'appellation « *efficacy trial* » (Flay, 1986).

La seconde approche s'appelle « *effectiveness trial* » en anglais. Selon cette approche, ce qui importe, c'est de connaître l'efficacité réelle du programme tel qu'il sera appliqué dans le quotidien par les intervenants. Il peut également être utile de comprendre pourquoi certains intervenants n'appliqueront pas la totalité du programme et pourquoi les résultats seront parfois modestes ou nuls. Il sera également possible de vérifier pendant combien de temps et par combien d'intervenants le programme sera utilisé et si des modifications devront être apportées. Idéalement, un programme efficace fera partie de la pratique quotidienne et sera appliqué intégralement par la totalité des intervenants. Certains auteurs mettent en garde contre l'utilisation exclusive de l'approche de type « *effectiveness trial* » (Rohrbach, Graham et Hansen, 1993). En effet, il devient difficile, voire impossible de déterminer si l'absence d'effets positifs résulte d'un programme carrément inefficace ou d'un programme dont l'application est insuffisante ou déficiente. Idéalement, les deux approches sont utilisées, en parallèle ou, mieux, de manière séquentielle.

ÉVALUATION DU LIEN DE CAUSALITÉ ET VÉRIFICATION DES MODÈLES THÉORIQUES

Ce n'est pas tout de montrer qu'un programme de prévention est associé à des effets positifs au chapitre des variables proximales, intermédiaires et distales, encore faut-il prouver que ces changements dépendent du programme de prévention. Évidemment, cet impératif de vérification causale ne s'impose pas avec la même acuité aux praticiens qu'aux chercheurs. Pour les praticiens, il peut sembler suffisant de montrer que les objectifs sont atteints. Toutefois, il faudra s'assurer à un moment ou l'autre (de préférence avant l'application à grande échelle d'un programme de prévention) que c'est bien le programme de prévention plutôt que tout autre facteur contaminant qui est responsable de l'atteinte des objectifs. Cette responsabilité incombe davantage aux chercheurs, mais elle ne devrait pas être leur apanage : les praticiens devraient partager cette préoccupation.

La méthodologie expérimentale avec un groupe de contrôle équivalent représente la meilleure stratégie pour déjouer (ou contrôler) les facteurs d'invalidité interne qui pourraient contaminer la relation causale entre le programme de prévention et les résultats obtenus. Plusieurs textes très complets ont été écrits sur ce sujet et le mieux est encore de les consulter (voir, par exemple, Sabourin et Cyr, 1998, Robert, 1988, ou Kazdin, 1992a ou 1992b).

L'inclusion d'un groupe de contrôle équivalent peut se révéler encore plus nécessaire dans le cadre d'une entreprise préventive que dans celui d'une entreprise curative. En effet, dans le cas d'un traitement, les individus ont un problème manifeste. L'application du traitement, s'il est efficace, produit un changement évident aux yeux de tous. À défaut d'une certitude absolue quant à un lien de causalité, le thérapeute peut au moins en avoir la prétention, *car quelque chose s'est produit*. Dans le cas d'un programme de prévention, l'intervention est mise en place bien avant l'apparition des problèmes. Sa fonction principale consiste à améliorer les facteurs de protection ou à réduire les facteurs de risque. À terme, si le programme de prévention réussit, aucun problème ne va apparaître. Autrement dit, un bon programme de prévention vise à ce que *rien (de nuisible) ne se produise*. Sans la présence d'un groupe de contrôle où quelque chose (de nuisible) risque de se produire, il est difficile de convaincre les bailleurs de fonds, les participants et, finalement, les personnes qui dispensent le programme qu'il valait la peine d'investir tant d'efforts et d'argent dans ce programme de prévention qui a permis *que rien (de néfaste) ne se produise.*

Certaines contraintes organisationnelles ou certaines réticences éthiques[5] peuvent empêcher l'utilisation de protocoles de type expérimental. À défaut d'un devis expérimental qui implique une répartition aléatoire des sujets dans un groupe expérimental et un groupe de contrôle, il est possible dans la plupart des situations de déployer un plan de type quasi expérimental. Les plans de type quasi expérimental tentent de contrôler au maximum les sources habituelles d'invalidité interne en dépit de l'absence (souvent forcée) d'une répartition aléatoire en raison de l'impossibilité de manipuler la variable indépendante (soit le programme de prévention). En ce sens, ils s'opposent davantage aux protocoles de type préexpérimental qui ne font aucun effort pour contrôler les sources d'invalidité interne qu'aux plans de type expérimental, même si ces derniers reposent sur la répartition aléatoire (contrairement aux protocoles de type quasi expérimental ; Campbell et Stanley, 1966). Il y a une grande variété de plans de type quasi expérimental ; certains impliquent le repérage d'un groupe de comparaison (ou groupe de contrôle), d'autres une série de mesures répétées au prétest et au post-test (Bouchard et Cyr, 1998 ; Kazdin, 1992a et b ; Robert, 1988). Évidemment, les groupes de comparaison ainsi repérés ne sont pas nécessairement équivalents au prétest. Il s'agit alors de prélever les données appropriées au prétest et de contrôler statistiquement les éventuelles différences initiales. Il est important de noter que les plans de type quasi expérimental ne permettent pas de contrôler toutes les sources d'invalidité interne pouvant contaminer le lien causal entre l'intervention et les changements dans les comportements cibles. Toutefois, ils sont meilleurs que les protocoles de type préexpérimental qui n'offrent aucune protection à ce chapitre. Donc, pourquoi se contenter d'un plan de type préexpérimental (qui prend souvent la forme d'un groupe unique avec prétest, intervention et post-test) alors qu'il est habituellement possible de déployer un plan de type quasi expérimental (ou, mieux encore, de type

---

5. Réticences souvent entretenues à tort, car, d'une part, il n'est pas sûr que le programme de prévention soit efficace – il pourrait même être nuisible – et, d'autre part, la participation à un programme de prévention ne prive personne des ressources cliniques ou éducatives habituelles. En ce sens, le groupe de contrôle continue à recevoir les services habituels et constitue en fait un groupe avec traitement alternatif (quoique souvent minimal).

expérimental) ? Autrement dit, il faut viser le plan optimal en tenant compte des contraintes de la réalité ; et ce plan optimal est, dans presque tous les cas, supérieur à un plan de type préexpérimental.

De la même manière, s'il s'agit d'un protocole à cas unique (qui remplace les plans à groupe lorsque le nombre d'individus concernés est restreint), pourquoi se contenter d'un plan de type ABA (prétest, intervention et post-test) alors qu'il est probablement possible de déployer un plan complet de type ABAB (c'est-à-dire à renversement de procédure), à niveaux de base multiples ou à changement de critères (voir à nouveau Bouchard et Cyr, 1998 ; Kazdin, 1992a et b ; Robert, 1988) ? Seuls ces derniers offrent les outils nécessaires pour établir un lien fonctionnel (mais non causal à strictement parler) entre l'intervention et les changements observés dans les comportements cibles. Les efforts supplémentaires qu'ils exigent sont minimes par rapport aux avantages qui en découlent : non seulement il est possible d'identifier clairement les changements obtenus mais aussi de vérifier si ces changements sont reliés à l'intervention. Plusieurs options s'offrent aux chercheurs et aux cliniciens. La seule option impardonnable, inacceptable et inexplicable, c'est l'utilisation d'un protocole de type préexpérimental ou de type ABA (pour les protocoles à cas unique) puisque ces types de protocoles de recherche ne permettent de contrôler aucun des facteurs d'invalidité interne susceptibles de contaminer la relation entre le programme de prévention et les résultats obtenus. Les situations concrètes où il n'est pas possible de faire mieux que de recourir à un protocole de type préexpérimental ou de type ABA sont extrêmement rares. En conséquence, il n'est pas permis (moralement) de se contenter de protocoles faibles lorsqu'un protocole plus performant est réalisable.

Une autre façon intéressante d'établir l'existence d'un lien entre un programme de prévention et les résultats obtenus consiste à procéder à une analyse de type dosage-effet ; cette méthode ne saurait toutefois prétendre à une démonstration de causalité. Cette mise en garde faite, l'analyse dosage-effet consiste à montrer que le nombre de séances auxquelles les individus participent ou la qualité de leur participation prédit les résultats au post-test. Il faut cependant contrôler une série de variables qui pourraient être reliées à la fois à la participation au programme et aux résultats au post-test. Le niveau initial de la mesure dépendante ainsi que les caractéristiques d'ordre sociodémographique font habituellement partie des variables de contrôle à considérer. Des analyses par régression multiple ou par régression logistique (suivant la nature de la variable dépendante) sont souvent utilisées pour exercer le contrôle souhaité sur certaines variables étrangères et établir un lien statistique entre le dosage (défini opérationnellement) et les progrès réalisés dans les variables proximales. Si le programme de prévention est effectivement responsable de ces progrès, plus les individus y participent ou mieux ils y participent, plus ils devraient progresser (après avoir tenu compte de leurs caractéristiques initiales, bien entendu) ; l'inverse sèmerait le doute quant à la pertinence du programme. Toutefois, il importe de rappeler qu'un lien dosage-effet demeure corrélationnel, car plusieurs autres sources d'invalidité interne ne peuvent pas être contrôlées (par exemple, la maturation, la répétition de la mesure ou la régression vers la moyenne).

Une troisième façon d'établir la pertinence d'un programme de prévention consiste à démontrer que les résultats ont été obtenus selon une chaîne développementale compatible avec le modèle théorique qui a présidé initialement à sa conception. Ce point est repris en détail dans une section ultérieure. Enfin, il peut être important de connaître l'opinion des intervenants et des participants au sujet du programme. Même si une mesure de satisfaction demeure extrêmement limitée, elle peut renseigner sur les changements à apporter pour qu'un programme soit mieux accueilli et, par conséquent, adopté par un plus grand nombre d'intervenants. D'ailleurs, le nombre d'intervenants qui décident d'appliquer un programme de prévention constitue en soi une mesure importante de pénétration d'un programme.

Une bonne validité interne ne garantit toutefois pas une bonne validité externe. La validité interne se rapporte au degré de certitude relativement au lien causal entre le programme de prévention et les résultats obtenus. Le protocole de recherche représente l'outil principal pour contrôler les variables étrangères qui pourraient contaminer ce lien de causalité et, par conséquent, miner la validité interne de l'étude. La validité externe, quant à elle, fait référence à la possibilité de généraliser les résultats. Elle dépend essentiellement du degré de représentativité des participants au programme de prévention ainsi que des conditions et du contexte de mise en œuvre du programme. Il est rare que les participants constituent un échantillon représentatif d'individus extraits selon une technique probabiliste à partir de la population de référence à laquelle nous aimerions pouvoir généraliser les résultats. Au contraire, il s'agit souvent d'échantillons de convenance ou d'échantillons sélectionnés en tenant compte de facteurs de risque. Ces échantillons d'individus ne sont pas représentatifs d'un ensemble plus grand d'individus semblables. Souvent, on ne sait pas sur quelles variables les individus qui acceptent de participer à un programme de prévention se distinguent des autres, ni même la proportion de candidats potentiels qu'ils représentent. Par exemple, dans l'étude de Allen, Philliber, Herrling et Kuperminc (1997), les auteurs ne mentionnent pas si les jeunes qui se portent volontaires pour participer au programme de prévention représentent 20 %, 50 % ou 80 % des adolescents auxquels le programme était offert ; évidemment, on ne sait rien non plus de leurs caractéristiques particulières par rapport aux non-participants. Les situations ou les conditions dans lesquelles se déroule l'expérimentation du programme de prévention peuvent également différer des situations et des conditions naturelles dans lesquelles le programme sera appliqué ; on peut parler alors d'une limite au plan de la validité écologique. De toute manière, il est impossible que la situation et les conditions qui prévalent lors de l'expérimentation d'un programme soient représentatives de toutes les situations et de toutes les conditions susceptibles de servir de contexte futur à une nouvelle application du programme. Si les conditions et la situation sont trop « artificielles » (p. ex., des assistants de recherche entraînés appliquent fidèlement le programme dans un contexte universitaire), la validité écologique est réduite. Si, par contre, les conditions et la situation sont « naturelles » (p. ex., des intervenants appliquent le programme dans un contexte clinique), la mise en œuvre du programme peut être incomplète. L'idéal serait de créer les deux types de situations afin de pouvoir évaluer les effets « optimaux » par rapport aux effets « réels » d'un programme de prévention. Cette discussion nous ramène au débat entre l'« *efficacy trial* » et l'« *effectiveness trial* ». Les partisans de l'*efficacy trial* sont préoccupés par la validité interne alors que ceux de l'*effectiveness trial* sont préoccupés par la validité externe. Signalons toutefois que la validité externe n'a aucun sens si la validité interne n'est pas assurée.

ÉVALUATION DE LA MISE EN ŒUVRE ET DES VARIABLES MODÉRATRICES

L'évaluation de la mise en œuvre consiste à s'assurer que le programme offert correspond bien au programme planifié ; il s'agit, en fait, d'évaluer l'intégrité du programme. L'évaluation de la mise en œuvre sert à relever les éléments de contenu qui ont été omis et ceux qui, volontairement ou involontairement, ont été ajoutés en cours de route. Elle sert aussi à noter tous les obstacles de parcours, les conditions de réalisation des activités de prévention ainsi que l'assiduité des participants puisque ces variables pourraient jouer un rôle modérateur sur les effets du programme de prévention. Enfin, certaines informations recueillies dans l'évaluation de la mise en œuvre sont requises afin de procéder à une analyse dosage-effet telle que nous l'avons déjà décrite. Elles permettent aussi d'identifier les caractéristiques des personnes qui ont participé au programme et de les comparer à celles de personnes qui ont abandonné précocement ou ont refusé de participer. Parfois même, il est possible et fort utile de connaître les raisons d'un départ prématuré ou d'un refus. Par exemple, certains parents pourraient refuser de participer à un programme d'éducation sexuelle pour des motifs d'ordre moral ou culturel ; d'autres, pour des raisons de manque de temps ou de manque de sensibilité à la problématique des maladies transmissibles sexuellement ou à celle des grossesses précoces (voir, dans cet ouvrage, le chapitre de Normand, Vitaro et Charlebois sur les stratégies pour joindre et faire participer les parents dans les programmes de prévention).

L'évaluation de la mise en œuvre et la vérification de l'intégrité d'un programme de prévention ont souvent été omises dans le passé, peut-être en raison des efforts considérables qu'elles requièrent. En effet, une bonne évaluation de la mise en œuvre ne peut se résumer aux informations contextuelles consignées dans un cahier de bord par les intervenants à la fin des activités de prévention ; ces informations, quoique utiles, sont incomplètes et peuvent manquer d'objectivité. Par exemple, lorsque les informations proviennent d'observateurs indépendants, Hansen, Graham, Wolkenstein et Rohrbach (1991) ne trouvent pas de lien entre les éléments du programme de prévention et les résultats au post-test ; ce lien était pourtant significatif lorsque les intervenants évaluaient eux-mêmes les éléments du programme. Un autre exemple provient de l'étude de Resnicow *et al.* (1998) qui ne trouvent pas de liens entre les informations consignées par les enseignants dans un questionnaire portant sur l'implantation d'un programme éducatif et les résultats d'observateurs indépendants. Ces résultats militent en faveur du recours à des observateurs indépendants ou à des enregistrements magnétoscopiques pour procéder à une évaluation des aspects de la mise en œuvre d'un programme.

L'évaluation de la mise en œuvre est essentielle pour bien apprécier les résultats d'un programme de prévention. Un programme peut échouer soit parce que son contenu est inapproprié ou a été mal planifié, soit parce que son contenu a été mal ou peu appliqué (formation insuffisante ou motivation faible des intervenants) ou encore parce qu'il a été appliqué dans des conditions défavorables (p. ex., situation de conflit de travail). Les décisions concernant l'avenir du programme ne seront évidemment pas les mêmes si le programme est vraiment inefficace ou s'il n'a pas été appliqué correctement. Dans le premier cas, on abandonnera le programme ou on en révisera les bases théoriques ou empiriques ; dans le second, on cherchera à améliorer sa mise en application. Même lorsqu'un programme est efficace, il est indispensable de s'assurer que les résultats ne découlent pas d'éléments qui auraient pu survenir parallèlement au programme prévu ; sinon ces résultats seront faussement attribués au programme.

La prochaine section décrit cinq aspects se rapportant à l'intégrité d'un programme et qu'il est possible d'évaluer. Nous présentons ensuite diverses stratégies susceptibles d'améliorer la mise en œuvre intégrale d'un programme (voir Dane et Schneider, 1998, ou King, Lyons Morriss et Taylor Fitz-Gibbon, 1987, pour une analyse plus détaillée).

Aspects liés à l'intégrité d'un programme

Les aspects décrits ci-après peuvent être évalués par des observateurs indépendants qui procèdent au décodage de rubans magnétoscopiques (ou *in vivo*), par des intervenants qui consignent des données pertinentes dans un cahier de bord ou par les participants eux-mêmes lorsque approprié. Il est également possible de mener des entrevues avec les participants ou d'examiner les productions réalisées par les participants au cours des séances d'intervention. Comme nous l'avons signalé précédemment, ces diverses stratégies ne s'équivalent toutefois pas.

Suivant les suggestions de Rohrbach *et al.* (1993), certains aspects peuvent être évalués à partir d'indicateurs objectifs tels que la durée, le nombre de sessions ou le nombre d'interventions. Ces aspects quantitatifs permettent d'évaluer le degré de parachèvement du programme. Il s'agit en l'occurrence de décrire qui a fait quoi, avec qui, pendant combien de temps, dans quelle séquence, à quel moment et dans quelles circonstances. D'autres éléments plus qualitatifs exigent une appréciation plus subjective de la part des évaluateurs. Les aspects qualitatifs permettent, en revanche, d'apprécier le niveau de parachèvement du programme : les éléments peuvent tous avoir été appliqués, mais les participants et les intervenants ont manqué d'enthousiasme ou d'application.

1. *La conformité au programme.* Jusqu'à quel point les éléments de contenu sont-ils conformes au plan initial ? Les éléments d'un programme ne sont pas toujours appliqués de la manière dont cela a été prévu. Lorsque l'objectif de l'évaluation consiste à vérifier les effets qu'un programme de prévention peut produire, il importe de s'assurer que le programme est appliqué le plus intégralement possible et qu'aucun élément extérieur n'est venu perturber cette application. En revanche, lorsque l'enjeu consiste à atteindre un objectif prédéterminé, il importe alors de déployer tous les moyens nécessaires et souhaitables pour y parvenir. Dans ce cas, il est préférable d'adapter le contenu du programme aux besoins particuliers de la clientèle plutôt que l'inverse. Il devient alors extrêmement difficile d'évaluer l'intégrité d'un programme qui n'a pas de contenu prédéfini. Il est néanmoins possible de prendre en note tous les éléments de programmation utilisés afin de définir le contenu du programme a posteriori.

2. *Le degré d'exposition au programme.* Il importe aussi de noter le nombre de séances auxquelles les sujets ont participé, la durée de chacune d'elles, ainsi que la fréquence d'utilisation des techniques et stratégies théoriquement actives pour produire les changements souhaités (p. ex., le nombre de renforcements positifs).

3. *La qualité de la mise en application.* L'enthousiasme de l'intervenant, son degré de préparation et son efficacité à gérer les « imprévus » peuvent aussi aider à expliquer le succès ou l'insuccès de certains programmes de prévention et méritent donc d'être pris en note.

4. *La qualité de la participation des sujets.* L'accent est mis ici sur l'aspect qualitatif de la participation des individus aux activités de prévention (qualité des jeux de rôle, enthousiasme, initiative, assiduité dans les devoirs à faire à l'extérieur des sessions de formation, suggestions constructives, etc.). La qualité de la participation au programme peut expliquer une partie des résultats alors que la durée et la fréquence de participation peuvent en expliquer une autre partie.

5. *Débordement du programme de prévention.* Il s'agit d'évaluer les activités supplémentaires auxquelles les participants au programme de prévention décideraient de participer à la suite de l'information reçue lors du programme ou de la sensibilisation qu'il a suscitée. Il se pourrait aussi que les parents d'enfants qui participent à un programme de prévention aient moins recours (volontairement) aux ressources disponibles dans la communauté, croyant que leur enfant reçoit l'aide requise par l'entremise du programme. L'inverse peut être vrai pour les sujets du groupe de contrôle qui, une fois sensibilisés par le prétest, pourraient recourir à une aide naturelle ou professionnelle. Il importe alors de noter l'aide que les participants au programme ou ceux du groupe de contrôle ont sollicitée ou reçue, sinon certains résultats (ou absence de résultats) seront attribués à tort au programme de prévention. Charlebois (dans cet ouvrage) cite des études qui illustrent bien ce point : plusieurs parents du groupe de contrôle ont obtenu une prescription de métylphénidate (Ritalin) pour leur enfant hyperactif, ce qui a atténué considérablement la différence entre ces enfants et ceux du groupe expérimental qui participaient à un programme de nature psychosociale ou mixte (c'est-à-dire combinant l'approche pharmacologique et l'approche psychosociale).

Un certain nombre de stratégies ont été proposées pour favoriser une intégrité optimale ; elles l'ont été principalement par Dane et Schneider (1998) et Bodisch Lynch, Geller, Hunt, Galano et Dubas (1998).

1. Recourir à un engagement écrit de la part des intervenants et des participants à respecter intégralement les éléments de programmation proposés. Cela n'interdit pas aux intervenants de contribuer à la conception des éléments de programmation. Cela exige toutefois d'appliquer les éléments de programmation convenus ou proposés, sinon, c'est le chaos.

2. Transmettre aux responsables de l'application du programme des notions d'évaluation de programmes afin de les convaincre de l'importance d'une application rigoureuse du programme.

3. Utiliser un manuel ou un guide décrivant le contenu et le déroulement de chaque activité de prévention. Ainsi, chaque intervenant sait quoi faire et les divers intervenants font la même chose.

4. Former et superviser les intervenants : ceux-ci devraient collaborer à la mise sur pied du programme et/ou recevoir une formation appropriée ; de plus, ils devraient bénéficier d'une supervision régulière de la part des personnes qui possèdent de l'expérience avec le programme. Il est souhaitable que tous les intervenants soient présents aux sessions de supervision afin d'échanger des trucs et de standardiser au maximum le contenu et les procédures de chaque activité de prévention. Si un programme de prévention est appliqué pour une première fois, il peut être utile qu'un ou deux intervenants débutent plus tôt que les autres ; ainsi leur expérience pilote servira aux autres.

5. Noter la participation des sujets aux diverses activités. Si la participation est insuffisante, il est même possible que le sujet soit exclu des analyses. Certains auteurs s'y opposent toutefois en invoquant la responsabilité qui incombe au programme et à ses promoteurs d'impliquer et de retenir les participants.

   Nous croyons que ce problème renvoie à la validité externe des résultats d'un programme, mais il peut aussi concerner la validité interne en raison d'un risque d'attrition différentielle provoquée par l'élimination sélective de sujets dans le groupe expérimental (le même problème peut survenir avec le groupe de contrôle).

ESTIMATION STATISTIQUE DES VARIABLES PRÉSUMÉMENT MÉDIATRICES OU MODÉRATRICES

Judd et Kenny (1981), Baron et Kenny (1986) ainsi que Holmbeck (1997) ont clairement distingué au plan conceptuel et au plan statistique la nature et le rôle d'une variable médiatrice et d'une variable modératrice. La première procédure décrite ci-après découle directement de leurs suggestions ; elle permet d'évaluer si les effets distaux d'un programme de prévention se sont réellement concrétisés par l'action de l'effet médiateur de certaines variables intermédiaires tel que le modèle théorique de départ le prévoyait. Des exemples d'application de cette procédure peuvent être trouvés dans Vitaro et Tremblay (1998) et dans Vitaro, Brendgen, Pagani, Tremblay et McDuff (1999). Cette procédure repose sur l'analyse par régression de type hiérarchique (*multiple*, si la variable dépendante, soit la mesure distale, est continue, ou *logistique*, si la variable distale est catégorielle). Des procédures plus sophistiquées faisant appel aux équations structurales sont également disponibles, mais ne seront pas décrites ici (voir plutôt Holmbeck, 1997, ou Tabachnick et Fiddell, 1996). Leur avantage tient au fait qu'elles permettent d'aplanir l'erreur de mesure. Toutefois, elles comportent certains inconvénients : complexité et nécessité de disposer de plusieurs indicateurs pour chaque mesure et d'un nombre relativement grand de sujets.

L'autre procédure décrite plus loin sert à vérifier l'effet modérateur de certaines variables et repose aussi sur la régression. Les variables modératrices peuvent se rapporter aux caractéristiques des participants ou des intervenants ou encore à des variables contextuelles. Ces variables permettent de préciser pour quels participants, avec quels intervenants ou dans quel type de contexte, le programme s'est révélé plus ou moins efficace. En d'autres mots, les variables présumées de modération représentent les variables qui peuvent affecter (moduler, limiter, atténuer ou amplifier) l'efficacité d'un programme de prévention. Par exemple, Clément et Tourigny (1997) constatent que les programmes de prévention des mauvais traitements envers les enfants se sont révélés plus efficaces auprès des mères exposées à un grand nombre de facteurs de risque que chez celles exposées à un petit nombre de facteurs de risque. Dans la même veine, Rueter, Conger et Ramisetly-Mikler (1999) ont montré que les mères qui, au prétest, affichaient les lacunes les plus importantes au plan de la communication et les problèmes maritaux les plus graves tiraient un meilleur parti que les autres de leur participation à un programme de prévention des toxicomanies chez les jeunes.

Nous aimerions profiter de l'occasion pour suggérer aux promoteurs de programmes de prévention de type universel de vérifier l'efficacité de leur programme auprès de diverses catégories de participants, incluant ceux les plus à risque. Contrairement à la croyance populaire, les programmes de prévention de type universel semblent plus efficaces auprès des jeunes les plus vulnérables que chez les autres (voir, par exemple, Kellam, Ling, Merisca, Brown et Ialongo, 1998). Le petit nombre d'études interdit toutefois toute conclusion à ce sujet pour le moment.

Examen d'un effet médiateur étape par étape

Un effet médiateur s'apparente à un effet de domino : il s'agit de montrer que le domino final (soit la variable distale) a réussi à tomber parce que d'abord le domino initial (soit la variable proximale) a basculé sous l'effet d'une action extérieure et qu'ensuite ce domino initial a provoqué une réaction en chaîne en abattant les dominos intermédiaires qui le séparaient du domino final. En d'autres mots, l'action qui a fait tomber le domino initial s'est répercutée sur le domino final par le truchement des dominos intermédiaires ou médiateurs qui ont été entraînés par la chute du domino initial. Les dominos intermédiaires correspondent aux variables médiatrices prescrites par les modèles de développement.

Étape 1 : S'assurer que la variable indépendante (soit le programme de prévention par rapport au groupe de contrôle) a un effet significatif sur la variable distale. Il n'y a rien à médiatiser s'il n'y a pas d'effet significatif du programme d'abord. Inclure comme variable de contrôle la mesure prétest de la variable distale si elle est disponible, à défaut de quoi une variable apparentée et reliée (soit une « proxy ») peut suffire. Inclure aussi d'autres variables de contrôle au besoin, surtout si les groupes ne sont pas équivalents au prétest ; cela permettra d'obtenir une évaluation de l'effet du programme de prévention qui sera la moins biaisée possible. Puisque la variable indépendante est de nature catégorielle, elle sera incluse comme une variable de type nominale (*dummy*) dans une équation par régression multiple. Il n'y a pas de problème particulier à ce niveau en ce qui concerne la régression logistique.

Étape 2 : Vérifier si la variable indépendante produit un effet significatif sur la variable présumée de médiation. Inclure à nouveau au préalable les variables de contrôle. Ces variables de contrôle devraient d'ailleurs apparaître à toutes les étapes de l'analyse.

Étape 3 : Vérifier si la ou les variables présumées de médiation sont reliées significativement à la variable distale. La variable présumée peut être une variable proximale que le programme de prévention est censé avoir modifiée.

Étape 4 : Vérifier si la valeur du paramètre (soit le bêta pour l'analyse de régression multiple ou le rapport de risque pour l'analyse par régression logistique) associé à la variable indépendante (eu égard à la variable distale) diminue significativement lorsque la variable indépendante *et* la ou les variables présumées de médiation sont incluses ensemble dans l'équation de régression.

La médiation serait considérée totale si la valeur du paramètre associé à la variable indépendante est réduite à zéro. Elle serait partielle si elle était réduite significativement sans toutefois atteindre zéro. Il est possible que l'inclusion d'une seule variable médiatrice produise un effet médiateur partiel alors que l'ajout de plusieurs médiateurs (non redondants) réussisse à produire un effet de médiation presque total.

Examen d'un effet modérateur étape par étape

Étape 1 : S'assurer d'abord que la variable indépendante (soit le programme de prévention par rapport à la condition de contrôle) produit un effet significatif au niveau de la variable dépendante (soit la variable critère) ; celle-ci peut être proximale ou distale, peu importe. Inclure les variables de contrôle qui s'imposent à cette étape.

Étape 2 : Ajouter la variable présumée de modération (cela permettra de vérifier son effet principal possible) et un terme d'interaction entre la variable présumée de modération et la variable indépendante. Une interaction significative indique un possible effet modérateur. L'interaction, à la condition d'être statistiquement significative, sera ensuite décomposée et illustrée graphiquement afin d'en comprendre la teneur. À remarquer que l'effet principal de la présumée variable modératrice a un intérêt secondaire et n'est pas requis pour qu'elle puisse jouer un rôle modérateur par rapport à la variable indépendante principale (soit le programme).

ÉVALUATION DE L'EFFICIENCE

Un programme de prévention peut se révéler efficace, mais son rendement (ou efficience) peut laisser à désirer. L'efficience se rapporte aux ressources humaines et financières qu'il a fallu investir en regard des résultats obtenus. Deux indicateurs sont généralement proposés : un indicateur coût-bénéfice et un indicateur coût-efficacité. Dans les deux cas, il faut d'abord calculer combien coûte un programme de prévention en incluant tous les frais. Il sera alors possible de constater que le programme de prévention coûte relativement cher. Toutefois, une évaluation du rapport coût-bénéfice peut nous faire réaliser combien chaque dollar investi peut rapporter. Il s'agit de calculer combien aurait coûté ou combien coûte effectivement le traitement des individus du groupe de contrôle qui ont développé le problème que le programme de prévention aurait réussi à éviter pour un certain nombre de participants du groupe expérimental. Si un sujet en traitement coûte 50 000 $, et si un sujet inscrit au programme de prévention pour qui un tel traitement n'est pas nécessaire a coûté 5 000 $ (pendant la durée du programme de prévention), alors le rapport coût-bénéfice est de 10 pour 1. Ce rapport doit être ajusté en fonction du nombre d'individus pour qui le programme de prévention a réussi à produire une économie (c'est-à-dire qui n'ont pas besoin du traitement). Par exemple, si chacun des 20 participants à un programme de prévention a nécessité un investissement de 5 000 $ lors de l'application du programme et si 10 d'entre eux, par la suite, ont tout de même besoin d'un traitement (ou ont besoin d'assistance sociale ou sont incarcérés ou n'ont pas d'emploi stable), alors le coût total est de 600 000 $ (20 × 5 000 $ pour la participation au programme de prévention plus 10 × 50 000 $ pour le traitement des 10 cas pour qui le programme de prévention n'a pas eu les effets escomptés). Par contre, 20 participants sur 20 dans le groupe de contrôle ont nécessité un traitement, pour un total de un million de dollars. Le rapport coût-bénéfice final est alors de l'ordre de 10 pour 6. Ce rapport coût-bénéfice n'inclut pas les misères et les souffrances humaines que le programme de prévention a réussi à épargner aux participants qui n'auront pas besoin de traitement ; ces coûts sont difficiles à comptabiliser en argent mais sont tout de même importants.

L'évaluation coût-efficacité, quant à elle, consiste à calculer combien il en coûte pour atteindre un objectif prédéterminé. Prenons, par exemple, une intervention préventive en début de scolarisation dont l'objectif est de prévenir l'abandon prématuré de l'école chez des enfants de milieux défavorisés. Ce programme coûte en moyenne 1 000 $ par enfant s'il est appliqué au premier cycle du primaire. Il en coûterait 5 000 $ pour atteindre les mêmes objectifs si le programme de prévention était appliqué à la fin du primaire ou au début du secondaire, une fois que les problèmes d'apprentissage et de comportement se seront installés chez un certain nombre d'enfants. Ainsi, le rapport coût-efficacité est de l'ordre de 5 pour 1 en faveur du programme de prévention précoce, sans parler encore une fois des souffrances humaines évitées.

Une évaluation de l'efficience d'un programme de prévention est nécessaire afin de convaincre les bailleurs de fonds d'investir dans la prévention même si cela coûte cher à première vue. Encore une fois, la présence d'un groupe de contrôle peut grandement aider à montrer qu'il en coûterait encore plus cher de ne pas intervenir précocement ou préventivement. Il est possible, au contraire, que le programme de prévention ne permette pas d'épargner de l'argent, car plusieurs jeunes visés par le programme ne développeraient de toute manière pas un problème d'adaptation malgré leur situation à risque. À efficience égale, un programme de prévention devrait toujours l'emporter sur un programme de traitement en raison des souffrances humaines que le premier permet tout de même d'éviter. En revanche, à efficacité égale, il importe d'évaluer quel programme est le plus efficace. Pour l'instant, il existe un préjugé favorable à l'égard des programmes de prévention. mais les données empiriques sont rares ; cette rareté tient peut-être au fait qu'il est extrêmement difficile de déterminer avec précision les coûts d'un programme de prévention et encore plus les coûts de l'absence d'un tel programme. Nas (1996) a identifié les divers paramètres dont il faut tenir compte aux plans économique, administratif et financier pour réaliser une évaluation de rendement rigoureuse. Souvent les équipes de chercheurs dans le domaine de la prévention recourent aux services d'un économiste pour les aider à réaliser ce type d'évaluation. Un exemple intéressant est présenté dans l'ouvrage de Greenwood, Model, Rydell et Chiesa (1996). Ces auteurs ont comparé l'efficacité d'un programme d'entraînement aux habiletés parentales à divers traitements psychologiques et à des programmes de service social visant à réduire les problèmes d'antisocialité chez les jeunes. Les auteurs constatent que le programme centré sur l'amélioration des habiletés parentales est le plus rentable pour réduire la criminalité juvénile. Les auteurs poussent leur analyse plus loin et concluent que l'application universelle et gratuite d'un programme ne coûterait pas plus cher que le budget annuel requis pour appliquer la loi des « trois prises » en vigueur dans l'État de Californie – la loi des « trois prises » consiste à sanctionner automatiquement trois délits contre des personnes par un emprisonnement prolongé. Un autre exemple d'une analyse coût-bénéfice est présenté par Barnett (1998) qui a montré que les retombées économiques (en plus des bénéfices aux plans personnel et social) du Perry Preschool Program ont dépassé de loin les investissements financiers initiaux. Rappelons que les enfants de milieu défavorisé qui, à 3 et 4 ans, ont participé au Perry Preschool Program faisaient preuve d'une meilleure adaptation sociale que les enfants d'un groupe de contrôle répartis au hasard : un taux moindre d'arrestations et d'inculpations à 19 ans et un taux plus élevé de réussite scolaire et d'emploi (Yoshikawa, 1994). Un autre exemple intéressant d'une analyse coût-bénéfice est donné par Cohen (1998). Enfin, pour plus d'informations sur l'évaluation du rendement, le lecteur est invité à consulter Tourigny et Dagenais (1998) et Posovac et Carey (1992).

UTILISATION DES PROGRAMMES DE PRÉVENTION POUR VALIDER DES MODÈLES THÉORIQUES

Partons d'un exemple pour illustrer comment les programmes de prévention peuvent servir à vérifier la validité des modèles théoriques ayant présidé à leur élaboration. Certains programmes de prévention des toxicomanies auprès des préadolescents visent à augmenter les connaissances au sujet des substances psychotropes dans le but éventuel d'influencer (c'est-à-dire retarder ou faire diminuer) la consommation de ces substances. Supposons que les adolescents acquièrent les connaissances souhaitées, mais que cela n'a aucun effet sur leur consommation ultérieure (en comparaison d'un groupe de contrôle qui n'aurait pas reçu ces informations). Un tel résultat mettrait en doute le lien présumément causal entre les connaissances sur les substances psychotropes et leur usage éventuel. Supposons que, dans une autre étude, la consommation de psychotropes est retardée ou évitée sans que les connaissances des jeunes à leur propos n'aient été modifiées ; cela consacrerait la non-pertinence des connaissances dans le modèle explicatif de l'initiation à la consommation de psychotropes.

Mutatis mutandis, en matière de délinquance, l'association à des pairs déviants est reconnue comme un facteur de risque important. Tous les auteurs ne s'entendent toutefois pas sur la nature causale de ce facteur dans l'explication de l'initiation ou de l'aggravation de la délinquance. Pour les fins de la démonstration, centrons-nous sur l'initiation à la délinquance au début de l'adolescence, car le rôle des amis déviants pourrait être différent selon qu'il s'agit d'expliquer l'initiation ou l'aggravation des comportements délinquants (Elliott et Menard, 1996).

Pour les partisans des processus de socialisation (Elliott, Huizinga et Ageton, 1985 ; Farrington *et al.*, 1990), il est nécessaire pour les enfants agressifs-hyperactifs de s'associer à d'autres enfants antisociaux afin de s'initier aux comportements délinquants. Pour ces auteurs, l'association à des pairs déviants constitue un chaînon médiateur (c'est-à-dire nécessaire et suffisant) entre les comportements agressifs-hyperactifs et la délinquance (voir la figure 2, modèle 1). Par conséquent, un programme de prévention qui réussirait à court terme à réduire les comportements agressifs-hyperactifs (effet proximal) ne saurait produire d'effet préventif sur la délinquance (effet distal) sans avoir modifié au passage les caractéristiques ou le choix des amis de la part des enfants ayant bénéficié du programme de prévention en comparaison de ceux d'un groupe de contrôle.

Au contraire, les partisans des processus de sélection soutiennent que les comportements agressifs-hyperactifs mènent à la délinquance en raison des caractéristiques personnelles des enfants agressifs-hyperactifs (Coie, Terry, Zabriski et Lochman, 1995 ; Gottfredson et Hirschi, 1990). Ces derniers peuvent, au passage, s'associer à des pairs déviants, mais cela ne parvient pas à expliquer le début des comportements délinquants. L'association à des pairs déviants n'est pas nécessaire ; elle dériverait plutôt des caractéristiques des enfants agressifs-hyperactifs qui ont tendance à se regrouper entre eux (Boivin et Vitaro, 1995 ; Cairns, Cairns, Neckerman, Gest et Gariépy, 1988). La figure 2, modèle 2, présente un schéma des liens présumés entre comportements agressifs-hyperactifs, amis déviants et délinquance selon les tenants de cette approche théorique. Évidemment, un programme de prévention qui réussirait à réduire les comportements agressifs-hyperactifs à court terme pourrait exercer un effet préventif sur la délinquance sans pour autant influencer le choix ou les caractéristiques des amis. Et même si le choix et les caractéristiques des amis étaient affectés, cela ne pourrait servir à expliquer le lien entre une réduction des comportements agressifs-hyperactifs et la réduction des comportements délinquants ultérieurs ; autrement dit, leur rôle médiateur serait nul.

Les tenants des processus de facilitation (Dishion, 1990 ; Dishion, French et Patterson, 1995 ; Patterson, DeBaryshe et Ramsey, 1989) proposent une troisième approche : celle où l'association à des amis déviants joue plutôt un effet modérateur (voir la figure 2, modèle 3). Ainsi, les enfants agressifs-hyperactifs risquent d'adapter des comportements délinquants en raison de leurs caractéristiques personnelles, elles-mêmes tributaires d'un environnement sociofamilial et d'un tempérament propices. Cependant, ceux qui, par surcroît, s'associent à des pairs déviants voient leur propension à avoir des comportements délinquants augmenter. Les prédictions qu'il est possible de dégager à partir de ce modèle sont les suivantes : les enfants dont les comportements agressifs-hyperactifs sont réduits à la suite d'une participation à un programme de prévention devraient être moins à risque de s'engager dans des comportements délinquants ; ceux qui, par surcroît, s'associent à des pairs moins déviants devraient voir ce risque s'atténuer encore davantage. Il y a donc une interaction entre la réduction des comportements agressifs-hyperactifs et l'association à des amis moins déviants.

Figure 2
QUATRE MODÈLES THÉORIQUES CONCERNANT LE RÔLE DES PAIRS DÉVIANTS DANS LA TRAJECTOIRE MENANT DES PROBLÈMES DE COMPORTEMENT À LA DÉLINQUANCE

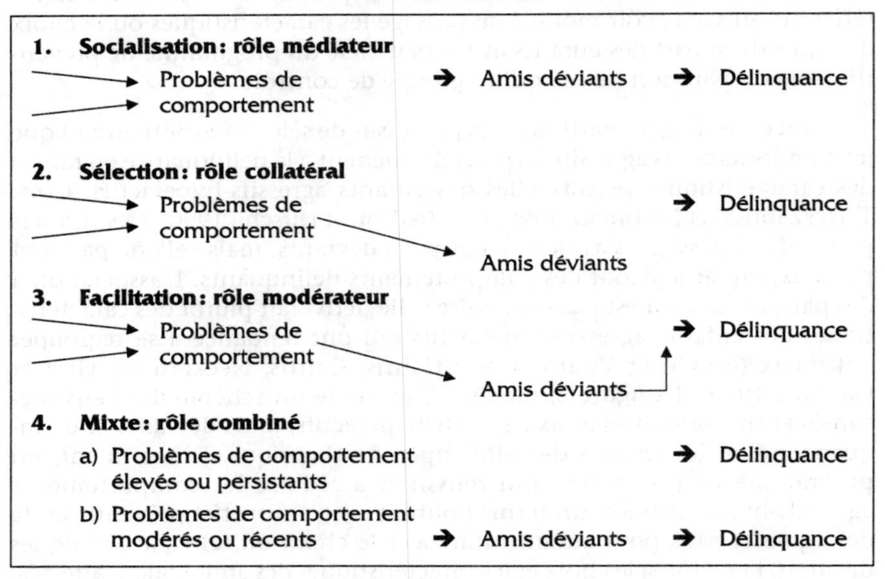

L'interaction précédente peut cependant fonctionner en sens inverse, ce qui donne lieu à un quatrième modèle théorique, soit le modèle mixte (figure 2, modèle 4) (Fergusson et Horwood, 1996; Vitaro, Tremblay, Kerr, Pagani et Bukowski, 1997). Ce modèle est en fait une combinaison des deux premiers (soit la socialisation et la sélection) et prédit que l'association à des pairs déviants aura un effet négatif sur l'initiation à la délinquance, mais seulement pour une catégorie d'enfants, en l'occurrence ceux qui sont modérément agressifs-hyperactifs. Par conséquent, les enfants qui deviennent clairement non agressifs-hyperactifs à la suite d'un programme de prévention ne sont plus susceptibles d'emprunter la voie de la délinquance. Pour les autres, une association à des pairs non déviants constitue une étape nécessaire pour infléchir leur trajectoire vers la délinquance; cette association pourrait résulter d'une intervention des parents, des enseignants ou d'autres agents de socialisation. Elle pourrait aussi résulter d'une association « naturelle » entre les enfants (encore agressifs-hyperactifs) et des camarades sans problèmes, mais cela est peu probable puisque ceux-ci n'auraient pas tendance à s'associer spontanément (Cairns *et al.*, 1988). Pour les autres qui demeurent agressifs-hyperactifs et qui ne s'associent pas à des pairs conventionnels, les risques demeurent élevés de manifester des comportements délinquants à moins que d'autres vecteurs d'influence (non considérés ici, mais faisant aussi partie de la plupart des modèles étiologiques, tels que la supervision parentale ou l'attachement à l'école) n'interviennent pour faire dévier la trajectoire vers la délinquance.

Les résultats du programme de prévention de Tremblay, Pagani-Kurtz, Mâsse, Vitaro et Pihl (1995) ont montré que les garçons devenus non agressifs-hyperactifs (en comparaison de leurs camarades de classe et du groupe de contrôle) ne s'initiaient pas à la délinquance à l'âge de 13 ans. Ceux dont le profil de comportement était demeuré inchangé à la suite du programme de prévention ont vu leur probabilité de s'engager dans des comportements délinquants diminuer à la condition de s'être associés à des pairs non déviants, supportant du coup le modèle mixte (Vitaro *et al.*, 1999 ; Vitaro et Tremblay, 1998).

Ainsi, l'évaluation du programme de prévention décrit précédemment a permis de vérifier certains éléments des modèles étiologiques dont il s'était inspiré. Elle a aussi mis en lumière l'importance d'avoir des amis non déviants pour une catégorie d'enfants turbulents, incitant du coup à déployer les moyens nécessaires pour favoriser une telle situation dans la prochaine génération de programmes de prévention. Enfin, elle a permis de confirmer l'efficacité des stratégies d'apprentissage empruntées aux programmes antérieurs ou inspirées, elles aussi, d'hypothèses théoriques. Cette possibilité de feed-back est unique en ce sens qu'elle permet d'établir des relations causales impossibles à établir autrement. Certaines conditions doivent cependant être respectées. Il est, entre autres choses, essentiel que le programme de prévention ait un impact sur les variables proximales (les comportements agressifs-hyperactifs), distales (les comportements délinquants) et médiatrices (l'association à des pairs plus ou moins déviants), sinon, il est impossible de valider les modèles étiologiques sous-jacents. Il est également primordial que les variables proximales, médiatrices et distales soient évaluées avec le moins d'erreur de mesure possible et que l'évaluation de la mise en œuvre du programme de prévention certifie l'intégrité de la « manipulation expérimentale ». Enfin, on ne peut se dispenser d'un groupe de contrôle initialement réparti au hasard, sans cela il est impossible d'attribuer les effets sur les variables proximales, médiatrices et distales au programme de prévention. De plus, sans groupe de contrôle, il est impossible de savoir si l'on a réussi à prévenir quoi que ce soit.

Peu de programmes de prévention recensés dans les divers chapitres de cet ouvrage remplissent toutes les conditions proposées dans ce texte. Cela signifie qu'il y a place à amélioration dans la conception, l'évaluation et la révision des programmes de prévention de la prochaine génération.

BIBLIOGRAPHIE

ACHENBACH, T.H. (1985). *Assessment and taxonomy of child and adolescent psychopathology*. Beverly Hills, CA : Sage.

ALLEN J.P., PHILLIBER, S., HERRLING, S. et KUPERMINC, G.P. (1997). Preventing teen pregnancy and academic failure : Experimental evaluation of a developmentally based approach. *Child Development, 64*, 729-742.

BARON, R.M. et KENNY, D.A. (1986). The moderator-mediator variable distinction in social psychological research : Conceptual, strategic, and statistical considerations. *Journal of Personality and Social Psychology, 51*, 1173-1182.

BARNETT, W.S. (1998). Long-term cognitive and academic effects of early childhood education on children in poverty. *Preventive Medicine, 27*, 204-207.

BODISCH LYNCH, K., GELLER, S.R., HUNT, D.R., GALANO, J. et DUBAS, J.S. (1998). Successful program development using implementation evaluation. *Journal of Prevention et Intervention in the Community, 17*, 51-64.

BOIVIN, M. et VITARO, F. (1995). The impact of peer relationships on aggression in childhood : Inhibition through coercion or promotion through peer support. Dans J. McCord (dir.), *Coercion and punishment in long-term perspectives* (p. 183-197). Cambridge : Cambridge University Press.

BOUCHARD, S. et CYR, C. (1998). *Recherche psychosociale : pour harmoniser recherche et pratique*. Sainte-Foy : Presses de l'Université du Québec.

CAIRNS, R.B., CAIRNS, B.D., NECKERMAN, H.J., GEST, S.D. et GARIÉPY, J.-L. (1988). Social networks and aggressive behavior : Peer support or peer rejection ? *Developmental Psychology, 24*, 815-823.

CAMPBELL, D.T. et STANLEY, J.C. (1966). *Experimental and quasi-experimental designs for research*. Chicago : Rand Mc Nally.

CLÉMENT, M.E. et TOURIGNY, M. (1997). A review of the literature on the prevention of child abuse and neglect : Characteristics and effectiveness of home visiting programs. *International Journal of Child and Family Welfare, 2*, 6-20.

COHEN, J. (1988). *Statistical power analysis for the behavioral sciences*. Hillsdale, NJ : Lawrence Erlbaum.

COHEN, M.A. (1998). The monetary value of saving a high-risk youth. *Journal of Quantitative Criminology, 14*, 5-33.

COIE, J.D., TERRY, R., ZABRISKI, A. et LOCHMAN, J. (1995). Early adolescent social influences on delinquent behavior. Dans J. McCord (dir.), *Coercion and punishment in long-term perspectives* (p. 229-244). Cambridge : Cambridge University Press.

DANE, A.V. et SCHNEIDER, B.H. (1998). Program integrity in primary and early secondary prevention : Are implementation effects out of control ? *Clinical Psychology Review, 18*, 23-45.

DISHION, T.J. (1990). Peer context of troublesome behavior in children and adolescents. Dans P. Leone (dir.), *Understanding troubled and troublesome youth* (p. 128-153). Beverly Hills, CA : Sage.

DISHION, T.J. et ANDREWS, D.W. (1995). Preventing escalation in problem behaviors with high-risk young adolescents : Immediate and 1-year outcomes. *Journal of Consulting and Clinical Psychology, 63*, 538-548.

DISHION, T.J., FRENCH, D.C. et PATTERSON, G.R. (1995). The development and ecology of antisocial behavior. Dans D. Cicchetti et D.J. Cohen (dir.), *Developmental psychopathology* (vol. 2, p. 421-471). New York : Wiley.

DISHION, T.J., MCCORD, J. et POULIN, F. (1999). When interventions harm : Peer groups and problem behavior. *American Psychologist, 54,* 755-764.

ELLIOTT, D.S., HUIZINGA, D. et AGETON, S.S. (1985). *Explaining delinquency and drug use.* Beverly Hills, CA : Sage.

ELLIOTT, D.S. et MENARD, S. (1996). Delinquent friends and delinquent behavior : Temporal and developmental patterns. Dans J.D. Hawkins (dir.), *Delinquency and crime : Current theories* (p. 28-67). Cambridge : Cambridge University Press.

FARRINGTON, D.P., LOEBER, R., ELLIOTT, D.S., HAWKINS, J.D., KANDEL, D.B., KLEIN, M.W., MCCORD, J., ROWE, D.C. et TREMBLAY, R.E. (1990). Advancing knowledge about the onset of delinquency and crime. Dans B.B. Lahey et A.E. Kazdin (dir.), *Advances in clinical child psychology* (vol. 13, p. 283-342). New York : Plenum Press.

FERGUSSON, D.M. et HORWOOD, L.J. (1996). The role of adolescent peer affiliations in the continuity between childhood behavioral adjustment and juvenile offendings. *Journal of Abnormal Child Psychology, 24,* 205-221.

FLAY, B.R. (1986). Efficacy and effectiveness trials (and other phases of research) in the development of health promotion programs. *Preventive Medicine, 15,* 451-474.

GOTTFREDSON, M. et HIRSCHI, T. (1990). *A general theory of crime.* Stanford, CA : Stanford University Press.

GREENWOOD, P.W., MODEL, K.E., RYDELL, C.P. et CHIESA, J. (1996). *Diverting children from a life of crime. Measuring costs and benefits.* Santa Monica, CA : Rand.

HANSEN, W.B., GRAHAM, J.W., WOLKENSTEIN, B.H. et ROHRBACH, I.A. (1991). Program integrity as a moderator of prevention program effectiveness : Results for fifth grade students in the adolescent alcohol prevention trial. *Journal of Studies on Alcohol, 52,* 568-579.

HOLMBECK, G.S. (1997). Toward terminological, conceptual, and statistical clarity in the study of mediators and moderators : Examples form the child-clinical and pediatric psychology literatures. *Journal of Consulting and Clinical Psychology, 65,* 599-610.

HOSTELLER, M. et FISHER, K. (1997). Project C.A.R.E. substance abuse prevention program for high-risk youth : A longitudinal evaluation of program effectiveness. *Journal of Community Psychology, 25,* 397-419.

JENSEN, P.S. (1995). Scales versus categories ? Never play against a stacked deck. *Journal of the American Academy of Child and Adolescent Psychiatry, 34,* 485-487.

JUDD, C.M. et KENNY, D.A. (1981). Process analysis : Estimating mediation in treatment evaluation. *Evaluation Review, 5,* 602-619.

KAZDIN, A.E. (1992a). *Methodological issues and strategies in clinical research.* Washington, D.C. : American Psychological Association.

KAZDIN, A.E. (1992b). *Research design in clinical psychology.* New York : MacMillan.

KELLAM, S.G., LING, X., MERISCA, R., BROWN, C.H. et IALONGO, N. (1998). The effects of the level of aggression in the first grade classroom on the course and malleability of aggressive behavior in middle school. *Development and Psychopathology, 10,* 165-185.

KING, J.A., LYONS MORRIS, L. et TAYLOR FITZ-GIBBON, C. (1987). *How to assess program implementation*. Newbury Park : Sage.

LEBEAU, A., SIROIS, G. et VIENS, C. (1996). *Description des contenus en promotion de la santé et en prévention des toxicomanies et analyse critique* (tome 1). Rapport au ministère de la Santé et des Services sociaux, Gouvernement du Québec.

MCCORD, J. (1992). The Cambridge-Somerville study : A pioneering longitudinal experimental study of delinquency prevention. Dans J. McCord et R.E. Tremblay (dir.), *Preventing antisocial behavior : Interventions from birth to adolescence* (p. 196-206). New York : The Guilford Press.

MOFFIT, T.E. (1993). Adolescence-limited and life-course persistent antisocial behavior : A developmental taxonomy. *Psychological Review, 100*, 674-701.

NAS, T.F. (1996). *Cost-benefit analysis : Theory and application*. Thousand Oaks, CA : Sage.

PATTERSON, G.R., DEBARYSHE, B.D. et RAMSEY, E. (1989). A developmental perspective on antisocial behavior. *American Psychologist, 44*, 329-335.

POSOVAC, E.V. et CAREY, R.G. (1992). *Program evaluation : Methods and case studies* (chap. 11). Englewood Cliffs, NJ : Prentice-Hall.

RESNICOV, K., DAVIS, M., SMITH, M., LAZARUS-YAROCH, A., BARANOWSKI, T., BARANOWSKI, J., DOYLE, C. et WANG, D.T. (1998). How best to measure implementation of school health curricula : A comparison of three measures. *Health Education Research, 13*, 239-250.

ROBERT, M. (1988). *Fondements et étapes de la recherche scientifique en psychologie*. Saint-Hyacinthe, Québec : Edisem.

ROHRBACH, L.A., GRAHAM, J.W. et HANSEN, W.B. (1993). Diffusion of a school-based substance abuse prevention program : Predictors of program implementation. *Preventive Medicine, 22*, 237-260.

RUETER, M.A., CONGER, R.D. et RAMISETLY-MIKLER, S. (1999). Assessing the benefits of a parenting skills training program : A theoretical approach to predicting direct and moderating effects. *Family Relations, 48*, 67-77.

SCHWEINHART, L.L. et WEIKART, D.P. (1997). *Lasting differences : The High/Scope preschool curriculum comparison study through age 23*. (Monographs of the High/Scope Educational Research Foundation, 12). Ypsilanti, MI : High/Scope Press.

TABACHNICK, B.A. et FIDDELL, L.S. (1996). *Using Multivariate Statistics*. New York : Harper Collins.

TOURIGNY, M. et DAGENAIS, C. (1998). Introduction à la recherche évaluative. Dans S. Bouchard et C. Cyr (dir.), *Recherche psychosociale*. Sainte-Foy : Presses de l'Université du Québec.

TREMBLAY, R.E., PAGANI-KURTZ, L., MÂSSE, L.C., VITARO, F. et PIHL, R.O. (1995). A bimodal preventive intervention for disruptive kindergarten boys : Its impact through mid-adolescence. *Journal of Consulting and Clinical Psychology, 63*(4), 560-568.

VITARO, F., BRENDGEN, M., PAGANI, L., TREMBLAY, R.E. et MCDUFF, P. (1999). Disruptive behavior, peer association, and conduct disorder : Testing the developmental links through early intervention. *Development and Psychopathology, 11*, 287-304.

VITARO, F., BRENDGEN, M. et TREMBLAY, R.E. (sous presse). Preventive intervention : Assessing its effects on the trajectories of delinquency and testing for mediational processes. *Applied Developmental Science.*

VITARO, F. et TREMBLAY, R.E. (1998). La prévention de la délinquance : le rôle médiateur des pairs. *Criminologie, 31*, 49-66.

VITARO, F., TREMBLAY, R.E., KERR, M., PAGANI, L. et BUKOWSKI, W.M. (1997). Disruptiveness, friends' characteristics, and delinquency in early adolescence : A test of two competing models of development. *Child Development, 68*, 676-689.

YOSHIKAWA, H. (1994). Prevention as cumulative protection : Effects of early family support and education on chronic delinquency and its risks. *Psychological Bulletin, 115*, 28-54.

CHAPITRE 3

COMMENT AMÉLIORER LA PARTICIPATION ET RÉDUIRE L'ATTRITION DES PARTICIPANTS AUX PROGRAMMES DE PRÉVENTION[1]

Claude L. Normand
Université de Montréal
Frank Vitaro
Université de Montréal
Pierre Charlebois
Université de Montréal

1. Ce chapitre est largement inspiré d'un document produit à la demande du Comité permanent de lutte à la toxicomanie. Nous remercions le Comité pour son appui financier dans la préparation du document initial.

Résumé

Nombreux sont les programmes de prévention des problèmes d'adaptation chez les jeunes qui ont vu le jour. Plus rares sont ceux qui ont démontré des succès à long terme. Il semble assez clair pourtant que les programmes de prévention qui réussissent le mieux débutent tôt dans la vie des enfants, englobent des facteurs de risque multiples et, de plus, ils impliquent les parents des jeunes. Cependant les familles les plus à risque sont souvent celles qui rencontrent le plus d'obstacles quant à leur participation dans des programmes de prévention. Dans cette optique, ce chapitre se base sur une recension des écrits, rehaussée d'entrevues avec des chercheurs et intervenants du milieu, afin de proposer un éventail de stratégies et de mesures concrètes visant à maximiser la participation des parents dans de tels programmes. Nous nous attardons particulièrement aux questions de la planification du programme, du recrutement des participants, et à la rétention des parents en cours de programme.

La littérature scientifique sur les problèmes d'adaptation des jeunes fournit beaucoup d'informations sur les caractéristiques des jeunes, de leurs parents et de leur milieu qui semblent être à l'origine de leurs comportements indésirables ou les prédisposer à les adopter. Comme en témoignent les chapitres de cet ouvrage, l'inadaptation sociale a plusieurs visages. De plus, nombreux sont les jeunes qui éprouvent plus d'un problème d'adaptation, c'est pourquoi les programmes de prévention visent à réduire plusieurs facteurs de risque ou comportements indésirables à la fois. Plusieurs auteurs dans cet ouvrage soulignent l'importance d'impliquer les parents dans un effort concerté de prévention. En effet, plusieurs programmes efficaces, peu importe la problématique, proposent d'impliquer les parents, souvent en combinaison avec d'autres stratégies préventives.

Le présent chapitre a pour but de faire ressortir les stratégies employées par les instigateurs de programmes de prévention pour maximiser la participation et la rétention des participants[2]. Comme nous le verrons bientôt, de nombreux obstacles se dressent pour les familles ayant le plus besoin de prendre part à de telles activités. Nous soulignerons d'abord la nécessité d'impliquer les parents dans les programmes de prévention relatifs aux problèmes d'adaptation sociale. Ensuite, nous donnerons un aperçu des obstacles empêchant la participation soutenue des parents dans ces programmes. Enfin, au cœur de ce chapitre, nous dresserons une liste de stratégies efficaces ou à tout le moins prometteuses pour maximiser la participation et la rétention des parents dans les activités préventives ; ces stratégies sont regroupées selon les différents stades du déroulement d'un programme de prévention, soit la planification, le recrutement et la mise en œuvre. Nous terminerons en faisant quelques recommandations au sujet de l'implantation des stratégies proposées.

Les démonstrations empiriques publiées sur le sujet étant rares, mais les expériences et les idées, nombreuses, nous avons rassemblé ici le fruit d'une recension des écrits à laquelle s'ajoutent des entrevues électroniques et téléphoniques auprès de chercheurs et d'intervenants. Il est à noter que nous n'avons pas distingué les programmes de prévention universelle (c'est-à-dire promotion, prévention primaire) destinés à tous les individus d'une

---

2. Ce chapitre se base largement sur le rapport rédigé par F. Vitaro, C.L. Normand et P. Charlebois (1999). *Stratégies pour impliquer les parents dans la prévention de la toxicomanie chez les jeunes*. Montréal, Québec : Comité permanent de lutte à la toxicomanie, MSSS, et portant sur l'implication des parents dans des programmes de prévention de la toxicomanie. Lors de la rédaction de ce rapport, il nous était apparu indispensable d'inclure des programmes de prévention précoce touchant des facteurs de risque et des problématiques d'adaptation sociale au sens large. Les suggestions que l'on retrouve ici débordent donc l'unique contexte de la toxicomanie. Cependant, on y trouve encore des exemples concrets propres à certains programmes de prévention de la toxicomanie chez les jeunes ; ils sont donnés en appendice.

communauté des programmes de prévention ciblée (c'est-à-dire prévention secondaire) destinés à des individus ou groupes à risque en raison de caractéristiques personnelles ou environnementales (appellation inspirée de celle proposée par Mrazek et Haggerty, 1994). Ce choix est motivé par le fait que les obstacles et les difficultés à joindre et à retenir les parents dans les deux types de programmes sont très semblables, les parents n'ayant exprimé aucune demande d'aide particulière dans les deux cas (Renaud et Mannoni, 1997). Cela dit, les pistes d'action indiquées tout au long de ce chapitre proviennent d'acteurs engagés majoritairement dans des activités de prévention de type ciblé. Comme il en sera fait mention plus loin, ce sont les parents d'enfants en difficulté ou de quartiers défavorisés qui sont les plus difficiles à recruter et, pourtant, les plus susceptibles de bénéficier d'une aide préventive.

POURQUOI IMPLIQUER LES PARENTS ?

Plusieurs chercheurs ont montré que les jeunes qui ont des comportements déviants proviennent de familles où la discipline et la supervision sont déficientes et où les problèmes de communication sont nombreux (Cooms et Paulson, 1988 ; Jurich, Polson, Jurich et Bates, 1985 ; Kandel, Kessler et Margulies, 1978 ; Kline et Canter, 1994). Un style parental très permissif ou très autoritaire au cours de l'enfance a été associé de façon prédictive à la consommation de psychotropes à l'adolescence (Baumrind, 1983 ; Blackson, 1994 ; Shedler et Block, 1990). La relation affective (p. ex., l'investissement parental et l'attachement de l'enfant), lorsque perturbée, peut également porter à conséquence (Hawkins, Catalano et Miller, 1992).

En outre, les jeunes en difficulté d'adaptation sociale affichent des comportements déviants ou antisociaux parfois dès la petite enfance (Brook, Whiteman, Gordon et Brook, 1984 ; Newcomb, 1992). Ces comportements peuvent avoir pour source des pratiques parentales excessives ou déficientes, mais ils peuvent aussi avoir exacerbé les pratiques parentales. Enfin, certains auteurs soutiennent que les pratiques parentales déficientes favorisent l'association à des pairs déviants qui, à son tour, contribue à la progression dans les conduites déviantes au cours de l'adolescence (Dishion, Patterson, Stoolmiller et Skinner, 1991 ; Kandel, 1978). Au contraire, une relation positive et une communication ouverte entre parents et jeunes se sont révélées protectrices en ce qui concerne la consommation de substances psychotropes à l'adolescence (Jessor et Jessor, 1977 ; Kim, 1979 ; Norem-Hebeisen, Johnson, Anderson et Johnson, 1984 ; Selnow, 1987).

Les résultats précédents militent en faveur de programmes de prévention qui incluent les parents et qui insistent sur l'amélioration de la relation parent-enfant et des pratiques parentales (c'est-à-dire supervision, gestion de conflits, discipline ferme mais positive). L'implication des parents apparaît encore plus incontournable devant le constat d'échec des programmes centrés uniquement sur les jeunes à l'école (voir Gorman, 1998 pour une recension complète et critique). Par exemple, dans le domaine de la prévention de la toxicomanie, les programmes qui visent à informer ou à sensibiliser les jeunes au sujet des substances psychotropes n'ont pas réussi à prévenir la consommation abusive d'alcool ou de drogue malgré des effets positifs temporaires ou occasionnels produits au chapitre des connaissances et des attitudes à l'égard de ces substances (Bangert-Drowns, 1988 ; Bruvold, 1990 ; Gersick, Grady et Snow, 1988 ; Goodstadt et Sheppard, 1983 ; Green et Kelley, 1989 ; Kim, McLeod et Shantzis, 1993 ; Kinder, Pape et Walfish, 1980 ; Moskowitz, 1989 ; Ross, Richard et Potvin, 1998 ; Tobler, 1986 ; Vitaro, Maliantovitch, Bouchard et Girard, 1998). Dans certains cas, les programmes de prévention centrés sur les jeunes à l'école ont même entraîné une augmentation plutôt qu'une diminution de la consommation (Dishion et Andrews, 1995 ; Hostetler et Fisher, 1997).

Les programmes centrés sur les jeunes à l'école qui incluent l'apprentissage d'habiletés personnelles et sociales semblent produire des effets plus encourageants (Botvin, 1990), surtout lorsqu'ils sont assortis d'un volet centré sur la discipline et la communication au sein de la famille (DeMarsh et Kumpfer, 1986 ; Pentz *et al.*, 1989). Toutefois, rares sont les études qui comparent l'ajout d'un volet parental aux programmes centrés sur l'apprentissage d'habiletés personnelles et sociales. Les résultats des quelques études disponibles sont, en outre, biaisés en raison d'une attrition différentielle, c'est-à-dire d'une perte plus grande de participants dans la condition à deux volets qui implique les parents et les jeunes que dans la condition à volet unique qui implique uniquement les jeunes (en raison des difficultés à rejoindre et à impliquer les parents ; voir, par exemple, Vitaro *et al.*, 1998).

Cependant, il est difficile d'impliquer les parents dans les programmes de prévention compte tenu qu'ils n'ont pas expressément demandé de l'aide. Il est particulièrement difficile de recruter des parents de milieu désavantagé en raison des divers stress auxquels ils sont soumis (Cohen et Rice, 1995 ; DeMarsh et Kumpfer, 1986 ; Renaud et Mannoni, 1997). Il est également difficile d'impliquer les parents d'enfants manifestant des problèmes de comportement bien que ces jeunes soient à plus haut risque de toxicomanie et de problèmes de santé mentale que ceux n'ayant pas de problèmes de comportement (Vitaro, Dobkin, Gagnon et LeBlanc, 1994). Une telle situation peut facilement décourager des chercheurs ou des intervenants qui aimeraient réaliser un programme de prévention de type bi- ou multimodal (Van Hasselt *et al.*, 1993). Toutefois, il y a des exceptions qui méritent d'être soulignées, ce que la seconde partie de ce chapitre s'emploiera à faire. Lorsque les parents de milieu défavorisé ou encore démunis au plan des habiletés personnelles participent à des programmes de prévention, ils sont souvent ceux qui en retirent le plus de bénéfices comme le montrent les résultats de Rueter, Conger et Ramisetly-Mikler (1999). Ces auteurs ont en effet montré que les mères qui, au prétest, présentaient les lacunes les plus importantes au plan de la communication et éprouvaient les problèmes maritaux les plus graves étaient celles qui avaient fait le plus de progrès après avoir participé au programme Preparing for the Drug-Free Years. Les résultats pour les pères étaient sensiblement les mêmes sauf que, pour eux, les difficultés financières avaient tendance à atténuer les effets de leur participation au programme de prévention. En d'autres mots, les caractéristiques personnelles ou socioéconomique des parents peuvent non seulement expliquer leur participation à des programmes de prévention, mais aussi moduler l'effet de ces programmes lorsqu'ils y participent. Dans la prochaine section, nous décrivons les caractéristiques des parents qui participent aux programmes de prévention en les comparant à celles des parents qui n'y participent pas.

QUI SONT LES PARENTS QUI S'IMPLIQUENT ?

Identifier les variables qui distinguent les parents qui participent de ceux qui refusent ou celles qui distinguent les parents qui abandonnent par rapport à ceux qui persistent n'est pas une mince tâche. La documentation empirique est rare, biaisée ou incomplète. La recension de Dufour et Nadeau (1998) laisse cependant entrevoir que les parents les plus enclins à participer à des activités de prévention sont ceux qui sont déjà impliqués dans le milieu scolaire de leurs enfants et qui ne voient pas d'obstacles majeurs à leur participation (p. ex., manque de temps, garde des enfants).

Certains programmes n'arrivent même pas à recruter 1 % des parents invités. C'est le cas, par exemple, de la Maison Adojeune de Gatineau, Québec, qui envoie une invitation écrite à tous les parents de jeunes fréquentant les écoles secondaires de Gatineau à la première remise de bulletins. Sans compter les parents qui ont pu entendre cette même invitation à la radio, ou la lire dans la presse écrite de la région, on peut estimer qu'un total d'environ 7 000 parents sont joints chaque année pour participer aux ateliers proposés qui portent sur l'amélioration de la relation parent-adolescent. Seuls une quarantaine de parents participent au cours d'une année scolaire, à raison de deux groupes d'une vingtaine de parents chacun (automne/printemps).

Pourtant, il est permis de présumer que la majorité des parents ont pris connaissance de l'information acheminée par leur jeune (Perry, Pirie, Holder, Halper et Dudovitz, 1990). Le Midwestern Prevention Project rapporte en effet que 72,9 % des parents recrutés ont répondu à leur questionnaire initial, tandis que Cohen et Rice (1995) estiment à 78 % la participation initiale. Même en offrant un dédommagement monétaire, Grady et ses collaborateurs parviennent à recruter à peine le tiers des parents admissibles aux ateliers à l'école. Par ailleurs, une fois le programme commencé, les taux de rétention rapportés varient de 15 % (Cohen et Rice, 1995) à 98 % (Project Alliance, Kavanagh, communication personnelle) bien qu'ils se situent généralement entre 40 % et 75 % (Armbruster et Kazdin, 1994 ; Cohen et Linton, 1995 ; Cunningham, Bremner et Boyle, 1995 ; Grady, Gersick et Boratynski, 1985 ; Springer, Phillips, Phillips, Cannady et Kerst-Harris, 1992).

Le recrutement et la rétention constituent deux opérations interreliées mais distinctes. Pour connaître les caractéristiques des parents qui refusent et celles de ceux qui acceptent de participer, il importe de distinguer le type de programme proposé. Les exemples suivants servent à illustrer et à expliquer certaines différences dans les taux de participation des parents à des programmes de prévention. Lorsqu'il s'agit d'un programme préventif de type universel comme celui de la Maison Adojeune, il est difficile, voire impossible de connaître les caractéristiques de ceux qui refusent ou ignorent l'invitation. Lorsque la population est sélectionnée en raison, par exemple, des problèmes de comportements observés à l'école ou de la toxicomanie d'un parent, les caractéristiques des participants et des non-participants sont mieux connues quoique limitées. Là où il est possible de bien documenter les différences, c'est entre les parents qui abandonnent en cours de route et ceux qui persistent. En effet, plusieurs mesures initiales (questionnaires, évaluations, caractéristiques démographiques, etc.) sont alors disponibles dans les deux cas.

PROGRAMMES PRÉVENTIFS DE TYPE UNIVERSEL

Deux études américaines fournissent des pistes de réflexions intéressantes. La première étude porte sur l'évaluation du programme multimodal Midwestern Prevention Project (Rohrbach *et al.*, 1995). La majorité des parents qui ont accepté de répondre au questionnaire initial (72,9 %) ont participé à au moins une composante du programme. La participation a toutefois diminué au fur et à mesure que l'intensité de l'engagement exigé dans les activités du programme augmentait (p. ex., seulement 23 % ont participé aux ateliers d'entraînement aux habiletés parentales et 9,2 %, aux comités d'école). Les caractéristiques qui distinguaient les participants qui ont persisté dans le programme de ceux qui ont abandonné étaient les suivantes : ceux qui ont persisté étaient d'origine caucasienne, avaient un statut socioéconomique élevé et éprouvaient peu de difficultés reliées à l'alcool et au tabac.

Une autre étude réalisée dans des conditions similaires (Cohen et Rice, 1995) a connu une décroissance semblable (de 78 % à 15 %) avec le temps.

Dans cette étude, l'abandon du programme était associé à l'origine hispanique des participants, à une faible scolarité et à une plus grande consommation de tabac et autres substances toxiques au prétest.

Programmes préventifs de type ciblé

Les études sur les programmes de prévention ciblée sont plus nombreuses ; elles sont souvent réalisées avec des populations plus restreintes et plus homogènes. Les travaux d'Armbruster et Kazdin (1994) indiquent qu'un haut niveau de stress parental, un passé antisocial des parents et des pratiques éducatives punitives sont associées à l'abandon prématuré du programme. Toutefois, les mères de familles monoparentales pauvres, habitant le centre-ville et appartenant à un milieu ethnoculturel minoritaire ont tendance à persister plus longtemps dans le programme de traitement que les parents de familles biparentales aisées, non minoritaires et vivant en banlieue (Kazdin, Stolar et Marciano, 1995). Ces auteurs constatent que leurs résultats contredisent ceux d'autres chercheurs qui avaient souligné les difficultés que posait le recrutement des familles de milieu défavorisé. Une fois ces familles inscrites, il est possible qu'elles persistent plus longtemps que les autres. Il semble toutefois plus difficile d'obtenir leur participation au départ, ce qui attire l'attention sur les méthodes de recrutement des participants.

L'étude de Cunningham, Bremner et Boyle (1995) illustre, quant à elle, les interactions possibles entre les caractéristiques des participants et les composantes d'un programme de prévention. Ces auteurs ont procédé à l'assignation aléatoire des parents à l'une des trois conditions suivantes. Une première condition proposait une réflexion en sous-groupes de cinq à sept participants sur la supervision des travaux scolaires, la résolution de problèmes et la planification des devoirs. Une seconde condition offrait un soutien individualisé aux parents sur les mêmes thèmes que la condition précédente. Enfin, la troisième condition plaçait les parents sur une liste d'attente et offrait six mois plus tard une formation sur le rôle de parent. La moitié (51 %) des parents qui ont refusé de participer à l'une ou l'autre des trois conditions ont invoqué un horaire familial trop chargé pour justifier leur refus. Le plus grand nombre de refus (69,6 %) venait des parents qui avaient été invités à participer à la première condition (comparativement à 43,5 % pour la deuxième condition et 40,4 % pour la troisième). Toutefois, les parents qui percevaient des problèmes de comportement graves chez leur enfant étaient plus enclins à participer aux ateliers en groupes (50,0 % et 57,9 %, respectivement) qu'à la thérapie individuelle (32,1 %). Des 150 participants inscrits, 24 % ont abandonné le programme avant la fin (durée : six mois). Il n'y avait pas de différence significative entre les trois conditions relativement au taux d'abandon. À signaler que, si les parents sont défavorisés, immigrants, peu scolarisés et ont un enfant qui a de graves problèmes de comportement, ils ont tendance à persévérer davantage s'ils sont regroupés avec des parents vivant des difficultés semblables. Cette étude autorise donc à penser que le regroupement des parents en difficulté diminue leurs sentiments de stigmatisation et de culpabilité tout en leur procurant un soutien social essentiel. Ces facteurs combinés les inciteraient à participer de façon active et continue à un programme de prévention.

Pekarik (1992) rapporte, pour sa part, que le progrès en cours de traitement est une variable qui influence significativement la décision de poursuivre ou d'abandonner la thérapie. Certains parents choisiront d'abandonner lorsqu'ils constatent des progrès jugés suffisants tandis que d'autres poursuivront parce qu'ils sont encouragés. Il n'y a pas, à notre connaissance, d'étude publiée qui a évalué conjointement l'effet des caractéristiques des participants et des progrès en cours de programme sur la persévérance dans un programme de prévention. Toutefois, des résultats préliminaires d'une étude préventive, multimodale et longitudinale (trois ans) réalisée par Charlebois, Normandeau et Vitaro (1995a) pourraient apporter quelques éléments de réponse à cette question. Cette étude a ciblé des garçons turbulents à la maternelle. Elle proposait aux parents de participer à la préparation de la réussite scolaire de leur enfant. Le contact initial avec les parents a été établi par une lettre positive centrée sur la collaboration parent-école plutôt que sur les difficultés de ces garçons à la maternelle. Les résultats montrent que la persistance dans le programme est le principal facteur explicatif de la réussite scolaire supérieure en troisième année. Les variables qui discriminaient le mieux le groupe des parents qui ont continué pendant trois ans (80 % des sessions) et le groupe des parents qui ont abandonné après la première année étaient les suivantes : 1) le support extra-familial reçu par la mère ; 2) l'amélioration de la relation mère-fils au cours de la première année du programme et 3) une diminution des comportements turbulents des garçons au cours de cette même période.

En conclusion, l'état actuel des connaissances permet rarement de distinguer le profil des parents qui persistent de celui des parents qui se retirent prématurément des programmes de prévention ou de traitement de divers problèmes d'adaptation. D'autres recherches sont nécessaires afin de mieux documenter cette question. Les pages qui suivent soulignent l'importance de la collecte de données dans le but d'évaluer et d'améliorer non seulement les programmes de prévention, mais aussi les techniques de recrutement et de rétention des participants, au-delà de leur simple degré de satisfaction.

STRATÉGIES POUR MAXIMISER LA PARTICIPATION DES PARENTS

Comment motiver les parents, surtout les parents des familles ou des enfants les plus à risque, à participer aux programmes de prévention des problèmes d'adaptation sociale ? Notre recension des divers programmes au Québec et ailleurs en Amérique du Nord a permis de distinguer les programmes qui ont le mieux réussi à joindre une forte proportion de parents de ceux dont les efforts se sont révélés vains. Nous en avons dégagé certaines pistes d'action, qui sont décrites selon les phases de développement d'un programme : la phase de la *planification*, la phase du *recrutement* et la phase de la *mise en œuvre*.

LORS DE LA PLANIFICATION DU PROGRAMME

Un programme de prévention bien conçu et bien évalué au regard des retombées positives retiendra l'intérêt des parents.

S'APPUYER SUR UN FONDEMENT THÉORIQUE ET EMPIRIQUE

Il peut paraître superflu de le dire, mais le contenu d'un programme de prévention proposé à des parents doit reposer sur des bases empiriques solides (Metzler *et al.*, 1998 ; Sanders, sous presse ; Webster-Stratton et Taylor, 1998). Il n'y a rien de tel qu'un contenu efficace et attrayant pour donner de la crédibilité à un programme et susciter la participation des parents qui se passeront le mot. En guise d'exemple, le programme PARTAGE à Saint-Jean-sur-Richelieu a employé le programme « Partons du bon pied » de la maison Jean-Lapointe pour le volet parents de son programme de prévention des toxicomanies ; ils ont offert avec succès deux à trois sessions par année, sur une période de six ans. Le programme PRISME en est un autre, bien rodé et structuré, qui a été implanté dans plusieurs CLSC de la Montérégie.

Malheureusement, peu de programmes québécois comportant un volet destiné aux parents ont été évalués de manière satisfaisante (voir Lebeau, Sirois et Viens, 1996). Même aux États-Unis, les programmes pour des familles ou des jeunes à risque qui ont fait l'objet d'une évaluation rigoureuse sont rares (Dufour et Nadeau, 1998). Plusieurs souffrent de problèmes méthodologiques graves tels qu'une attrition élevée (DeMarsh et Kumpfer, 1986 ; Forehand, Middlebrook, Rogers et Steffe, 1983 ; St. Pierre, Mark, Kaltreider et Aikin, 1997), des échantillons de petite taille (Klein et Swisher, 1983 ; Klitzner, Gruenewald et Bamberger, 1990), des biais de sélection des participants, l'absence d'un groupe de contrôle (Lorion et Ross, 1992) et l'absence d'une évaluation à long terme (*Idem*). Les conclusions qui peuvent en être tirées seraient prématurées et ne sauraient convaincre des parents (ou des intervenants) d'investir du temps et de l'énergie puisque les garanties de succès sont plus qu'incertaines.

S'ASSURER UNE VOLONTÉ POLITIQUE ET UN FINANCEMENT STABLES

De bonnes bases théoriques et empiriques sont garantes d'un soutien politique et financier stable. À long terme, un programme appuyé par la communauté, le milieu scolaire et les organismes de subvention aura plus de chances de susciter l'intérêt et la participation des parents concernés (Charlebois, Vitaro et Normandeau, 1995b ; Dishion, Andrews, Kavanagh et Soberman, 1996 ; Hinshaw, communication personnelle).

À Belœil, le programme PRISME est offert dans 14 écoles, depuis 1986. Son financement, qui doit être renouvelé aux trois ans, provient entre autres de la Régie régionale de la santé et des services sociaux, de députés et du Club des Lions. En Australie, des chercheurs utilisent tous les médias possibles (radio, télévision, presse écrite, brochures, posters et même t-shirts) pour joindre et intéresser les parents à leur programme de prévention qui couvre tout le territoire de ce continent (Sanders, sous presse). Ces chercheurs sont également très doués pour convaincre les politiciens et les bailleurs de fonds du bien-fondé de leur programme. À l'inverse, plusieurs programmes de prévention doivent se battre pour voir le jour, puis expirent à cause du non-renouvellement de leurs subventions annuelles. Ainsi, les parents d'une communauté donnée n'ont pas le temps d'en entendre parler, ni de se faire à l'idée qu'ils pourraient en bénéficier, à moins d'être sollicités directement.

TRAVAILLER EN AMONT DES PROBLÈMES

Il a été démontré que les programmes de prévention précoce sont plus efficaces (voir Hawkins, Catalano, Kosterman, Abbott et Hill, 1999) ; ils débutent bien avant l'adolescence ou l'apparition des problèmes d'adaptation, en s'attaquant aux facteurs précurseurs de ces problèmes. Dans une optique de prévention ciblée, citons à titre illustratif les problèmes de toxicomanie des jeunes mères, les problèmes d'alcoolisme des parents ou les problèmes de comportement des enfants d'âge préscolaire ou primaire, tous des précurseurs bien documentés de toxicomanie chez les jeunes (Hawkins *et al.*, 1999 ; Vitaro *et al.*, 1994). Citons aussi une étude qui a ciblé les problèmes de comportement chez de jeunes garçons de 6 ans ainsi que les compétences éducatives de leurs parents et qui a produit des effets intéressants en ce qui a trait à la consommation de psychotropes et à plusieurs autres problèmes d'adaptation à l'adolescence (Tremblay, Pagani-Kurtz, Mâsse, Vitaro et Pihl, 1995).

En outre, il est possible que les parents de jeunes enfants soient plus réceptifs que des parents d'adolescents à collaborer à un programme destiné à améliorer les chances de succès de leur enfant, en particulier lors de périodes de transition comme celle entre le préscolaire et le primaire. La période de transition entre le primaire et le secondaire peut également être propice en raison des appréhensions que les parents entretiennent à l'égard de l'école secondaire et l'adolescence en général (voir Poulin, Dishion, Kavanagh et Kiesner, 1998).

PROPOSER UN PROGRAMME À LONG TERME

Il est utopique de croire qu'une session d'information de deux heures peut à elle seule prévenir l'apparition de problèmes d'adaptation sociale chez les jeunes. En effet, si nous prenons l'exemple des programmes de prévention de la toxicomanie qui ont eu des effets positifs durables, ils suivent les familles sur des périodes de plusieurs semaines, mois ou années (Hawkins *et al.*, 1999). Plusieurs programmes ont démontré qu'on peut y arriver. Le projet américain Early Alliance débute en première année du primaire, et suit les familles jusqu'à la fin du secondaire. Le projet Fast Track, qui se déroule dans quatre régions des États-Unis, identifie les enfants les plus à risque dès la maternelle, et il est financé actuellement pour travailler avec les enfants et leurs parents jusqu'en 10e année. Project Alliance, en Oregon, implique les parents d'enfants de 6e année jusqu'à la fin du secondaire. Malgré un horaire chargé, les parents doivent être assurés qu'un investissement prolongé est vraiment nécessaire et rentable. Un bulletin d'information aux parents sur les taux d'incidence et de prévalence de la consommation de psychotropes chez les jeunes à différents âges et sur les précurseurs des problèmes d'adaptation à l'adolescence leur permettrait de prendre connaissance de l'état de la situation. Des émissions radiophoniques ou de télévision pourraient servir aux mêmes fins. Il ne s'agit pas d'être alarmistes, mais de « donner l'heure juste » aux parents qui pourraient être portés à croire que les problèmes n'existent pas ou n'existent que chez les autres ou encore qu'il n'y a rien à faire pour les prévenir ; ces suggestions rejoignent celles de Spoth et Redmond (1995). Ces auteurs rapportent que les facteurs qui expliquent le plus la participation des parents dans un programme de prévention concernent la perception d'un problème appréhendé et les bénéfices à tirer d'un programme de prévention. Si un parent ne perçoit pas de problème actuel ou futur, pourquoi s'impliquerait-il dans une démarche qui exige des efforts et du temps ? Un autre élément qui prédit la participation des parents, c'est le recours dans le passé à diverses ressources de leur environnement pour les aider à résoudre un problème (service d'aide téléphonique, professionnels de la santé, amis, internet, etc.). En conséquence, Spoth, Ball, Klose et Redmond (sous presse) proposent d'identifier les parents qui possèdent ces caractéristiques et ceux qui ne les possèdent pas et de déployer plus d'efforts pour atteindre ceux de la seconde catégorie puisqu'ils vont « être » les plus difficiles à « embarquer ».

PLANIFIER DES CONTACTS FRÉQUENTS

Les contacts entre les animateurs du programme et les parents impliqués doivent être fréquents afin de maintenir un certain niveau d'intérêt chez les parents, conserver un certain enthousiasme et favoriser le développement d'un attachement entre les parents et les animateurs[3] (Pancer et Cameron, 1993).

McMahon (communication personnelle) rapporte que pendant la première année du projet Fast Track, les rencontres de parents avaient lieu chaque semaine. Durant la deuxième année, elles se déroulaient aux deux semaines. Puis, à partir de la troisième année, la fréquence de ces rencontres avait diminué à quatre fois l'an. De ses propres mots, il a qualifié cette transition de « désastre » ! « Les parents étaient furieux ! Il n'y avait plus aucun *« momentum »*. Les mêmes thèmes étaient abordés d'une fois à l'autre. Ça n'allait nulle part. » Ces rencontres ont donc augmenté à une fois par mois au cours de la troisième année, ce qu'il juge encore insuffisant. DuPaul tient des propos semblables : les parents ont commencé à « décrocher » de son programme lorsque la fréquence des rencontres est passée d'une fois par semaine à une fois par mois. Le programme Triple-P va même plus loin en offrant un soutien téléphonique entre les rencontres aux parents qui en ressentent le besoin (Sanders, sous presse).

Il semble que moins les contacts sont fréquents, plus les coordonnateurs doivent se dépenser en efforts pour rappeler aux parents (par téléphone, par des visites à la maison, par des bulletins ou par des calendriers) les dates et heures des prochaines rencontres. Les animateurs du projet FAN Club vont jusqu'à téléphoner aux parents la veille et le jour même des activités ; si les parents ne se présentent pas, ils leur téléphoneront ou leur rendront visite à la maison dans les jours suivants afin de leur faire savoir que leur présence aurait été appréciée.

Il est à noter que plus la population est à risque, plus les contacts doivent être fréquents. Par exemple, le programme Enfants de l'Espoir, du quartier Maisonneuve à Montréal, s'adresse à des parents polytoxicomanes dont les enfants sont à risques multiples. Les rencontres entre les parents

3. Les promoteurs de projets longitudinaux interviewés sont unanimes à dire que leurs coordonnateurs, animateurs ou bénévoles restent associés à leur projet pendant de nombreuses années, bien que leur travail soit fort exigeant, parce qu'ils s'attachent aux familles et sont convaincus de « faire une différence » dans la vie de ces gens.

et les responsables de ce projet varient entre 4 et 10 fois par semaine, selon le besoin, et ce, sur une période de plusieurs années. Ainsi, on risque moins de perdre les parents sans domicile fixe que si les rencontres avaient lieu une fois par mois. En outre, le nombre de stresseurs étant tellement élevé, les contacts fréquents permettent de régler les problèmes au fur et à mesure qu'ils surviennent et ainsi de poursuivre l'objectif plus central de prévention.

Le projet Early Alliance, qui vise des écoles de quartiers défavorisés, se vante quant à lui, d'offrir de 25 à 30 visites à domicile par année. Ainsi, il conserve un taux de participation d'environ 90 % des parents inscrits depuis le début du programme, il y a trois ans (Dumas, communication personnelle).

Inclure plusieurs domaines de prévention

Cohen et Rice (1995) attribuent la faible participation des parents à leur programme au fait que l'objectif proposé touchait uniquement la consommation de psychotropes. Certains parents sous-estiment la consommation de leurs jeunes et de leurs amis, et d'autres ont une attitude tolérante à l'égard de certains psychotropes, étant eux-mêmes consommateurs. Il est donc difficile d'imaginer que l'on puisse obtenir la participation d'un grand nombre de parents en offrant un programme de prévention de la toxicomanie, à moins que les parents reconnaissent que le problème existe déjà sous leur toit et qu'ils désirent de l'aide pour tenter de le résoudre. Une approche plus systémique ou écologique, qui s'adresse à une gamme plus vaste de problèmes d'adaptation et qui favorise la réussite des jeunes dans diverses sphères de fonctionnement, est plus susceptible d'intéresser un plus grand nombre de parents (Prinz, communication personnelle).

En outre, certains problèmes d'adaptation tels que la délinquance ou l'abandon scolaire ont plusieurs facteurs de risque en commun, en plus d'avoir des liens concomitants et développementaux étroits. Sur le plan de la prévention, il est avantageux de cibler le plus grand nombre possible de facteurs de risque ou de protection communs, le plus tôt possible, afin de corriger précocement les trajectoires développementales, quitte à implanter plus tard des programmes spécifiques à chaque problématique (Metzler *et al.*, 1998 ; Sanders, sous presse).

Il est, par conséquent, souhaitable que les projets de prévention s'enracinent dans le milieu scolaire en plus du milieu familial (Dishion *et al.*, 1996 ; Metzler *et al.*, 1998 ; Prinz et Miller, 1996 ; Rubin, communication personnelle). L'école offre l'avantage d'être un milieu de vie important pour les jeunes, tant du point de vue scolaire que social. Les parents souhaitent généralement que leurs enfants réussissent à l'école et seront donc plus enclins à participer à un programme qui tient compte de l'éducation de leurs enfants, au lieu de se limiter à leur santé mentale (Charlebois *et al.*, 1995b ; Webster-Stratton et Taylor, 1998). D'ailleurs, les promoteurs du programme Fast Track décrivent l'objectif principal du volet parent comme étant « d'aider les parents à aider leurs enfants à réussir à l'école ». Charlebois, Normandeau et Vitaro (1995a) ont adopté une stratégie très semblable. Parmi les objectifs cités par divers autres programmes de prévention de la toxicomanie, notons ceux de « fortifier les liens familiaux » (Kumpfer, Molgaard et Spoth, 1996 ; St. Pierre *et al.*, 1997) ; « mieux faire face au stress et résoudre les conflits » (Cunningham *et al.*, 1995 ; Sanders, sous presse ; Van Hasselt *et al.*, 1993) ; « aider les parents à aider leurs enfants à réussir à l'école » (CPPRG, 1992).

Cependant, la disponibilité des parents pour s'engager dans une activité parascolaire est limitée par les contraintes de toutes sortes qui sapent les énergies des familles les plus à risque. Il semble donc nécessaire d'élargir encore davantage le champ d'action du projet préventif et d'y inclure un soutien dans tous les domaines de la vie familiale (Prinz, communication personnelle ; Sanders, sous presse). Le projet Early Alliance définit clairement les deux composantes de son volet parent comme étant le développement d'habiletés pour faire face au stress (et non seulement des pratiques parentales particulières) et le soutien aux parents dans diverses sphères de la vie (emploi, loi, logement, etc.) lorsqu'ils n'ont pas les ressources pour relever eux-mêmes ces défis.

Bien choisir et soutenir les intervenants

La littérature et les personnes interviewées conviennent que certaines caractéristiques des intervenants sont primordiales dans le recrutement et la participation soutenue des parents (Catalano ; Dumas ; Kavanagh ; McMahon, communications personnelles ; Prinz et Miller, 1996). Mais les qualités recherchées ne correspondent pas nécessairement à des diplômes, bien que plusieurs projets emploient des gens formés en travail social ou en psychoéducation ; elles résident surtout dans les habiletés interpersonnelles qui peuvent être innées chez certains, ou acquises en cours de formation chez d'autres.

D'abord, il paraît essentiel que les intervenants connaissent bien le milieu. Par cela, on entend qu'ils connaissent bien les gens, leur langue et leur culture, ainsi que les contraintes et les ressources de la communauté et de l'école. En guise d'exemple, les intervenants du projet Early Alliance en Caroline du Sud sont majoritairement Noirs, puisqu'ils s'adressent à une population défavorisée, majoritairement noire.

Bien sûr, *tous* les intervenants ne peuvent pas *toujours* provenir du milieu où ils sont appelés à intervenir. Il est toutefois préférable d'engager d'abord ceux qui appartiennent à la même culture que les parents, ou à tout le moins, à ceux qui font preuve de respect envers les différences qui les séparent (Prinz, communication personnelle). Une autre stratégie consiste à embaucher des parents comme collaborateurs rémunérés (comme dans Better Beginnings, Better Futures et Fast Track) ou à les recruter comme animateurs-bénévoles (p. ex., PRISME, en Montérégie) ou coanimateurs des ateliers. Beaucoup de parents disent que le fait que les animateurs d'ateliers soient eux-mêmes des parents les rend à l'aise et les sécurise (D. Leblanc, communication personnelle).

Pour ce qui est des projets qui comportent des visites à domicile, il semble que la formation, la supervision et le soutien des intervenants soient essentiels. Il n'est pas rare que la formation s'étende sur plusieurs semaines, voire des mois (Dumas, communication personnelle ; Webster-Stratton et Taylor, 1998). Cette formation soutenue permet aux intervenants de bien faire leur travail de prévention au regard des objectifs et du contenu. De plus, elle les aide à créer un attachement avec la population concernée au fil des ans (ce qui ne serait évidemment pas possible si le personnel changeait trop souvent). Puisque les visites à domicile placent fréquemment les intervenants dans des situations difficiles, le travail de prévention est extrêmement exigeant. Les instigateurs du programme doivent donc tout mettre en œuvre pour prévenir l'épuisement de leurs intervenants. Comme le faisaient remarquer Kavanagh de Project Alliance, et Haggerty de Parenting for Drug-Free Children, la majorité du travail de supervision des intervenants est centrée sur la frontière (floue) entre le rôle professionnel et les relations personnelles. Quant à McMahon et Slough de Fast Track, ils mettraient plus d'accent sur la prévention de l'épuisement professionnel chez les intervenants (communication personnelle). Dans certains programmes, les intervenants ont même créé leur propre réseau de soutien entre pairs (Sanders, sous presse ; Webster-Stratton et Taylor, 1998).

ÉVALUER LES IMPACTS

L'évaluation des programmes de prévention doit être soulevée à nouveau, bien qu'elle semble, à première vue, étrangère à notre objectif d'implication des parents. Notre insistance sur cet aspect provient du fait que trop souvent, elle est inexistante (Dufour et Nadeau, 1998 ; Lebeau, Sirois et Viens, 1996 ; Metzler *et al.*, 1998). Lorsqu'il y a évaluation, elle porte presque toujours sur la satisfaction des participants, et non sur les changements dans le comportement des parents et des jeunes (Lebeau *et al.*, 1996). L'évaluation des effets des projets de prévention est presque exclusivement laissée aux chercheurs universitaires associés aux projets.

Conséquemment, plusieurs praticiens implantent des programmes dont les effets restent inconnus, ou se voient forcés de réinventer la roue à chaque nouvelle tentative de mise en place d'un programme de prévention.

Ces évaluations pourraient, entre autres, porter sur les facteurs qui ont facilité ou entravé la participation des parents, sur les résultats obtenus et sur la conformité de l'intervention réalisée par rapport au projet initial.

Comme nous l'avons déjà signalé, il n'y a pas mieux pour « vendre » un programme de prévention à des parents ou à des bailleurs de fonds que des résultats concrets montrant qu'il a atteint ses objectifs dans le passé. Une évaluation rigoureuse mais réaliste de la mise en œuvre et des effets d'un programme de prévention rassure les organismes subventionnaires sur la compétence de l'équipe et favorise le renouvellement des subventions. Elle autorise aussi la promotion du programme auprès des partenaires éventuels et des parents. Il importe toutefois au préalable de faire valider les résultats par la communauté scientifique afin de ne pas tomber dans le charlatanisme.

LORS DU RECRUTEMENT

Maintenant que le projet a été conçu de façon à maximiser les effets ainsi que la participation des parents, il s'agit de les inviter à y prendre part. Il serait dommage qu'un appel soit lancé dans le vide. Voici donc quelques techniques de recrutement optimales.

PROMOUVOIR UN PROGRAMME À TRAVERS UN MÉDIA CONNU ET RESPECTÉ

L'*école* est un milieu familier à la plupart des parents et respecté de ceux-ci. Bon nombre de promoteurs de programmes de prévention des toxicomanies, tant de type universel que de type ciblé, en font leur lieu de recrutement et de déroulement de leurs activités. Une lettre d'invitation est généralement remise aux élèves qui doivent ensuite la remettre à leurs parents. Mais cette technique, employée par des programmes universels, a tendance à susciter peu de participation des parents. Une variante intéressante proposée par D. Leblanc (communication personnelle) consiste à transmettre l'invitation aux jeunes qui, pour pouvoir participer aux activités, doivent se faire accompagner par un parent. Le projet « Partons du bon pied » à Saint-Jean-sur-Richelieu a préféré installer un kiosque d'information dans les écoles lors de la remise des bulletins. Project Alliance (Kavanagh, communication personnelle) et le projet Adolescent Transition Program (Poulin *et al.*, 1998) ont, pour leur part, créé un centre de ressources pour les familles au sein même de l'école, où se déroulent les activités de prévention et de formation des parents. Enfin, rappelons que les comités de parents ou les conseils étudiants peuvent aussi être mis à contribution.

Toutefois, certaines personnes, notamment celles issues de minorités ethniques ou culturelles, peuvent se sentir intimidées par l'école et par les professionnels qui y travaillent, à cause de la barrière linguistique ou des écarts perçus au plan socioprofessionnel. Dans ces cas, il peut être préférable de faire appel à une personne de la communauté pour inciter les parents à participer au programme (en s'assurant qu'ils pourront ensuite parler et entendre parler leur langue pendant les ateliers) ; (Cohen et Rice, 1995). Dans une communauté majoritairement hispanophone, par exemple, le projet Parenting for Drug-Free Children a fait appel à une église qui offrait la messe en espagnol pour lancer l'invitation aux parents après l'office du dimanche. Les ateliers ont aussi eu lieu, en espagnol, à cet endroit familier pour les parents (Harachi, Catalano et Hawkins, 1997).

Les infirmières et autres intervenants du CLSC ainsi que les médecins de famille jouent, eux aussi, un rôle clé dans la promotion de programmes offerts aux parents puisqu'ils sont bien placés pour informer et référer les parents (Cunningham, 1996 ; Sanders, sous presse ; Vanier, communication personnelle). Mais il demeure que le bouche à oreille fait des merveilles lorsqu'il s'agit de recruter des parents. Selon nos informateurs, les parents seront plus enclins à prendre part à un programme de prévention si l'invitation leur est lancée par un autre parent qu'ils connaissent, surtout si lui aussi sera présent ou qu'il y a déjà participé (Cohen et Rice, 1995 ; Hinshaw, communication personnelle).

PRIVILÉGIER UN CONTACT PERSONNEL

Dans le même ordre d'idées, il n'y a rien de tel qu'une invitation personnelle, soit par téléphone ou par une visite à domicile, pour que le parent se sente un peu « obligé » d'accepter de participer à des activités de prévention, même si cette invitation provient d'une personne qu'il ne connaît pas personnellement. Le contact personnel permet d'expliquer clairement les objectifs aux parents et de répondre à leurs questions (Cohen et Rice, 1995 ; Cunningham *et al.*, 1995 ; Dishion *et al.*, 1996 ; Hinshaw, communication personnelle ; Metzler *et al.*, 1998). Par exemple, le programme COPE à Hamilton a conçu un protocole téléphonique qui a permis de recruter avec succès un échantillon de parents dont les enfants manifestaient des problèmes de comportement dès la prématernelle. Le recrutement téléphonique se faisait par des psychoéducatrices de formation. Elles invitaient les parents à participer en posant une série structurée de questions auxquelles les parents avaient tendance à répondre oui, en partant du général comme « Aimeriez-vous en savoir plus sur les services que nous offrons aux parents comme vous ? » au plus particulier « Seriez-vous intéressés à connaître l'horaire des ateliers offerts dans l'école la plus près de chez vous ? » (Cunningham, communication personnelle). En revanche, la participation des parents lorsque l'invitation se faisait par lettre se situait entre 1,5 % et 25 %, selon les projets. L'invitation par lettre n'apparaît donc pas une stratégie gagnante.

Normaliser l'appartenance au programme

Que les programmes soient ouverts à tous, ou destinés à une population donnée, il s'agit d'éviter d'alarmer les parents ou pis encore de les stigmatiser ou d'éveiller chez eux un sentiment d'incompétence ou de marginalité. C'est alors que la normalisation de l'appartenance au programme entre en jeu.

Le projet COPE de Hamilton a bien compris cette dynamique. Leur protocole de recrutement téléphonique des parents dont les enfants sont les plus à risque débute en insinuant que d'autres parents de leur quartier éprouvent des problèmes semblables avec leur enfant : « Est-ce que vous avez, vous aussi, des problèmes de discipline (par exemple) avec votre enfant à l'occasion ? » Les parents recrutés sont alors rassurés d'apprendre qu'ils ne sont pas seuls aux prises avec ces difficultés, qu'ils pourront en discuter ouvertement avec d'autres parents dans le contexte des ateliers, et obtenir de l'aide de professionnels.

Une autre stratégie consiste à qualifier les intervenants de « conseillers familiaux », « animateurs » ou de « personne-ressource aux familles » au lieu de travailleurs sociaux, thérapeutes, éducateurs spécialisés ou intervenants (Prinz, communication personnelle). Une combinaison de programme universel avec un volet plus intensif pour les familles les plus à risque comme l'Adolescent Transition Program (Poulin *et al.*, 1998) ou le Triple-P (Sanders, sous presse) est une autre façon pour les parents de se sentir moins stigmatisés. Pour sa part, Kavanagh invite les parents en leur expliquant que la formation aux habiletés parentales fait partie d'une étude plus large sur le développement des enfants, leurs familles et leur milieu scolaire.

Inviter de façon répétée

Il est clair que les parents des familles les plus à risque ont une foule de préoccupations quotidiennes, les problèmes d'adaptation chez leurs jeunes n'en étant qu'une parmi d'autres. À des moments de crise, certains parents seront moins disponibles pour solliciter ou recevoir de l'aide. Dans d'autres situations, la crise sera l'agent catalyseur qui motivera les parents à accepter de participer à un programme de prévention. Voilà sans doute pourquoi nos informateurs sont unanimes sur ce point : NE JAMAIS ABANDONNER.

Concrètement, cela signifie : 1) relancer les parents par téléphone ou par une visite à domicile s'ils ont dit non ou s'ils ont dit oui, mais ne se sont pas présentés (Dishion *et al.*, 1996). Dans les projets Fast Track et Project

Alliance, cela signifie de relancer les parents chaque été, avant la rentrée des classes, même si le projet est déjà dans sa deuxième ou troisième année ou plus (McMahon, communication personnelle ; Kavanagh, communication personnelle) ; 2) réitérer l'invitation aux familles ciblées chaque fois que le programme est offert de nouveau par exemple, la Maison Adojeune offre son programme deux fois par année (le projet Triple-P n'a pas ménagé les efforts à ce chapitre) ; 3) changer de recruteur, par exemple, en essayant de trouver quelqu'un que les parents connaîtraient personnellement et pour qui ils ont de l'estime (un autre parent, l'enseignant, le médecin de famille, etc.) ; 4) informer par téléphone, rendre visite, ou envoyer un « bulletin de nouvelles » aux parents s'ils ont manqué une session afin de les tenir au courant des activités. Ainsi ils se sentiront plus à l'aise de revenir la prochaine fois ; 5) persévérer. Chez les Enfants de l'Espoir, qui recrute sans conteste les parents les plus à risque d'avoir des enfants toxicomanes puisqu'ils le sont eux-mêmes, Vanier estime que cela prend deux ans en moyenne avant que la personne recrutée reconnaisse avoir un problème et accepte de recevoir de l'aide.

En d'autres termes, les meilleurs taux de participation sont obtenus par un recrutement continuel et par une politique de porte ouverte. Lorsque les parents seront prêts psychologiquement ou logistiquement à bénéficier du programme, ils pourront le faire en se sentant les bienvenus.

PENDANT LE PROGRAMME

Il ne suffit pas qu'un parent participe aux premières sessions d'un programme de prévention : il faut s'assurer qu'il n'abandonnera pas en cours de route, ce qui est un problème réel si aucune précaution n'est prise.

ÉLIMINER TOUS LES OBSTACLES POSSIBLES

La présence à des ateliers d'information et de formation (la forme privilégiée des programmes recensés ici) exige une certaine réorganisation temporaire de la vie familiale. Il faut donc tenter de rendre les programmes le plus flexible et le plus accessible possible, sinon les parents décrochent du programme.

Étant donné que plusieurs des parents travaillent à l'extérieur du foyer (selon des horaires variables) ou cherchent du travail, les programmes doivent être offerts de jour, de soir et la fin de semaine si l'on veut joindre le plus grand nombre de parents (Metzler *et al.*, 1998 ; Pancer et Cameron, 1993 ; Prinz et Miller, 1996 ; Renaud et Mannoni, 1997 ; Webster-Stratton et Taylor, 1998). Par ailleurs, le même programme doit être donné plusieurs fois au cours de l'année (de deux à quatre fois, en évitant l'été à moins qu'il ne soit offert sous forme de camp de vacances), en alternant les jours et les soirs.

La proximité est aussi déterminante. Les sessions pour parents devraient être offertes dans une école ou un centre communautaire situé dans le quartier (DuPaul, communication personnelle ; Cunningham *et al.*, 1995 ; Prinz et Miller, 1996 ; Renaud et Mannoni, 1997 ; Webster-Stratton et Taylor, 1998). Dans le cas de populations défavorisées, cet endroit doit être sécuritaire et facile d'accès par autobus, mais, idéalement, le transport ou le covoiturage sera offert aux familles afin de s'assurer de leur présence.

Les auteurs consultés soulignent aussi l'importance d'offrir un service de garde et/ou de loisirs pour les autres enfants de la famille et les enfants cibles. D'ailleurs, les programmes de soir et de fin de semaine qui se déroulent dans les écoles ont cet avantage que le gymnase est alors libre pour le service de garde. Si cette activité est suffisamment divertissante, il peut même arriver que ce soit les enfants qui insistent pour y aller, ce qui « force » les parents à poursuivre le programme !

Une autre stratégie mise en œuvre par certains promoteurs de projet consiste à offrir le programme en formats variés (Catalano, communication personnelle ; Cunningham *et al.*, 1995 ; Sanders, sous presse ; St. Pierre *et al.*, 1997). Par exemple, les parents peuvent choisir entre des sessions individuelles et des sessions en groupe. Ou encore, les parents peuvent choisir entre des sessions de deux heures en soirée échelonnées sur 10 semaines, ou trois demi-journées les samedis. Ils peuvent en outre opter pour une série de vidéocassettes et d'exercices à la maison (pour de nombreux exemples, voir Sanders, sous presse). Une variante de cette idée est d'offrir des ateliers de deux heures chacun sur l'un des thèmes du programme, les parents étant libres de choisir lesquels, combien et dans quel ordre ils désirent y participer, sans obligation à long terme de leur part (Vitaro *et al.*, 1998). Cela est d'autant plus réalisable si le programme fait partie intégrale des « services » offerts à l'école ou dans la communauté, année après année[4].

Dans certains milieux, il ne faut pas négliger non plus la barrière linguistique (Cohen et Rice, 1995 ; Harachi *et al.*, 1997). Selon Renaud et Mannoni (1997), c'était là la raison la plus évidente de la non-participation des parents à diverses activités scolaires et parascolaires visant la promotion

4. Catalano nous met en garde contre une tactique essayée par son équipe, qui avait pourtant beaucoup plue aux parents. Il s'agissait d'une « foire familiale » d'une journée, où les ateliers de formation étaient offerts simultanément, les parents devant choisir lesquels seraient les plus pertinents pour eux (comme lors d'un congrès.) Rétrospectivement, il juge que le contenu offert sous cette forme était trop superficiel et que les apprentissages faits par les parents n'ont probablement pas été durables.

de la santé. La présence d'un traducteur serait alors indispensable, quitte à réduire quelque peu la quantité du contenu à couvrir dans chaque atelier (Pancer et Cameron, 1993 ; Renaud et Mannoni, 1997).

Cependant, le summum de l'accessibilité, c'est d'aller vers les gens, plutôt que d'exiger qu'ils viennent à nous. Certains programmes de prévention combinent les activités en groupes avec les téléphones et les visites à domicile (CPPRG, 1992 ; Prinz, communication personnelle ; Sanders, sous presse ; St. Pierre *et al.*, 1997 ; Tremblay *et al.*, 1995 ; Van Hasselt *et al.*, 1993). Ces visites stimulent la participation continue des parents : elles se plient à l'horaire du parent, et non l'inverse ; elles informent le parent des dernières activités de groupe, ce qui facilite la réintégration au groupe et crée un sentiment d'appartenance au programme ; elles peuvent faciliter la généralisation des acquis au contexte de vie à la maison ; par-dessus tout, elles contribuent au développement d'un lien affectif réciproque entre la famille et l'intervenant, ce qui motive à poursuivre le programme. Bref, ces visites envoient le message aux familles qu'elles ont de l'importance, qu'elles valent le déplacement.

Augmenter les attraits

Plusieurs auteurs offrent un goûter ou des prix de présence ou des chèques-cadeaux (Catalano et Haggerty, communication personnelle ; St. Pierre *et al.*, 1997). Le projet Fast Track a opté pour une compensation financière de 15 par session de deux heures. Les promoteurs justifient cet incitatif en expliquant aux parents que ce sont eux les experts lorsqu'il s'agit de leur enfant, donc ils méritent un « salaire » au même titre que les experts qui animent les ateliers (CPPRG, 1992). Un autre type de compensation financière consiste à payer les parents lorsqu'ils remplissent les questionnaires destinés à évaluer le comportement de leur enfant ou leurs propres pratiques éducatives (Kavanagh, communication personnelle).

Enfin, le contenu des activités du programme de prévention doit être attrayant, voire même amusant pour les parents, afin d'encourager leur participation active et l'assiduité (DuPaul ; Haggerty, communications personnelles). Il peut être motivant de fixer des objectifs simples, réalistes et atteignables à court terme concernant le comportement de l'enfant ; atteinte de ces objectifs proximaux peut fortement encourager les parents à poursuivre (Charlebois *et al.*, 1995b ; Prinz et Miller, 1996). Une autre activité intéressante consiste à réunir les parents et les jeunes à la fin d'une série d'ateliers séparés afin qu'ils appliquent ensemble les stratégies apprises afin de résoudre des problèmes communs ou planifier des activités de loisir.

Favoriser une appropriation

Un attrait indéniable des programmes de prévention offerts sous forme d'ateliers en groupes est de permettre aux parents de rencontrer d'autres parents afin d'échanger (Renaud et Mannoni, 1997 ; Sanders, sous presse ; Turbide, 1995) ; l'enseignement magistral est donc à éviter (Cunningham, 1996 ; Webster-Stratton et Taylor, 1998). De plus, s'inspirant du dicton « Deux têtes valent mieux qu'une », Cunningham *et al.* (1995) encouragent la formation de sous-groupes où les parents discutent des thèmes abordés et cherchent ensemble des solutions à certains problèmes. Les parents y font non seulement des apprentissages plus nombreux et plus profitables, mais ils y créent aussi des liens avec d'autres parents qui peuvent durer au-delà de la période des ateliers.

Nombreux sont les programmes de prévention qui font appel aux jeux de rôles entre parents, ou entre parents et enfants. En donnant un rôle actif aux parents, on leur transmet le message que ces ateliers leur appartiennent un peu, qu'ils ont quelque chose à apporter, et, donc, que leur présence est importante (St. Pierre *et al.*, 1997). Ceci est non seulement bénéfique à l'estime de soi et au sentiment de compétence, mais aussi au taux de participation au programme. On peut même aller jusqu'à accommoder les groupes de parents qui demanderaient l'ajout d'une ou de plusieurs sessions sur un thème donné, non prévu lors de la conception du programme (Harachi *et al.*, 1997) ou de prendre part uniquement aux volets du programme qui les intéressent (Cunningham, communication personnelle).

Enfin, mentionnons que certains programmes emploient les parents comme recruteurs (p. ex., Parenting for Drug-Free Children) ou comme coanimateurs des groupes (p. ex., Fast Track). Le programme PRISME, quant à lui, est unique dans sa façon de donner aux parents un rôle actif. En effet, les parents sont eux-mêmes les animateurs du programme de prévention dans les écoles, auprès des jeunes ; ils travaillent bénévolement, en équipes de deux. Selon nos informateurs, certains parents le font pendant plusieurs années, peu importe la classe dans laquelle est leur propre enfant. Certes, ces stratégies touchent un moins grand nombre de personnes, mais ceux qui s'impliquent sont extrêmement motivés à prévenir les problèmes d'adaptation chez les jeunes et peuvent avoir un effet d'entraînement dans leur communauté.

Développer un attachement réciproque entre la famille et l'intervenant. À l'intérieur des limites de la relation professionnelle, il est possible qu'une famille se sente valorisée par le « conseiller familial » ou l'animateur des ateliers du programme. Ce sentiment de valorisation est puissant lorsqu'il s'agit d'obtenir un engagement à long terme des parents dans un projet. Comme nous l'avons déjà observé, les visites à domicile sont un moyen privilégié de développer une relation de confiance ; elles permettent par ailleurs d'intervenir sur divers facteurs de risque propres à l'univers de cette famille. Par exemple, si un fils aîné vient d'être arrêté, le parent aura d'autres préoccupations que d'aider son cadet à compléter les activités de prévention des toxicos à la maison. Si le parent peut faire appel au « conseiller familial » en cette période de crise, il redeviendra disponible plus rapidement pour les activités de prévention.

Nous avons déjà mentionné l'importance de l'appartenance culturelle dans le choix des intervenants. Le fait d'appartenir au même groupe ethnoculturel ou de parler la même langue favorisera l'établissement de liens plus étroits entre les parents et les animateurs. Un résultat semblable peut être obtenu par des contacts fréquents, ne serait-ce que par téléphone. Par exemple, Project Alliance téléphone aux parents les plus à risque une fois par mois pour maintenir le contact, et ce, même si les parents ne participent pas aux rencontres en groupe. Pendant les vacances scolaires, quelques programmes organisent des activités de nature plus sociale comme des pique-niques afin d'entretenir le lien avec les familles, ainsi que celui des familles entre elles.

PISTES D'ACTION

La prochaine section résume les quelques pistes d'action qui se dégagent des pages précédentes ; afin d'éviter les redondances, elles sont formulées de façon sommaire dans un tableau (ci-après).

Tableau 1
PISTES D'ACTION ET CONSEILS PRATIQUES

S'appuyer sur des bases théoriques et empiriques solides	Prendre le temps de consulter les programmes qui ont fait leurs preuves dans la littérature scientifique et rencontrer les intervenants.
Réaliser un sondage auprès des parents	Par téléphone ou par la poste, vérifier combien de parents sont intéressés à participer et vérifier quelles modalités leur conviennent le mieux.
S'assurer un soutien politique et un financement stable.	Aller chercher un engagement écrit de la RSSS, de la commission scolaire, de la municipalité et de chercheurs universitaires précisant la nature de leur collaboration. Obtenir la garantie d'un financement approprié pour la durée du projet avant de commencer.
Travailler en amont des problèmes.	Cibler les enfants les plus jeunes et travailler sur les facteurs de risque. Il est plus facile de convaincre les parents quand le problème n'est pas encore grave.
Cibler les périodes de transition.	Les parents sont plus sensibles à l'aide qui leur est offerte lorsque leur enfant doit entrer à la prématernelle, à l'école primaire ou encore à l'école secondaire.

Tableau 1 (*suite*)
PISTES D'ACTION ET CONSEILS PRATIQUES

Sensibiliser les parents aux problèmes des jeunes.	Faire connaître par divers moyens les taux de prévalence ainsi que les précurseurs, les indicateurs et les conséquences possibles du problème d'adaptation.
Proposer un programme à long terme.	Utiliser des exemples concrets pour démontrer que les changements prennent du temps (p. ex., apprendre une nouvelle langue).
Proposer un programme à plusieurs volets qui vise plusieurs problèmes.	Divers problèmes d'adaptation sociale ont plusieurs facteurs communs et les mêmes jeunes risquent d'éprouver des difficultés multiples.
Agir en concertation.	Favoriser la collaboration entre les parents, les enseignants et divers agents de la communauté afin d'augmenter les chances de prévenir ces problèmes.
Planifier des contacts fréquents.	Le rythme d'une rencontre hebdomadaire ou aux deux semaines semble optimal pour permettre d'expérimenter les stratégies et y apporter les modifications nécessaires.
Prendre le temps de bien choisir les intervenants.	Les habiletés relationnelles sont essentielles. Choisir des intervenants qui correspondent aux caractéristiques de la clientèle ciblée et qui connaissent bien le milieu.
Faire appel aux parents comme collaborateurs.	Au début, les parents sont invités à collaborer afin d'aider leur enfant. Par la suite, certains parents pourraient être invités à aider d'autres parents et devenir des animateurs d'ateliers pour les parents.
Planifier une stratégie rigoureuse afin d'évaluer la mise en œuvre et les effets de l'intervention.	Une bonne stratégie d'évaluation de la mise en œuvre permettra aux intervenants d'apprendre et de rester motivés malgré les échecs. Consulter des chercheurs universitaires pour trouver des stratégies d'évaluation valides et réalistes.
Faire connaître le programme par tous les moyens possibles.	Installer un kiosque d'information dans les écoles lors de la remise des bulletins. Mettre à contribution les comités de parents et les conseils étudiants. Créer un centre de ressources pour les familles au sein de l'école. Renseigner les intervenants de première ligne au CLSC. Dire aux parents intéressés par le projet d'inviter leurs amis. Utiliser les médias locaux.
Privilégier un contact personnel.	1. Un protocole téléphonique positif incite le parent à participer 2. La lettre est plus économique, mais beaucoup moins efficace 3. Pour les familles les plus défavorisées, un contact direct doit être privilégié.

Tableau 1 (*suite*)
PISTES D'ACTION ET CONSEILS PRATIQUES

Normaliser la participation au programme (p. ex., le programme est offert à toutes les familles de l'école ou du quartier).	Informer les parents que d'autres parents et d'autres enfants éprouvent aussi des difficultés. Éviter de stigmatiser les participants à un programme : *a)* en ouvrant le programme à plusieurs parents ; *b)* en présentant le programme comme une activité parascolaire ; *c)* en centrant les objectifs du programme sur des compétences à acquérir autant que des problèmes à éviter.
Inviter de façon répétée et persévérer.	Ne jamais abandonner même si l'on essuie des refus. Se montrer compréhensif et garder le contact (demander aux parents la permission de les rappeler pour donner des nouvelles du programme). Essayer de trouver des participants au programme (soit d'autres parents qui peuvent réitérer l'invitation). Envoyer un bulletin de nouvelles
Éliminer les obstacles.	Offrir un horaire flexible des rencontres selon les disponibilités des parents (jour, soir, fin de semaine). Offrir un service de garde gratuit et attrayant pour les enfants sur les lieux des rencontres.
Augmenter les attraits.	Être attentif aux besoins des parents : certains ont besoin de se changer les idées, d'autres de discuter de stratégies éducatives. Le programme doit être assez souple pour répondre prioritairement à ces besoins. Regrouper les parents selon leurs besoins. Créer un bon contact avec les parents avant d'aborder les composantes du programme de prévention comme telles. Si possible, rémunérer les parents pour leur rôle d'aide-intervenant auprès de leur enfant. Au début, fixer des objectifs de changement simples et relativement faciles à atteindre.
Favoriser une appropriation.	Favoriser un partage des rôles selon les compétences des parents. Une transmission de connaissances plaçant les parents dans un rôle passif est à éviter. Privilégier les activités de collaboration qui permettent la découverte des composantes du programme.
Favoriser la création d'une relation significative avec les intervenants et les autres parents.	Les relations interpersonnelles constituent l'élément clé de la réussite de n'importe quelle intervention. Un climat de confiance, de sécurité, d'empathie et d'acceptation inconditionnelle favorisera la participation active des parents et le développement de l'entraide.

CONCLUSIONS

La majorité des stratégies proposées ici pour faire participer les parents aux programmes de prévention et les retenir découlent de l'expérience des chercheurs et des intervenants que nous avons consultés. Nous espérons qu'elles pourront aider les intervenants et les chercheurs dans leurs efforts de prévention. Les stratégies proposées ici doivent être adaptées selon les valeurs ethnoculturelles de la communauté choisie et de ses rapports particuliers avec la problématique ciblée. En outre, les stratégies proposées ici doivent être soumises à une expérimentation sérieuse afin de les évaluer et de les comparer. Ce travail de recherche est à peine amorcé. Par conséquent, nous ne savons pas quelles stratégies ou quelles combinaisons de stratégies sont les plus efficaces. De plus, certaines stratégies peuvent se révéler plus utiles pour certains types de parents ou pour des parents d'enfants plus jeunes ou en difficulté alors que d'autres pourraient donner de meilleurs résultats avec d'autres types de parents ou des parents d'enfants plus âgés ou des parents d'enfants sans difficulté particulière. Il y aurait certainement lieu de financer un programme de recherche qui réunirait des chercheurs et des intervenants intéressés à se pencher sur cette question.

Rappelons, enfin, que nous n'avons pas fait de distinction entre les stratégies qui pourraient être plus appropriées dans un contexte de prévention universelle et celles qui pourraient l'être dans un contexte de prévention ciblée. Nous le répétons, dans aucun de ces cas, les parents ne sollicitent de l'aide. Par conséquent, les défis ainsi que les stratégies pour les amener à participer à une démarche qui propose une aide préventive (qui s'adresse à tous ou à quelques-uns, peu importe) risquent d'être fort similaires. De plus, même dans les programmes de type universel, il importe de joindre les familles et les enfants les plus à risque même si tous les individus peuvent tirer bénéfice d'une participation au programme. L'approche universelle est motivée non seulement par le souci d'éviter la stigmatisation et les cas négatifs non valides, mais aussi par la volonté de promouvoir de bonnes habitudes de vie et le bien-être physique et social de tous les individus.

En ce sens, les pistes d'action proposées ici ont leur place dans un contexte de prévention universelle autant que ciblé, car elles s'adressent aux parents les plus difficiles à impliquer et dont les enfants sont souvent les plus à risque. Par ailleurs, il n'est pas nécessaire de déployer les mêmes efforts pour impliquer diverses catégories de parents. Certains auteurs (Spoth et Redmond, 1995) ont mis au point un questionnaire destiné à évaluer l'intention des parents à participer à un programme de prévention. Cette idée pourrait être retenue, car les résultats d'un tel sondage (par la poste ou par téléphone) serviraient à déterminer le niveau d'effort à déployer pour impliquer les parents : des parents qui se disent intéressés ne concrétiseront pas tous leur intention de participer au programme, mais il est probable que ceux qui se disent non intéressés n'y participeront pas. Enfin, ceux qui se disent plus ou moins intéressés peuvent exiger un effort de recrutement plus important. Les résultats d'un tel sondage serviraient aussi à envisager d'autres voies pour joindre les parents (médias, courrier électronique, etc.) au cas où plusieurs se disent peu ou pas intéressés par un contact direct avec les animateurs du programme. Enfin, il permettrait de vérifier l'horaire et les lieux les plus propices.

Nous n'avons pas non plus distingué les pistes d'action selon le contexte d'intervention des praticiens : CLSC, milieu scolaire ou organisme communautaire. Nous préférons que chacun prenne connaissance de toutes les pistes d'action possibles afin de retenir celles qui conviennent le mieux à son contexte d'intervention particulier. Il y a fort à parier que plusieurs pistes d'action peuvent intéresser des intervenants de différents milieux. Un échange continu entre les promoteurs de divers programmes de prévention et les chercheurs intéressés serait très profitable pour faire connaître divers obstacles et les prévenir par des stratégies en constante évolution. Enfin, rappelons-le, il ne sert à rien de réussir à impliquer les parents dans un programme mal conçu et dont les retombées sont incertaines, faute d'une base théorique et empirique éprouvées. Le chapitre précédent aborde justement cette question.

BIBLIOGRAPHIE

ARMBRUSTER, P. et KAZDIN, A.E. (1994). Attrition in child psychotherapy. Dans T.H. Ollendick et R.J. Prinz (dir.), *Advances in clinical child psychology* (p. 81-108). New York : Plenum.

BANGERT-DROWNS, R.L. (1988). The effects of school-based substance abuse education : A meta-analysis. *Journal of Drug Education, 18*, 243-264.

BAUMRIND, D. (1983). *Why adolescents take chances – and why they don't.* Document non publié. Institute of Human Development, University of California, Berkeley.

BLACKSON, T.C. (1994). Temperament : A salient correlate of risk factors for alcohol and drug abuse. *Drug and Alcohol Dependence, 26*, 205-214.

BOTVIN, G.J. (1990). Substance abuse prevention : Theory, practice and effectiveness. Dans M. Tonray et J.Q. Wilson (dir.), *Drugs and crime* (p. 461-519). Chicago : University of Chicago.

BROOK, J.S., WHITEMAN, M., GORDON, A.S. et BROOK, D.W. (1984). Paternal determinates of female adolescent marijuana use. *Developmental Psychology, 20*, 1032-1043.

BRUVOLD, W.H. (1990). A meta-analysis of the California school-based risk reduction program. *Journal of Drug Education, 20*, 139-152.

CHARLEBOIS, P., NORMANDEAU, S. et VITARO, F. (1995a). *Differential effects of social skills training and self-regulation training on trainers' management strategies and ADHD boys' behavior.* Communication présentée à la International Conference on Cognitive Behavior and Applied Behavior Therapies. Rotterdam, Pays-Bas.

CHARLEBOIS, P., VITARO, F. et NORMANDEAU, S. (1995b). *Préparer la réussite scolaire et l'adaptation sociale*. Rapport CQRS, Université de Montréal.

COHEN, D.A. et LINTON, K.L.P. (1995). Parent participation in an adolescent drug abuse prevention program. *Journal of Drug Education, 25*(2), 159-169.

COHEN, D.A. et RICE, J.C. (1995). A parent-targeted intervention for adolescent substance use prevention : Lessons learned. *Evaluation Review, 19*, 159-180.

COOMS, R.H. et PAULSON, M.J. (1988). Contrasting family patterns of adolescent drug users and nonusers. Dans R.H. Coombs (dir.), *The family context of adolescent drug use* (p. 59-71). New York : Haworth Press.

CPPRG (1992). A Developmental and clinical model for the prevention of conduct disorder : The Fast Track Program. *Development and Psychopathology, 4*, 509-527.

CUNNINGHAM, C.E. (1996). Improving availability, utilization and cost efficacy of parent training programs for children with disruptive behavior disorders. Dans R.D. Peters et R.J. McMahon (dir.), *Preventing childhood disorders, substance abuse, and delinquency* (p. 144-160). Thousand Oaks, CA : Sage.

CUNNINGHAM, C.E., BREMNER, R. et BOYLE, M. (1995). Large group community-based parenting programs for families of preschoolers at risk for disruptive behaviour disorders : Utilization, cost effectiveness, and outcome. *Journal of Child Psychology and Psychiatry, 36*(7), 1141-1159.

DEMARSH, J. et KUMPFER, K.L. (1986). Family-oriented interventions for the prevention of chemical dependency in children and adolescents. Dans S. Griswold-Ezekoye, K.L. Kumpfer et W.J. Bukoski (dir.), *Childhood and chemical abuse : Prevention and intervention* (p. 117-151). New York : Haworth Press.

DISHION, T.J. et ANDREWS, D.W. (1995). Preventing escalation in problem behaviors with high-risk young adolescents : Immediate and 1-year outcomes. *Journal of Consulting and Clinical Psychology, 63*, 538-548.

DISHION, T.J., ANDREWS, D.W., KAVANAGH, K. et SOBERMAN, L.H. (1996). Preventive interventions for high-risk youth. Dans R.D. Peters et R.J. McMahon (dir.), *Preventing childhood disorders, substance abuse, and delinquency* (p. 184-214). Thousand Oaks, CA : Sage.

DISHION, T.J., PATTERSON, G.R., STOOLMILLER, M. et SKINNER, M.L. (1991). Family, school, and behavioral antecedents to early adolescent involvement with antisocial peers. *Developmental Psychology, 27*(1), 172-180.

DUFOUR, M.H. et NADEAU, L. (1998). L'efficacité des programmes de prévention de la toxicomanie axés sur les familles. *Santé Mentale au Québec, XXIII*, 224-245.

FOREHAND, R., MIDDLEBROOK, J., ROGERS, T. et STEFFE, M. (1983). Dropping out of parent training. *Behavior Research and Therapy, 21*, 663-668.

GERSICK, K.E., GRADY, K. et SNOW, D.L. (1988). Social-cognitive skill development with sixth graders and its initial impact on substance abuse. *Journal of Drug Education, 1*, 55-70.

GOODSTADT, M.S. et SHEPPARD, M.A. (1983). Three approaches to alcohol education. *Journal of Studies on Alcohol, 44*, 362-380.

GORMAN, D.M. (1998). The irrelevance of evidence in the development of school-based drug prevention policy, 1986-1996. *Evaluation Review, 22*, 118-146.

GRADY, K., GERSICK, K.E. et BORATYNSKI, M. (1985). Preparing parents for teenagers : A step in the prevention of adolescent substance abuse. *Family Relations, 34*, 541-549.

GREEN, J.J. et KELLEY, J.M. (1989). Evaluating the effectiveness of a school drug and alcohol prevention curriculum : A new look at « Here's Looking at You ». *Journal of Drug Education, 19*, 117-132.

HARACHI, T.W., CATALANO, R.F. et HAWKINS, J.D. (1997). Effective recruitment for parenting programs within ethnic minority communities. *Child and Adolescent Social Work Journal, 14*(1), 23-39.

HAWKINS, J.D., CATALANO, R.F., KOSTERMAN, R., ABBOTT, R.F. et HILL, K.G. (1999). *A twelve-year study of academic success, violence, alcohol misuse, and teen pregnancy*. Manuscrit soumis pour publication.

HAWKINS, J.D., CATALANO, R.F. et MILLER, J.Y. (1992). Risk and protective factors for alcohol and other drug problems in adolescence and early adulthood : Implications for substance abuse prevention. *Psychological Bulletin, 112*(1), 64-105.

HOSTETLER, M. et FISHER, K. (1997). Project C.A.R.E. substance abuse prevention program for high-risk youth : A longitudinal evaluation of program effectiveness. *Journal of Community Psychology, 25*, 397-419.

JESSOR, R. et JESSOR, S.I. (1977). *Problem behavior and psychosocial development : A longitudinal study of youth*. New York : Academic Press.

JURICH, A.P., POLSON, C.J., JURICH, J.A. et BATES, R.A. (1985). Family factors in the lives of drug users and abusers. *Adolescence, 20*, 143-159.

KANDEL, D.B. (1978). Convergences in prospective longitudinal surveys of drug use in normal populations. Dans D.B. Kandel (dir.), *Longitudinal research in drug use : Empirical findings and methodological issues* (p. 3-38). Washington, D.C. : Hemisphere-Wiley.

KANDEL, D.B., KESSLER, R.C. et MARGULIES, R.Z. (1978). Antecedents of adolescent initiation to stages of drug use : A developmental analysis. *Journal of Youth and Adolescence, 7*, 13-40.

KAZDIN, A.E., STOLAR, M.J. et MARCIANO, P.L. (1995). Risk factors for dropping out of treatment among white and black families. *Journal of Family Psychology, 9*, 402-417.

KIM, S. (1979). *An evaluation of ombudsman primary prevention program on student drug abuse*. Charlotte, NC : Charlotte Drug Education Center.

KIM, S., MCLEOD, J.H. et SHANTZIS, C. (1993). An outcome evaluation of Here's Looking at You 2000. *Journal of Drug Education, 23*, 67-81.

KINDER, B.N., PAPE, N.E. et WALFISH, S. (1980). Drug and alcohol education programs : A review of outcome studies. *International Journal of the Addictions, 15*, 1035-1054.

KLEIN, M.A. et SWISHER, J.D. (1983). A statewide evaluation of a communication and parenting skills program. *Journal of Drug Education, 13*(1), 37-82.

KLINE, R.B. et CANTER, W.A. (1994). Can educational programs affect teenage drinking ? A multivariate perspective. *Journal of Drug Education, 24*(2), 139-149.

KLITZNER, M., GRUENEWALD, P.J. et BAMBERGER, E. (1990). The assessment of parent-led prevention programs : A preliminary assessment of impact. *Journal of Drug Education, 20*(1), 77-94.

KUMPFER, K.L., MOLGAARD, V. et SPOTH, R. (1996). The strengthening families program for the prevention of delinquency and drug use. Dans R.D.V. Peters et R.J. McMahon (dir.), *Preventing and delinquency* (p. 241-267). Thousand Oaks : Sage.

LEBEAU, A., SIROIS, G. et VIENS, C. (1996). *Description des contenus en promotion de la santé et en prévention des toxicomanies et analyse critique (tome 1).* Rapport au ministère de la Santé et des Services sociaux, Gouvernement du Québec.

LORION, R.P. et ROSS, J.G. (1992). Programs for change : A realistic look at the nation's potential for preventing substance involvement among high risk youth. *Journal of Community Psychology*, OSAP Special Issue, 3-9.

METZLER, C.W., TAYLOR, T.K., GUNN, B., FOWLER, R.C., BIGLAN, A. et ARY, D. (1998). A comprehensive approach to the prevention of behavior problems : Integrating family – and community – based approaches to strengthen behavior management programs in schools. *Effective School Practices, 17*(2), 8-24.

MOSKOWITZ, J.M. (1989). The primary prevention of alcohol problems : A critical review of the literature. *Journal of Studies on Alcohol, 50*, 54-88.

MRAZEK, P.J. et HAGGERTY, R.J. (1994). *Reducing risk for mental disorders : Frontiers for preventive intervention research.* Washington, D.C. : National Academy Press.

NEWCOMB, M.D. (1992). Understanding the multidimensional nature of drug use and abuse : The role of consumption, risk factors, and protective factors. Dans M. Glantz et R. Pickens (dir.), *Vulnerability to drug abuse* (p. 255-297). Washington, D.C. : American Psychological Association.

NOREM-HEBEISEN, A., JOHNSON, D.W., ANDERSON, D. et JOHNSON, R. (1984). Predictors and concomitants of changes in drug use patterns among teenagers. *Journal of Social Psychology, 124*, 43-50.

PANCER, S.M. et CAMERON, G. (1993). *Better beginnings, better futures resident participation report.* Waterloo, ON : Centre for Social Welfare Studies, Wilfrid Laurier University.

PEKARIK, G. (1992). Postreatment adjustment of clients who drop out early vs. late in treatment. *Journal of Clinical Psychology, 3*, 379-387.

PENTZ, M.A., DWYER, J.H., MACKINNON, D.P., FLAY, B.R., HANSEN, W.B., WANG, E.Y. et JOHNSON, C.A. (1989). A multicommunity trial for primary prevention of adolescent drug abuse : Effects on drug use prevalence. *Journal of the American Medical Association, 261*, 3259-3266.

PERRY, C.L., PIRIE, P., HOLDER, W., HALPER, A. et DUDOVITZ, B. (1990). Parent involvement in cigarette smoking prevention : Two pilot evaluations of the « Unpuffables Program ». *Journal of School Health, 60*(9), 443-447.

POULIN, F., DISHION, T.J., KAVANAGH, K. et KIESNER, J. (1998). La prévention des problèmes de comportement à l'adolescence : Le Adolescent Transition Program. *Criminologie, 31*, 67-86.

PRINZ, R.J. et MILLER, G.E. (1996). Parental engagement in interventions for children at risk for conduct disorder. Dans R.D. Peters et R.J. McMahon (dir.), *Preventing childhood disorders substance abuse, and delinquency* (p. 161-183). Thousand Oaks, CA : Sage.

RENAUD, L. et MANNONI, C. (1997). Étude sur la participation des parents dans les activités scolaires ou parascolaires. *Revue canadienne de santé publique, 88*(3), 184-191.

ROHRBACH, L.A., HODGSON, C.S., BRODER, B.I., MONTGOMERY, S.B., FLAY, B.R., HANSEN, W.B. et PENTZ, M.A. (1995). *Parental participation in drug abuse prevention : Results from the midwestern prevention project.*

ROSS, C., RICHARD, L. et POTVIN, L. (1998). One year outcome evaluation of an alcohol and drug abuse prevention program in a Québec high school. *Revue canadienne de santé publique, 89*(3), 166-170.

RUETER, M.A., CONGER, R.D. et RAMISETLY-MIKLER, S. (1999). Assessing the benefits of a parenting skills training program : A theoretical approach to predicting direct and moderating effects. *Family Relations, 48*, 67-77.

ST. PIERRE, T.L., MARK, M.M., KALTREIDER, D.L. et AIKIN, K.J. (1997). Involving parents of high-risk youth in drug prevention : A three-year longitudinal study in boys and girls clubs. *Journal of Early Adolescence, 17*(1), 21-50.

SANDERS, M.R. (sous presse). The Triple P – Positive Parenting Program : Towards an empirically validated multi-level parenting and family support strategy for the prevention and treatment of child behavior and emotional problems. *Child and Family Psychology Review.*

SELNOW, G.W. (1987). Parent-child relationships and single – and two – parent families : Implications for substances usage. *Journal of Drug Education, 17*, 315-326.

SHEDLER, J. et BLOCK, J. (1990). Adolescent drug use and psychological health : A longitudinal inquiry. *American Psychologist, 45*, 612-630.

SPOTH, R., BALL, A.D., KLOSE, A. et REDMOND, C. (sous presse). Illustration of a market segmentation technique using family-focused prevention program preference data. *Health Education Research.*

SPOTH, R. et REDMOND, C. (1995). Parent motivation to enroll in parenting skills programs : A model of family context and health belief predictors. *Journal of Family Psychology, 9*, 294-310.

SPRINGER, J.F., PHILLIPS, J.L., PHILLIPS, L., CANNADY, L.P. et KERST-HARRIS, E. (1992). CODA : A creative therapy program for children in families affected by abuse of alcohol or other drugs. *Journal of Community Psychology*, OSAP Special Issues, 55-74.

TOBLER, N.S. (1986). Meta-analysis of 143 adolescent drug prevention programs : Quantitative outcome results of program participants compared to a control or comparison group. *The Journal of Drug Issues, 16*, 537-567.

TREMBLAY, R.E., PAGANI-KURTZ, L., MÂSSE, L.C., VITARO, F. et PIHL, R.O. (1995). A bimodal preventive intervention for disruptive kindergarten boys : Its impact through mid-adolescence. *Journal of Consulting and Clinical Psychology, 63*(4), 560-568.

TURBIDE, L. (1995). *Rapport Final : Projet d'intervention en prévention de l'alcoolisme et des toxicomanies (PIPAT).* Cap-aux-Meules, QC : CLSC des Iles.

VAN HASSELT, V.B., HERSEN, M., NULL, J.A., AMMERMAN, R.T., BUKSTEIN, O.G., MCGILLEVRAY, J. et HUNTER, A. (1993). Drug abuse prevention for high risk African American children and their families : A review and model program. *Addictive Behaviors, 18*, 213-234.

VITARO, F., DOBKIN, P.L., GAGNON, C. et LEBLANC, M. (1994). *Les problèmes d'adaptation psychosociale chez l'enfant et l'adolescent : prévalence, déterminants et prévention.* Sainte-Foy : Presses de l'Université du Québec.

VITARO, F., MALIANTOVITCH, K., BOUCHARD, C. et GIRARD, A. (1998). Programme de prévention de la consommation de psychotropes chez les jeunes : suivi à moyen terme. *Psychotropes, 4*, 111-131.

VITARO, F., NORMAND, C.L. et CHARLEBOIS, P. (1999). *Stratégies pour impliquer les parents dans la prévention de la toxicomanie chez les jeunes.* Montréal, QC : Comité permanent de lutte à la toxicomanie, MSSS.

WEBSTER-STRATTON, C. et TAYLOR, T.K. (1998). Adopting and implementing empirically supported interventions : A recipe for success. Dans A. Buchanan et B.L. Hudson (dir.), *Parenting, Schooling and Children's Behaviour : Interdisciplinary Approaches* (p. 127-160). Aldershot, Angleterre : Ashgate Publishing Co.

ANNEXE

QUELQUES PROGRAMMES DE PRÉVENTION DES TOXICOMANIES ET CHERCHEURS RESPONSABLES (CITÉS DANS CE CHAPITRE)

PROGRAMMES UNIVERSELS

Nom du programme	Chercheurs responsables	Population recrutée	Objectifs (du volet parents)	Format
« Partons du bon pied » et PAGPA	PARTAGE du Haut-Richelieu Centre de prévention des toxicomanies Saint-Jean-sur-Richelieu, Québec.	Parents d'adolescents. parent-adolescent.	Améliorer la communication (max. 12).	Six ateliers en groupe
Preparing for the Drug-Free Years (incluant le volet Parenting for Drug-Free Children)	Richard Catalano, Ph.D. Social Development Research Group School of Social Work University of Washington Seattle, WA.	Parents d'enfants majoritairement du 2e cycle du primaire et du 1er cycle du secondaire.	Augmenter les habiletés parentales (communication, discipline, etc.).	Variable selon les 87 sites d'implantation. Modèle : 5 à 10 sessions de 1 à 2 heures en groupes, une série de 5 vidéo-films et un livre d'activités pour parents.
PAVOT	CLSC du Centre de la Mauricie Shawinigan, Québec.	Parents d'adolescents de la 1re à la 4e année du secondaire.	– Modifier les connaissances et attitudes face aux psychotropes ; – Améliorer la communication parent-adolescent.	Trois rencontres en groupe pendant le 1er secondaire et une rencontre en 2e secondaire ou 5 vidéos d'auto-apprentissage.
PAVOT	Maison de jeunes Chibougamau, Québec	Parents des adolescents membres de la maison de jeunes.	– Modifier les connaissances et attitudes face aux psychotropes ; – Améliorer la communication parent-adolescent.	Quatre rencontres en groupe

Groupes aux parents d'adolescents	Maison Adojeune Gatineau, Québec.	Parents d'adolescents.	Améliorer la relation parent-adolescent.	Sept rencontres en groupe (max. 22) avec des personnes-ressources et une 8e rencontre sous forme de forum parents et jeunes.
PRISME	CLSC La Vallée des Patriotes, Beloeil, Québec.	Enfants en 6e année du primaire et adolescents en 2e secondaire.	Formation de parents-bénévoles pour animer les ateliers en classe.	Cinq ateliers pour les jeunes, animés par équipe de deux parents.
PIPAT	CLSC des Îles Îles-de-la-Madeleine, Québec.	Parents d'enfants de 4e et 5e année du primaire.	– Modifier les connaissances et les attitudes face aux psychotropes ; – Améliorer la communication parent-adolescent.	Quatre rencontres en groupe
Better Beginnings, Better Futures	Ray Peters, Ph.D. Research Coordination Unit Queen's University Kingston, Ontario.	Variable selon les sites.	Améliorer la qualité de vie communautaire pour les familles.	Variable (voir la *Revue canadienne de santé mentale*, vol.13, n° 2)
PRISME	Horizon-Soleil CLSC La Chênaie Acton Vale, Québec.	Enfants du 2e cycle primaire.	Formation de parents-bénévoles pour animer les ateliers en classe.	Cinq ateliers pour les jeunes, animés par équipes de deux parents
« Partons du bon pied »	CLSC Mer et Montagne Rivière-aux-Renards, Québec.	Parents d'enfants de 4e année et de 1re secondaire.	Modifier les connaissances et attitudes face aux psychotropes.	Forum-discussion
Triple P- Positive Parenting Program (Niveau 1)	Matt Sanders, Ph.D. Parenting and Family Support Centre University of Queensland Brisbane, Australie.	Parents d'enfants de 0 à 12 ans.	Augmenter les habiletés parentales (communication, discipline, etc.).	Variable selon les besoins des parents : matériel d'auto-apprentissage (écrit et vidéo) ; inforeportages télévisés ; service d'aide téléphonique.

PROGRAMMES CIBLÉS

Nom du programme	Chercheurs responsables	Population recrutée	Objectifs	Format
COPE Project	Charles Cunningham, Ph.D. Chedoke Child et Family Centre Hamilton, Ontario.	Parents d'enfants ayant des troubles de comportements ou autres indices familiaux de risque en prématernelle.	Acquérir de meilleures habiletés parentales.	Plusieurs choix sont offerts simultanément aux parents, sous forme de rencontres en groupes, de durées diverses, aux contenus divers.
Adolescent Transition Program	Tom Dishion, Ph.D. Oregon Social Learning Centre Eugene, OR.	Parents d'adolescents identifiés « à haut risque ».	Améliorer les pratiques parentales associées aux comportements antisociaux des adolescents.	Thérapie familiale ou rencontres en groupe.
Early Alliance	Jean Dumas, Ph.D. Psychology Department Purdue University West Lafayette, IN.	Parents d'enfants identifiés « à risque » en maternelle.	– Développer des compétences à faire face au stress (« *coping competence model* ») ; – Aider les parents à faire valoir leurs droits (« *advocacy* »).	25 à 30 visites à domicile par année.
	George DuPaul, Ph.D. School Psychology Program Lehigh University Bethlehem, PA.	Parents d'enfants hyperactifs avec déficit de l'attention de 3 à 5 ans.	Améliorer les pratiques parentales à l'aide du programme Parents and Children Series de Carolyn Webster-Stratton.	12 rencontres en groupe puis « *booster sessions* » (une fois par semaine pendant 6 mois ; puis une fois par mois)
	Lily Hechtman, M.D. Département de psychiatrie et psychologie Hôpital de Montréal pour Enfants Montréal, Québec.	Parents d'enfants hyperactifs avec déficit de l'attention.	Traitement multimodal visant l'amélioration des habiletés scolaires et sociales des enfants et la dynamique familiale.	Rencontres de parents en groupe ou individuellement, une fois par semaine ou une fois aux 2 semaines (pendant 12 à 14 mois)

Project Alliance	Kate Kavanagh, Ph.D. Portland, OR.	Parents d'enfants de 6e année identifiés « à risque », suivis en 7e et 8e année.	Prévention de la délinquance chez les jeunes.	Adapté aux besoins des parents – rencontres à l'école ; visites à domicile ; suivi téléphonique.
Fast Track	Robert McMahon, Ph.D. University of Washington Department of Psychology Seattle, WA.	Parents d'enfants identifiés « à risque » de troubles de conduite.	Aider les parents à aider leurs enfants à réussir à l'école.	Visites à domicile additionnées de : 22 rencontres en groupe en 1re année ; 14 rencontres en 2e année ; une par mois à partir de la 3e année du primaire.
Early Alliance	Ron Prinz, Ph.D. Department of Psychology University of South Carolina Columbia, SC.	Parents d'enfants identifiés « à risque » en maternelle.	Promouvoir le développement optimal des enfants en améliorant les pratiques parentales et en fournissant du soutien aux parents.	Visites à domicile selon les besoins des parents (environ 25 sur 2 ans).
Linkages to Learning	Ken Rubin, Ph.D. Center for Children, Relationships and Culture Department of Human Development University of Maryland College Park, MD.	Parents d'enfants identifiés « à risque ».	Développer des liens entre les familles, l'école et la communauté.	(Information non disponible).
Triple P- Positive Parenting Program (Niveaux 2 à 5)	Matt Sanders, Ph.D. Parenting and Family Support Centre University of Queensland Brisbane, Australie.	Parents d'enfants de 0 à 12 ans.	Augmenter les habiletés parentales (communication, discipline, etc.).	Variable selon les besoins des parents : matériel d'auto-apprentissage (écrit et vidéo) ; inforeportages télévisés ; service d'aide téléphonique ; deux rencontres avec un professionnel en santé mentale ; 8 à 10 sessions en groupes ; ou thérapie individuelle et familiale.

PROGRAMMES CIBLÉS (*suite*)

Nom du programme	Chercheurs responsables	Population recrutée	Objectifs	Format
	Clinique communautaire de Pointe-Saint-Charles, Montréal, Québec.	Parents en difficulté avec adolescent.	– Modifier les connaissances et attitudes face aux psychotropes ; – Améliorer la communication parent-adolescenté	Huit rencontres en groupe (max. 12).
FAN Club	Tena St. Pierre, Ph.D. Institute for Policy Research and Evaluation Pennsylvania State University University Park, PA.	Parents de membres du Boys and Girls Club.	– Améliorer la relation parent-enfant ; – Réduire l'isolement des mères ; – Offrir des activités familiales ; – Aider les parents à influencer leurs jeunes à ne pas consommer ; – Soutien social et matériel aux familles.	Activités de soutien aux familles, activités sociales, programme éducatif, possibilités de leadership.
Enfants de l'Espoir	Les Enfants de l'Espoir Montréal, Québec	Parents toxicomanes.	– Responsabiliser le parent face à sa consommation ; – Orienter vers des traite-ments appropriés ; – Renforcer l'estime de soi ; – Eviter le placement des enfants par la DPJ.	Variable selon les besoins.

CHAPITRE

4

COMMENT INTERVENIR AUPRÈS ET PAR L'ENTREMISE DES PARENTS

Sylvie Normandeau
Université de Montréal
Michèle Venet
Université de Sherbrooke

Résumé

Parce que les parents sont les premiers et les plus importants agents de socialisation de leur enfant, les programmes d'entraînement aux habiletés parentales reposent sur l'hypothèse générale qu'en apprenant à gérer plus efficacement les comportements de leur enfant les parents amélioreront du même coup la qualité de leur relation avec celui-ci, ce qui devrait se traduire également par une amélioration des comportements de l'enfant. Après avoir décrit succintement les programmes d'entraînement aux habiletés parentales de Patterson (1975), Forehand et McMahon (1981) et Eyberg (1980), le présent chapitre s'attarde sur le programme mis au point par Webster-Stratton (1981). Celui-ci est en effet l'aboutissement des précédents dans la mesure où il s'en inspire tout en leur apportant des améliorations de taille, la plus importante consistant à adopter une approche collaborative dans la relation intervenant-parents. Ce chapitre précise en outre les résultats observés sur le plan clinique ainsi que les caractéristiques d'une intervention efficace.

Parmi les nombreux agents de socialisation que les enfants rencontreront au cours de leur vie, les parents occupent une place privilégiée puisqu'ils sont les premiers. Bien que l'importance relative de leur rôle par rapport aux autres agents de socialisation varie en fonction des différentes étapes développementales, leur influence se fait sentir tout au long du développement de l'enfant. Au-delà de la transmission de leur héritage génétique, les parents influent sur le développement de l'enfant de multiples façons. Par le choix et l'organisation du milieu de vie ou par le choix des activités auxquelles l'enfant participe, les parents agissent sur ses expériences cognitives, sociales et affectives. Les interactions des parents entre eux et les stratégies éducatives qu'ils adoptent servent de modèles à leur enfant et renforcent des comportements particuliers. Évidemment, la relation parent-enfant se développe dans un contexte environnemental particulier, et la qualité de cette relation dépend notamment des caractéristiques individuelles de l'enfant et du parent ainsi que des caractéristiques de l'environnement socioculturel. Bien qu'il n'y ait pas deux relations parent-enfant identiques, les chercheurs ont relevé des caractéristiques de la relation parent-enfant plus susceptibles que d'autres d'être associées au développement de difficultés d'adaptation chez l'enfant. Ainsi, les difficultés relatives aux problèmes de discipline des parents, leur utilisation de stratégies coercitives et l'absence de cohérence de leurs réactions aux comportements chez l'enfant à l'âge préscolaire peuvent contribuer au développement de difficultés d'adaptation ultérieures de l'enfant (Patterson, Reid et Dishion, 1992 ; Tremblay, Masse, Perron, Le Blanc, Schwartzman et Ledingham, 1992).

C'est pourquoi des programmes d'entraînement aux habiletés parentales ont été mis sur pied dans le but général d'améliorer la qualité de la relation parent-enfant. Ils ont été largement utilisés pour aider les parents dont les enfants présentent des retards de développement (Koegel, Koegel et Schreibman, 1991), des problèmes de conduite, d'agressivité ou d'hyperactivité (Anastopoulos, Barkley et Sheldon, 1996 ; Charlebois, cet ouvrage ; Gagnon et Vitaro, cet ouvrage ; St-Laurent, cet ouvrage ; Briesmeister et Shaefer, 1998), des problèmes d'anxiété ou de peurs (Eisen, Engler et Geyer, 1998 ; Turgeon et Brousseau, cet ouvrage) à mieux gérer les comportements de leur enfant. Ils ont également été utilisés auprès de familles vivant diverses situations de détresse, d'abus ou de divorce (St-Jacques, Drapeau et Cloutier, cet ouvrage ; Éthier et Lacharité, cet ouvrage ; Saint-Jacques, cet ouvrage ; Weiss et Wolchik, 1998) ou encore à risque de développer un faible lien d'attachement en raison des caractéristiques des parents (*i.e.* insensibilité maternelle) ou des enfants (*i.e.* problèmes de santé à la naissance) (voir le chapitre de Parent, Ménard et Pascal, cet ouvrage). Ces programmes s'appuient sur l'hypothèse générale que l'apprentissage, par les parents, de stratégies de modification des comportements (les leurs autant que ceux de leur enfant) amènera des transformations dans les interactions initiées par les parents avec leur enfant, lesquelles résulteront en un meilleur ajustement social et émotionnel de ce dernier (Webster-Stratton et Hooven, 1998). Ils s'appuient en outre sur la conviction que les pratiques parentales positives sont essentielles pour favoriser des changements positifs dans le comportement d'un enfant et qu'en conséquence les parents peuvent être des agents de changement importants chez leur enfant.

Comme le montrent plusieurs chapitres de cet ouvrage, les parents jouent souvent le rôle d'agents de l'intervention clinique ou en sont la cible. Dans le présent chapitre, nous décrivons de façon plus détaillée quelques programmes d'entraînement aux habiletés parentales dont l'efficacité est reconnue et présentons les modèles théoriques sous-jacents. Nous faisons également état des stratégies d'intervention mises en place pour intervenir auprès et par l'entremise des parents.

MODÈLES THÉORIQUES SOUS-JACENTS AUX PROGRAMMES D'HABILETÉS PARENTALES

La socialisation des enfants par les parents résulte d'une myriade d'échanges entre le parent et l'enfant ; ces interactions s'échelonnent sur plusieurs années et créent l'histoire de la relation, chacun y apportant l'influence de ses caractéristiques personnelles dans un contexte familial et social particulier. Les programmes d'habiletés parentales s'appuient sur les connaissances accumulées sur le développement de l'enfant et, particulièrement, sur trois principaux modèles conceptuels, à savoir les théories : 1) de l'apprentissage social, 2) de l'attachement et 3) du système familial.

MODÈLE DE L'APPRENTISSAGE SOCIAL

Selon le modèle de l'apprentissage social, l'enfant apprend des comportements dans le contexte des interactions qu'il a avec les personnes significatives de son environnement social, notamment ses parents. L'enfant apprend de nouveaux comportements par l'observation directe des comportements de ses parents et des conséquences qui leur sont associées. Par ailleurs, les comportements sont plus susceptibles d'être répétés s'ils sont positivement renforcés et moins susceptibles de l'être s'ils sont ignorés ou punis. Par exemple, le parent qui accourt vers son enfant qui pleure parce qu'il a de la difficulté à accomplir une activité renforce ce comportement chez l'enfant, qui aura ensuite tendance à recourir à cette stratégie (pleurer) pour obtenir de l'aide lorsque surviendra une autre difficulté. Par ailleurs, le parent qui ignore les pleurs de son enfant dans une situation où celui-ci éprouve une difficulté, mais lui accorde son attention lorsqu'il essaie de trouver une solution renforce chez lui des comportements d'efforts plutôt que des comportements d'abandon devant les difficultés. Les comportements sont donc modifiés par la modification des contingences de renforcement qui servent à leur maintien.

Les études réalisées auprès de familles dont un enfant présente des difficultés comportementales (Dumas, LaFreniere et Serketich, 1995 ; Patterson, 1976b ; 1982) confirment le rôle des renforcements dans le maintien des comportements non désirés (comme les comportements antisociaux) des enfants et la nature essentiellement relationnelle des problèmes de comportements, tout au moins chez les jeunes enfants (Dumas *et al.*, 1995). Les parents de ces enfants sont plus susceptibles d'avoir des pratiques éducatives qui renforcent les comportements agressifs et ignorent les comportements prosociaux des enfants (Hinshaw et Anderson, 1996). Ils adoptent une discipline où alternent des stratégies autoritaires et rigides et des stratégies permissives ou de laisser-aller (Baumrind, 1967 ; Dumas, LaFrenière, Beaudin et Verlaan, 1992 ; Dumas et Wahler, 1985 ; Wahler et Dumas, 1989). Ainsi, ils contrôlent l'enfant par l'utilisation de stratégies coercitives, mais cessent d'utiliser ces stratégies lorsque l'enfant exprime son opposition de façon véhémente, renforçant du coup, mais de manière négative, ce dernier type de comportement. En outre, ils utilisent souvent des consignes ou des ordres flous ou ambigus. Ils réagissent aux comportements inappropriés de leur enfant de façon inconsistante leur donnant tantôt une attention positive, tantôt une attention négative (Dumas et LaFreniere, 1993). L'incohérence manifestée par les parents et le recours à des stratégies coercitives, en plus de ne pas permettre de contrôler les comportements, contribuent à maintenir des comportements inappropriés et à en augmenter la probabilité de répétition chez les enfants (Dumas et Wahler, 1985 ; Patterson, 1982).

Le processus d'interaction coercitive entre les parents et leur enfant se développe graduellement à partir d'un comportement tout à fait anodin (Chamberlain et Patterson, 1995), par exemple un comportement de désobéissance auquel le parent porte une attention positive, ce qui a pour effet de le renforcer. Parallèlement, le parent n'enseigne pas ou ne renforce pas le comportement prosocial qui pourrait remplacer ce comportement de désobéissance et n'impose pas de limites efficaces aux comportements les plus coercitifs. L'échec à mettre en œuvre des stratégies disciplinaires efficaces et constantes pour contrôler les comportements de désobéissance et l'échec à enseigner un comportement prosocial de substitution contribuent à augmenter la fréquence et l'amplitude des comportements de désobéissance et des interactions coercitives entre les parents et les enfants. Lorsque mère et enfant entretiennent de telles interactions de manière répétée et prolongée, l'agressivité peut devenir un mode de communication auquel les protagonistes s'entraînent si souvent qu'il devient plus ou moins automatisé et de plus en plus difficile à modifier (Dumas, 1997).

En accord avec le modèle de l'apprentissage social, les programmes d'entraînement aux habiletés parentales enseignent aux parents à utiliser le renforcement positif pour les comportements désirés, d'une part, et l'ignorance, le temps d'arrêt (*time-out*) ou le retrait de privilèges pour les comportements non désirés, d'autre part. Ils amènent aussi les parents à prendre conscience de leur rôle de modèle dans l'acquisition de comportements par leur enfant.

L'habileté des parents à modifier leurs comportements envers leur enfant dépend en partie de leur sentiment d'auto-efficacité (Bandura, 1982, 1989). Par ailleurs, la façon dont les parents perçoivent les comportements de leur enfant et les attributions auxquelles ils recourent pour les expliquer sont autant de facteurs qui influencent la relation du parent avec son enfant. Les parents ne sont habituellement pas conscients des interprétations et des pensées négatives qui influencent leurs réactions aux comportements de leur enfant. Certains programmes d'habiletés parentales mettent donc aussi l'accent sur l'influence des cognitions des parents sur leurs comportements (Siegel, McGillicuddy-DeLisi et Goodnow, 1992).

La théorie de l'attachement

Bowlby (1978, 1984) soutient qu'une relation d'attachement positive ou sécure a une double fonction : elle permet, d'une part, au jeune enfant d'obtenir la protection de sa mère dans un environnement qu'il ne connaît pas et qui peut être hostile et, d'autre part, d'obtenir l'affection et la stimulation dont il a besoin pour développer ses compétences dans des conditions à la fois sécurisantes et sûres. De nombreux travaux montrent que les enfants qui ne peuvent pas établir, dès les premiers mois de vie, un lien d'attachement étroit et sécurisant avec leur mère (ou une autre personne), parce qu'elle ne leur donne pas l'affection et les soins consistants dont ils ont besoin, courent un risque élevé de manifester ultérieurement des problèmes d'adaptation psychosociale (Dumas, 1999 ; Moran, Pederson et Tarabulsy, 1996). Cependant, la forme particulière des difficultés varie d'un enfant à l'autre, en fonction d'effets transactionnels impliquant de nombreuses variables, notamment le tempérament de l'enfant, la santé de sa mère ou le statut socioéconomique de la famille (Belsky et Nezworski, 1988 ; Greenberg, Cicchetti et Cummings, 1990).

Les premiers programmes d'habiletés parentales visaient principalement l'enseignement de stratégies éducatives dans le but d'augmenter l'attention positive accordée par le parent et, de façon indirecte, la qualité de la relation parent-enfant (Forehand et McMahon, 1981 ; Patterson, 1975a, 1975b, 1982). Les programmes d'habiletés parentales conçus plus récemment proposent en outre des activités dont l'objectif principal est le développement d'une relation affective parent-enfant plus harmonieuse (voir par exemple : Eyberg et Boggs, 1998 ; Webster-Stratton et Herbert, 1994). Pour ce faire, ces programmes proposent des activités visant à augmenter la fréquence des interactions parent-enfant positives, en suscitant l'expression d'affects positifs ainsi que des commentaires d'acceptation et d'empathie. Ces programmes proposent aussi des mises en situation qui permettent aux parents et à leur enfant d'avoir du plaisir à être ensemble. Enfin, les modèles de l'attachement ont aussi attiré l'attention sur le rôle des parents dans le développement de la régulation des émotions chez les enfants.

La théorie systémique de la famille

Les programmes d'entraînement aux habiletés parentales s'inscrivent également dans une perspective systémique tant sur le plan conceptuel que clinique. Sur le plan conceptuel, ils s'appuient sur le postulat systémique selon lequel les symptômes apparaissent dans le cadre de la relation parents-enfant (difficulté d'ajustement du parent à l'enfant ou l'hostilité de l'enfant, par exemple). La famille étant vue comme un système qui tend à conserver son équilibre, les comportements déviants de l'enfant seraient maintenus tant par les parents que par celui-ci. L'évaluation de la problématique consistera donc à s'intéresser non pas aux seuls comportements de l'enfant, mais à la vie du système familial dans son ensemble, à savoir aux comportements des individus qui le composent, à la relation de couple, aux interactions parent-enfant et frère-sœur. Enfin, à l'instar de la thérapie familiale, les programmes d'entraînement aux habiletés parentales font largement appel aux techniques de modelage, de jeu de rôle et de mise en application sous supervision.

Les programmes d'habiletés parentales pour les parents d'enfants de 3 à 8 ans ayant des comportements agressifs

De nombreuses recensions de travaux ont mis en évidence la variété des interventions ayant pour cible les habiletés parentales (voir par exemple Graziano et Diament, 1992 ; Kazdin, 1995 ; McMahon et Wells, 1998 ; Serketich et Dumas, 1996). Cependant, malgré la prolifération apparente des interventions sur les habiletés parentales, le nombre d'études pouvant vraiment nous informer sur leur efficacité et sur les processus en jeu dans ces interventions est relativement restreint. Serketich et Dumas (1996) ont recensé 117 études publiées entre 1969 et 1992 ayant pour cible l'apprentissage par les parents de stratégies éducatives. Dans le but de réaliser une méta-analyse, ils ont appliqué certains critères de sélection (enfants d'âge préscolaire ou scolaire présentant des comportements d'agressivité ou de désobéissance ; comparaisons entre un groupe intervention et un groupe de comparaison ; nombre de sujets ; cible et contenu des interventions), ce qui a réduit à 26 le nombre des études retenues. La méta-analyse de Serketich et Dumas (1996) conduit aux constats suivants : 1) les enfants et les parents ayant participé aux interventions ont un fonctionnement mieux adapté que ceux n'ayant pas eu d'intervention (32 des 36 comparaisons) ou que ceux ayant été soumis à une autre intervention (4 des 36 comparaisons) ; 2) les programmes d'intervention parentale sont plus efficaces pour les enfants plus âgés (les enfants les plus âgés dans ces études ayant environ 10 ans) que les enfants plus jeunes (âge préscolaire) ; 3) les interventions permettent d'amener les enfants dans le registre de la « normalité » sur plusieurs échelles utilisées ; 4) les interventions parentales sont efficaces à court terme tant au regard des comportements de l'enfant à la maison ou à l'école qu'à celui de l'adaptation parentale. Cependant, le maintien des acquis pour les enfants ou les parents est rarement étudié et les résultats à cet égard sont équivoques.

L'objectif de ce chapitre étant notamment de décrire les stratégies utilisées dans des programmes d'habiletés parentales, nous nous limiterons à la présentation de quatre programmes d'habiletés parentales ayant un lien de filiation. Nous avons choisi des interventions conçues pour inculquer aux parents des stratégies éducatives visant à diminuer chez leur enfant la fréquence de comportements préoccupants pour eux – soit les comportements pour lesquels les parents consultent le plus souvent ou recherchent le plus d'aide, notamment les problèmes de discipline et les difficultés à gérer les comportements de leur enfant (Jenkins, 1980) – et, par conséquent, les interventions les plus susceptibles d'être utilisées à la fois dans une perspective de prévention universelle et de prévention ciblée.

Nous inscrivant dans une perspective développementale, nous avons en outre décidé de nous attarder aux interventions ayant pour cible les enfants d'âge préscolaire ou du début du primaire. Nous savons que les difficultés comportementales des enfants à l'âge préscolaire ou au début du primaire sont des facteurs de risque pour le développement des difficultés d'adaptation ultérieures (Patterson, Chamberlain et Reid, 1982 ; Tremblay *et al.*, 1992). Enfin, les relations parent-enfant n'étant pas encore cristallisées dans des patrons d'interactions immuables, les parents ont encore espoir que des changements peuvent se produire dans le comportement de leur enfant.

Les programmes élaborés par Patterson, Forehand, Eyberg et Webster-Stratton s'inscrivent dans cette optique. Nous présenterons les trois premiers à titre de précurseurs et en examinerons les effets en nous appuyant sur les résultats des travaux qui ont analysé leur efficacité. Puis nous exposerons de façon plus détaillée le programme de Webster-Stratton, qui s'inspire des précédents en en conservant les aspects les plus efficaces, et examinerons aussi ses effets.

Le programme de Patterson

Le programme élaboré par Patterson (Patterson, 1975a, 1975b ; Patterson, Reid, Jones et Conger, 1975) est l'un des plus anciens. Les auteurs reconnaissent l'importance des comportements des parents dans le maintien des comportements non désirés des enfants, et leur intervention vise à contrer l'influence négative de certaines stratégies parentales dans le développement éventuel de troubles de conduite. Le programme d'entraînement aux habiletés parentales (PEHP) de Patterson vise à modifier l'interaction parent-enfant en s'adressant directement aux parents. La démarche des parents dans le programme comporte les étapes suivantes : 1) la lecture de textes, 2) le travail individuel sur les stratégies éducatives et 3) les séances de groupe.

L'intervention débute par la lecture d'un texte qui explique les grands principes de l'apprentissage social et de la gestion du comportement. Il peut s'agir soit de *Families : Applications of Social Learning to Family Life* (Patterson, 1975a), pour les parents qui ont fait des études secondaires ou supérieures, et de *Living with Children : New Methods for Parents and Teachers* (Patterson et Gullion[1], 1968 ; Patterson, 1976a) pour ceux qui ont des difficultés de lecture. La lecture des ouvrages vise plusieurs objectifs : 1) faire gagner du temps aux thérapeutes en leur épargnant l'enseignement des principes de l'apprentissage social ; 2) contribuer à la généralisation de l'effet du traitement en aidant les parents à comprendre les principes sous-jacents à l'intervention ; 3) contribuer au maintien des résultats obtenus ; 4) permettre aux résultats de se manifester plus rapidement ; 5) permettre aux parents scolarisés d'enfants non problématiques de gérer sans aide les comportements de ces derniers. Bien que l'effet de documents programmés de ce type soit mal connu, Patterson (1975a) remarque que les résultats obtenus à l'issue de petites études préliminaires sont encourageants. En règle générale, les parents s'acquittent de leur lecture en deux semaines environ, et leur compréhension des grands principes de l'apprentissage social est vérifiée à l'aide d'un test.

Par la suite, un thérapeute entreprend un travail individuel avec chaque famille afin d'amener les parents à mettre en pratique les cinq stratégies éducatives suivantes : 1) identifier les problèmes de comportements de leur enfant qui les préoccupent et les guider dans l'observation de la fréquence et du contexte d'apparition de ces comportements ; 2) utiliser les renforcements matériels et sociaux, puis passer graduellement des renforcements matériels aux renforcements sociaux ; 3) utiliser efficacement des techniques de discipline, notamment, le temps d'arrêt et le retrait de

---

1. Cet ouvrage a été traduit en français par Boisvert et Trudel et publié sous le titre *Comment vivre avec les enfants* (Montréal, Éducation nouvelle, 1972).

privilèges ; 4) superviser le comportement de l'enfant même à distance, quand il n'est pas à la maison ; 5) utiliser des techniques de résolution de problèmes et de négociation.

Patterson (1975b) considère que les parents ne savent généralement pas observer leurs enfants et encore moins les décrire de façon précise. De plus, non seulement leur est-il souvent impossible d'indiquer la fréquence d'un comportement donné, mais encore sont-ils incapables de décrire leur réaction à l'égard de ce comportement. C'est pourquoi les parents apprennent à identifier un comportement précis, à en observer la fréquence à l'aide d'un compteur puis à noter sur un graphique le nombre de fois où le comportement survient ; ils sont aidés en cela par un suivi téléphonique. Il suffit généralement de deux ou trois appels du clinicien, espacés de quelques jours, pour que les parents réussissent à brosser un tableau fidèle du comportement de l'enfant. Les parents apprennent ensuite à renforcer les comportements désirés, à ignorer les comportements à éliminer, à utiliser la technique du temps d'arrêt plutôt que de crier, de donner des fessées ou de punir l'enfant de façon inappropriée, à négocier des contrats avec l'enfant et à en gérer l'application. L'apprentissage de ces différentes techniques se fait par le biais d'entrevues individuelles et de communications. Une fois que les parents ont appris les rudiments de la méthode, ils sont conviés à des séances de groupe, où ils pourront échanger avec d'autres parents et discuter avec eux de la manière de régler différents problèmes de comportement. Si certains problèmes persistent, le thérapeute peut même illustrer certaines compétences parentales en milieu naturel, c'est-à-dire à la maison, au besoin. La plupart du temps, les parents décident conjointement avec le clinicien de la durée du programme, sachant qu'il est toujours possible d'obtenir des « séances de révision » pendant la période de suivi. Pendant cette période, d'une durée approximative d'une année, le clinicien reste en contact avec les parents, quoique de façon plus espacée que pendant l'intervention, soit par téléphone, soit en effectuant une observation à la maison.

Au fil des ans, le programme s'est spécialisé en fonction de l'âge des enfants, l'accent étant mis sur les relations positives entre la mère et l'enfant chez les enfants d'âge préscolaire, sur les programmes de renforcements et de contingences pour les enfants d'âge scolaire et sur le contrôle et les techniques de résolution de problèmes dans le cas des adolescents (Patterson, Dishion et Chamberlain, 1993). Les participants sont le plus souvent les parents de garçons très agressifs âgés de 2 à 13 ans (Dishion et Patterson, 1992 ; Kazdin, Siegel et Bass, 1992 ; Patterson, 1974 ; Patterson et Reid, 1973) mais aussi de garçons et de filles présentant des troubles de conduite (Stoolmiller, Duncan, Bank et Patterson, 1993 ; voir aussi Sutton, 1992, dont l'étude s'est déroulée à Leicester, en Grande-Bretagne). Le programme a en outre été adapté pour être appliqué à des adolescents (Bank, Marlowe, Reid, Patterson et Weinrott, 1991 ; Eddy, Dishion et Stoolmiller, 1998 ; Poulin, Dishion, Kavanagh et Kiesner, 1998).

La durée de l'intervention est adaptée aux besoins de la clientèle, la décision de mettre fin au traitement étant prise conjointement avec les parents ou l'enseignante, le cas échéant (Patterson, 1974 ; Stoolmiller *et al.*, 1993). Patterson *et al.* (1992) mentionnent une durée moyenne de 17 heures, la durée réelle de l'intervention allant de 4 à 48 heures. Les rencontres peuvent être hebdomadaires (Sutton, 1992) ou bihebdomadaires (Patterson, 1975a) ou encore s'espacer de plus en plus au fur et à mesure que la thérapie progresse (Kazdin *et al.*, 1992). Il s'y ajoute généralement des contacts téléphoniques, puisque ceux-ci sont inhérents à la méthode. Patterson *et al.* (1993) soulignent que la durée de traitement nécessaire augmente avec l'âge des enfants : si quelques rencontres (de 6 à 18) peuvent suffire pour les enfants d'âge préscolaire, il faut en compter entre 20 et 30 dans le cas des préadolescents. Ainsi, dans le cas des adolescents traités par Bank *et al.* (1991), le traitement a demandé 21 heures en rencontre face à face et 23 heures au téléphone par famille, en moyenne. La période de suivi est utilisée pour faire des mises à jour et encourager les parents au besoin ; elle s'étend sur au moins un an (Kazdin *et al.*, 1992 ; Stoolmiller *et al.*, 1993), voire deux ans (Stoolmiller *et al.*, 1993) et même trois ans (Bank *et al.*, 1991).

Le programme de Forehand et McMahon

Forehand et McMahon (1981) décrivent leur programme d'entraînement aux habiletés parentales dans un ouvrage intitulé *Helping the Noncompliant Child : A Clinician's Guide to Parent Training*. Sur le plan conceptuel, les auteurs s'appuient sur les principes des renforcements positifs et négatifs décrits précédemment en mettant l'accent principal sur la valeur renforçante de l'attention des parents, qu'elle soit positive ou négative. Par conséquent, les parents sont amenés à utiliser la force de l'attention positive pour renforcer les comportements désirés chez leur enfant et à utiliser l'ignorance, des commandes claires et le temps d'arrêt dans le cas des comportements non désirés. Très similaire sur le plan conceptuel au programme de Patterson, le programme de Forehand et McMahon s'en distingue cependant par les caractéristiques suivantes :

1. Ayant constaté que les pères participent rarement à ce type d'intervention, Forehand et McMahon ont conçu un programme qui s'adresse exclusivement aux mères.

2. Le programme comporte entre 5 et 12 séances (9 en moyenne) de 60 à 90 minutes chacune, selon la rapidité avec laquelle la mère acquiert les compétences voulues et l'enfant, les comportements visés.

3. Seule l'habileté enseignée change, chaque séance se déroulant de la façon suivante :

a) L'intervention débute par deux périodes de jeu (Jeu de l'enfant et Jeu de la mère), observées par le thérapeute.

b) Suivent une discussion basée sur les observations du thérapeute, puis une séance de modelage et de pratique d'une habileté donnée.

c) Le thérapeute montre également à l'enfant comment il doit se comporter par le biais d'un jeu de rôle, de sorte que l'enfant est lui aussi partie prenante (et non simple objet) du processus thérapeutique.

d) Mère et enfant sont ensuite invités à pratiquer l'habileté pendant que le thérapeute les observe derrière un miroir sans tain et dirige la mère, munie d'un petit écouteur, à l'aide d'un micro.

e) La séance se termine par la prescription de devoirs à faire à la maison.

4. Les habiletés enseignées sont les mêmes que dans le programme de Patterson et consistent à : *a*) porter attention aux comportements que l'on veut maintenir et *b*) à les renforcer, *c*) ignorer les comportements que l'on veut éliminer, *d*) donner des consignes ou des ordres et *e*) utiliser la technique du temps d'arrêt.

5. Enfin, le programme ne comporte pas d'activités de groupe.

Forehand et McMahon ont pour souci de favoriser l'établissement d'un climat favorable à l'utilisation de stratégies éducatives plus contraignantes pour l'enfant et le parent, tandis que le rôle du thérapeute consiste à entraîner la mère à acquérir diverses habiletés en fournissant les documents et instructions appropriés, mais surtout en modelant et en jouant des jeux de rôle, car ce sont les deux techniques d'enseignement reconnues comme les plus efficaces par divers auteurs.

Ils proposent en outre deux techniques d'intervention complémentaires. La première, le Programme d'autocontrôle, consiste pour la mère à s'autorenforcer, ce qui devrait l'encourager à persister dans l'application des habiletés parentales même si son conjoint ou d'autres adultes de son entourage ne la renforcent pas à cet égard. Wells, Forehand et Griest (1980) relèvent un effet positif de cette technique complémentaire. La seconde consiste à permettre aux mères d'approfondir leurs connaissances en matière d'apprentissage social, en lisant des extraits des manuels de Patterson mentionnés précédemment, ainsi que des extraits de divers autres textes[2] et en discutant de ces lectures avec le thérapeute ; des tests de compréhension permettent d'identifier les notions qui ne sont pas assimilées et de les

2. *Parents Are Teachers : A Child Management Program* de Becker (1971, 1975) et *Parent Manual on Child Rearing* (Wittes et Radin, 1968).

réexpliquer. McMahon, Forehand et Griest (1981) constatent que, d'une part, les mères invitées à faire ces lectures complémentaires sont plus positives, plus attentives et plus renforçantes à l'égard de leur enfant que les mères qui n'ont pas bénéficié de la formation complémentaire, tant à l'issue de l'intervention qu'à la fin de la période de suivi, et que, d'autre part, leurs enfants émettent autant de comportements déviants, mais qu'ils sont plus obéissants que ceux du groupe de contrôle à la fin de la période de suivi.

De façon générale, l'intervention s'adresse à des enfants d'âge préscolaire ou du premier cycle du primaire (Forehand, Griest, Wells et McMahon, 1982 ; Forehand, Wells et Griest, 1980 ; Griest, Forehand, Rogers, Breiner, Furey et Williams, 1982 ; Humphreys, Forehand, McMahon et Roberts, 1978 ; McMahon et Forehand, 1978 ; McMahon *et al.*, 1981) tandis que les études de suivi portent sur des enfants dont l'âge varie de 8 à 14 ans (Baum et Forehand, 1981 ; Forehand et Long, 1988 ; Forehand, Steffe, Furey et Walley, 1983 ; McMahon, Tiedemann, Forehand and Griest, 1984). Forehand et McMahon (1981) indiquent que le traitement demande en moyenne six séances à raison d'une ou deux séances par semaine, ce qui donne une intervention de courte durée : de 36 à 39 jours en moyenne pour McMahon *et al.* (1981) et de 5 à 6 séances réparties sur 31 jours en moyenne pour Humphreys *et al.* (1978).

Le programme d'Eyberg

Le but de l'intervention proposée par Eyberg (Eyberg et Boggs, 1998) est de renforcer le lien d'attachement et d'établir une relation chaleureuse et affectueuse entre le parent et l'enfant. L'intervention se fonde sur les postulats que les comportements de l'enfant sont appris et maintenus par l'interaction de l'enfant avec ses parents et que le développement d'une relation parent-enfant harmonieuse a une influence favorable sur le comportement de l'enfant.

Eyberg a choisi de mettre en place le Programme d'interaction parent-enfant dans le contexte de situations de jeu, le jeu constituant le moyen privilégié par lequel l'enfant acquiert de nouvelles habiletés et apprend à surmonter les difficultés. Le contexte de jeu offre aussi l'occasion aux parents de pratiquer des techniques de communication favorables à l'établissement d'une relation plus harmonieuse avec l'enfant. Le programme comporte deux phases, soit l'interaction dirigée par l'enfant (IDE) et l'interaction dirigée par le parent (IDP).

L'objectif de l'IDE est de modifier la qualité des interactions parent-enfant et de favoriser une relation parent-enfant harmonieuse. Pendant la période d'IDE, le parent est invité à adopter une attitude non directive à l'endroit de son enfant afin de lui donner la possibilité d'explorer son environnement physique et social, à le suivre dans ses activités en évitant de se mettre dans la position de celui qui dirige le jeu, à lui accorder une attention positive, à renforcer ses efforts et à être chaleureux avec lui. Le parent apprend à décrire ou à imiter le comportement approprié de l'enfant, à répondre à ses questions, à lui donner des renforcements positifs ; il apprend en outre à ignorer les comportements inappropriés plutôt que de les critiquer. Les parents sont supervisés dans l'application de ces stratégies jusqu'à l'atteinte d'un critère de performance défini par Eyberg. Ce n'est qu'une fois ce critère atteint que la seconde phase de l'intervention, l'IDP, est amorcée. Cependant, même après le début de l'IDP, chaque séance commence par une période d'IDE.

L'objectif de l'IDP est d'augmenter la fréquence des comportements prosociaux et de diminuer celle des comportements perturbateurs par l'utilisation de techniques de modification de comportements éprouvées, dont l'attention différentielle, le renforcement social, la punition, l'apprentissage d'habiletés et les stratégies qui favorisent la généralisation et le maintien des acquis. Le parent a l'occasion de mettre en pratique des façons efficaces de gérer le comportement de l'enfant. Il dirige l'activité en formulant des commandes verbales et en faisant suivre le comportement de l'enfant de conséquences, selon qu'il obéit ou non à ses ordres. Il apprend à formuler des consignes et demandes claires et simples, à adopter une formulation positive (« viens t'asseoir près de moi ») plutôt que négative (« arrête de courir partout »), à formuler une commande à la fois plutôt qu'une chaîne de commandes, à formuler une commande claire (« descends de la chaise ») plutôt que vague (« fais attention »). Il apprend en outre à donner une suite cohérente à ses consignes, selon que l'enfant obéit ou non. Si l'enfant obéit, le parent donne un renforcement positif et, dans le cas contraire, il recourt à une procédure de temps d'arrêt.

Le déroulement de l'intervention suit cinq étapes. Une évaluation prétraitement est faite à l'aide de questionnaires, d'entrevues et d'observations directes de la qualité des interactions parent-enfant. L'intervention débute par la présentation aux parents (pères et mères) des deux phases de l'intervention IDE et IDP à l'aide de documents écrits et de jeux de rôles. À chaque séance, chacun des parents est invité à participer à l'IDE et à l'IDP. Pendant ce temps, l'autre parent et l'intervenant observent soit directement dans la salle ou derrière un miroir sans tain. Lorsque l'intervenant est derrière le miroir, le parent en interaction avec son enfant porte un écouteur dans l'oreille et l'intervenant peut formuler des commentaires brefs pour renforcer le parent, lui conseiller d'adopter un comportement précis, signaler les erreurs à éviter. Après ces périodes de jeu et d'observation, l'intervenant fait un retour avec les parents et l'enfant. Au début de la séance suivante, l'intervenant fait un retour sur les progrès accomplis et les difficultés éprouvées par les parents à la maison.

Les parents sont invités à pratiquer à la maison afin de favoriser la généralisation des acquis de la clinique au milieu familial ; un accompagnement est offert pour aider les parents à faire cette généralisation. Les parents apprennent à utiliser une grille de résolution de problèmes pour les aider à transférer les habiletés d'une situation à une autre. Quatre mois après la fin de l'intervention, les parents sont invités à une séance de maintien et à une évaluation de suivi.

Les études de vérification de l'intervention proposée par Eyberg (Brestan, Eyberg, Boggs et Algina, 1997 ; Brestan et Eyberg, 1998 ; Eisenstadt, Eyberg, McNeil, Newcomb et Funderburk, 1993 ; Funderburk, Eyberg, Newcomb, McNeil, Hembree-Kigin et Capage, 1998 ; McNeil, Capage, Bahl et Blanc, 1999 ; McNeil, Eyberg, Eisenstadt, Newcomb et Funderburk, 1991 ; Schuhman, Foote, Eyberg, Boggs et Algina, 1998) sont réalisées avec des enfants âgés de deux ou trois ans à six ou sept ans, presque exclusivement des garçons qui présentent un trouble du comportement (trouble de la conduite, trouble de l'opposition, hyperactivité). Le groupe d'intervention est habituellement comparé à un groupe de contrôle en attente de traitement.

Comme le souligne la présentation précédente, le programme d'Eyberg s'inspire largement du modèle de l'apprentissage social dans le choix et les modalités d'apprentissage des stratégies éducatives. Cependant, ce programme accorde une grande importance à l'influence des modèles de l'attachement dans le développement d'une relation de confiance parent-enfant. Comme pour les programmes précédents, l'intervention est essentiellement individuelle (mais s'adresse à la fois aux pères et aux mères) et l'intervenant joue un rôle central pour guider et superviser les apprentissages que font les parents.

L'EFFET DES INTERVENTIONS

Les programmes d'habiletés parentales fondés sur les modèles d'apprentissage social et les mécanismes de modification des comportements ont donné lieu à de nombreuses études de vérification qui semblent convenir de leur efficacité (Graziano et Diament, 1992 ; Kazdin, 1995 ; McMahon et Wells, 1998 ; Serketich et Dumas, 1996), particulièrement auprès de familles dont les enfants posent des problèmes de discipline, de désobéissance et d'agressivité. Les études d'évaluation consistent le plus souvent à comparer le groupe qui a fait l'objet de l'intervention à un groupe de contrôle, composé de familles inscrites sur une liste d'attente et plus rarement à un groupe ayant participé à une autre intervention. Parmi les effets des programmes, nous devons distinguer les effets proximaux sur l'interaction parent-enfant, sur les habiletés parentales et sur les comportements de l'enfant en milieu clinique ainsi que les effets de généralisation tant en milieu familial et scolaire qu'avec les pairs et la fratrie. Nous porterons en outre une attention particulière au maintien des effets sur des périodes variant de quelques mois à quelques années et à la validation sociale de l'intervention.

L'effet des interventions sur les interactions parent-enfant. Les interventions améliorent généralement la qualité des interactions parent-enfant. Les mères qui ont participé au programme d'habiletés parentales de Forehand et McMahon (1981) augmentent leurs comportements positifs (renforcements et attention contingente) et diminuent leurs comportements négatifs (ordres inefficaces) auprès de leur enfant (Griest *et al.*, 1982 ; Humphreys *et al.*, 1978). De plus, les enfants obéissent mieux aux demandes formulées par leur mère et ces mères renforcent davantage leur enfant (Forehand et King, 1974, 1977 ; Wells *et al.*, 1980).

Les travaux d'Eyberg montrent aussi que l'interaction est plus positive entre l'enfant et chacun de ses parents à la fin de l'intervention. En effet, dans un contexte de jeu, les mères émettent moins de commandes, font moins de critiques et posent moins de questions intrusives. De même, elles émettent plus de commentaires descriptifs et de renforcements verbaux positifs. Les pères, quant à eux, posent moins de questions, font plus de commentaires descriptifs et offrent plus de renforcements verbaux positifs. La fréquence des comportements d'obéissance des enfants augmente de façon significative, tandis que celle de leurs comportements inappropriés diminue (Eyberg et Matarazzo, 1980 ; Eyberg et Robinson, 1982 ; Schuhman *et al.*, 1998).

L'effet des interventions sur les parents. Forehand *et al.* (1982) observent un effet passager du traitement sur la relation conjugale, contrairement à Schuhman *et al.* (1998) qui ne constatent pas de changement dans la satisfaction conjugale, pas plus d'ailleurs que dans le niveau des symptômes dépressifs présents chez les parents. Cependant, le stress perçu dans la relation parent-enfant diminue en deçà de la limite clinique à une mesure du stress associé à la relation parent-enfant à la fin de l'intervention proposée par Eyberg, ce niveau se maintenant sur une période de quatre mois (McNeil *et al.*, 1999 ; Schuhman *et al.*,1998). Les parents déclarent aussi qu'ils se sentent plus capables de maîtriser les comportements de leur enfant, et ce, quatre mois après la fin de l'intervention, alors qu'ils avaient un sentiment d'impuissance avant le traitement (McNeil *et al.*, 1999).

L'effet des interventions sur les enfants. Les programmes d'entraînement aux habiletés parentales sont efficaces pour bon nombre d'enfants agressifs. Des études comparatives permettent de constater que le programme d'entraînement aux habiletés parentales de Patterson a davantage permis de réduire les comportements déviants qu'une absence d'intervention (Patterson, 1974 ; Patterson et Reid, 1973), qu'une intervention placebo (Patterson *et al.*, 1982) ou que les thérapies individuelles ou familiales

(Patterson, 1982 ; Patterson *et al.*, 1982). Ce programme s'est montré aussi efficace que l'entraînement des enfants à la résolution de problème, mais plus efficace en association avec cette dernière méthode (Kazdin *et al.*, 1992) et plus efficace à court terme, tout en étant aussi efficace à long terme, que des thérapies dispensées dans la communauté (Bank *et al.*, 1991).

Pour sa part, comparant trois versions édulcorées du programme de Patterson (visite à domicile, appels téléphoniques, thérapie de groupe) à un groupe de contrôle (liste d'attente), Sutton (1992) note une amélioration significativement plus importante des comportements des enfants traités, indépendamment de la méthode, que des enfants non traités. Il est à noter que l'âge est un important prédicteur de succès : il a été observé dans un échantillon de 87 enfants que 63 % des enfants de six ans et moins manifestaient une amélioration notable à l'issue du traitement comparativement à seulement 27 % pour les enfants de six ans et demi à 12 ans (Dishion et Patterson, 1992).

Patterson (Patterson et Reid, 1973 ; Patterson *et al.*, 1982) relève une réduction de 61 % des comportements déviants ciblés à l'issue de l'intervention tandis qu'Eyberg voit le taux d'obéissance des enfants passer de 39 % à 89 % chez les enfants cibles et de 53 % à 73 % chez la fratrie (Eyberg et Robinson, 1982). Une diminution significative de l'ensemble des comportements aversifs non seulement sur le plan statistique, mais encore sur le plan clinique (le niveau de comportements aversifs est souvent ramené dans la zone de normalité à la fin de l'intervention), ainsi qu'une augmentation des comportements prosociaux à la maison (et même à l'école, dans le cas de Patterson (1974) où l'intervention a été menée conjointement dans les milieux familial et scolaire) ont été observées par maints chercheurs (Forehand et King, 1974 ; Forehand *et al.*, 1980 ; Forehand et Long, 1988 ; Griest *et al.*, 1982 ; Humphreys *et al.*, 1978 ; McMahon *et al.*, 1981 ; McNeil *et al.*, 1999 ; Patterson, 1974 ; Patterson et Reid, 1973 ; Patterson *et al.*, 1982 ; Schuhman *et al.*, 1998).

La généralisation des résultats. Les résultats se généralisent du milieu clinique au milieu familial (Peed, Roberts et Forehand, 1977 ; Schuhman *et al.*, 1998). Les parents déclarent que leur enfant manifeste moins de comportements déviants et qu'il a l'air plus heureux, que le traitement a un effet bénéfique non seulement sur l'enfant cible mais aussi sur la fratrie et sur la famille dans son ensemble (Brestan *et al.*, 1997 ; Patterson, 1974 ; Patterson et Reid, 1973 ; Patterson *et al.*, 1982 ; Schuhman *et al.*, 1998). À cet égard, Brestan *et al.* (1997) notent que les mères ayant participé au programme d'Eyberg expriment moins de désarroi à l'égard des comportements de leur enfant et que les pères rapportent une amélioration des comportements non seulement chez l'enfant cible mais aussi chez l'enfant non traité de la famille, la fratrie bénéficiant aussi de l'intervention. Par ailleurs, les mères utilisent plus fréquemment des renforcements positifs, accordent plus d'attention et donnent moins d'ordres inefficaces aux autres enfants de la famille après l'intervention auprès de l'enfant cible (Humphreys *et al.*, 1978).

La généralisation au milieu scolaire présente un portrait plus complexe. Si Forehand et ses collaborateurs (Breiner et Forehand, 1981 ; Forehand et McMahon, 1981) ne constatent aucune généralisation de l'amélioration des comportements des enfants au milieu scolaire, McNeil *et al.* (1991) montrent que l'amélioration des comportements à l'école est plus importante chez les enfants ayant participé au programme d'Eyberg que chez ceux du groupe de contrôle, selon l'évaluation des enseignantes. Cependant, cette amélioration ne se généralise pas dans la qualité des relations qu'ils entretiennent avec leurs pairs. Funderburk *et al.* (1998) montrent aussi les limites de la stabilité des acquis à l'école dans une étude de suivi effectuée 12 et 18 mois après la fin de l'intervention. Les enfants ayant participé avec leurs parents au programme d'Eyberg sont évalués par l'enseignante comme présentant moins de problèmes de comportements immédiatement après l'intervention, tandis que la fréquence et l'intensité des comportements agressifs et désobéissants se situent dans la zone de normalité. Ces acquis se maintiennent sur une période de 12 mois, mais à l'évaluation de 18 mois, ces enfants sont à peu près aussi désobéissants et manifestent sensiblement autant de problèmes de comportements que les enfants d'un groupe de contrôle présentant un niveau élevé de problèmes de comportement. Ils affichent néanmoins un niveau de compétence sociale plus élevé que les enfants de ce groupe de contrôle.

Le maintien des résultats. Les périodes de suivi s'étendent de trois ou quatre mois pour les plus courtes à dix ans et demi pour la plus longue. Quel que soit le programme d'intervention employé, les différents auteurs s'entendent pour affirmer que les gains comportementaux observés chez les enfants (diminution des comportements aversifs et augmentation des comportements d'obéissance) sont encore présents de 3 ou 4 mois (Forehand et King, 1974 ; Schuhman *et al.*, 1998 ; Wells *et al.*, 1980) à 12 ou 18 mois plus tard (Patterson, 1974 ; Sutton, 1992). Les résultats sont maintenus de quelques mois à plusieurs années plus tard dans 9 des 11 études de suivi recensées par Forehand et Long (1988) pour ce qui est de l'observation à domicile et dans tous les cas pour ce qui est des données fournies par les parents sous une forme ou une autre (questionnaires et rapports quotidiens fournis par les parents). Ainsi, les observations à domicile effectuées de un an à quatre ans après l'intervention indiquent que les comportements déviants de l'enfant ont continué à décroître au suivi. De plus, d'après ces mêmes observations, les comportements positifs de la mère observés à la fin du traitement sont maintenus jusqu'à un certain point au suivi (ils sont plus nombreux qu'avant le traitement, mais moins nombreux qu'à la fin du traitement) et les mères continuent à utiliser moins d'ordres inefficaces (Baum et Forehand, 1981).

Forehand *et al.* (1983) confirment la satisfaction parentale, puisque, trois ans après la fin du traitement, les mères se déclarent satisfaites ; elles considèrent que leur enfant avait moins de problèmes de comportement à la fin du traitement et que l'amélioration s'est maintenue. Enfin, les jeunes qui ont bénéficié du programme de Forehand et MacMahon sont assez semblables au début de l'adolescence à un groupe de contrôle de jeunes du même âge n'ayant jamais présenté de problèmes de comportement, à ceci près que les parents du groupe expérimental semblent avoir une perception globale plus négative de leur enfant que ceux du groupe de contrôle (Forehand et Long, 1988).

La validation sociale des interventions. Elle consiste à vérifier : 1) si les buts de l'intervention sont socialement considérés comme souhaitables, 2) si les méthodes utilisées sont acceptables et 3) si les résultats obtenus sont satisfaisants (Forehand *et al.*, 1980). Dans cette optique, la satisfaction du client est vue comme une forme de validation sociale du traitement offert et constitue un aspect important du processus d'évaluation de la thérapie (McMahon et Forehand, 1983). D'après diverses études, les mères sont satisfaites tant des thérapeutes que du programme (McMahon *et al.*, 1984) ; elles perçoivent leur enfant de façon plus positive qu'avant le traitement 2 et 15 mois après la fin de l'intervention (Forehand *et al.*, 1980) et persistent à percevoir leur enfant comme étant plus adapté psychologiquement lors d'une évaluation de suivi effectuée en moyenne 3,6 ans plus tard (Forehand *et al.*, 1983). Par ailleurs, Calvert et McMahon (1987) portent un regard plus global sur la validité sociale de l'intervention en invitant des mères d'enfants de 3 à 8 ans à évaluer l'acceptabilité des cinq habiletés de base du programme (attention, renforcement, ignorance, ordre, et retrait) ainsi que trois versions du programme (entraînement seul ; entraînement et théorie ; entraînement, théorie et modelage). Dans l'ensemble, les mères jugent qu'ignorer les comportements de l'enfant est la technique la plus difficile à appliquer, qu'il est plus difficile de mettre en retrait que de renforcer, donner des ordres et porter attention à l'enfant. De plus, elles préfèrent les techniques visant à augmenter la probabilité d'apparition d'un comportement (renforcer, porter attention, donner des ordres) à celles qui servent à diminuer la probabilité d'apparition d'un comportement (ignorer, retrait) et jugent le programme acceptable indépendamment de la version proposée. Enfin, les mères qui n'ont pas suivi le traitement jugent les cinq habiletés parentales plus difficiles à utiliser et moins utiles que des mères d'enfants ayant participé à l'intervention (Calvert et McMahon, 1987)

En général, les chercheurs observent un effet positif des interventions sur la qualité des interactions parent-enfant de même que sur le comportement des enfants, cet effet se maintenant dans le temps, se généralisant du milieu clinique au milieu familial, voire au milieu scolaire (bien que les résultats à cet égard soient nuancés). Cependant, ces programmes ne sont pas efficaces avec la totalité des enfants référés. Bien que les raisons de cet état de choses ne soient pas évoquées dans les études décrites ci-dessus, Kazdin (1987) avance la possibilité que les programmes soient trop exigeants pour certains parents, ceux-ci étant d'autant plus vulnérables qu'ils proviennent de familles défavorisées sur le plan socioéconomique, qu'ils sont atteints d'un désordre psychopathologique, qu'ils vivent des conflits conjugaux ou qu'ils sont isolés socialement (familles monoparentales, par exemple). Alors qu'on reconnaît l'influence des facteurs familiaux, tels que la qualité de la relation conjugale, le soutien social et le stress vécu par les parents, sur les stratégies éducatives favorisées par ces derniers, force est de constater qu'ils ne font pas l'objet d'une évaluation systématique de la part des auteurs de programmes d'entraînement aux habiletés parentales, qui visent non pas à résoudre les problèmes particuliers des parents mais bien à augmenter leur compétence parentale.

Il semble qu'au départ les pratiques parentales inadéquates aient été considérées comme le résultat d'un manque de connaissances, d'où la nécessité d'informer le parent, comme en témoignent les travaux de Patterson et de Forehand. Toutefois, ce dernier entrevoit l'importance de créer un terrain propice à l'apprentissage de nouvelles habiletés, à savoir une interaction détendue ou chaleureuse entre le parent et l'enfant. Cette idée est reprise et poussée plus loin par Eyberg, qui cherche à consolider ou améliorer la relation d'attachement entre le parent et l'enfant. C'est de cette évolution, où chaque nouveau programme s'inspire du précédent en tentant de l'améliorer, que naît la série de programmes d'intervention élaborés par Webster-Stratton, qui ciblent plus particulièrement les caractéristiques parentales et familiales que nous venons d'évoquer.

Les programmes d'habiletés parentales conçus par Webster-Stratton

Depuis le début des années 1980, Webster-Stratton et ses collaborateurs ont mis sur pied et évalué un programme d'habiletés parentales originalement conçu pour les parents d'enfants de 3 à 8 ans présentant des troubles de comportement. La qualité clinique de ce programme d'intervention, les effets rapportés, la rigueur et l'ampleur des études de vérification réalisées par Webster-Stratton (1996a) et ses collègues font que ce programme d'intervention est reconnu parmi une dizaine de programmes d'intervention modèles proposés par la Society for Prevention Research (Vitaro et Caron, cet ouvrage). Le programme s'adressant aux parents comporte trois parties : BASIC, ADVANCE et Supporting your Child's Education (voir Webster-Stratton, 1996a, pour une description détaillée des objectifs spécifiques et du contenu du programme).

Le programme BASIC s'échelonne sur 13 semaines à raison d'une rencontre de deux heures par semaine et s'adresse à des groupes de parents (de

8 à 12 par groupe) animés par deux thérapeutes. Il comporte 250 vignettes d'interactions parent-enfant mettant en scène des parents de race différente filmés dans des situations spontanées d'interactions avec leur enfant dont l'âge varie entre 2 et 8 ans. Ces vignettes sont présentées sur vidéocassettes et servent de point de départ à des discussions dans le groupe.

L'objectif du programme BASIC est de favoriser le développement d'une relation parent-enfant harmonieuse et de soutenir les parents dans l'apprentissage de stratégies éducatives efficaces et utilisées de façon cohérente et constante. À cet égard, le programme BASIC rejoint les objectifs des programmes précédents et s'en distingue en intégrant dans un même programme les préoccupations des modèles de l'attachement, de l'apprentissage social et du système familial. Les premières séances portent sur le jeu comme moyen d'interagir avec l'enfant. Intervenants et parents (pères et mères) discutent de l'importance du jeu ainsi que des façons plus efficaces de jouer avec les enfants. Les parents ont alors comme devoir de jouer avec leur enfant 10 minutes par jour en utilisant les moyens discutés pendant les séances. Pour plusieurs parents qui considèrent que leur enfant a des comportements difficiles, les situations de jeu sont à peu près inexistantes, car elles sont envisagées comme des situations stressantes ou désagréables. Jouer avec leur enfant permet aux parents de vivre des situations d'interaction positive avec lui et les amène déjà à avoir un regard plus positif sur cette relation. Lorsqu'ils commencent à jouer avec leur enfant, les parents sont invités à récompenser les comportements appropriés de leur enfant. Les craintes et les convictions des parents à cet égard, notamment que leur enfant devienne gâté et que les félicitations doivent être réservées pour les comportements exceptionnels, sont discutées. Un certain nombre de séances sont ensuite consacrées à l'utilisation efficace des renforcements matériels et sociaux dans le but de motiver l'enfant ; les six ou sept premières séances suffisent pour aborder les thèmes énumérés jusqu'à maintenant.

Après avoir mis l'accent sur le développement d'une relation harmonieuse et positive entre le parent et l'enfant, un premier aspect de la discipline sur lequel on s'attarde est celui de la définition de limites claires. La désobéissance est présentée comme un comportement normal chez tous les enfants. Afin d'éviter les luttes de pouvoir, les parents apprennent à identifier les comportements importants auxquels ils tiennent et à établir des limites claires et prévisibles du point de vue de l'enfant. Les discussions permettent aux parents de modifier leurs croyances et leurs perceptions, notamment celles qui les portent à croire que les enfants désobéissent pour provoquer les parents et qu'ils le font intentionnellement. Les discussions permettent de reconnaître que les enfants désobéissent aussi pour explorer les limites de leur environnement. Une autre technique montrée aux parents consiste à leur apprendre à ignorer les comportements des enfants au lieu de crier ou de les punir pour certains comportements. Les échanges entre parents et intervenants ainsi que les vidéocassettes mettent en évidence la force de l'ignorance pour éliminer un comportement non désiré, suivant le principe qu'un comportement qui ne reçoit pas d'attention (positive ou négative) est moins susceptible d'être répété. Une fois ces stratégies discutées, enseignées et pratiquées dans des jeux de rôle et des devoirs à la maison, les parents apprennent à utiliser le temps d'arrêt de façon efficace en remplacement de la punition physique ou de longues explications auxquelles l'enfant ne porte pas attention et qui n'ont comme effet que de renforcer le comportement non désiré justement parce qu'on y porte trop d'attention. Les parents mettent en œuvre une procédure particulière pour l'utilisation efficace du temps d'arrêt. Les parents sont souvent très réticents à utiliser cette procédure qu'ils perçoivent comme peu efficace ou moins efficace que la punition physique et difficile à mettre en place. Le temps d'arrêt est présenté aux parents comme une occasion pour le parent de soutenir leur enfant qui a de la difficulté à contrôler ses comportements en lui offrant un temps d'arrêt pour se calmer et (ou) réfléchir à d'autres comportements qu'il pourrait adopter (selon l'âge des enfants). Les parents sont invités à le présenter de cette façon à l'enfant et non comme une punition et à n'utiliser cette stratégie que pour des comportements bien ciblés afin de ne pas en abuser. Outre le temps d'arrêt, les parents apprennent aussi à utiliser les conséquences naturelles et logiques des comportements non désirés ou inappropriés de leur enfant. Les six ou sept dernières semaines portent sur ces aspects.

Diverses caractéristiques parentales et conjugales identifiées dans la littérature peuvent expliquer pourquoi tous les parents ne répondent pas favorablement aux programmes d'habiletés parentales. Les situations de détresse ou de violence conjugale, l'absence de soutien de la part du conjoint, la dépression maternelle, le niveau élevé de stress, l'isolement social des parents, les difficultés matérielles sont des facteurs pouvant atténuer l'efficacité des programmes d'habiletés parentales et sont associés à la présence de problèmes de comportements chez les enfants (Dadds, Schwartz et Sanders, 1987 ; Webster-Stratton 1985a, 1985b, 1990b, 1998a, 1998b ; Webster-Stratton et Hammond, 1990). Que certains parents ne bénéficient pas des programmes d'habiletés parentales est attribuable à l'absence d'un volet portant sur les patrons de communication entre conjoints, sur les difficultés de gérer ses propres émotions, sur les stratégies de résolution de conflits entre conjoints et entre parents et enfant. En effet, même si les parents modifient leurs stratégies éducatives à la suite d'un programme d'habiletés parentales, les enfants continuent d'observer des parents qui ont des difficultés à communiquer entre eux et à résoudre leurs conflits personnels et interpersonnels. La composante ADVANCE du programme de Webster-Stratton a été mise au point pour remédier à cette situation.

Le programme ADVANCE porte sur la résolution de problèmes et la communication entre parents, d'une part, et entre parents et enfants, d'autre part. Il a été conçu pour amener les parents à identifier les obstacles à une communication ouverte et chaleureuse entre adultes et entre parents et enfants, à expérimenter des mécanismes de communication pour faciliter les interactions entre conjoints et entre parents et enfants dans une situation conflictuelle, à prendre conscience de leur colère ou de leurs sentiments dépressifs, à comprendre comment ces cognitions influencent leurs comportements à l'égard de leur enfant, à modifier ces cognitions, à expérimenter une procédure de résolution de conflits. Le programme s'échelonne sur 14 séances et comporte 60 vignettes d'interactions entre parents ou entre parents et enfants. Les premières séances portent sur l'importance d'avoir une écoute active et d'exprimer clairement ce que la personne ressent et vit. Les intervenants insistent sur l'importance d'une cohérence entre les messages verbaux et non verbaux. Ils aident aussi les parents à identifier les pensées négatives qu'ils peuvent avoir à l'égard de leur enfant et qui les empêchent d'avoir un regard objectif sur les situations qu'ils vivent avec lui. Ils aident en outre les parents à porter un regard plus positif sur leur enfant, sur leur capacité en tant que parent à réagir adéquatement aux situations difficiles qu'ils vivent, à donner à leur enfant des messages de confiance en ses capacités. Les parents apprennent à se donner du soutien mutuel et à aller chercher le soutien de l'autre conjoint. Finalement, ils suivent des étapes de résolution de problèmes entre adultes et mettent en pratique les stratégies ainsi acquises avec leur enfant dans un contexte de jeu d'abord, puis dans un contexte de conflit réel, tel qu'il apparaît dans le quotidien. Les parents apprennent aussi à aider leur enfant à résoudre les problèmes en appliquant les étapes de résolution de problèmes suivantes : 1) Quel est mon problème ? 2) Quelles sont les solutions possibles ? 3) Quelles sont les conséquences de ces solutions et quelle est la meilleure solution ? 4) Que faire pour mettre en place cette solution et comment la mettre en place ? 5) Ai-je réussi à mettre en place cette solution ?

La troisième et dernière composante du programme pour les parents, Supporting Your Child's Education, porte sur les facteurs de risque associés à la réussite scolaire des enfants et a pour objectif d'aider les parents à préparer leur enfant à mieux réussir à l'école et à défendre ses intérêts auprès, notamment, de l'enseignant ; le programme s'échelonne sur six à huit séances. Cette composante vise à inciter les parents à favoriser chez leur enfant le développement de la confiance en soi et d'un sentiment élevé d'auto-efficacité ainsi que de bonnes habitudes d'apprentissage, à soutenir l'enfant pendant la période des devoirs à la maison et à l'encourager lorsqu'il vit des situations d'échecs ou des difficultés. Elle vise en outre à aider les parents à bien communiquer avec l'enseignant.

Les effets du programme d'habiletés parentales de Webster-Stratton

Les travaux de vérification des interventions conçues par Webster-Stratton ont porté sur le programme BASIC (Gross, Fogg et Tucker, 1995 ; Taylor, Schmidt, Pepler et Hodgins, 1998 ; Webster-Stratton, 1981a, 1982a, 1982b, 1984, 1990a, 1996b ; Webster-Stratton et Hammond, 1998 ; Webster-Stratton, Hollinsworth et Kolpacoff, 1989 ; Webster-Stratton, Kolpacoff et Hollinsworth, 1988) ou sur le programme ADVANCE (Webster-Stratton, 1994 ; Webster-Stratton et Hammond, 1997). Ces recherches ont été réalisées auprès de parents d'enfants de 3 à 8 ans présentant des problèmes de comportements tels que des troubles de la conduite, des troubles de l'opposition et de l'hyperactivité. Les groupes comportaient habituellement 75 % de garçons et 25 % de filles. Les analyses évaluant l'effet de l'intervention auprès des parents comparent le groupe intervention à un groupe comparable de parents n'ayant pas fait l'objet d'une intervention ou ayant participé à une intervention différente. Ces analyses vérifient l'impact de l'intervention sur les interactions parent-enfant ainsi que sur les comportements de l'enfant tels qu'ils sont observés par les parents, par l'enseignante ou par des observateurs externes. Certaines analyses permettent de vérifier la généralisation des changements à l'école, d'autres, le maintien des changements sur une période de 12 ou 18 mois.

Effets de l'intervention sur les interactions parents-enfant. De façon générale, les études de vérification montrent que la participation des parents au programme d'habiletés parentales BASIC entraîne des changements dans la qualité des interactions parent-enfant. L'observation des interactions mère-enfant montre qu'à la suite de l'intervention les mères sont moins intrusives, critiquent moins l'enfant, sont moins susceptibles de le corriger ou de le contredire et adoptent une attitude plus positive à son endroit. Les enfants, quant à eux, sont plus indépendants, moins négatifs dans leur interaction et cherchent moins à dominer la situation. Webster-Stratton (1984) montre que la participation du père favorise le maintien et la généralisation des acquis.

Une étude comparant trois formats de présentation du programme BASIC (vidéocassettes présentées sur une base individuelle aux parents – V ; vidéocassettes présentées dans un groupe de discussion – VGD ; groupe de discussion sans vidéocassettes – GD) à un groupe de parents en attente de traitement (Webster-Stratton, 1989 ; Webster-Stratton *et al.*, 1988, 1989) confirme l'efficacité des interventions centrées sur les habiletés parentales pour modifier la qualité des interactions parent-enfant. En effet, la qualité des interactions parent-enfant s'améliore dans les familles des trois groupes de traitement et les changements observés se maintiennent un an après l'évaluation post-test. Comparativement aux parents du groupe en attente de traitement, les mères et les pères ayant participé au programme BASIC donnent moins de commandes, critiquent moins leur enfant et ont une attitude générale plus positive à son égard. Ces changements sont associés à des changements chez les enfants ; ces derniers présentent moins de comportements inappropriés (désobéir, rechigner, pleurer, s'opposer, crier, détruire, etc.) lorsqu'ils sont en interaction avec leurs parents, et ces changement sont stables un an après le post-test.

Effets de l'intervention sur les enfants. Les parents perçoivent aussi des changements dans les comportements de leur enfant tels qu'ils sont évalués par des échelles de comportements. Peu importe que les mères aient participé à l'intervention V, VGD ou GD (Webster-Stratton *et al.*, 1988, 1989), elles perçoivent que la fréquence et l'intensité des comportements déviants de leur enfant sont moindres comparativement aux mères du groupe de contrôle. Les pères ayant participé à l'intervention V ou VGD perçoivent aussi une amélioration des comportements de l'enfant ; un an plus tard, ces changements de comportements se maintiennent. Les observations des enseignantes à l'école révèlent aussi que les problèmes de comportement diminuent davantage chez les enfants des groupes VGD et GD que chez les enfants du groupe en attente.

De façon générale, les filles et les garçons réagissent de façon similaire à l'intervention (Webster-Stratton, 1996b). Les parents perçoivent une amélioration significative des comportements de leur enfant à la fin de l'intervention et cette amélioration demeure constante même lors du suivi un an plus tard. Bien qu'elles estiment que les garçons présentent plus de difficultés de comportements que les filles, les enseignantes rapportent que les enfants des deux sexes ont des comportements mieux adaptés à la suite de l'intervention.

Effets de l'intervention sur les parents. Une évaluation de l'effet de la participation au programme BASIC sur les parents eux-mêmes indique peu de différences entre le format de l'intervention V, VGD ou GD (Webster-Stratton *et al.*, 1988). Cependant, lorsqu'elles existent, ces différences sont toujours en faveur de l'intervention VGD : les mères de ce groupe rapportent moins de stress que les autres mères à la suite de l'intervention et expriment plus de satisfaction tant pour ce qui est de l'amélioration des comportements de leur enfant que du format de l'intervention (Webster-Stratton *et al.*, 1988) ou encore manifestent un niveau de satisfaction générale à l'égard de l'intervention plus élevé que les mères V ou GD (Webster-Stratton, 1989). Lors des études de suivi qui ont lieu un an et trois ans plus tard, les techniques apprises leur semblent plus faciles à utiliser qu'aux autres mères (V et GD ; Webster-Stratton *et al.*, 1988 ; Webster-Stratton, 1990b). Il semble qu'une approche combinant l'utilisation de vidéocassettes dans un contexte de discussion de groupe (VGD) favorise davantage le maintien des acquis. Par ailleurs, les mères ayant participé à un groupe de discussion (GD) estiment le programme plus facile que les mères ayant visionné les vidéocassettes individuellement (V).

Vérification de l'apport des différentes composantes du programme. Deux études (Webster-Stratton, 1994 ; Webster-Stratton et Hammond, 1997) ont vérifié l'efficacité de l'intervention centrée sur la résolution de problèmes auprès des parents (ADVANCE). Le programme BASIC et le programme combiné BASIC et ADVANCE (Webster-Stratton, 1994) exercent tous deux des effets favorables sur la qualité des interactions parent-enfant. À la suite de l'intervention, les parents des deux groupes formulent moins de critiques à l'endroit de leur enfant et plus de commentaires descriptifs et de renforcements verbaux positifs. Par ailleurs, les enfants manifestent moins de comportements déviants lors de l'interaction avec leur parent et moins de comportements de désobéissance. Les parents des deux groupes perçoivent une amélioration des comportements de leur enfant. Cependant, les mères ayant participé au volet ADVANCE sont plus satisfaites des changements de comportement de leur enfant que les mères n'ayant participé qu'au volet BASIC. Les parents des deux groupes rapportent moins de symptômes de dépression et moins de stress liés à leur rôle de parent, mais ceux qui ont participé au volet ADVANCE ont plus que les autres amélioré leurs habiletés à résoudre des problèmes. En effet, dans un contexte où ils doivent résoudre un problème de leur vie familiale, les parents ayant participé au volet ADVANCE sont plus susceptibles de s'engager dans un processus réel de résolution de problèmes, de planifier ensemble une solution aux problèmes et de le faire dans un contexte de communication où les échanges positifs entre conjoints sont plus nombreux que les échanges négatifs. Par ailleurs, les mères ayant participé au volet ADVANCE sont plus aptes à définir les problèmes, à trouver des solutions variées et à collaborer pour trouver une solution. Finalement, les parents de ce groupe se disent plus satisfaits de l'utilité ou de la facilité des stratégies apprises pendant le programme.

Webster-Stratton et Hammond (1997) mettent aussi en évidence la spécificité de l'intervention auprès des parents en comparant un groupe d'intervention centré sur les enfants (E), un groupe d'intervention parentale (P), un groupe d'intervention combinant l'intervention auprès des enfants et des parents (EP) et un groupe sans traitement. L'observation des interactions parent-enfant montre que, à la suite de l'intervention, les enfants des groupes P et EP ont des interactions plus positives avec leurs parents que les enfants du groupe sans traitement ; cet écart se maintient lors d'une évaluation du suivi un an plus tard. La qualité des interactions parent-enfant s'améliore dans les trois groupes de traitement, mais les interventions comportant un volet parent (P et EP) produisent des modifications positives sur un plus grand nombre de variables d'interactions parent-enfant.

Bien que les trois formes d'intervention aient un effet favorable sur le comportement de l'enfant par rapport au groupe de contrôle (les parents notent moins de troubles de comportements ainsi qu'une diminution de la fréquence et de l'intensité des comportements inappropriés) et que cet effet se maintienne un an plus tard, le pourcentage d'amélioration des comportements de l'enfant au moment du post-test est supérieur dans le cas des interventions ayant une composante parent. En effet, les mères ayant participé au groupe P ou au groupe EP rapportent une amélioration respective des comportements de leur enfant de 80 % et de 70 % entre le prétest et le post-test. Par ailleurs, l'observation des interactions mère-enfant révèle une diminution d'au moins 30 % des critiques formulées par la mère à l'endroit de son enfant chez une proportion plus grande de mères ayant participé au volet parent (68 %, P ; 71 %, EP) que chez les mères des deux autres groupes (45 %, E ; 28 %, groupe de contrôle). Tout comme Webster-Stratton (1994), Webster-Stratton et Hammond (1997) observent que les parents ayant participé au volet parent manifestent plus d'habiletés de collaboration que les parents du groupe de contrôle et du groupe E lors de la résolution de problèmes en couple.

Vérification de l'efficacité du programme dans un contexte d'intervention clinique et dans un contexte de prévention universelle. L'étude de Gross *et al.* (1995) vérifie l'efficacité du programme BASIC dans un contexte d'intervention clinique différent de celui mis en place par Webster-Stratton et ses collègues et compare les familles ayant participé à l'intervention à un groupe de parents en attente de traitement ainsi qu'à un groupe de parents ayant abandonné en cours de traitement. Ces auteurs constatent que les mères ayant participé à l'intervention utilisent plus de renforcements verbaux positifs et font moins de remarques négatives à l'enfant. Quant aux pères des familles ayant abandonné en cours de traitement, ils deviennent plus négatifs dans leurs interactions avec leur enfant que les pères des autres groupes. Gross *et al.* (1995) notent que les mères ayant participé à l'intervention rapportent un sentiment d'auto-efficacité plus élevé et un niveau de stress moins élevé que les mères n'ayant pas participé ou qui ont abandonné en cours de traitement, bien qu'aucun effet ne soit observé sur une mesure autorapportée de dépression complétée par les mères et les pères. Ces auteurs soulignent en outre que l'augmentation du sentiment d'auto-efficacité de la mère est associée à l'amélioration de la relation mère-enfant, alors que l'augmentation du sentiment d'auto-efficacité du père est associée à la diminution des problèmes de comportements de l'enfant et à la diminution du stress parental rapporté par le père.

Taylor *et al.* (1998) comparent l'efficacité du programme BASIC à celle d'une approche éclectique offerte dans un centre d'aide à la famille en Ontario. Les deux groupes de parents qui participent à l'une ou l'autre intervention sont comparés à un groupe de parents en attente de traitement. Les mères ayant participé à l'une ou l'autre intervention rapportent moins de problèmes de comportements chez leur enfant que les mères du groupe de contrôle. Celles qui ont participé au programme BASIC relèvent moins de problèmes de comportements chez leur enfant et une plus grande satisfaction à l'endroit de l'intervention que les mères ayant participé à l'intervention éclectique de la clinique. Les études répliques de Gross *et al.* (1995) et de Taylor *et al.* (1998) confirment l'efficacité du programme BASIC dans un contexte d'intervention clinique.

Plus récemment, une version abrégée du programme BASIC pour les parents (d'une durée de huit à neuf semaines) a été combinée à une intervention auprès des enseignantes et des intervenantes familiales dans un contexte de prévention universelle auprès de familles participant au programme Head Start (Webster-Stratton, 1998b ; Webster-Stratton et Hammond, 1998) dont les enfants étaient âgés de 4 ans. Un groupe de comparaison a été constitué à partir des familles participant au programme régulier offert par Head Start. Les mères ayant participé à l'intervention disent qu'elles utilisent moins la punition physique, qu'elles sont plus efficaces pour définir les limites et plus constantes dans leurs stratégies éducatives. Aucun changement n'est observé chez les mères du groupe de comparaison. Ces informations sont corroborées par des observations réalisées à la maison. Les mères ayant participé sont plus compétentes pour discipliner leur enfant, expriment plus d'affect positif et formulent moins de commentaires critiques et moins d'affect négatif. Les mères ayant participé à l'intervention signalent que leur enfant présente moins de problèmes de comportements et plus de comportements prosociaux après l'intervention ; ces observations sont confirmées par les observations faites à la maison et par l'enseignante. Il y a donc généralisation à la maison et à l'école et généralisation d'une source d'observation à une autre. Les observations de l'enfant faites à la maison indiquent que les enfants dont les mères ont participé à l'intervention démontrent plus d'affect positif et moins d'affect négatif ainsi que moins de comportements inappropriés lorsqu'ils sont en interaction avec leur mère.

L'efficacité du programme de Webster-Stratton s'observe dans les interactions parent-enfant, dans les perceptions que les parents ont des comportements de leur enfant et dans les comportements des enfants. De plus, les changements observés se généralisent à l'école et se maintiennent dans le temps sur une période allant jusqu'à 18 mois. Les interventions qui comportent un volet parent (par opposition à celles qui s'adressent seulement à l'enfant) favorisent l'amélioration des habiletés de résolution de problèmes chez les parents et entraînent en outre une satisfaction accrue chez ces derniers. Par ailleurs, si les formules vidéocassettes ou groupes de discussions sont efficaces, la combinaison vidéocassettes-groupe de discussion leur est néanmoins supérieure puisqu'elle entraîne une plus grande satisfaction chez les parents, ce qui témoigne d'une bonne validité sociale.

Ce programme a le mérite de favoriser le développement d'une relation parent-enfant harmonieuse et l'utilisation de stratégies éducatives efficaces, deux composantes importantes (Baumrind, 1967) dans les interactions parent-enfant. Quels sont donc les ingrédients cliniques du programme de Webster-Stratton qui méritent une attention particulière pour comprendre son efficacité ? Il s'agit d'une question importante à laquelle nous allons tenter de répondre.

ENGAGEMENT DES PARENTS DANS UN PROGRAMME D'HABILETÉS PARENTALES

De nombreux chercheurs se sont penchés sur les facteurs susceptibles d'augmenter ou d'atténuer l'efficacité des programmes d'entraînement aux habiletés parentales. Au regard des caractéristiques des enfants, les travaux ont notamment montré que les changements sont moins importants dans le cas des enfants dont les problèmes de comportement sont plus graves au début de l'intervention (Dumas, 1984 ; Patterson et Forgatch, 1985 ; Webster-Stratton, 1996b). Forehand et Long (1988) n'observent pas d'effet d'âge sur un groupe d'enfants de 3 à 8 ans, alors que d'autres travaux rapportent un effet plus positif pour les enfants d'âge scolaire que pour les enfants d'âge préscolaire (Serketich et Dumas, 1996) ou un effet plus appréciable pour les enfants que pour les adolescents (Patterson *et al.*, 1993). Bien peu de travaux ont cependant vérifié l'effet des interventions selon le sexe des enfants. À cet égard, Webster-Stratton (1996b) a observé les mêmes effets de l'intervention pour les garçons et les filles, mais les prédicteurs de changement diffèrent. Pour les filles, la dépression maternelle, ainsi que la négativité de la mère et du père sont des prédicteurs de l'effet de l'intervention. Pour les garçons, seule la gravité des problèmes de comportements au début de l'intervention prédit l'effet de cette dernière. Au regard des caractéristiques familiales, les travaux ont montré que les parents qui éprouvent le plus de difficultés relationnelles avec leur enfant au début de l'intervention sont plus susceptibles d'abandonner ou de moins profiter de l'intervention (Forehand et McMahon, 1981 ; Patterson et Forgatch, 1995). Dishion et Patterson (1992) constatent que les parents des enfants d'âge scolaire abandonnent davantage les programmes que les parents des enfants d'âge préscolaire. Par ailleurs, les conditions de vie familiales difficiles, notamment les conflits conjugaux, les stress environnementaux (niveau socioéconomique), les problèmes de santé mentale des parents, l'isolement social, les attributions des parents en ce qui concerne les comportements de leur enfant et leur capacité à les transformer sont aussi des facteurs associés à l'attrition et aux effets du programme (Kazdin, Holland et Crowley, 1987 ; Webster-Stratton 1985b ; Webster-Stratton et Hammond, 1990).

Des facteurs propres à l'intervention contribuent aussi à son efficacité. Kazdin et Weisz (1998) relèvent quelques caractéristiques des programmes d'habiletés parentales susceptibles d'influencer la qualité de l'engagement des parents dans ces programmes et, par conséquent, leur efficacité. Certains programmes sont exigeants pour les parents au regard de la compréhension des concepts, de l'apprentissage des techniques de modification des comportements, de leur capacité à observer les comportements de l'enfant et leurs propres réactions qui renforcent ces comportements. Les parents doivent se discipliner eux-mêmes pour mettre en place de nouvelles stratégies éducatives à la maison de façon cohérente ; ils doivent s'engager à participer à des séances hebdomadaires pendant un certain nombre de semaines. Prinz et Miller (1994) ont d'ailleurs observé que la qualité de la participation des parents aux séances et l'assiduité à faire les devoirs sont de meilleurs prédicteurs de l'abandon en cours d'intervention que les caractéristiques de l'enfant ou de la famille.

Outre les caractéristiques inhérentes aux programmes, Kazdin et Weisz (1998) soulignent que la formation des intervenants et la relation qu'ils établissent avec les participants peuvent influer sur la qualité de l'engagement des parents et sur l'efficacité de l'intervention. Ils insistent sur l'importance pour les intervenants de bien connaître les principes et les techniques de modification des comportements et d'être bien entraînés à cet égard afin d'utiliser adéquatement les programmes d'habiletés parentales.

Il est donc particulièrement important de se préoccuper des facteurs inhérents à l'intervention qui favorisent l'engagement et la persistance des parents dans ces programmes et, par conséquent, leur efficacité ; ces facteurs ont cependant fait l'objet de peu d'études systématiques en ce qui a trait aux programmes d'habiletés parentales. Parmi les programmes d'entraînement aux habiletés parentales présentés précédemment, celui de Webster-Stratton et ses collègues se distingue des autres à certains égards. Tout d'abord, il s'appuie sur un ensemble de modèles théoriques qui décrivent, d'une part, les mécanismes du développement d'une relation harmonieuse et, d'autre part, ceux par lesquels des relations coercitives peuvent se développer et être maintenues. Il se distingue notamment des autres programmes par l'approche valorisée dans l'interaction entre l'intervenant et les parents, et l'utilisation de modalités particulières de présentation du programme (notamment l'utilisation des vidéocassettes et les discussions de groupe).

En raison de leur caractère distinctif et de leur utilité à engager les parents dans un processus de changement, nous nous attarderons quelque peu sur ces aspects du programme de Webster-Stratton. D'autres aspects des stratégies servant à stimuler la participation des parents sont présentés dans cet ouvrage (Normand, Vitaro et Charlebois).

L'APPROCHE COLLABORATIVE DANS LA RELATION INTERVENANT-PARENTS

Au-delà de l'intérêt du programme conçu par Webster-Stratton et ses collègues au fil des ans, au-delà de l'efficacité démontrée de cette intervention dans un contexte de prévention universelle et ciblée, Webster-Stratton a documenté les processus thérapeutiques sous-jacents aux programmes s'adressant aux parents (Webster-Stratton, 1998a ; Webster-Stratton et Hancock, 1998 ; Webster-Stratton et Herbert, 1994 ; Webster-Stratton et Hooven, 1998 ; Webster-Stratton et Spitzer, 1996). En effet, bien que ces programmes aient démontré leur efficacité, leur utilisation par d'autres intervenants peut ne pas produire les effets escomptés en raison de l'utilisation qui en est faite, notamment de la façon dont ils sont animés. Un élément important du programme de Webster-Stratton, un élément qui le distingue nettement des autres programmes, est l'approche valorisée dans la relation entre l'intervenant et les parents. Les thérapeutes formés par Webster-Stratton privilégient une approche collaborative, c'est-à-dire une approche qui valorise le travail avec les parents (*co-labore*). Qu'il s'agisse d'infirmières, de travailleurs sociaux ou de psychologues, tous les intervenants sont formés à l'approche collaborative et supervisés.

Dans l'approche collaborative, l'intervenant s'implique dans une relation réciproque où l'expertise des parents (connaissance de leur enfant, de leur famille et de leur communauté) et celle de l'intervenant (connaissance du développement des enfants et de la dynamique familiale, connaissance de la gestion des comportements) sont mises à profit. L'approche collaborative se distingue de l'approche didactique en ce que l'intervenant ne prescrit pas aux parents des modes de fonctionnement et ne se présente pas comme le seul expert dans le groupe. L'intervenant incite les parents à trouver des solutions aux problèmes d'interactions qui sont relevés ou discutés dans le groupe, en tenant compte de l'expérience qu'ils ont de leur enfant et de leurs caractéristiques propres. Lorsque les parents trouvent des stratégies efficaces, l'intervenant renforce ces idées et élabore à partir des propositions formulées par le parent. Il profite de l'occasion pour ajouter des informations pertinentes, remettre cette suggestion dans un contexte plus vaste et systématiser les principes de changements du comportement renfermés dans la proposition du parent. Mais en dernier ressort, le crédit de l'idée revient au parent. Par cette forme de collaboration, les parents se sentent respectés, ils ont le sentiment d'avoir la maîtrise de la situation et se reconnaissent une capacité accrue de changer leurs comportements et ceux de leur enfant. L'intervenant sollicite la participation active des parents par le partage de leurs expériences et de leurs idées dans un processus de résolution de problèmes. Les parents collaborent en outre activement à la définition des objectifs de l'intervention et évaluent chaque séance.

Dans une approche collaborative, les objections soulevées par les parents quant à l'utilisation d'une nouvelle stratégie éducative (telle l'utilisation du temps d'arrêt au lieu de la punition corporelle ou encore le jeu dirigé par l'enfant) sont perçues comme tout à fait légitimes et non comme une résistance au changement. À cet égard, Patterson et Forgatch (1985) ont montré que l'adoption d'une approche directive (enseigner, confronter le parent) par le thérapeute augmente les risques de résistance et de non-coopération chez le parent. À l'opposé, une approche qui soutient et facilite la démarche du parent diminue les comportements de non-coopération chez les parents. Cette analyse est cohérente avec le modèle de Bandura (1982, 1989) selon lequel le sentiment d'auto-efficacité est un médiateur entre le savoir et l'adoption des comportements. L'approche collaborative favorise l'engagement des parents dans la démarche d'intervention en réduisant le taux d'attrition, en augmentant la motivation, en diminuant la résistance et en favorisant la généralisation (Meichenbaum et Turk, 1987).

L'approche collaborative débute dès les premiers contacts avec les parents. Lors de l'entrevue d'évaluation, l'intervenant essaie de partager l'expérience de vie du parent avec son enfant et les émotions ressenties ; l'objectif est de comprendre ce que vit le parent, de son point de vue à lui. L'intervenant en profite aussi pour redonner de l'espoir au parent et l'amener à définir ses attentes à l'égard de l'intervention, ce qu'il aimerait qu'il se produise à l'issue de l'intervention. Avant de présenter l'intervention, l'intervenant adopte une attitude empathique avec le parent pour comprendre sa perception des problèmes de l'enfant, son expérience dans la gestion de ces problèmes, les explications qu'il en donne et ses attentes à l'égard de l'intervention.

Dans cette approche collaborative, l'intervenant assume plusieurs rôles, tous influencés par la philosophie générale de l'approche : établir une relation d'aide, permettre au parent de se donner du pouvoir sur les situations qu'il vit, enseigner, interpréter, diriger, anticiper le déroulement de l'intervention et ses effets.

Établir un relation chaleureuse et soutenante. Webster-Stratton relève plusieurs caractéristiques importantes d'une relation d'aide effective : empathie, respect, honnêteté, optimisme, capacité de convaincre, capacité de déléguer du pouvoir. L'intervenant devrait avoir la capacité de se présenter devant les parents non pas comme un expert qui peut résoudre toutes les difficultés de la vie d'un parent mais qui, à l'instar des autres parents, éprouve aussi des difficultés dans ses relations avec ses enfants. Cette attitude amène les parents à ne pas se sentir jugés par l'intervenant et à être plus à l'aise pour raconter ce qu'ils vivent vraiment dans leur relation avec leur enfant. L'humour est aussi un excellent moyen pour atténuer la colère, le cynisme ou l'anxiété des parents et peut aider les parents à envisager les situations qu'ils vivent sous un angle différent. L'intervenant qui communique aux parents son optimisme relativement à leur capacité de changer contribue grandement à renforcer leur sentiment d'auto-efficacité à l'égard de leur aptitude à influer sur le comportement de leur enfant. En effet, les parents sont souvent convaincus de ne pas pouvoir changer la relation qu'ils entretiennent avec leur enfant. L'intervenant peut aussi servir de porte-parole ou se faire l'avocat des parents lorsqu'ils font face à des situations difficiles, notamment dans les relations avec les enseignants de l'enfant.

Permettre aux parents de se donner du pouvoir. Le but ultime de l'approche collaborative est d'amener le parent à se sentir compétent dans son rôle de parent et à prendre en charge toutes les responsabilités afférentes ; en d'autres termes, il s'agit d'augmenter son sentiment d'auto-efficacité. Comment y parvenir ?

- En amenant les parents, par l'utilisation de questions ouvertes, à réfléchir et à trouver des solutions à leurs difficultés de parents en les encourageant à explorer des avenues alternatives plutôt que de s'en remettre aux solutions toutes faites ou aux trucs.
- En renforçant les parents qui trouvent des solutions.
- En aidant les parents à court-circuiter leurs pensées négatives et défaitistes, à contrecarrer l'effet néfaste des attributions négatives et à les transformer en pensées constructives, orientées vers une vision plus optimiste et adaptative. Un moyen d'y arriver est de leur faire comprendre qu'ils ne sont pas les seuls à avoir de tels problèmes. Cette normalisation des pensées négatives aide à dédramatiser la situation, à les déculpabiliser et à leur donner le sentiment qu'il est légitime d'avoir de telles pensées.
- En invitant les parents à prendre soin d'eux et à se donner à eux-mêmes des renforcements positifs quand ils réussissent à gérer adéquatement une situation difficile.
- En créant des conditions propices au développement par les parents, tant au sein du groupe que dans leur famille, d'un réseau de soutien qui les sorte de l'isolement social dans lequel ils se sentent. En effet, plusieurs parents se sentent incompris ou ne trouvent plus le temps d'être avec les autres parce qu'ils sont trop absorbés par les difficultés qui les assaillent.

Enseigner. Dans la perspective collaborative, enseigner ne consiste pas à transmettre l'information mais à consolider les connaissances des parents et à accroître leur sentiment de compétence à l'égard des connaissances et de la compréhension qu'ils ont du problème et de leur capacité de le résoudre. Les principes de modification du comportement et les stratégies éducatives ne sont pas présentés hors contexte et de façon didactique, mais en fonction des objectifs poursuivis par les parents dans le cadre des discussions de groupe. Une telle approche requiert donc de l'intervenant la maîtrise du contenu et de la flexibilité pour qu'il puisse adapter sa présentation aux diverses situations décrites par les parents. De plus, il importe que l'intervenant puisse réviser et résumer les informations présentées pour le bénéfice de tous les parents du groupe. Les vidéocassettes sont utilisées pour susciter les échanges entre les parents et l'intervenant, et non comme un moyen de cantonner les parents dans un rôle d'observateur passif. Les jeux de rôle aident aussi les parents à expérimenter des attitudes, des émotions et des comportements associés à des situations particulières qui peuvent survenir lors de leurs interactions avec leurs enfants.

Interpréter. Webster-Stratton note qu'un des rôles essentiels de l'intervenant consiste à aider les parents à interpréter des éléments de l'interaction parent-enfant. Parmi les moyens efficaces, elle mentionne l'utilisation d'analogies et de métaphores, les images transmettant des concepts importants plus rapidement et plus clairement qu'une longue explication théorique et conceptuelle. Par ailleurs, le recadrage consiste à offrir une interprétation distincte de celle proposée par le parent pour l'amener à envisager la situation sous un angle différent. Ainsi, recadrer le problème du point de vue de l'enfant force le parent à percevoir la situation du point de vue de celui-ci et l'aide à mieux comprendre ce qu'il ressent. Amener le parent à faire des liens avec des expériences vécues durant son enfance l'aide aussi à être plus empathique et compréhensif à l'égard de son enfant.

Diriger le groupe. L'intervenant a un rôle primordial dans la direction du groupe. Il dirige le groupe et doit s'assurer que les discussions ne s'éternisent pas ou ne dévient pas sur des thèmes ou des préoccupations secondaires ou tellement personnelles à un individu que les autres participants perdent intérêt. Il est celui qui rappelle les règles de fonctionnement sur lesquelles les participants se sont entendus et qui règle le rythme du groupe. L'intervenant a aussi pour rôle d'inviter les parents à relever des défis à leur mesure en leur transmettant son optimisme et la confiance qu'il a en eux.

Anticiper les progrès et les difficultés. Les comportements des enfants et des parents se transforment lentement. Or, ces derniers peuvent être impatients d'atteindre leurs objectifs et de constater des changements. De plus, il arrive parfois qu'ils observent des régressions malgré tous leurs efforts. L'intervenant peut leur expliquer qu'il y aura des résistances au changement, ainsi que des régressions et que les changements se produisent lentement. Mais, en même temps, il doit manifester son optimisme et sa confiance que les changements se produiront si les parents modifient leurs comportements et mettent en œuvre des stratégies différentes de façon cohérente.

Les différents rôles adoptés par l'intervenant accompagnent et aident les parents à transformer leurs attitudes et leurs comportements, à modifier leurs attributions et à accroître leur sentiment d'auto-efficacité ainsi que leur capacité de faire face à différentes situations. En ce sens, la relation établie par l'intervenant avec le parent est un modèle de la relation que les parents sont encouragés à développer avec leur enfant.

UNE IMAGE VAUT MILLE MOTS

L'utilisation de vidéocassette est un mode de mise en relation tout à fait cohérent avec le modèle de l'apprentissage social, les interactions présentées sur vidéocassettes pouvant servir de modèles d'interactions parent-enfant efficace. Nay (1976) et O'Dell, Mahoney, Norton et Turner (1979) ont montré la supériorité du modelage à l'aide de vidéocassettes à l'utilisation d'approches didactiques basées sur l'utilisation de matériel écrit ou sur la simple transmission de connaissances. Par ailleurs, Chilman (1973) a souligné que la discussion n'est pas le meilleur moyen de mettre en relation les parents les plus défavorisés. Webster-Stratton (1981a, 1981b, 1982a, 1982b, 1984, 1992), quant à elle, montre l'efficacité de l'utilisation de vidéocassettes comme moyen de mise en relation. En effet, selon cette auteure l'utilisation de vidéocassettes dans un contexte de groupe est aussi efficace qu'une intervention individuelle pendant laquelle l'intervenant supervise les comportements du parent (à l'instar des techniques utilisées par Eyberg pour superviser les parents pendant les interactions dirigées par eux). Bien que les deux modalités d'intervention soient aussi efficaces, l'intervention combinant le groupe et les vidéocassettes est plus économique en temps (48 heures contre 251 heures) et en argent (Webster-Stratton, 1984).

Les vidéocassettes utilisées par Webster-Stratton (Webster-Stratton, 1981b) présentent les mêmes parents filmés dans des situations où ils adoptent tantôt un comportement approprié, tantôt un comportement inapproprié. Les vignettes ne donnent donc pas l'exemple du parent idéal, mais celui d'un parent dont les interventions ont parfois des effets désirés et parfois des effets non désirés sur le comportement de l'enfant. Les parents sur les vidéocassettes ne sont pas des acteurs, mais de vrais parents en interaction avec leur enfant et sont présentés comme tels aux parents qui participent à l'intervention. De plus, les parents des vidéocassettes proviennent de divers groupes ethniques et socioéconomiques. Ainsi, il y a de meilleures chances que les participants à l'intervention se reconnaissent dans les parents qu'ils voient à l'œuvre sur les vidéofilms.

L'intervenant introduit le thème de la discussion, propose des vignettes et amorce une discussion de groupe sur les aspects pertinents de l'interaction parent-enfant en encourageant les parents à partager leurs idées. Le visionnement des vignettes permet aux parents de s'engager dans une démarche de réflexion critique sur leurs pratiques éducatives et sur leurs interactions avec leur enfant dans un contexte non menaçant, car les situations à discuter sont présentées sur vidéocassettes ; elles permettent en outre d'échanger à partir d'une même information objective.

Pour les parents qui sont moins verbaux, les vidéocassettes présentent un mode de mise en relation plus dynamique qui peut plus facilement susciter leur participation. La présentation de diverses situations d'interactions parent-enfant peut également faciliter la généralisation des acquis (Webster-Stratton, 1984). Par ailleurs, l'utilisation de vidéocassettes dégage l'intervenant du rôle d'expert ou d'informateur privilégié et permet au thérapeute de solliciter les réactions et réflexions des parents. Les travaux de Webster-Stratton ont montré qu'une intervention combinant des discussions de groupe et la présentation de vignettes sur vidéocassettes était plus efficace qu'une intervention n'utilisant que l'une ou l'autre de ces deux modalités (Webster-Stratton, 1990a ; Webster-Stratton *et al.*, 1988, 1989).

Le groupe comme soutien au changement

L'utilisation du groupe présente de nombreux avantages dont celui d'offrir aux parents un lieu d'échanges avec d'autres parents vivant les mêmes expériences auprès d'enfants dont les comportements sont difficiles à gérer ou à accepter. Dans ce forum, les parents se sentent rapidement à l'aise de raconter leurs expériences. La situation de groupe favorise l'engagement des parents dans un processus d'autogestion ; ainsi, ils ne s'en remettent pas principalement au thérapeute pour trouver des solutions à leurs difficultés (Webster-Stratton, 1984). Comme les interventions viennent non seulement du thérapeute mais aussi d'autres parents, ces derniers développent un sentiment de compétence.

La situation de groupe permet d'être plus sensible aux différences culturelles et aux différences de valeurs entre les parents. Elle amène les participants à respecter leurs différences et à accepter l'existence de variations normales dans le rythme de développement des enfants, dans la qualité et l'intensité de leurs réactions émotives, de même que dans leurs propres habiletés éducatives et dans les styles parentaux. Par exemple, les parents de chaque famille identifient les comportements de leur enfant qu'ils veulent voir se manifester plus souvent et ceux qu'ils veulent voir diminuer, de telle sorte qu'ils ont des objectifs personnels, adaptés à leur situation familiale. Le programme est donc individualisé bien qu'il soit donné en groupe.

L'utilisation du groupe favorise un plus grand engagement des parents à l'intervention en offrant un groupe de soutien (Webster-Stratton et

Hancock, 1998) et en contrant l'isolement social de certaines familles, particulièrement les familles monoparentales. Certaines interventions dans le groupe incitent d'ailleurs les parents à créer un réseau de soutien parmi les parents du groupe. Par exemple, après quelques semaines de rencontres, les parents sont appariés par les thérapeutes et sont invités à se téléphoner une fois par semaine pour discuter des difficultés éprouvées avec leur enfant au cours de la semaine ou des situations de jeu libre qu'ils ont vécues avec leur enfant. Plusieurs pères rapportent avoir ce genre d'échanges pour la première fois (Webster-Stratton et Hancock, 1998). Cet échange informel entre les parents aide à créer des liens entre les membres du groupe et favorise des échanges plus significatifs lors des rencontres du groupe. La situation de groupe permet donc aux parents de se sentir moins seuls devant les difficultés qu'ils éprouvent. D'ailleurs, dès la première semaine, les parents se sentent compris par les autres parents dont les enfants ont des comportements très semblables à ceux de leur propre enfant, tout comme ils partagent le sentiment d'être submergés par l'émotion engendrée par ces situations. Bien qu'au départ plusieurs parents expriment des réticences à l'idée de participer à un groupe et préféreraient une approche individuelle, à la fin de l'intervention, ces parents reconnaissent l'utilité des discussions de groupe et se disent plus disposés à participer à des groupes d'action dans leur communauté, par exemple un comité de parents (Webster-Stratton et Hancock, 1998).

Les jeux de rôles aident les parents à anticiper les situations qui pourront se produire de façon plus claire ainsi qu'à prévoir leurs propres réactions dans ces situations et constituent un moyen efficace de modifier les comportements (Eisler, Hersen et Agras, 1973 ; Twentyman et McFall, 1975). Les jeux de rôle et les discussions de groupe sont par ailleurs d'excellentes occasions pour l'intervenant de modeler l'autogestion des pensées positives et négatives que les parents sont susceptibles d'avoir quant à leur capacité de résoudre leurs problèmes.

Enfin, les devoirs sont une façon concrète pour les parents de se rendre compte que les comportements de leur enfant ne se modifieront pas par magie. Seul un travail de tous les jours et une modification de leurs propres comportements et attitudes amèneront des changements durables. Les devoirs servent à insister sur l'importance de l'effort soutenu et de la pratique. Ils permettent le transfert des apprentissages de la situation de groupe à la situation familiale et servent de point de départ pour les discussions de groupe la semaine suivante. Ils prennent la forme de lectures (ou, pour les parents qui ne peuvent pas lire ou qui n'ont pas le temps de lire, l'écoute de cassettes audio), d'observations à faire à la maison, de pratiques de stratégies éducatives discutées durant les séances de groupe. Ils sont corrigés individuellement, ce qui permet une rétroaction individuelle, mais sont aussi discutés en groupe.

En résumé, Webster-Stratton et Herbert (1994) ont précisé certains des ingrédients susceptibles de favoriser l'engagement des parents et, éventuellement, l'efficacité de l'intervention. En outre, ils ont relevé les conditions nécessaires à une implantation réussie de l'intervention : 1) établir une relation chaleureuse et soutenante ; 2) permettre aux parents de se donner du pouvoir en renforçant et en validant leurs idées ; 3) utiliser des techniques d'enseignement concrètes (vidéocassettes, jeux de rôle) ; 4) proposer des interprétations (sous forme de métaphores ou d'analogies), recadrer et convaincre ; 5) diriger les parents et leur proposer des défis ; 6) anticiper les progrès et les difficultés ; 7) individualiser, généraliser et contextualiser selon les besoins du moment ; 8) envisager le long terme ; 9) utiliser les groupes de parents comme un outil de soutien social ; 10) développer un réseau de soutien à l'extérieur du groupe de thérapie.

CONCLUSION

Nous avons décrit quelques programmes d'entraînement aux habiletés parentales s'adressant à des parents d'enfants d'âge préscolaire ou scolaire présentant des comportements agressifs ou de désobéissance. Leur efficacité confirme la pertinence d'intervenir auprès et par l'entremise des parents, dans le but de modifier la qualité des interactions parent-enfant et, ultimement, le comportement de l'enfant. Les programmes d'habiletés parentales les plus prometteurs sont sans doute ceux qui, d'une part, interviennent non seulement au niveau des stratégies éducatives mais aussi au niveau du développement d'une relation harmonieuse parent-enfant et des processus de résolution de problèmes mis en place par les parents, et, d'autre part, adoptent une approche collaborative dans l'interaction entre les intervenants et les parents afin que les parents reconnaissent leur compétence comme agent de changement des comportements de leur enfant. Les efforts de recherche sont encore nécessaires pour mieux documenter l'efficacité des interventions axées sur les habiletés parentales.

Nous avons traité des éléments susceptibles de favoriser l'engagement des parents, un ingrédient essentiel à l'efficacité de l'intervention, notamment l'adoption d'une approche collaborative, l'utilisation du groupe comme soutien au changement et l'utilisation d'interactions parents-enfant présentées sur vidéocassettes pour favoriser la participation des parents. Par ailleurs, comme l'a souligné Kazdin (1999), il importe de mieux décrire les processus de changement chez les participants à une intervention afin de mieux comprendre les facteurs susceptibles de favoriser ce changement. Webster-Stratton et Spitzer (1996) ont décrit le cheminement des parents et ont montré les changements graduels des perceptions, des croyances et des attentes des parents tout au long de l'intervention. Ce faisant, elles ont montré que l'approche collaborative contribue à amener des changements importants chez les parents, non seulement dans leurs stratégies éducatives mais aussi dans leur sentiment d'auto-efficacité quant à leur rôle de parent. Néanmoins, des recherches plus systématiques sont nécessaires pour mieux identifier : 1) les facteurs, plus particulièrement la qualité de la relation intervenant-parents, susceptibles de favoriser l'engagement des parents et 2) les éléments de l'intervention susceptibles d'amener des changements chez les parents, afin de mieux comprendre l'impact de ces changements sur les interactions parents-enfant et le comportement de l'enfant.

Les travaux de Webster-Stratton ont montré leur efficacité dans un contexte de prévention universelle et la possibilité de dissémination dans des contextes cliniques différents. Webster-Stratton et Taylor (1998) notent cependant que, malgré la prolifération d'études démontrant l'efficacité des programmes d'habiletés parentales, peu d'entre eux sont adoptés par les intervenants en vue de leur implantation dans les milieux de pratiques. Certains des obstacles à l'implantation de ces programmes relèvent des programmes eux-mêmes, notamment la qualité, la clarté, l'accessibilité, la convivialité, la facilité d'utilisation du matériel développé pour le programme, la disponibilité de séances de formation à un programme en particulier et un processus de certification qui permet de multiplier les sources de formation. À ce jour, peu d'attention a été accordée aux problèmes particuliers de la dissémination d'interventions efficaces.

Peu de travaux ont porté sur l'effet différent que peuvent avoir des programmes d'habiletés parentales selon le sexe des enfants ou des parents, principalement parce que les échantillons sont constitués presque exclusivement de garçons. Cependant, les travaux de Webster-Stratton et Eyberg ont montré des effets bénéfiques de l'intervention pour les mères et les pères. Les travaux sur l'efficacité des thérapies s'adressant directement aux enfants ne mentionnent pas de différence quant à leur efficacité selon le sexe des enfants (Weisz, Weiss, Hann, Granger, Morton, 1995). Cependant, comme le souligne Webster-Stratton (1996b), les prédicteurs de changement à la suite de la participation des parents à un programme d'habiletés parentales sont différents pour les filles et les garçons. Ces résultats nous invitent à établir plus précisément les mécanismes de changement observables chez les pères et les mères et leurs effets sur les comportements des filles et des garçons.

Une autre dimension peu explorée est l'efficacité des programmes d'intervention parentale auprès de familles de groupes ethniques ou culturels différents. Strain et ses collègues (Strain, Steele, Ellis et Timm, 1982 ; Strain, Young, Horowitz, 1981) n'observent aucun lien entre l'appartenance à un groupe ethnique et l'efficacité d'un programme d'habiletés parentales. Cependant, il a été démontré que les parents de groupes minoritaires sont plus susceptibles d'abandonner le programme d'intervention (Holden, Lavigne et Cameron, 1990 ; Kazdin, Mazurick et Bass, 1993). Webster-Stratton (1998b ; Webster-Stratton et Hammond, 1998) a évalué les effets du programme BASIC auprès de mères participant au programme Head Start, principalement des mères de race noire, mais n'a pu comparer l'efficacité du programme chez des groupes ethniques différents. Bien que les différences entre les membres d'un même groupe ethnique soient plus grandes que les différences entre les groupes ethniques, il importe de bien identifier les caractéristiques des interventions pouvant favoriser l'engagement et la persistance de ces parents. Le programme de Webster-Stratton nous apparaît comme un excellent candidat à cet égard. En effet, l'utilisation de vidéocassettes et de discussions de groupe offre une multitude de modèles de parentage. En outre, l'attitude de l'intervenant dans l'approche collaborative favorise la participation des parents dans un contexte d'ouverture et de respect des différences. Cette approche collaborative permet de plus d'aborder les différents aspects des pratiques éducatives tout en tenant compte des codes culturels (le contrôle social et le soutien social qui valorisent et maintiennent certaines stratégies parentales) et familiaux (notamment les rituels, les histoires familiales, les mythes, les paradigmes ; Sameroff et Fiese, 1992), tout en enrichissant l'attention portée à ces codes culturels et familiaux.

BIBLIOGRAPHIE

ANASTOPOULOS, A.D., BARKLEY, R.A. et SHELDON, T.L. (1996). Family based treatment : Psychosocial intervention for children and adolescents with attention deficit hyperactivity. Dans E.D. Hibbs et P.S. Jensen (dir.) *Psychosocial treatments for child and adolescent disorders : Empirically based strategies for clinical practice* (p. 267-284). Washington, D.C. : American Psychological Association.

BANDURA, A. (1982). *Social learning theory*. Englewood Cliffs, NJ : Prentice Hall.

BANDURA, A. (1989). Regulation of cognitive processes through perceiver self-efficacy. *Developmental Psychology, 25*, 729-735.

BANK, L., MARLOWE J.H., REID, J.B., PATTERSON, G.R. et WEINROTT, M.R. (1991). A comparative evaluation of parent-training interventions for families of chronic delinquents. *Journal of Abnormal Child Psychology, 19*, 15-33.

BAUM, C.G. et FOREHAND, R. (1981). Long-term follow-up assessment of parent training by use of multiple outcome measures. *Behavior Therapy, 12*, 643-652.

BAUMRIND, D. (1967). Childcare practices anteceding three patterns of preschool behavior. *Genetic Psychology Monographs, 75*, 43-88.

BECKER, W.-C. (1971). *Parents are teachers : A child management program, research.* Country Fair Station, Champaign, Ill. : Press Company.

BELSKY, J. et NEZWORSKI, T. (1988) (dir.). *Clinical implications of attachment*. Hillsdale, NJ : Erlbaum.

BOWLBY, J. (1978). *Attachement et perte : la séparation. Angoisse et colère*. Paris : Presses universitaires de France.

BOWLBY, J. (1984). *Attachement et perte : Tristesse et dépression*. Paris : Presses universitaires de France.

BREINER, J.L. et FOREHAND, R. (1981). Long term follow-up assessment of parent training by use of multiple outcome measures. *Behavioral Assessment, 3*, 31-42.

BRESTAN, E.V. et EYBERG, S.M. (1998). Effective psychosocial treatments of conduct-disordered children and adolescents : 29 years, 82 studies, and 5,272 kids. *Journal of Clinical Child Psychology, 27*, 180-189.

BRESTAN, E.V., EYBERG, S., BOGGS, S.R. et ALGINA, J. (1997). Parent-child interaction therapy : Parents' perceptions of untreated siblings. *Child et Family Behavior Therapy, 19*, 13-28.

BRIESMEISTER, J.-M. et SCHAEFER, C.-E. (dir.) (1998). *Handbook of parent training : Parents as co-therapists for children's behavior problems* (2e éd.). New York, NY : John Wiley & Sons.

CALVERT, S.C. et MCMAHON, R.J. (1987). The treatment acceptability of a behavioral parent training program and its components. *Behavior Therapy, 18*, 165-179.

CHAMBERLAIN, P. et PATTERSON, G.R. (1995). Discipline and child compliance in parenting. Dans M.H. Bornstein (dir.), *Handbook of parenting* (vol. 4, p. 205-226). Mahwah, NJ : Erlbaum.

CHILMAN, A. (1973). Programs for disadvantaged parents. Dans B.U. Caldwell et W.N. Ricciuti (dir.). *Review of child development and research* (vol. 3). Chicago : University of Chicago.

DADDS, M.R., SCHWARTZ, M.R. et SANDERS, M.R. (1987). Marital discord and treatment outcome in behavioral treatment of child conduct disorders. *Journal of Consulting and Clinical Psychology, 16*, 192-203.

DISHION, T.J. et PATTERSON, G.R. (1992). Age effects in parent training outcome. *Behavior Therapy, 23*, 719-729.

DUMAS, J.E. (1984). Child, adult-interaction, and socioeconomic setting events as predictors of parent training outcome. *Education and Treatment of Children, 7*, 351-364.

DUMAS, J.E. (1999). *Psychopathologie de l'enfant et de l'adolescent*. Bruxelles : DeBoeck Université.

DUMAS, J.E. (1997). Home and school correlates of early at-risk status : A transactional perspective. Dans R.F. Kronick (dir.). *At-risk youth : Theory, practice, reform* (p. 97-117). New York : Garland Publishing.

DUMAS, J.E. et LAFRENIERE, P.J. (1993). Mother-child relationship as sources of support and stress : A comparison of competent, normative, aggressive and anxious dyads. *Child Development, 64*, 1732-1754.

DUMAS, J.E., LAFRENIERE, P.J., BEAUDIN, L. et VERLAAN, P. (1992). Mother-child interactions in competent and aggressive dyads : Implications of relationship stress for behavior therapy with families. *New Zealand Journal of Psychology, 21*, 3-13.

DUMAS, J.E., LAFRENIERE, P.J. et SERKETICH, W.J. (1995). Balance of power : A transactional analysis of control in mother-child dyads involving socially competent, aggressive and anxious children. *Journal of Abnormal Psychology, 104*, 104-113.

DUMAS, J.E. et WAHLER, R.G. (1985). Indiscriminate mothering as a contextual factor in aggressive-oppositional child behavior : « Damned if you do, damned if you don't ». *Journal of Abnormal Child Psychology, 13*, 1-17.

EDDY, J.M., DISHION, T.J. et STOOLMILLER, M. (1998). The analysis of intervention change in children and families : Methodological and conceptual issues embedded in intervention studies. *Journal of Abnormal Child Psychology, 26*, 53-69.

EISEN, A.R., ENGLER, L.B. et GEYER, B. (1998). Parent training for separation anxiety disorder. Dans J.M. Briesmeister et C.E. Schaefer (dir.), *Handbook of parent training : Parents as cotherapists for children's behavior problems* (2e éd., p. 205-224). New York : John Wiley.

EISENSTADT, T.H., EYBERG, S., MCNEIL, C.B., NEWCOMB, K. et FUNDERBURK, B. (1993). Parent-child interaction therapy with behavior problem children : Relative effectiveness of two stages and overall treatment outcome. *Journal of Clinical Child Psychology, 22*, 42-51.

EISLER, R.M., HERSEN, M. et AGRAS, W.S. (1973). Effects of videotape and instructional feedback on non verbal marital interactions : An analogue study. *Behavior Therapy, 4*, 5510-5558.

EYBERG, S.M. et BOGGS, S.R. (1998). Parent-child interaction therapy : A psychosocial intervention for the treatment of young conduct-disordered children. Dans J.M. Briesmeister et C.E. Schaefer (dir.), *Handbook of parent training : Parents as cotherapists for children's behavior problems* (2e éd., p. 61-97). New York : John Wiley.

EYBERG, S.M. et MATARAZZO, R.G. (1980). Training parents as therapists : A comparison between individual parent-child interaction training and parent group didactics training. *Journal of Clinical Psychology, 36*, 492-499.

EYBERG, S.M. et ROBINSON, E.A. (1982). Parent-child interaction training : Effects on family functioning. *Journal of Clinical Child Psychology, 11*, 130-137.

FOREHAND, R., GRIEST, D.L., WELLS, K. et MCMAHON, R.J. (1982). Side effects of parent counseling on marital satisfaction. *Journal of Counseling Psychology, 29*, 104-107.

FOREHAND, R. et KING, H.E. (1974). Pre-school children's non-compliance : Effects of short-term behavior therapy. *Journal of Community Psychology, 2*, 42-44.

FOREHAND, R. et KING, H.E. (1977). Noncompliant children : Effects of parent training on behavior and attitude change. *Behavior Modification, 1*, 93-108.

FOREHAND, R. et LONG, N. (1988). Outpatient treatment of the acting-out child : Procedures, long-term follow-up data, and clinical problems. *Advanced Behavioral Research Therapy, 10*, 129-177.

FOREHAND, R.L. et MCMAHON, R.J. (1981). *Helping the noncompliant child : A clinician guide to parent training.* New York : Guilford Press.

FOREHAND, R.L., STEFFE, M.A., FUREY, W.M. et WALLEY, P.B. (1983). Mothers' evaluation of a parent training program completed three and one-half years earlier. *Journal of Behavior Therapy and Experimental Psychiatry, 14*, 339-342.

FOREHAND, R., WELLS, K. et GRIEST, D. (1980). An examination of the social validity of a parent training program. *Behavior Therapy, 11*, 488-502.

FUNDERBURK, B.W., EYBERG, S.M., NEWCOMB, K., MCNEIL, C.B., HEMBREE-KIGIN, T. et CAPAGE, L. (1998). Parent-child interaction therapy with behavior problem children : Maintenance of treatment effects in the school setting. *Child and Family Behavior Therapy, 20*, 17-38.

GRAZIANO, A.M. et DIAMENT, D.M. (1992). Parent behavioral training. An examination of the paradigm. *Behavior Modification, 16*, 3-38.

GREENBERG, M.T., CICCHETTI, D. et CUMMINGS, M. (1990). *Attachment in the preschool years : Theory, research, and intervention*. Chicago : University of Chicago Press.

GRIEST, D.L., FOREHAND, R., ROGERS, T., BREINER, J., FUREY, W. et WILLIAMS, C.A. (1982). Effects of parent enhancement therapy on the treatment outcome and generalization of a parent training program. *Behavior Research and Therapy, 20*, 429-436.

GROSS, D., FOGG, L. et TUCKER, S. (1995). The efficacy of parent training for promoting positive parent-toddler relationships. *Research in Nursing and Health, 18*, 489-499.

HINSHAW, S.P. et ANDERSON, C.A. (1996). Conduct and oppositional defiant disorders. Dans E.J. Mash et R.A. Barkley (dir.). *Child psychopathology* (p. 113-149). New York : Guilford Press.

HOLDEN, G.W., LAVIGNE, V.V. et CAMERON, A.M. (1990). Probing the continuum of effectiveness in parent training : Characteristics of parents and preschoolers. *Journal of Clinical Child Psychology, 19*, 2-8.

HUMPHREYS, L., FOREHAND, R., MCMAHON, R.J. et ROBERTS, M.W. (1978). Parent behavioral training to modify child noncompliance : Effects on untreated siblings. *Journal of Behavior Therapy and Experimental Psychiatry, 9*, 235-238.

JENKINS, S. (1980). Behavior problems in preschool children. *Journal of Child Psychology and Psychiatry, 21*, 5-18.

KAZDIN, A.E. (1987). Treatment of antisocial behavior in children : Current status and future directions. *Psychological Bulletin, 102*, 187-203.

KAZDIN, A.E. (1995). *Conduct disorders in childhood and adolescence*. Thousand Oaks, CA : Sage.

KAZDIN, A.E. (1999). Current (lack of) status of theory in child and adolescent psychotherapy research. *Journal of Clinical Child Psychology, 28*, 533-543.

KAZDIN, A.E. et WEISZ, J.R. (1998). Identifying and developing empirically supported child and adolescent treatments. *Journal of Consulting and Clinical Psychology, 66*, 19-36.

KAZDIN, A.E., HOLLAND, L. et CROWLEY, M. (1997). Family experience of barriers to treatment and premature termination from child therapy. *Journal of Consulting and Clinical Psychology, 65*, 453-463.

KAZDIN, A.E., MAZURICK, J.L. et BASS, D. (1993). Risk for attrition in treatment of antisocial children and families. *Journal of Clinical Child Psychology, 22*, 2-16.

KAZDIN, A.E., SIEGEL, T.C. et BASS, D. (1992). Cognitive problem-solving skills training and parent management training in the treatment of antisocial behavior in children. *Journal of Consulting and Clinical Psychology, 60*, 733-747.

KOEGEL, R.L., KOEGEL, L.K. et SHREIBMAN, L. (1991). Assessing and training parents in teaching pivotal behavior. Dans R.J. Prinz *et al.* (dir.). *Advances in behavioral assessment of children and families : A research annual* (vol. 5, p. 65-82). Londres : Jessica Kingley.

MCMAHON, R.J. et FOREHAND, R. (1978). Non-prescription behavior therapy : Effectiveness of a brochure in teaching mothers to correct their children's inappropriate mealtime behaviors. *Behavior Therapy, 9,* 814-820.

MCMAHON, R.J. et FOREHAND, R.L. (1983). Consumer satisfaction in behavioral treatments of children : Types, issues, and recommendations. *Behavior Therapy, 14,* 209-225.

MCMAHON, R.J., FOREHAND, R. et GRIEST, D.L. (1981). Effects of knowledge of social learning principles on enhancing treatment outcome and generalization in a parent training program. *Journal of Consulting and Clinical Psychology, 49,* 526-532.

MCMAHON, R.J., TIEDEMANN, G.L., FOREHAND, R. et GRIEST, D.L. (1984). Parental satisfaction with parent training to modify child non-compliance. *Behavior Therapy, 15,* 295-303.

MCMAHON, R.J. et WELLS, K.C. (1998). Conduct problems. Dans E.J. Mash et R.A. Barkley (dir.). *Treatment of childhood disorders* (p. 111-207). New York : Guilford.

MCNEIL, C.B., CAPAGE, L.C., BAHL, A. et BLANC, H. (1999). Importance of early intervention for disruptive behavior problems : Comparison of treatment and waitlist-control groups. *Early Education and Development, 10,* 445-454.

MCNEIL, C.B., EYBERG, S., EISENSTADT, T.H., NEWCOMB, K. et FUNDERBURK, B. (1991). Parent-child interaction therapy with behavior problem children : Generalization of treatment effects to the school setting. *Journal of Clinical Child Psychology, 20,* 140-151.

MEICHENBAUM, D. et TURK, D. (1987). *Facilitating treatment adherence : A practitioner's guidebook.* New York : Plenum Press.

MORAN, G., PEDERSON, D.R. et TARABULSY, G.M. (1996). Le rôle de la théorie de l'attachement dans l'analyse des interactions mère-enfant à la petite enfance : descriptions précises et interprétations significatives. Dans G.M. Tarabulsy et R. Tessier (dir.). *Le développement émotionnel et social de l'enfant* (p. 69-109). Sainte-Foy : Presses de l'Université du Québec.

NAY, R.W. (1976). A systematic comparison of instructional techniques for parents. *Behavior Therapy, 6,* 14-21.

O'DELL, S., MAHONEY, N.D., NORTON, N.G. et TURNER, P.E. (1979). Media assisted parent training : Alternative models. *Behavior Therapy, 10,* 103-110.

PATTERSON, G.R. (1974). Interventions for boys with conduct problems : Multiple settings, treatments, and criteria. *Journal of Consulting and Clinical Psychology, 42,* 471-481.

PATTERSON, G.R. (1975a). *Families : Applications of social learning to family life.* Champaign, IL : Research Press.

PATTERSON, G.R. (1975b). *Professional guide for families living with children.* Champaign, IL : Research Press.

PATTERSON, G.R. (1976a). *Living with children : New methods for parents and teachers.* Champaign, IL : Research Press.

PATTERSON, G.R. (1976b). The aggressive child : Victim and architect of a coercive system. Dans L.A. Hamerlynck, L.C.Handy et E.J. Mash (dir.). *Behavior modification with families : Theory and research* (vol. 1, p. 276-316). New York : Brunner/Mazel.

PATTERSON, G.R. (1982). *A social learning approach to family intervention : Coercive family process* (vol. 3). Eugene, OR : Castalia Publishing Company.

PATTERSON, G.R., CHAMBERLAIN, P. et REID, J.B. (1982). A comparative evaluation of a parent-training program. *Behavior Therapy, 13*, 638-650.

PATTERSON, G.R., DISHION, T.J. et CHAMBERLAIN, P. (1993). Outcomes and methodological issues relating to treatment of antisocial children. Dans T.R. Giles (dir.). *Handbook of effective psychotherapy* (p. 43-88). New York : Plenum Press.

PATTERSON, G.R. et FORGATCH, M.S. (1985). Therapist behavior as a determinant for client resistance : A paradox for the behavior modifier. *Journal of Consulting and Clinical Psychology, 53*, 846-851.

PATTERSON, G.R. et FORGATCH, M.S. (1995). Predicting future clinical adjustment from treatment outcome and process variables. *Psychological Assessment, 7*, 275-285.

PATTERSON, G.R. et GULLION, M.E. (1968). *Living with children : New methods for parents and teachers.* Champaign, IL : Research Press.

PATTERSON, G.R. et GULLION, M.E. (1972). *Comment vivre avec les enfants* (traduction de Boisvert et Trudel). Montréal : Éducation nouvelle.

PATTERSON, G.R. et REID, J.B. (1973). Intervention for families of aggressive boys : A replication study. *Behaviour Research and Therapy, 11*, 383-394.

PATTERSON, G.R., REID, J.B. et DISHION, T.J. (1992). *Antisocial boys.* Eugene, OR : Castalia.

PATTERSON, G.R., REID, J.B., JONES, R.R. et CONGER, R.E. (1975). *A social learning approach to family intervention : Families with aggressive children* (vol. 1). Eugene, OR : Castalia.

PEED, S., ROBERTS, M. et FOREHAND, R. (1977). Evaluation of the effectiveness of a standardized parent-training program in altering the interaction of mothers and their noncompliant children. *Behavior Modification, 1*, 323-350.

POULIN, F., DISHION, T.J., KAVANAGH, K. et KIESNER, J. (1998). La prévention des problèmes de comportement à l'adolescence : le Adolescent Transition Program. *Criminologie, 31*, 67-87.

PRINZ, R.J. et MILLER, G.E. (1994). Family-based treatment for childhood antisocial behavior : Experimental influences on dropout and engagement. *Journal of Consulting and Clinical Psychology, 62*, 645-650.

REID, J.B. (dir.) (1978). *A social learning approach to family intervention : Observation in home setting* (vol. 2). Eugene, OR : Castalia.

SAMEROFF, A.J. et FIESE, B.H. (1992). Transactional regulation and early intervention. Dans S.J. Meisels et J.P. Shonkoff (dir.), *Handbook of early childhood intervention* (p. 119-149). New York : Cambridge University Press.

SCHUHMAN, E.M., FOOTE, R.C., EYBERG, S.M., BOGGS, S.R. et ALGINA, J. (1998). Efficacy of parent-child interaction therapy : Interim report of a randomized trial with short-term maintenance. *Journal of Clinical Child Psychology, 27*, 34-45.

SERKETICH, W.J. et DUMAS, J.E. (1996). The effectiveness of behavioral parent training to modify antisocial behavior in children : A meta-analysis. *Behavior Therapy, 27*, 171-186.

SIEGEL, I.E., MCGILLICUDDY-DELISI, P. et GOODNOW, J.J. (1992). *Parental belief systems : The psychological consequences for children*. Hillsdale, NJ : Erlbaum.

STOOLMILLER, M., DUNCAN, T., BANK, L. et PATTERSON, G.R. (1993). Some problems and solutions in the study of change : Significant patterns in client resistance. *Journal of Consulting and Clinical Psychology, 61*, 920-928.

STRAIN, P.S., STEELE, P., ELLIS, T. et TIMM, M.A. (1982). Long-term effects of oppositional child treatment with mothers as therapists and therapist trainers. *Journal of Applied Behavior Analysis, 15*, 163-169.

STRAIN, P.S., YOUNG, C.C. et HOROWITZ, J. (1981). Generalized behavior change during oppositional child training : An examination of child and family demographic variables. *Behavior Modification, 5*, 15-26.

SUTTON, C. (1992). Training parents to manage difficult children : A comparison of methods. *Behavioural Psychotherapy, 20*, 115-139.

TAYLOR, T.K., SCHMIDT, F., PEPLER, D. et HODGINS, C. (1998). A comparison of eclectic treatment with Webster-Stratton's parents and children series in a children's mental health center : A randomized controlled trial. *Behavior Therapy, 29*, 221-241.

TREMBLAY, R.E., MASSE, B., PERRON, D., LE BLANC, M., SCHWARTZMAN, A.E. et LEDINGHAM, J.E. (1992). Early disruptive behavior, poor school achievement, delinquent behavior, and delinquent personality : Longitudinal analyses. *Journal of Consulting and Clinical Psychology, 60*, 64-72.

TWENTYMAN, C.T. et MCFALL, R.M. (1975). Behavioral training of social skills in shy males. *Journal of Consulting and Clinical Psychology, 43*, 384-395.

WAHLER, R.G. et DUMAS, J.E. (1989). Attentional problems in dysfunctional mother-child interactions : An interbehavioral model. *Psychological Bulletin, 105*, 116-130.

WEBSTER-STRATTON, C. (1981a). Modification of mothers' behaviors and attitudes through a videotape modeling group discussion program. *Behavior Therapy, 12*, 634-642.

WEBSTER-STRATTON, C. (1981b). Videotape modeling : A method of parent education. *Journal of Clinical Child Psychology*, été, 93-98.

WEBSTER-STRATTON, C. (1982a). The long-term effects of a videotape modeling parent-training program : Comparison of immediate and 1-year follow-up results. *Behavior Therapy, 13*, 702-714.

WEBSTER-STRATTON, C. (1982b). Teaching mothers through videotape modeling to change their children's behavior. *Journal of Pediatric Psychology, 7*, 279-294.

WEBSTER-STRATTON, C. (1984). Randomized trial of two parent-training programs for families with conduct-disordered children. *Journal of Consulting and Clinical Psychology, 52*, 666-678.

WEBSTER-STRATTON, C. (1985a). Case studies and clinical replication series : Predictors of treatment outcome in parent training for conduct disordered children. *Behavior Therapy, 16*, 223-243.

WEBSTER-STRATTON, C. (1985b). The effects of father involvement in parent training for conduct problem children. *Journal of Child Psychology and Psychiatry, 26*, 801-810.

WEBSTER-STRATTON, C. (1989). Systematic comparison of consumer satisfaction of three cost-effective parent-training programs for conduct problem children. *Behavior Therapy, 20*, 103-115.

WEBSTER-STRATTON, C. (1990a). Enhancing the effectiveness of self-administered videotape parent training for families with conduct-problem children. *Journal of Abnormal Child Psychology, 18*, 479-492.

WEBSTER-STRATTON, C. (1990b). Long-term follow-up of families with young conduct problem children : From preschool to grade school. *Journal of Clinical Child Psychology, 19*, 144-149.

WEBSTER-STRATTON, C. (1992). Individually administered videotape parent training : « Who benefits ? ». *Cognitive Therapy and Research, 16*, 31-52.

WEBSTER-STRATTON, C. (1994). Advancing videotape parent training : A comparison study. *Journal of Consulting and Clinical Psychology, 62*, 583-593.

WEBSTER-STRATTON, C. (1996a). Early intervention with videotape modeling : Programs for families of children with oppositional defiant disorder or conduct disorder. Dans E.D. Hibbs et P.S. Jensen (dir.), *Psychosocial treatments for child and adolescent disorders : Empirically based strategies for clinical practice* (p. 435-474). Washington, D.C. : American Psychological Association.

WEBSTER-STRATTON, C. (1996b). Early-onset conduct problems : Does gender make a difference ? *Journal of Consulting and Clinical Psychology, 64*, 540-551.

WEBSTER-STRATTON, C. (1998a). Parent training with low-income families : Promoting parental engagement through a collaborative approach. Dans Lutzker (dir.), *Handbook of child abuse research and treatment* (p. 183-210). New York : Plenum Press.

WEBSTER-STRATTON, C. (1998b). Preventing conduct problems in Head Start children : Strengthening parenting competencies. *Journal of Consulting and Clinical Psychology, 66*, 715-730.

WEBSTER-STRATTON, C. et HAMMOND, M. (1990). Predictors of treatment outcome in parent training for families with conduct problem children. *Behavior Therapy, 21*, 319-337.

WEBSTER-STRATTON, C. et HAMMOND, M. (1997). Treating children with early-onset conduct problems : A comparison of child and parent training interventions. *Journal of Consulting and Clinical Psychology, 65*, 93-109.

WEBSTER-STRATTON, C. et HAMMOND, M. (1998). Conduct problems and level of social competence in Head Start children : Prevalence, pervasiveness, and associated risk factors. *Clinical Child and Family Psychology Review, 1*, 101-124.

WEBSTER-STRATTON, C. et HANCOCK, L. (1998). Training for parents of young children with conduct problems : Content, methods, and therapeutic processes. Dans J.M. Briesmeister et C.E. Shaefer (dir.), *Handbook of parent training* (p. 98-152). New York : John Wiley.

WEBSTER-STRATTON, C. et HERBERT, M. (1994). *Troubled families, problem children. Working with parents : A collaborative process*. Chichester, Angleterre : Wiley.

WEBSTER-STRATTON, C., HOLLINSWORTH, T. et KOLPACOFF, M. (1989). The long-term effectiveness and clinical significance of three cost-effective training programs for families with conduct-problem children. *Journal of Consulting and Clinical Psychology, 57*, 550-553.

WEBSTER-STRATTON, C. et HOOVEN, C. (1998). Parent training for child conduct problems. Dans A.S. Bellack et M. Hersen (dir.), *Comprehensive clinical psychology* (p. 185-219). Seattle, WA : Pergamon.

WEBSTER-STRATTON, C., KOLPACOFF, M. et HOLLINSWORTH, T. (1988). Self-administered videotape therapy for families with conduct-problem children : Comparison with two cost-effective treatments and a control group. *Journal of Consulting and Clinical Psychology, 56*, 558-566.

WEBSTER-STRATTON, C. et SPITZER, A. (1996). Parenting a young child with conduct problems : New insights using qualitative methods. Dans T.H. Ollendick et R.J. Prinz (dir.), *Advances in clinical child psychology* (vol. 18, p. 1-62). New York : Plenum Press.

WEBSTER-STRATTON, C. et TAYLOR, T.K. (1998). Adopting and implementing empirically supported interventions : A recipe for success. Dans A. Buchanan (dir.), *Parenting, schooling and children's behavior – Interdisciplinary approaches* (p. 1-25). Hampshire, Angleterre : Ashgate Publishing.

WEISS, L. et WOLCHIK, S. (1998). New beginnings : An empirically-based intervention program for divorced mothers to help their children. Dans J.M. Briesmeister et C.E. Schaefer (dir.), *Handbook of parent training : Parents as cotherapists for children's behavior problems* (2e éd., p. 445-478). New York : John Wiley.

WEISZ, J.R., WEISS, B., HANN, S.S., GRANGER, D.A. et MORTON, T. (1995). Effects of psychotherapy with children and adolescents revisited : A meta-analysis of treatment outcome studies. *Psychological Bulletin, 117*, 450-468.

WELLS, K.C., FOREHAND, R.L. et GRIEST, D.L. (1980). Generality of treatment effects from treated to untreated behaviors resulting from a parent-training program. *Journal of Clinical Child Psychology, 9*, 217-219.

CHAPITRE 5

PRÉVENTION DES PROBLÈMES D'ANXIÉTÉ CHEZ LES JEUNES

Lyse Turgeon
Université de Montréal et
Centre de recherche Fernand-Seguin
Lucie Brousseau
Centre de recherche Fernand-Seguin

Résumé

Ce chapitre porte sur les programmes d'intervention précoce réalisés auprès d'enfants et d'adolescents manifestant des problèmes d'anxiété. La première partie décrit les troubles anxieux chez les jeunes, la prévalence, les facteurs de risque associés à l'apparition de ces troubles et les outils d'évaluation. La seconde partie comporte une description détaillée des programmes d'intervention précoce dans le domaine des troubles anxieux chez les jeunes, réalisés aux États-Unis, en Australie et au Québec. Dans l'ensemble, les programmes utilisant la thérapie béhaviorale-cognitive obtiennent d'excellents résultats, particulièrement lorsqu'ils sont combinés à une intervention familiale. Le chapitre se termine par quelques recommandations pratiques pour favoriser le succès des programmes d'intervention précoce auprès de jeunes présentant des problèmes d'anxiété.

DÉFINITION DES TROUBLES D'ANXIÉTÉ À L'ENFANCE ET À L'ADOLESCENCE

Tous les enfants ont peur de quelque chose à un moment ou à un autre durant leur développement. Par exemple, les jeunes enfants ont souvent peur du noir, des animaux, des monstres ou encore des fantômes. Ces peurs sont considérées comme normales parce qu'elles sont éprouvées par une majorité d'enfants et qu'elles disparaissent habituellement d'elles-mêmes avec le temps. Cependant, dans certains cas, les peurs sont excessives par rapport au danger et nuisent au fonctionnement quotidien de l'enfant.

Le système le plus employé pour classer les peurs de l'enfance et de l'adolescence, tant en recherche qu'en clinique, est celui de l'American Psychiatric Association dans le *Diagnostic and Statistical Manual of Mental Disorders* (APA, 1994). Le DSM-IV présente sept troubles anxieux principaux : 1) la phobie spécifique, qui se définit comme une peur intense à l'égard d'un objet ou d'une situation qui ne présente aucun danger réel, par exemple les insectes, les petits animaux, les éléments naturels, les transports, les endroits fermés ou le sang ; 2) la phobie sociale, qui renvoie à un trouble où le jeune craint de façon persistante et intense d'être embarrassé ou humilié dans une situation sociale, comme parler en public ; 3) l'anxiété de séparation, qui est une anxiété excessive et inappropriée au stade de développement concernant la séparation d'avec la figure d'attachement ; 4) le trouble d'anxiété généralisée (ou trouble hyperanxieux), qui se caractérise par une anxiété et une inquiétude excessive concernant un certain nombre d'événements ou d'activités, telles que les performances scolaires ; 5) le trouble panique, qui s'observe chez le jeune qui a des attaques de panique ; il peut s'accompagner d'agoraphobie, qui se définit comme l'évitement de situations ou d'endroits où le jeune craint de ne pas pouvoir s'échapper ou de ne pas recevoir d'aide en cas de malaise ; 6) le trouble obsessionnel-compulsif, qui se caractérise par le présence d'obsessions (pensées récurrentes et persistantes) et/ou de compulsions (comportements répétitifs qui visent à réduire l'anxiété causée par les obsessions) ; 7) l'état de stress post-traumatique, qui survient lorsque le jeune a vécu un événement traumatique extrême, comme un grave accident de voiture, une agression sexuelle, une maladie ayant mis sa vie en danger ou encore une catastrophe naturelle, et il le revit constamment, par exemple sous la forme de souvenirs (*flashback*) ou de cauchemars.

Il est important d'apporter quelques précisions à propos de ce qui est considéré comme une peur normale ou exagérée. Un premier critère à considérer a trait à la durée de la peur. Dans toutes les catégories diagnostiques définies par le DSM, on mentionne une durée qui sert de guide afin d'évaluer si les symptômes sont problématiques ou non. Par exemple, dans le cas d'un enfant qui réagirait de façon très intense à la séparation d'avec ses parents lors de son entrée à la garderie, on ne pourra poser un diagnostic d'anxiété de séparation avant quatre semaines. Un deuxième critère a trait à l'altération du fonctionnement entraînée par la peur. Si l'enfant a une peur qui n'entrave pas son fonctionnement quotidien à l'école, à la maison ou avec ses pairs, il n'est pas indiqué de poser un diagnostic. Par exemple, un enfant pourrait être très effrayé par les boas, mais étant donné la faible probabilité d'en rencontrer au Québec, son fonctionnement risque peu d'être affecté. Enfin, un dernier point concerne le caractère excessif de la peur. Tous les jeunes (comme les adultes) ont des peurs. À l'âge scolaire, la majorité des enfants ont peur de faire un exposé oral en classe. Cette peur normale se transforme en peur excessive lorsque les réactions de l'enfant sont démesurées comparativement à celles de ses pairs, par exemple s'il refuse d'aller à l'école la journée d'un exposé oral, vomit avant son exposé ou encore réussit à faire sa présentation, mais avec une grande détresse.

ÉVALUATION

L'évaluation auprès des enfants susceptibles de présenter un problème d'anxiété vise cinq grands objectifs : 1) établir la nature et l'intensité du problème, ainsi que ses conséquences ; 2) décider s'il y a lieu d'intervenir ; 3) sélectionner les comportements problématiques à modifier ; 4) choisir les stratégies d'intervention et 5) vérifier si ces stratégies améliorent le fonctionnement de l'enfant (Mash et Lee, 1993).

L'ENTREVUE CLINIQUE

L'entrevue clinique est un des outils les plus employés pour déceler la présence de troubles anxieux chez les enfants et les adolescents. Elle permet de recueillir de l'information sur l'historique du problème, le niveau de base, les situations précises où il se manifeste, les réactions comportementales, cognitives et physiologiques associées au problème, les facteurs de maintien, les problèmes secondaires, la motivation, les attentes, les points forts du jeune, les priorités d'intervention, les changements susceptibles d'être entraînés par la disparition du problème, les traitements antérieurs, l'urgence, le pronostic et le plan d'intervention. Toutefois, bien que largement utilisé en contexte clinique, ce type d'entrevue pose certains problèmes en recherche en raison de l'absence de standardisation (Stallings et March, 1995).

LES ENTREVUES STRUCTURÉES ET SEMI-STRUCTURÉES

Trois entrevues semi-structurées ont été conçues spécialement pour évaluer les troubles anxieux chez les jeunes : l'Anxiety Disorders Interview

Schedule for Children (ADIS-C : Silverman et Nelles, 1988), le Children's Anxiety Evaluation Form (CAEF : Hoehn-Saric, Maisami et Weigand, 1987) et le Screen for Child Anxiety Related Emotional Disorders (SCARED : Birmaher *et al.*, 1997). L'ADIS-C est sans aucun doute le meilleur instrument à l'heure actuelle pour évaluer les troubles d'anxiété chez les jeunes (Silverman, 1991). En plus des sections sur les troubles anxieux, l'ADIS-C en comprend d'autres qui permettent de déceler la présence de divers troubles, par exemple les troubles de l'humeur, les troubles externalisés et les troubles alimentaires. Elle a été révisée pour tenir compte des changements apportés dans le DSM-IV (Silverman et Albano, 1996). L'ADIS-C possède d'excellentes qualités psychométriques, notamment une bonne fidélité interjuges, bien que les parents aient tendance à rapporter moins de symptômes d'anxiété que les jeunes, phénomène souvent confirmé par les cliniciens et les chercheurs (Stallings et March, 1995). Quant aux deux autres entrevues (CAEF et SCARED), elles n'offrent aucun avantage sur l'ADIS-C et leurs qualités psychométriques ne sont pas beaucoup documentées (Stallings et March, 1995). Notons qu'aucune de ces entrevues n'est encore disponible en français ; cependant, l'ADIS-C pour le DSM-IV est actuellement en cours de validation par notre équipe de recherche.

D'autres entrevues structurées ou semi-structurées ne visent pas à déceler comme telles les troubles anxieux chez les jeunes, mais incluent des sections permettant d'avoir un aperçu de ces problèmes : le Diagnostic Interview for Children and Adolescents (DICA : Herjanic et Reich, 1982), le Diagnostic Interview Schedule for Children (DISC : Costello, Edelbrock, Dulcan, Kalas et Klaric, 1984), le Schedule for Affective Disorders and Schizophrenia in School-Age Children (Kiddie-SADS : Puig-Antich et Chambers, 1978), le Child Assessment Schedule (CAS : Hodges, Kline, Fitch, McKnew et Cytryn, 1981) et le Child and Adolescent Psychiatric Assessment (CAPA : Angold, Prendergast, Cox et Harrington, 1995). Ces entrevues n'offrent cependant aucun avantage sur l'ADIS-C pour dépister les troubles anxieux chez les enfants, sauf celui d'être offertes en version française dans certains cas.

Le Dominique est une entrevue conçue au Québec par une équipe de chercheurs de l'Hôpital Rivière-des-Prairies (Valla, Bergeron, Bérubé, Gaudet et St-Georges, 1994). Il s'agit d'une série de vignettes illustrant les symptômes associés à la phobie spécifique, à l'anxiété généralisée, à l'anxiété de séparation, à la dépression, au trouble d'attention avec hyperactivité, au trouble des conduites et au trouble d'opposition. Le Dominique est un outil très prometteur, tant au plan de la recherche qu'à celui du travail clinique, et ses qualités psychométriques sont très appréciables. Il est simple d'utilisation et les enfants du premier cycle du primaire le comprennent aisément, contrairement aux entrevues traditionnelles. Malheureusement, le Dominique ne renseigne pas sur la présence de certains troubles d'anxiété, comme le trouble panique, le trouble obsessionnel-compulsif et l'état de stress post-traumatique.

LES QUESTIONNAIRES AUTO-ADMINISTRÉS

Le Revised Children's Manifest Anxiety Scale (RCMAS : Reynolds et Richmonds, 1978) est l'un des questionnaires les plus utilisés pour évaluer l'anxiété globale ou générale chez les enfants et les adolescents âgés entre 6 et 19 ans. Il contient 37 items et permet de dégager deux échelles principales, dont une d'anxiété et une de désirabilité sociale ; ses qualités psychométriques ont largement été documentées (Reynolds, 1980, 1982 ; Wisniewski, Mulick, Genshaft et Courcy, 1987).

Un autre instrument souvent employé est le State-Trait Anxiety Inventory for Children (STAIC : Spielberger, Edwards, Lushene, Montuori et Platzek, 1973), conçu pour des jeunes de 8 à 12 ans. Il contient 40 items, dont la moitié évaluent l'anxiété situationnelle et l'autre, l'anxiété de trait ; ses qualités psychométriques sont très bonnes (Dorr, 1981 ; Papay et Spielberger, 1986).

Le Fear Survey Schedule Revised (FSS-R : Ollendick, 1983) est très utilisé, autant en clinique qu'en recherche. Il contient 80 items et permet de dégager 5 facteurs : la peur de l'échec et de la critique, la peur de l'inconnu, la peur des petits animaux et/ou des blesssures, la peur du danger et/ou de la mort et, enfin, les peurs médicales. Ses qualités psychométriques sont en général satisfaisantes (Ollendick, 1983).

Le Multidimensional Anxiety Scale for Children (MASC : March, 1997) est un instrument plus récent qui évalue l'anxiété selon une conception multidimensionnelle. Il contient 45 items et permet de dégager 4 facteurs : anxiété physique, évitement du danger/blessures, anxiété sociale et anxiété de séparation. Ses qualités psychométriques semblent très bonnes (March, Parker, Sullivan et Stallings, 1997 ; March, Sullivan et Parker, 1999).

Un autre questionnaire récent est le Spence Children's Anxiety Scale (SCAS : Spence, 1998), qui vise à évaluer les symptômes associés à des troubles anxieux spécifiques, comme l'anxiété de séparation, la phobie sociale, le trouble obsessionnel-compulsif, le trouble panique avec ou sans agoraphobie et l'anxiété généralisée. Ses qualités psychométriques ont été évaluées auprès d'enfants âgés entre 8 et 12 ans. La consistance interne est élevée, la fidélité test-retest est satisfaisante et les scores aux sous-échelles correspondent aux évaluations cliniques.

Le RCMAS, le STAIC et le FSS-R ont été traduits et adaptés par notre équipe de recherche (Turgeon, 1998a, 1998b ; Turgeon, Marchand et Brousseau, 1998), alors que le MASC a été traduit à l'Hôpital Sainte-Justine (Leroux et Robaey, 1999). Des travaux sont actuellement en cours afin de valider ces instruments auprès d'un échantillon d'enfants québécois âgés entre 9 et 12 ans. Les données préliminaires révèlent que les qualités psychométriques de ces outils sont semblables à celles des versions originales.

D'autres instruments servent à évaluer des éléments associés à des troubles d'anxiété spécifiques. Par exemple, le Social Phobia Anxiety Inventory for Children (SPAI-C : Turner, Beidel, Dancu et Stanley, 1989) et le Social Anxiety Scale for Children (SASC : LaGreca, Dandes, Wick, Shaw et Stone, 1988) évaluent l'anxiété sociale ; le Children's Yale-Brown Obsessive-Compulsive Scale (CYBOCS : Riddle *et al.*, 1992) et le Leyton Obsessional Inventory-Child Version (LOI-CV : Berg, Whitaker, Davies, Flament et Rapoport, 1988) permettent d'évaluer l'intensité des symptômes obsessionnels-compulsifs et, enfin, le Stress Reaction Index (SRI : Pynoos, Nader et March, 1990) mesure les réactions post-traumatiques chez les enfants et les adolescents.

Étant donné la comorbidité élevée entre les troubles d'anxiété et d'autres troubles, l'utilisation de questionnaires évaluant les troubles dépressifs et les troubles externalisés est cruciale, tant en contexte clinique (pour déterminer le problème principal et la cible du traitement) qu'en recherche (pour évaluer l'impact d'un trouble comorbide sur l'efficacité d'une intervention par exemple). Pour mesurer les symptômes dépressifs chez les enfants, le Children's Depression Inventory (CDI : Kovacs et Beck, 1977) est le questionnaire le plus souvent employé, alors que pour les troubles dits externalisés, le Conners (Parent ou Teacher) Rating Scales (Goyette, Conners et Ulrich, 1978) et le Child Behavior Checklist (CBCL : Achenbach et Edelbrok, 1983) sont indiqués.

Autres mesures

Le test d'approche comportemental permet d'observer directement les comportements d'approche et/ou d'évitement à l'égard d'un objet ou d'une situation anxiogène. Parfois employée en contexte de recherche, cette mesure demeure plus rare en clinique compte tenu des coûts et du temps requis. D'autres mesures de type observationnel sont disponibles (Barrios et Hartmann, 1997), mais peu utilisées pour les mêmes raisons. Les mesures physiologiques ou neurophysiologiques (rythme cardiaque, pression artérielle, activité électrodermale, niveau de cortisol et de catécholamines dans l'urine, le sang ou la salive, etc.) peuvent aussi constituer des indicateurs du niveau d'anxiété. Cependant, elles sont plus employées en recherche, clinique ou fondamentale, qu'en contexte d'intervention.

VIGNETTE CLINIQUE

Amélie a 11 ans. Elle vit avec sa mère, ses deux frères aînés et sa sœur jumelle. Sa mère vient en consultation parce qu'Amélie, selon elle, a peur de tout. Amélie manifeste une peur importante à l'égard de plusieurs objets et situations, dont les araignées, les gros chiens, les chats errants, les ponts, les tunnels, les endroits élevés, la noirceur, le sang et les injections. Elle est également très préoccupée par ses performances scolaires et sportives, de même que par les difficultés financières de sa famille. Elle a aussi eu deux attaques de panique au cours des derniers mois. Cependant, la plus grande crainte d'Amélie a trait aux orages ; cette crainte est si intense que dès qu'on annonce de la pluie à la météo, Amélie refuse de sortir de la maison et se réfugie sous son lit en larmes. Amélie et sa mère ont de la difficulté à préciser le moment où cette phobie des orages est apparue, mais l'enfant se souvient avoir eu très peur en lisant un article abordant les risques associés aux orages. Amélie est par ailleurs décrite par sa mère comme une enfant « nerveuse » et timide depuis sa naissance, tout comme sa sœur jumelle. L'évaluation clinique, les entrevues diagnostiques et les divers questionnaires passés permettent de confirmer le diagnostic de phobie spécifique chez Amélie. Le plan d'intervention inclut des techniques béhaviorales-cognitives comme l'entraînement à la respiration, l'entraînement à la relaxation, la désensibilisation systématique et la restructuration cognitive. La mère participe activement à chaque rencontre en tant que co-thérapeute. À la suite de l'intervention, la phobie des orages d'Amélie s'est complètement résorbée.

PRÉVALENCE

Les troubles d'anxiété constituent la forme la plus commune de détresse psychologique chez les enfants et les adolescents, affectant entre 10 % et 20 % d'entre eux (Barrett, Dadds et Rapee, 1996a). Des études épidémiologiques réalisées dans divers pays occidentaux révèlent que l'anxiété généralisée, l'anxiété de séparation et la phobie spécifique sont les troubles les plus fréquents, avec des prévalences respectives variant entre 5 % et 10 %, alors que la phobie sociale, le trouble panique et le trouble obsessionnel-compulsif seraient plus rares, avec des prévalences inférieures à 2 % (Costello et Angold, 1995). Au Québec, l'enquête sur la santé mentale des jeunes de 6 à 14 ans réalisée en 1992 a également montré une prévalence élevée de troubles anxieux chez les jeunes (Valla *et al.*, 1994).

Un point qu'il importe de souligner concerne la comorbidité élevée entre les divers troubles anxieux. Par exemple, une étude de Last, Perrin et Hersen (1992) révèle que 40 % des enfants présentant une phobie simple (ancienne appellation pour la phobie spécifique) ont aussi un trouble d'anxiété de séparation, alors que le tiers d'entre eux ont une phobie sociale. Par ailleurs, les troubles anxieux sont souvent associés à d'autres difficultés d'adaptation chez les jeunes, par exemple un trouble dépressif, présent chez une proportion de jeunes variant entre 1 % à 69 % (Curry et Bennet Murphy, 1995). Les troubles d'anxiété sont aussi fortement associés aux troubles de comportement. Par exemple, entre 17 % et 22 % des jeunes présentant un trouble anxieux répondraient aussi aux critères diagnostiques de déficit d'attention avec hyperactivité ; à l'inverse, 8 % à 50 % des enfants ayant ce déficit présenteraient un trouble anxieux. En ce qui concerne le trouble des conduites, les taux de comorbidité sont typiquement de 20 % à 40 %, mais ils peuvent parfois atteindre 66 %. Enfin, il existerait un lien entre l'abus de substances et les troubles d'anxiété, particulièrement à l'adolescence. Dans une étude de Neighbors, Kempton et Forehand (1992) réalisée auprès de 111 adolescents délinquants, 22 % des consommateurs d'alcool et de marijuana, de même que 38 % des polytoxicomanes, répondaient aux critères diagnostiques de trouble anxieux. Les écarts importants observés d'une étude à l'autre sont attribuables aux différences dans le type d'étude (épidémiologique ou clinique), les mesures employées, l'âge des enfants, etc. Malgré ces écarts dans les résultats, il demeure que la comorbidité est un élément crucial à considérer dans l'évaluation d'enfants et d'adolescents présentant un trouble anxieux, afin de guider les décisions quant à l'intervention la plus appropriée, autant en contexte clinique qu'en recherche-intervention.

Les troubles d'anxiété durant l'enfance et l'adolescence sont aussi susceptibles d'entraver le fonctionnement de l'enfant au plan interpersonnel ou scolaire (Brady et Kendall, 1992). Les troubles anxieux durant l'enfance nécessitent donc une intervention précoce. La manifestation de ces troubles étant toutefois moins apparente et moins dérangeante que celle des troubles externalisés, ils sont longtemps passés inaperçus, tant chez les chercheurs que chez les cliniciens.

ÉTIOLOGIE (FACTEURS DE RISQUE)

Les facteurs biologiques, familiaux et/ou environnementaux qui font que certains enfants sont plus à risque de développer des troubles anxieux sont encore peu connus. Cependant, quelques facteurs ont été identifiés, dont l'inhibition comportementale, mise en lumière notamment par les travaux de l'équipe de Kagan (Biederman *et al.*, 1993 ; Biederman, Rosenbaum, Chalof et Kagan, 1995 ; Hirshfeld *et al.*, 1992 ; Kagan, Reznick, Clarke, Snidman et Garcia-Coll, 1984). Selon leurs études longitudinales, les enfants présentant un tempérament caractérisé par une inhibition comportementale à la nouveauté, une peur intense dans des situations nouvelles, de la gêne et de l'évitement ressentent plus d'insécurité en vieillissant, en comparaison des enfants ne présentant pas ce type de tempérament. Par ailleurs, chez les enfants qui sont inhibés entre l'âge de 4 et 8 ans, on trouve une plus grande incidence de problèmes d'anxiété à l'âge de 8 ans. Caspi, Henry, McGee, Moffitt et Silva (1995) ont aussi examiné le lien entre des traits de tempérament précoces et le développement de troubles anxieux auprès de 800 enfants, sur une période de 12 ans. Leurs résultats indiquent que les enfants plus confiants en eux et plus portés à explorer leur environnement à 5 ans étaient moins susceptibles de manifester de l'anxiété durant l'enfance ou l'adolescence.

Les travaux de Kagan et ses collaborateurs montrent également que les jeunes enfants inhibés au plan comportemental présentent un niveau plus élevé de catécholamines dans leur urine comparativement à des enfants non inhibés (Kagan, Reznick et Snidman, 1987, 1988), mettant en relief le rôle du système noradrénergique et/ou de la dopamine dans le développement de l'anxiété. D'autres travaux ont par ailleurs permis de trouver un niveau élevé de cortisol dans l'urine ou la salive de ces enfants (McBurnett, Lahey et Frick, 1991), révélant le rôle de structures cérébrales telles que l'hypothalamus et la glande pituitaire dans le contrôle de l'anxiété. Ces études ne permettent toutefois pas de déterminer si ces particularités neurobiologiques sont une cause ou une conséquence du niveau élevé d'anxiété.

Plusieurs études épidémiologiques indiquent une plus grande prévalence de troubles anxieux chez les femmes : celles-ci auraient un risque entre 1,5 et 3 fois plus élevé de présenter un trouble anxieux comparativement aux hommes (Kessler, McGonagle et Zhao, 1994). La différence serait particulièrement marquée en ce qui a trait aux phobies spécifiques, où elles représenteraient jusqu'à 90 % des cas recensés (APA, 1994). Chez les enfants, les études confirment que les filles présentent plus de troubles anxieux ; ici aussi, la différence est plus apparente pour certaines catégories diagnostiques, par exemple la phobie spécifique (Costello et Angold, 1995).

La psychopathologie des parents constitue un autre facteur de risque mentionné dans la littérature. Plusieurs études montrent en effet que les enfants ayant des parents anxieux ou dépressifs, comparativement à des enfants dont les parents ne présentent aucun trouble de santé mentale, courent un risque important d'éprouver un problème d'anxiété (Beidel et Turner, 1997 ; Capps, Sigman, Sena, Henker et Whalen, 1996 ; Weissman, Warner, Wickramaratne, Moreau et Olfson, 1997). Il est possible que cette concordance entre la psychopathologie des parents et celle des enfants soit liée à une transmission génétique, mais il se peut aussi que la psychopathologie des parents soit associée à des pratiques parentales particulières qui, en retour, augmentent le risque d'anxiété chez l'enfant.

Parmi les pratiques parentales qui ont été les plus étudiées en lien avec le développement de l'anxiété, on trouve la surprotection parentale. Quelques études rétrospectives indiquent que les adultes anxieux, en comparaison des adultes non anxieux, se souviennent de leurs parents comme étant surprotecteurs (Rapee, 1997). D'autres études ont porté sur une observation directe des interactions parent-enfant afin de dégager des comportements et des attitudes spécifiques pouvant favoriser l'anxiété chez l'enfant. Par exemple, Kagan, Snidman, Arcus et Reznick (1994) ont comparé des interactions de jeunes enfants inhibés et non inhibés avec leur mère. Une des mesures consistait à évaluer le temps passé par la mère à prendre l'enfant dans ses bras alors qu'il n'avait pas besoin d'aide, indice de surprotection selon les auteurs. Les résultats révèlent que, chez les enfants inhibés, cette mesure de surprotection maternelle constitue un bon prédicteur du degré de peur manifesté quelques mois plus tard. Ces résultats laissent voir un effet d'interaction entre la surprotection maternelle et le tempérament de l'enfant dans le développement de l'anxiété. Barrett, Rapee, Dadds et Ryan (1996b) ont comparé les interactions parent-enfant chez 73 jeunes de 7 et 14 ans ayant un problème d'anxiété, un trouble d'opposition ou ne manifestant aucun problème. La tâche d'interaction consistait à discuter de situations ambiguës. Selon les résultats, les parents d'enfants anxieux, comparativement aux parents des deux autres groupes, ont plus tendance à leur proposer des stratégies d'évitement et les enfants anxieux ont eux-mêmes plus tendance à choisir l'évitement après l'interaction avec leurs parents. Les parents d'enfants anxieux ont également des attentes négatives de la capacité de leurs enfants à faire face à des situations ambiguës. Cette vision négative peut renforcer et maintenir l'anxiété initiale chez l'enfant par différents mécanismes : il est possible qu'en anticipant que l'enfant sera très anxieux en accomplissant la tâche, ils tentent de rassurer l'enfant, confirmant ainsi la présence d'une menace chez ce dernier. Il se peut aussi que les parents, convaincus que l'enfant ne parviendra pas à surmonter la tâche, prennent en quelque sorte la situation en main, privant ainsi l'enfant d'une occasion de faire face seul à une situation anxiogène. Ces mécanismes possibles d'action n'ont cependant pas été analysés.

En résumé, les études présentées ci-dessus soutiennent l'affirmation selon laquelle il existe un lien entre certaines pratiques parentales et l'anxiété manifestée par l'enfant. Ainsi, les interactions parent-enfant seraient caractérisées par un contrôle exagéré des comportements de l'enfant, un biais attentionnel à l'égard de conséquences négatives, le renforcement de comportements d'évitement et le manque de renforcement de comportement de bravoure. Ces pratiques parentales seraient plus présentes chez les parents de filles anxieuses. Par exemple, Krohne et Hock (1991) ont observé les interactions de 47 enfants anxieux âgés entre 10 et 13 ans avec leur mère alors qu'ils effectuaient une tâche cognitive complexe. Selon leurs résultats, les mères de filles anxieuses sont plus contrôlantes que les mères de filles non anxieuses. Cependant, un tel effet n'est pas rapporté chez les garçons. Ce dernier résultat est très intéressant dans la mesure où il laisse penser que les pratiques parentales peuvent jouer un rôle dans le fait que les peurs sont plus présentes chez les filles que chez les garçons, comme relevé précédemment. D'autres études indiquent cependant que certaines variables liées à l'interaction mère-enfant constituent de meilleurs prédicteurs du développement de troubles internalisés (p. ex., l'anxiété) à l'âge scolaire chez les garçons que chez les filles (Bowen, Vitaro, Kerr et Pelletier, 1995). En somme, bien que la plupart des études montrent que les patrons développementaux varient selon le sexe de l'enfant, les variables prédictives de l'anxiété sont encore mal connues.

Quelques études démontrent l'existence d'une interaction entre les facteurs de risque individuels et familiaux. Par exemple, il est possible qu'un tempérament inhibé chez l'enfant, combiné à des traits de personnalité spécifiques chez le parent, interagissent pour produire un style parental rejetant ou contrôlant. Cela peut augmenter la probabilité de psychopathologie chez l'enfant, qui, en retour, va entraîner plus de rejet et de contrôle de la part du parent. Manassis et Bradley (1994) proposent que les enfants qui sont vulnérables à l'anxiété au plan biologique et qui sont exposés à des pratiques parentales ou à d'autres réponses de l'environnement qui encouragent l'anxiété (ou encore découragent les comportements d'approche) ont plus de difficulté à faire face à l'anxiété que des enfants qui rencontrent un seul de ces facteurs. En testant un tel modèle d'interaction, Manassis et Hood (1998) montrent que les enfants anxieux qui manifestent aussi des troubles de comportement sont ceux qui éprouvent le plus de difficultés d'adaptation. En retour, les enfants qui ont connu des difficultés développementales sont ceux qui ont le plus de troubles de comportement.

Certaines études indiquent par ailleurs que les facteurs de risque varient selon la nature du trouble anxieux. Par exemple, l'anxiété de séparation serait associée à un niveau socioéconomique peu élevé et à la monoparentalité, alors que le trouble hyperanxieux serait plus lié à un statut socioéconomique élevé, à des difficultés éprouvées durant la grossesse et à une histoire psychiatrique chez les parents (Last, Perrin, Hersen et Kazdin, 1992). Peu d'études ont examiné les facteurs de risque selon le problème spécifique. Pourtant, des telles études permettraient un avancement important de nos connaissances, tant au plan théorique, en nous permettant de raffiner nos modèles étiologiques, qu'au plan de l'intervention, puisqu'elles pourraient servir à concevoir des programmes beaucoup mieux ciblés.

Enfin, si un certain nombre de travaux ont examiné le rôle de variables individuelles (p. ex, le tempérament de l'enfant) ou familiales (p. ex., la surprotection parentale), peu d'études se sont attardées jusqu'à maintenant au rôle des pairs dans le développement et/ou le maintien des problèmes d'anxiété à l'enfance ou à l'adolescence. Strauss et ses collègues (Strauss, Lahey, Frick, Frame et Hynd, 1988) rapportent que les enfants ayant un trouble anxieux ont plus tendance à être négligés par leurs pairs, comparativement à des enfants présentant d'autres problèmes comme l'hyperactivité, qui seraient plus rejetés. Un autre résultat fréquent concerne le fait que les enfants et les adolescents anxieux socialement ont plus de difficulté à établir et à conserver des relations d'amitié (Rubin, LeMare et Lollis, 1990). En retour, les pairs ont tendance à évaluer les enfants anxieux ou inhibés comme moins compétents socialement, moins sûrs d'eux et moins en mesure de jouer un rôle de leader (Rubin, Chen et Hymel, 1993). Ces résultats incitent à porter une attention accrue aux mécanismes par lesquels les pairs contribuent au développement et au maintien de l'anxiété chez les jeunes et de les inclure éventuellement dans les programmes d'intervention précoce. Ces données encouragent également à favoriser davantage le développement de compétences sociales chez les enfants inhibés ou anxieux socialement, afin de leur permettre de développer des relations d'amitié plus valorisantes, plus intenses et plus durables.

DÉVELOPPEMENT

Si certaines peurs (peur des étrangers, du noir ou des monstres, etc.) disparaissent le plus souvent par elles-mêmes chez le jeune enfant, les problèmes d'anxiété plus graves se résorbent rarement d'eux-mêmes. Dans la plupart des cas, l'anxiété va s'accroître au fil des ans, pour se transformer en un trouble chronique et plus grave à l'adolescence et à l'âge adulte (Cantwell et Baker, 1989). Plusieurs recherches révèlent en effet la présence d'un lien entre les troubles anxieux chez les enfants et les troubles anxieux à l'âge adulte. Des études rétrospectives établissent une relation entre les troubles d'anxiété de l'enfance et la psychopathologie anxieuse subséquente (Battaglia *et al.*, 1995 ; Otto, Pollack, Rosenbaum, Sachs et Asher, 1994 ; Silove, Manicavasagar, O'Connell et Blaszczynski, 1993). Plus spécifiquement, il semble que l'anxiété de séparation soit un précurseur important de problèmes d'anxiété généralisée et du trouble panique à l'âge adulte. Cependant, une telle conclusion doit être présentée avec prudence, puisque les études rétrospectives, basées sur les souvenirs des individus à l'âge adulte, ne permettent pas d'évaluer jusqu'à quel point ces derniers peuvent avoir tendance à surestimer ou, au contraire, à sous-estimer leurs difficultés passées (Pollock, Rosenbaum, Marrs, Miller et Biederman,1995).

MODÈLES THÉORIQUES EXPLICATIFS

À l'heure actuelle, il n'existe pas de modèle théorique explicatif du développement de la peur et de l'anxiété chez l'enfant qui parvienne à incorporer les influences génétiques, familiales et dispositionnelles. Parmi les premiers modèles explicatifs proposés dans la littérature, on trouve le conditionnement classique, présenté à l'origine par Watson et Morgan (1917), de même que la théorie des deux facteurs de Mowrer (1939), qui fait appel aux conditionnements classique et instrumental. Ces deux modèles ont fait l'objet de maintes critiques au cours des ans, notamment parce qu'ils expliquent difficilement l'acquisition de peurs sans exposition directe à une situation anxiogène ou traumatisante (Bandura, 1969 ; Rachman, 1976 ; Seligman et Johnson, 1973). Des modèles théoriques faisant appel au modelage et à l'instruction verbale comme mode de transmission des peurs ont par la suite été élaborés (Rachman, 1990). Plus récemment, les modèles cognitifs se sont imposés. Par exemple, selon Bandura (1982), les réactions de peur sont médiatisées par un construit cognitif central appelé auto-efficacité, qui repose sur la conviction d'être en mesure d'interagir de façon adaptée avec l'objet générateur de peur.

Barlow (1988) propose, quant à lui, un modèle théorique dit intégré, qui est souvent évoqué dans la littérature. Selon lui, l'anxiété provient de l'interaction entre trois principales forces : 1) les vulnérabilités biologiques, qui prédisposent l'individu à avoir une plus grande sensibilité et une plus grande réactivité à des situations nouvelles ou stressantes, 2) les événements de vie négatifs, pouvant être vécus de façon directe ou vicariante et 3) les vulnérabilités psychologiques, incluant un sens limité de contrôle personnel et une propension marquée à percevoir les événements de façon catastrophique.

DESCRIPTION DES PROGRAMMES DE PRÉVENTION

La recherche sur l'intervention auprès d'enfants présentant des troubles d'anxiété est encore rare lorsqu'on la compare aux découvertes dans le domaine des troubles externalisés, en particulier le trouble d'attention avec hyperactivité. Étonnamment, il existe très peu d'études contrôlées examinant l'efficacité de la psychothérapie dans le traitement des troubles anxieux autres que les phobies spécifiques (Barrios et O'Dell, 1998 ; Ollendick et King, 1998). Pourtant, les phobies spécifiques ne constituent presque jamais un motif de consultation, tant chez les jeunes que chez les adultes, car elles affectent moins le fonctionnement quotidien que des troubles comme l'anxiété de séparation ou l'hyperanxiété.

Néanmoins, plusieurs études de cas réalisées auprès d'enfants présentant un trouble hyperanxieux ou une anxiété de séparation montrent l'efficacité de la thérapie béhaviorale-cognitive dans le traitement de ces problèmes (Eisen et Silverman, 1993 ; Hagopian, Weist et Ollendick, 1990 ; Kane et Kendall, 1989 ; Ollendick, 1995). La thérapie béhaviorale-cognitive vise à aider le jeune à reconnaître les émotions et les réactions somatiques liées à l'anxiété, à identifier le rôle des cognitions (particulièrement des attributions ou des attentes négatives ou irréalistes), à élaborer un plan d'action pour apprendre à faire face aux situations anxiogènes et, enfin, à évaluer le succès de ce plan et à se récompenser pour ses efforts. Le plan d'action peut inclure des techniques comme l'entraînement à la respiration, la relaxation, l'exposition (*in vivo* ou en imagination), le modelage, le jeu de rôles, la restructuration cognitive et l'entraînement à la résolution de problèmes. Le traitement béhavioral-cognitif de l'anxiété chez les enfants et les adolescents s'inspire en grande partie de techniques qui se sont révélées efficaces auprès des adultes (Barlow, 1988).

Quatre études expérimentales ont examiné l'efficacité d'une intervention béhaviorale-cognitive auprès d'enfants présentant un trouble anxieux. Kendall (1994) a réparti au hasard 47 jeunes âgés entre 9 et 13 ans souffrant de trouble hyperanxieux, d'anxiété de séparation ou de trouble d'évitement soit dans un groupe de traitement ($n = 27$) ou dans un groupe de contrôle avec liste d'attente ($n = 20$). Le traitement, décrit dans un manuel (*Coping Cat Workbook*, Kendall, Kane, Howard et Siqueland, 1990), consiste en 16 sessions individuelles avec l'enfant ; il inclut des techniques comme la relaxation, l'exposition, le modelage et la gestion des contingences. L'intégrité du traitement est vérifiée en sélectionnant au hasard une portion des enregistrements audio et en notant, à l'aide d'une grille, si les éléments prévus dans cette session sont abordés comme cela est prévu dans le manuel. Les mesures au pré-test et au post-test comprennent, entre autres, l'Anxiety Disorders Interview Schedule for Children, le Revised Manifest Anxiety Scale, le State-Trait Anxiety Inventory for Children, le Fear Survey Schedule et le Child Behavior Checklist. Les résultats indiquent que les enfants ayant pris part à l'intervention, comparativement aux enfants inscrits sur la liste d'attente, affichent une plus grande diminution de leur anxiété. Le changement le plus dramatique a trait au pourcentage d'enfants ne répondant plus aux critères diagnostiques de trouble anxieux à la fin du traitement, soit 64 % chez les enfants traités et seulement 5 % chez les enfants placés en liste d'attente. Les effets de l'intervention se maintiennent par ailleurs après un an, de même qu'entre deux et cinq ans plus tard (Kendall et Southam-Gerow, 1996).

Une étude ultérieure de Kendall et de ses collaborateurs (Kendall, Flannery-Schroeder, Panichelli-Mindel, Southam-Gerow, Henin et Warman, 1997), réalisée auprès de 94 jeunes âgés entre 9 et 13 ans présentant des troubles anxieux, permet de confirmer les résultats de la première recherche. Après l'intervention, 71 % des enfants du groupe expérimental ($n = 60$) ne répondent plus aux critères diagnostiques de trouble anxieux, comparativement à 6 % chez les enfants du groupe de contrôle ($n = 34$).

Un groupe de chercheurs australiens (Barrett, Dadds et Rapee, 1996a) a aussi examiné l'efficacité de la thérapie béhaviorale-cognitive dans le traitement des troubles anxieux chez les enfants, auprès de 79 jeunes âgés entre 7 et 14 ans atteints de trouble hyperanxieux, d'anxiété de séparation ou de phobie sociale. Ces jeunes ont été assignés au hasard soit à une intervention béhaviorale-cognitive de 12 semaines ($n = 28$), à une intervention béhaviorale-cognitive de 12 semaines, combinée à une intervention familiale ($n = 25$) ou encore à une liste d'attente de 12 semaines ($n = 26$). Les traitements sont décrits dans des manuels, dont le *Coping Koala Workbook* (Barrett, Dadds et Rapee, 1991), adaptation du *Coping Cat Workbook* de Kendall *et al.* (1990). L'intervention familiale vise, notamment, à enseigner aux parents des techniques pour renforcer les comportements de bravoure de leurs enfants, ainsi que des techniques de résolution de problèmes et de conflits afin d'améliorer la relation parent-enfant. Les mesures incluent entre autres l'Anxiety Disorders Interview Schedule for Children, le Revised Manifest Anxiety Scale, le Fear Survey Schedule et le Child Behavior Checklist. Leurs résultats indiquent qu'au post-test les deux premières formes d'intervention sont efficaces, puisque environ 60 % des enfants ne répondent plus aux critères diagnostiques de troubles anxieux. Cependant, à la relance un an après l'intervention, la thérapie incluant une intervention familiale se révèle plus efficace, puisque 95 % des enfants de ce groupe ne présentent plus de trouble anxieux, comparativement à 70 % chez les enfants ayant pris part au programme béhavioral-cognitif seulement.

Enfin, une étude récente de Silverman *et al.* (1999) confirme également l'efficacité d'un programme béhavioral-cognitif dans le traitement des troubles anxieux à l'enfance, auprès de 58 enfants âgés entre 6 et 16 ans souffrant de troubles anxieux selon les critères du DSM-III-R. Ils sont assignés au hasard soit à une intervention béhaviorale-cognitive de 10 semaines ou à une liste d'attente. Le traitement de groupe s'inspire des manuels de Kendall *et al.* (1990). Les mesures incluent notamment l'Anxiety Disorders Interview Schedule for Children, le Revised Manifest Anxiety Scale et le Fear Survey Schedule. Selon les résultats au post-test, 64 % des enfants traités ne répondent plus aux critères diagnostiques de troubles anxieux, comparativement à seulement 13 % des enfants placés en liste d'attente. Des relances effectuées 3 mois, 6 mois et 12 mois après la fin de l'intervention montrent que les progrès se poursuivent.

En résumé, ces quatre études révèlent que les troubles d'anxiété chez des jeunes peuvent être traités efficacement par une intervention de nature béhaviorale-cognitive, particulièrement lorsqu'elle est combinée à une intervention familiale. Ce résultat est concordant avec les études soulignant le rôle de la famille (particulièrement des parents) dans les comportements d'évitement des enfants (Barrett *et al.*, 1996b). Plusieurs questions demeurent cependant en suspens, notamment en ce qui concerne les processus thérapeutiques et les variables individuelles, familiales ou contextuelles qui jouent un rôle médiateur ou modérateur dans l'efficacité de l'intervention.

Jusqu'à présent, les interventions présentées sont de nature clinique, puisqu'elles s'adressent à des enfants qui manifestent déjà un trouble anxieux. Des programmes axés sur une approche préventive, au sens d'une intervention qui vise à prévenir l'apparition de troubles anxieux, ont l'avantage de diminuer le risque que les enfants ne développent ces problèmes et ne vivent toute la détresse qui leur est associée. Bien que plusieurs auteurs aient discuté de l'immense potentiel de ces programmes (King, Hamilton et Murphy, 1983 ; Spence, 1994), à notre connaisssance, un seul ayant fait l'objet d'une publication inclut une telle composante préventive : il s'agit du Queensland Early Intervention and Prevention of Anxiety Project (QEIPAP ; Dadds, Spence, Holland, Barrett et Laurens, 1997). Selon les auteurs, le QEIPAP combine une approche préventive et une approche d'intervention précoce, ciblant deux catégories d'enfants dits à risque : 1) des enfants qui présentent des symptômes d'anxiété, sans toutefois répondre aux critères diagnostiques d'un trouble anxieux et 2) des enfants qui répondent aux critères diagnostiques de troubles anxieux, mais dont le trouble n'est pas considéré grave. L'objectif du programme est de prévenir l'apparition de troubles anxieux dans le premier groupe et de prévenir l'aggravation du problème dans le second groupe. Le QEIPAP est un programme de type ciblé indiqué, puisqu'il vise des enfants à risque de développer des troubles anxieux plus graves.

Les enfants sont d'abord dépistés par l'entremise des écoles, à partir d'une cohorte de 1786 enfants âgés entre 7 et 14 ans. Les critères pour participer à la suite du projet sont : 1) avoir un score de 20 ou plus à l'Échelle d'anxiété du Revised Children's Manifest Anxiety Scale (Reynolds et Richmond, 1978) ; 2) faire partie de la liste des trois enfants les plus anxieux de la classe, établie par l'enseignante ; 3) ne pas faire partie de la liste d'enfants présentant des troubles de comportement (hyperactivité, impulsivité, agressivité, etc.), selon le rapport de l'enseignante ; 4) ne pas faire partie de la liste d'enfants considérés non admissibles, en raison de la langue parlée à la maison, de problèmes de développement ou de troubles d'apprentissage. Par la suite, les parents des enfants admissibles sont contactés par téléphone et, s'ils acceptent, remplissent l'Anxiety Disorders Interview Schedule for Children (Silverman et Albano, 1996). Après cette étape, les enfants qui présentent un trouble anxieux mais dont la gravité ne dépasse pas 5 à l'échelle de gravité sont retenus, de même que les enfants ayant des symptômes d'anxiété mais ne répondant pas aux critères diagnostiques de trouble anxieux. L'échantillon final comprend 128 enfants, répartis au hasard entre le groupe d'intervention et le groupe de contrôle.

Le programme comprend 10 rencontres hebdomadaires d'une à deux heures, en groupe. Les groupes se réunissent à l'école et comprennent chacun entre 5 et 12 jeunes. Le contenu du programme s'inspire du *Coping Koala Workbook* (Barrett *et al.*, 1991). L'intervention consiste à enseigner aux enfants des stratégies pour faire face à l'anxiété et inclut des techniques comportementales (p. ex., : exposition graduée aux situations anxiogènes), cognitives (p. ex. : auto-instructions positives) et physiologiques (p. ex. : relaxation). Les animateurs des groupes sont des psychologues cliniciens entraînés au programme, assistés d'étudiants de 2e ou 3e cycle en psychologie qui agissent comme co-thérapeutes. Afin de s'assurer de l'intégrité du traitement, des rencontres ont lieu une fois par semaine pour discuter du contenu présenté et des difficultés ayant pu survenir. Des sessions avec les parents sont réalisées à la 3e, à la 6e et à la 9e semaine du programme. La session 1 porte sur les habiletés à développer pour aider l'enfant à transiger avec l'anxiété, à la session 2, on présente le contenu du programme suivi par les enfants et, enfin, à la session 3, on explique aux parents comment ils peuvent utiliser les mêmes stratégies pour faire face à leur propre anxiété.

Immédiatement après l'intervention, de même que six mois plus tard, les enfants remplissent à nouveau le RCMAS, alors que les parents répondent au Child Behavior Checklist et à une version abrégée de l'ADIS, par téléphone. Lors de l'entrevue téléphonique, on demande aussi aux parents d'évaluer les changements survenus sur six dimensions : fonctionnement général de l'enfant, anxiété générale, comportements d'évitement, problèmes de fonctionnement que l'anxiété de l'enfant entraîne dans la famille, perception des parents quant à leur capacité à faire face aux problèmes de l'enfant et changements de l'enfant quant à sa capacité à faire face à des situations auparavant anxiogènes.

Les résultats indiquent que le programme est efficace, puisque les enfants y ayant pris part affichent une diminution plus importante de leur anxiété comparativement aux enfants du groupe de contrôle, tant aux questionnaires qu'aux entrevues (Dadds *et al.*, 1997). Toutefois, la différence entre les groupes n'apparaît que six mois après le traitement. Par exemple, 54 % des enfants ayant des symptômes d'anxiété sans répondre aux critères diagnostiques au prétest ont maintenant un trouble à la relance six mois s'ils n'ont pas participé à l'intervention, comparativement à 16 % chez les enfants y ayant pris part. Concernant l'absence de différence entre les enfants du groupe expérimental et du groupe de contrôle immédiatement après l'intervention, Dadds *et al.* invoquent le fait que le post-test a eu lieu durant l'été, moment où les enfants sont généralement plus détendus, moins susceptibles d'être séparés de leur figure d'attachement et n'ont pas à faire face aux situations sociales et aux défis quotidiens de l'école, comme les examens ou les présentations orales.

Globalement, ces résultats montrent que l'intervention est efficace pour réduire les problèmes chez des enfants présentant un trouble d'anxiété faible à modéré et pour prévenir l'apparition de troubles d'anxiété chez des enfants qui présentent des symptômes d'anxiété. Des relances réalisées après un an et deux ans révèlent encore des différences entre les enfants ayant pris part à l'intervention ou non, confirmant le maintien à moyen terme des acquis (Dadds *et al.*, 1999). Cependant, comme le font remarquer les auteurs, il convient d'être prudents dans la généralisation des résultats de cette étude, puisque l'échantillon final qui bénéficie de l'intervention ne représente qu'environ la moitié des enfants éprouvant un trouble anxieux. Par ailleurs, les enfants présentant un trouble externalisé sont exclus de l'échantillon, ce qui limite aussi la portée des résultats, compte tenu de la comorbidité élevée entre les troubles anxieux et les troubles externalisés.

Au Québec, aucune intervention précoce auprès d'enfants présentant des symptômes d'anxiété ou des facteurs de risque n'a encore fait l'objet d'une publication, mais quelques programmes sont actuellement en évaluation. Par exemple, notre équipe de recherche évalue depuis 1998 l'efficacité d'une intervention précoce auprès de jeunes âgés entre 9 et 12 ans (Turgeon, Marchand et Vitaro, 1998). Le programme est ciblé et indiqué, puisqu'il s'adresse à des jeunes qui manifestent déjà des symptômes d'anxiété.

Les enfants sont d'abord dépistés par l'entremise de 38 écoles montréalaises, à partir d'une cohorte de 2698 enfants âgés entre 9 et 12 ans ; les enfants sont sélectionnés à partir de l'Échelle d'anxiété manifeste (score de 18 et plus). Par la suite, une assistante contacte les parents des enfants admissibles pour vérifier certains critères d'exclusion (troubles d'apprentissage, retard intellectuel, troubles externalisés, langue maternelle autre que le français, etc.) et pour leur demander de prendre part à une entrevue à domicile. Durant cette rencontre, les parents et le jeune participent à une entrevue (le DISC) et remplissent une batterie de questionnaires auto-administrés servant à évaluer les pratiques parentales, la psychopathologie des parents, l'anxiété des jeunes, etc. À la suite du DISC, tous les jeunes qui manifestent des symptômes d'anxiété sont retenus, que ces troubles répondent ou non aux critères diagnostiques. L'échantillon comprend, jusqu'à maintenant, 72 familles, répartis au hasard entre le groupe d'intervention ($n = 41$) et le groupe de contrôle ($n = 31$).

Le programme « Super l'Écureuil » comprend 10 rencontres hebdomadaires de deux heures, en groupe de cinq à huit familles ; les groupes sont réunis à l'extérieur des écoles, au Centre de recherche Fernand-Seguin. Le contenu du programme s'inspire du *Coping Cat Workbook* (Kendall *et al.*, 1990), du *Coping Koala Workbook* (Barrett *et al.*, 1991), mais surtout des manuels de traitement de Rapee (Hudson, Schniering et Rapee, 1998 ; Rapee, Spence, Coblam et Wignell, 2000 ; Rapee, Wignall, Hudson et Schniering, 2000). Les 10 rencontres sont présentées en détail dans des manuels à l'intention des animatrices, des enfants et des parents (Turgeon et Brousseau, 1999). L'intervention consiste à enseigner aux enfants diverses stratégies pour faire face à l'anxiété (exposition graduée, restructuration cognitive, entraînement à la relaxation, à la respiration et à la résolution de problèmes). Les animatrices des groupes sont des psychologues cliniciennes entraînées au programme, assistées d'étudiantes de 2ᵉ ou 3ᵉ cycle en psychologie qui agissent à titre de co-thérapeutes. Afin de s'assurer de l'intégrité du traitement, les rencontres sont enregistrées et visionnées pour vérifier si le contenu présenté correspond aux consignes des manuels. Des rencontres hebdomadaires sont également prévues afin de discuter du fonctionnement des groupes et des problèmes éventuels.

L'originalité du programme « Super l'Écureuil » réside dans la participation active des parents. En effet, les parents participent à 10 rencontres qui ont lieu en même temps que les rencontres avec les jeunes. Les parents et les jeunes sont souvent appelés à travailler en équipe, par exemple pour établir la hiérarchie d'exposition graduée. Dans notre programme, le rôle des parents est celui de co-thérapeute qui aide son jeune à faire face à l'anxiété. On enseigne aussi aux parents des stratégies pour faire face à leur propre anxiété ; d'ailleurs, une partie des rencontres porte sur les pratiques parentales. Les résultats préliminaires auprès des 17 premières familles qui ont pris part aux ateliers indiquent qu'au post-test tant les parents que les jeunes rapportent que les parents sont moins surprotecteurs (Leblanc, Turgeon, Vitaro, Marchand et Brousseau, 2000). L'évaluation de l'impact du programme sur les symptômes d'anxiété des jeunes aura lieu, quant à elle, à la fin des rencontres de tous les groupes. Une relance après un an permettra par ailleurs de mesurer les effets à plus long terme du programme sur l'ensemble des variables observées.

Des chercheurs de l'Université du Québec à Hull ont également mis sur pied deux programmes de prévention de l'anxiété. Le premier s'adresse aux 8-12 ans et se nomme « Les Trucs de Dominique ». Ce programme s'articule autour des livres pour enfants de la série Dominique (Bouchard et Gervais, 2000). Les enfants lisent à la maison les livres de la série et, lors des 11 rencontres de groupe, participent aux ateliers de gestion du stress à partir des exemples tirés de chaque livre. Le programme est de type universel, puisqu'il s'adresse à tous les enfants d'une classe ou d'une école, sans sélectionner des jeunes qui manifestent des symptômes d'anxiété ou qui sont à risque. Le second programme, conçu pour les 13-18 ans, se nomme *Yo ! Pas de Panique* (*YoPP !*) ; il est aussi appliqué en groupe durant 11 rencontres. Contrairement au premier programme, qui est de type universel, celui-ci est ciblé, puisqu'il s'adresse à des adolescents à risque de développer un trouble anxieux, soit ceux qui ont au moins un parent présentant un trouble anxieux et qui présentent un tempérament inhibé. En plus d'aborder les mêmes éléments que le programme « Les trucs de Dominique », le programme YoPP met l'accent sur les neuf thèmes suivants : l'interprétation catastrophique des sensations physiques et des maladies, l'importance accordée à l'opinion des autres, le perfectionnisme, le sentiment exagéré de responsabilité, la tendance à ruminer, le développement de la neutralisation, l'intolérance envers l'incertitude, la croyance que s'inquiéter est utile et, enfin, la faible estime de soi.

Dans le cadre de ces deux programmes, les activités visent à aider les jeunes à acquérir des habiletés pour gérer l'anxiété, comme l'entraînement à la résolution de problèmes et la rééducation respiratoire. Le contenu des deux programmes s'articule autour de quatre points : la crainte de l'inconnu, la peur de perdre le contrôle, la difficulté à régler ses problèmes et la tendance à éviter les situations qui font peur. Les deux programmes font actuellement l'objet d'études pilotes afin de préciser certains éléments du contenu avant de tester leur efficacité auprès de plus grands groupes de jeunes.

Enfin, Ladouceur, Tremblay et Dugas (1999), de l'Université Laval, ont récemment évalué auprès d'adolescents l'efficacité d'un programme d'intervention universel visant la prévention des inquiétudes excessives, caractéristique principale du trouble d'anxiété généralisée (TAG). L'échantillon comprend 505 étudiants francophones (53 % de filles et 47 % de garçons), âgés entre 12 et 16 ans. Les participants, issus de trois écoles de la région de Québec, sont en deuxième (34,3 %) et troisième (65,7 %) année du secondaire. Le groupe expérimental est constitué de jeunes de deux écoles et le groupe de contrôle, de jeunes d'une troisième école. Les élèves du groupe expérimental prennent part à deux rencontres de 40 minutes, animées par une étudiante diplômée en psychologie. L'intervention vise à modifier les croyances erronées relatives aux inquiétudes et l'évitement cognitif. En premier lieu, l'intervenante définit la notion d'inquiétude. Par la suite, elle aborde certaines croyances erronées concernant les inquiétudes, en invitant les adolescents à réaliser des exercices en équipe. L'objectif de cet exercice est de développer un esprit critique par rapport au caractère supposément bénéfique de l'inquiétude et de faire prendre conscience aux jeunes que l'inquiétude est parfois inutile. Dans le cadre d'une deuxième rencontre, l'intervenante explique le mécanisme de l'évitement cognitif à l'aide de l'exercice de l'ours blanc tel que l'ont décrit Wegner, Schneider, Carter et White (1987). Elle demande aux jeunes de penser à n'importe quoi sauf à un ours blanc pendant une minute ; au bout de quelques secondes, les jeunes réalisent qu'ils ne pouvaient s'empêcher de penser à l'ours blanc. À l'aide de cet exemple, l'intervenante met en lumière qu'il est très difficile de chasser une pensée inquiétante, puisque plus on essaie de la supprimer, plus elle envahit notre esprit.

Les résultats du programme sont évalués en observant les changements à différentes mesures d'inquiétude et d'anxiété entre le prétest et la relance après deux mois. Si le programme n'a pas réussi à prévenir l'augmentation des inquiétudes, il a toutefois permis aux participants du groupe expérimental de diminuer significativement les symptômes somatiques associés à leurs inquiétudes.

CONCLUSION ET RECOMMANDATIONS

Il est difficile, compte tenu du peu d'études réalisées dans le domaine de la prévention des troubles anxieux chez les enfants et les adolescents, de tirer des conclusions claires et de dresser une liste exhaustive des conditions de succès de l'implantation d'un tel programme. Néanmoins, les résultats du Queensland Early Intervention and Prevention of Anxiety Project de Dadds *et al.* (1997), combinés aux études cliniques de Barrett *et al.* (1996a), de Kendall et ses collègues (Kendall, 1994 ; Kendall *et al.*, 1996, 1997) et de Silverman *et al.* (1999) peuvent servir à dégager certaines pistes. Notre programme d'intervention nous a aussi permis d'observer les défis particuliers que pose l'implantation d'un tel programme.

Les résultats de Barrett *et al.* (1996a) incitent à inclure les parents d'emblée dans tous les programmes d'intervention auprès d'enfants et d'adolescents présentant des problèmes d'anxieux. Il faut cependant être prudents avant de prendre cette décision, car les résultats de Barrett *et al.* montrent que l'effet bénéfique associé à la participation des parents varie selon l'âge et le sexe. Ainsi, si les enfants plus jeunes (7-10 ans) répondent mieux à une intervention combinée (béhaviorale-cognitive et familiale), on ne trouve pas de différence entre les conditions chez les enfants plus âgés (11-14 ans). Il est possible que le fait d'améliorer les pratiques parentales ait plus d'impact pour les enfants plus jeunes, alors que chez les jeunes adolescents, des techniques individuelles suffiraient à enrayer les troubles d'anxiété.

Les résultats de Barrett *et al.* (1996a) révèlent aussi que les filles semblent mieux répondre à un traitement combiné, alors que, chez les garçons, la participation des parents n'accroît pas l'efficacité de l'intervention. De tels résultats pourraient amener à former des groupes différents selon le sexe (ce que Kendall fait). Ces groupes offrent l'avantage de permettre aux garçons et aux filles de s'exprimer plus librement. Cependant, apprendre à interagir avec des jeunes du sexe opposé fait aussi partie, selon nous, des apprentissages importants que les enfants et les adolescents doivent faire, même si ces apprentissages sont parfois anxiogènes. Il convient toutefois d'éviter qu'un garçon ou une fille ne se retrouve seul avec quatre ou cinq enfants du sexe opposé, ce qui pourrait engendrer une anxiété considérable et réduire le sentiment d'appartenance.

Par ailleurs, la composition des groupes doit tenir compte de l'âge de l'enfant. Dans les programmes d'intervention réalisés en Australie et aux États-Unis, ainsi que dans notre programme, les enfants sont répartis, dans la mesure du possible, selon leur groupe d'âge (9-10 ans et 11-12 ans). Cette répartition favorise les échanges au sein des groupes, les différences développementales étant très marquées à l'âge scolaire.

Le nombre d'enfants par groupe est un autre élément de succès à considérer. Dans le cas d'un programme ciblé, avec une population d'enfants qui présente des symptômes d'anxiété, notre expérience confirme que le nombre idéal est de cinq ou six familles par groupe. Au-delà de ce nombre, le fonctionnement devient problématique, surtout si l'un des enfants manifeste une difficulté particulièrement importante. En ce sens, avec chaque groupe de cinq ou six enfants, nous avons recours à deux intervenantes, afin que l'une d'elles puisse gérer une situation plus problématique avec un enfant pendant que l'autre reste avec le groupe ; elles peuvent aussi assurer un soutien accru durant les activités individuelles et familiales. Cependant, un programme de prévention universel pourrait être réalisé avec plus d'enfants par groupe.

Dans la formation des groupes, il faut aussi tenir compte de la présence d'enfants qui présenteraient d'autres symptômes que ceux liés à l'anxiété. Nous suggérons de ne pas inclure des enfants présentant un trouble d'attention (particulièrement ceux où l'hyperactivité-impulsivité est dominante), un trouble d'opposition ou un trouble des conduites en comorbidité, en raison de certaines manifestations associées à ces troubles (inattention, distraction, propension à agacer les autres ou à chercher la bagarre, *etc.*) pouvant occasionner des difficultés de fonctionnement dans le groupe.

Un autre élément important a trait au nombre et à la durée des rencontres nécessaires pour obtenir des effets qui se maintiennent à long terme. Le programme de Barrett *et al.* (1996a) comprend 12 rencontres variant entre une heure et une heure et demie, celui de Kendall (1994), 16 rencontres d'environ une heure, et celui de Dadds *et al.*, 10 rencontres variant entre une et deux heures. Notre programme contient, pour sa part, 10 rencontres de deux heures. Les programmes disponibles jusqu'à maintenant se déroulent donc sur une période de temps assez comparable. Ici aussi, un programme universel plutôt que ciblé pourrait être réalisé en moins de rencontres, par exemple cinq ou six.

En ce qui concerne le lieu de rencontre, nous privilégions, dans le cadre d'un programme ciblé, un milieu extérieur à l'école pour éviter de stigmatiser les enfants et pour respecter la confidentialité. Toutefois, dans le cadre d'un programme universel, l'intervention pourrait très bien être réalisée à l'école, compte tenu qu'il s'agit d'un environnement privilégié pour rejoindre les jeunes.

Un élément important à considérer dans l'animation des groupes se rapporte au langage utilisé avec les enfants et les parents. Dadds *et al.* (1999) recommandent d'éviter d'employer des termes trop « cliniques », même dans le cas d'un programme ciblé, et de privilégier des expressions positives. Par exemple, on peut parler d'habiletés pour améliorer la qualité de vie ou pour affronter les peurs ou l'anxiété plutôt que d'habiletés pour régler les problèmes d'anxiété. Toutefois, il ne faut pas tomber dans l'excès en proscrivant l'utilisation de certains termes comme « anxiété », sans quoi les parents pourraient se sentir moins concernés par l'existence d'une anxiété plus élevée chez leur enfant que chez les autres jeunes.

Dadds *et al.* (1999) proposent de faire en sorte que les rencontres soient le plus agréables possible pour les jeunes afin de stimuler leur participation ; les moyens peuvent inclure des collations, des récompenses tout au long du programme, un certificat et une fête lors de la dernière rencontre. Il faut cependant trouver un équilibre entre les sources de renforcement qui viennent des intervenants et la capacité de chaque enfant de s'autorenforcer.

Un élément novateur qui pourrait être envisagé dans la planification des programmes d'intervention concerne la possibilité d'inclure des enfants non anxieux dans les groupes ou encore des enfants qui ont déjà eu des troubles d'anxiété et qui ont réussi à surmonter leurs difficultés ; ces jeunes pourraient servir de modèles ou de « pairs aidants » pour les autres jeunes.

Par ailleurs, étant donné la comorbidité élevée entre l'anxiété et les troubles externalisés, pouvant atteindre et même dépasser 60 % dans certains cas, il serait pertinent de concevoir des programmes d'intervention pour cette clientèle. À cet égard, une piste de recherche serait de mettre sur pied des programmes incluant un volet de prévention de l'anxiété chez les jeunes présentant soit un trouble externalisé, comme un trouble des conduites, ou un problème d'abus de substances. Ce type de programmes présenterait une validité écologique plus marquée que les programmes actuels, où la comorbidité constitue un facteur d'exclusion alors qu'elle constitue en fait une réalité pour la majorité des jeunes en difficulté d'adaptation, qui présentent le plus souvent plus d'un trouble. Il faut cependant évaluer avec soin le recours à la modalité de groupe dans l'application d'un tel programme compte tenu des défis particuliers que pose une clientèle de jeunes ayant des troubles externalisés.

Des programmes de prévention axés sur des troubles spécifiques (anxiété de séparation, trouble hyperanxieux, phobie sociale, etc.) ou des facteurs de risque spécifiques (inhibition chez l'enfant, surprotection du parent, etc.) possèdent également un immense potentiel, puisque les modalités d'intervention peuvent varier considérablement selon la nature du trouble. De tels programmes nécessiteraient cependant de très vastes échantillons, étant donné la faible prévalence de certains troubles anxieux. Une autre avenue consiste à examiner de plus près les processus de changement au cours de l'intervention et à distinguer les composantes les plus efficaces d'un programme multimodal.

Une autre piste à explorer pour accroître l'efficacité des programmes d'intervention est d'inclure plus de stratégies pour les parents, surtout pour les parents qui souffrent eux-mêmes de troubles anxieux, eu égard au lien entre la psychopathologie des parents et de leurs jeunes. Dans notre programme Super l'Écureuil, les parents apprennent quelques stratégies pour réduire leur propre anxiété qu'ils peuvent utiliser s'ils le désirent, mais il ne s'agit pas de la principale cible d'intervention. Il serait même possible d'envisager un programme d'intervention qui aurait pour but de prévenir les troubles d'anxiété chez les jeunes, en ciblant uniquement les parents, par exemple en sélectionnant les parents de jeunes enfants de moins de 5 ans présentant des traits inhibés. Un tel programme aurait l'immense avantage de prévenir l'apparition des troubles d'anxiété avant l'entrée à l'école et ainsi d'éviter leurs conséquences négatives.

Enfin, mentionnons qu'une meilleure connaissance des facteurs associés à l'apparition et au maintien des troubles anxieux à l'enfance et à l'adolescence pourra grandement contribuer à la mise sur pied de programmes d'intervention efficaces. Par exemple, ce sont les connaissances sur le rôle des pratiques parentales dans l'émergence de l'anxiété qui ont permis de mettre l'accent sur la participation des parents dans certains programmes. La recherche devrait aussi être axée sur les facteurs de protection dans le domaine des troubles anxieux. À notre connaissance, aucune n'a encore examiné cet aspect, qui pourrait apporter des éléments favorisant le succès des programmes.

En conclusion, les résultats présentés dans ce chapitre montrent qu'il est possible d'intervenir de manière précoce et efficace pour réduire l'anxiété chez les jeunes. Les études cliniques menées aux États-Unis et en Australie, de même que le programme de prévention de Dadds *et al.* (1997), réalisé en Australie, obtiennent des résultats très prometteurs. Par ailleurs, les toutes premières recherches menées au Québec annoncent également une percée prometteuse dans ce domaine. Le souci de concevoir des programmes adaptés à la réalité québécoise constitue déjà un apport novateur aux programmes d'intervention précoce dans le domaine de l'anxiété chez les jeunes. Une prochaine étape sera de créer, en parallèle, des programmes de prévention de l'anxiété chez les jeunes de type universel qui mettent à contribution les ressources et les compétences des divers intervenants du milieu scolaire, des parents et des pairs.

BIBLIOGRAPHIE

ACHENBACH, T.M. et EDELBROK, C.S. (1983). *Manual for the Child Behavior Checklist and Revised Child Behavior Profile*. Burlington, University of Vermont, Department of Psychiatry.

AMERICAN PSYCHIATRIC ASSOCIATION (1994). *Diagnostic and statistical manual of mental disorders* (4e éd.). Washington, DC : APA.

ANGOLD, A., PRENDERGAST, M., COX, A. et HARRINGTON, R. (1995). The Child and Adolescent Psychiatric Assessment (CAPA). *Psychological Medicine, 25*, 739-753.

BANDURA, A. (1969). *Principles of behavior modification*. New York : Holt, Rinehart et Winston.

BANDURA, A. (1982). Self-efficacy mechanism in human agency. *American Psychologist, 37*, 122-147.

BARLOW, D.H. (1988). *Anxiety and its disorders : The nature and treatment of anxiety and panic*. New York : Guilford.

BARRETT, P.M., DADDS, M.R. et RAPEE, R.M. (1991). *Coping Koala Workbook*. Unpublished Manuscript. Nathan, Australie : Schoold of Applied Psychology, Griffith University.

BARRETT, P.M., DADDS, M.R. et RAPEE, R.M. (1996a). Family treatment of childhood anxiety : A controlled trial. *Journal of Consulting and Clinical Psychology, 64*, 333-342.

BARRETT, P.M., RAPEE, R.M., DADDS, M.M. et RYAN, S.M. (1996b). Family enhancement of cognitive style in anxious and aggressive children. *Journal of Abnormal Child Psychology, 24*, 187-203.

BARRIOS, B.A., HARTMANN, D.P. (1997). Fears and anxieties. Dans E.J. Mash et L.G. Terdal (dir.), *Assessment of childhood disorders* (3e éd., p. 230-327). New York : Guilford.

BARRIOS, B.A. et O'DELL, S.L. (1998). Fears and anxieties. Dans E.J. Mash et R.A. Barkley (dir.), *Treatment of childhood disorders* (2e éd., p. 249-337). New York : Guilford.

BATTAGLIA, M., BERTELLA, S., POLITI, E., BERNARDESCHI, L., PERNA, G., GABRIELE, A. (1995). Age of onset of panic disorder : Influence of familial liability to the disease and of childhood separation anxiety disorder. *American Journal of Psychiatry, 152*, 1362-1364.

BERG, C.Z., WHITAKER, A., DAVIES, M., FLAMENT, M.F. et RAPOPORT, J.L. (1988). The survey form of the Leyton Obsessional Inventory – Child Version : Norms from an epidemiological study. *Journal of the American Academy of Child and Adolescent Psychiatry, 27*, 759-763.

BEIDEL, D.C. et TURNER, S.M. (1997). At risk for anxiety : I. Psychopathology of the offspring of anxious parents. *Journal of the Academy of Child and Adolescent Psychiatry, 36*, 918-924.

BIEDERMAN, J., ROSENBAUM, J.F., BOLDUC-MURPHY, E.A., FARAONE, S.V., CHALOFF, J. et HIRSHFELD, D.R. (1993). A three-year follow-up of children with and without behavioral inhibition. *Journal of the American Academy of Child and Adolescent Psychiatry, 32*, 814-821.

BIEDERMAN, J., ROSENBAUM, J.F., CHALOFF, J. et KAGAN, J. (1995). Behavioral inhibition as a risk factor. Dans J.S. March (dir.), *Anxiety disorders in children and adolescents* (p. 61-81). New York : Guilford Press.

BIRMAHER, B., KHETARPAL, S., BRENT, D., CULLY, M., BALACH, L., KAUFMAN, J. (1997). The Screen for Child Anxiety Related Emotional Disorders (SCARED) : Scale construction and psychometric properties. *Journal of the American Academy of Child and Adolescent Psychiatry, 36*, 545-553.

BOUCHARD, S. et GERVAIS, J. (2000, juin). *Présentation de deux programmes de prévention des troubles d'anxiété chez les jeunes*. Communication présentée dans le cadre d'un colloque sur les troubles internalisés à l'école, au 13e Congrès international de l'Association mondiale des sciences de l'éducation, Sherbrooke.

BOWEN, F., VITARO, F., KERR, M. et PELLETIER, D. (1995). Childhood internalizing problems : Prediction from kindergarten, effect of maternal overprotectiveness, and sex differences. *Development and Psychopathology, 7*, 481-498.

BRADY, E.U. et KENDALL, P.C. (1992). Comorbidity of anxiety and depression in children and adolescents. *Psychological Bulletin, 111*, 244-255.

CANTWELL, D.P. et BAKER, L. (1989). Stability and natural history of the DSM III childhood diagnoses. *Journal of the American Academy of Child and Adolescent Psychiatry, 28*, 691-700.

CAPPS, L., SIGMAN, M., SENA, R., HENKER, B. et WHALEN, C. (1996). Fear, anxiety and perceived control in children of agoraphobic parents. *Journal of Child Psychology and Psychiatry and Allied Disciplines, 37*, 445-452.

CASPI, A., HENRY, B., MCGEE, R.O., MOFFITT, T.E et SILVA, P.A. (1995). Temperamental origins of child and adolescent behavior problems : From age three to age fifteen. *Child Development, 66*, 55-68.

COSTELLO, E.J. et ANGOLD, A. (1995). Epidemiology. Dans J.S. March (dir.), *Anxiety disorders in children and adolescents* (p. 109-124). New York : Guilford.

COSTELLO, E.J., EDELBROCK, L.S., DULCAN, M.K., KALAS, R. et KLARIC, S.H. (1984). *Report of the NIMH Diagnostic Interview for Children (DIS-C)*. Washington, DC : NIMH.

CURRY, J.F. et BENNETT MURPHY, L. (1995). Comorbidity of anxiety disorders. Dans J.S. March (dir.), *Anxiety disorders in children and adolescents*, (p. 301-320). New York : Guilford.

DADDS, M.R., HOLLAND, D.E., LAURENS, K.R., MULLINS, M., BARRETT, P.M. et SPENCE, S.H. (1999). Early intervention and prevention of anxiety disorders in children : Results of a 2-year follow-up. *Journal of Consulting and Clinical Psychology, 67*, 145-150.

DADDS, M.R., SPENCE, S.H., HOLLAND, D.E., BARRETT, P.M. et LAURENS, K.R. (1997). Prevention and early intervention for anxiety disorders : A controlled trial. *Journal of Consulting and Clinical Psychology, 65*, 627-635.

DORR, D. (1981). Factor structure of the State-Trait Anxiety Inventory for Children. *Personality and Individual Differences, 2*, 113-117.

EISEN, A.R. et SILVERMAN, W.K. (1993). Should I relax or change my thoughts ? A preliminary examination of cognitive therapy, relaxation training, and their combination with overanxious children. *Journal of Cognitive Psychotherapy : An International Quarterly, 7*, 265-279.

GOYETTE, C.H., CONNERS, C.K. et ULRICH, R.F. (1978). Normative data for Revised Conners Parent and Teacher Rating Scales. *Journal of Abnormal Child Psychology, 6*, 221-236.

HAGOPIAN, L.P., WEIST, M.D. et OLLENDICK, T.H. (1990). Cognitive-behavior therapy with an 11-year-old girl fearful of AIDS infection, other diseases, and poisoning : A case study. *Journal of Anxiety Disorders, 4*, 257-265.

HERJANIC, B. et REICH, W. (1982). Development of a structured psychiatric interview for children : Agreement between child and parent on individual symptoms. *Journal of Abnormal Child Psychology, 10*, 307-324.

HIRSHFELD, D.R., ROSENBAUM, J.F., BIEDERMAN, J., BOLDUC, E.A., FARAONE, S. et SNIDMAN, N. (1992). Stable behavioral inhibition and its association with anxiety disorder. *Journal of the American Academy of Child and Adolescent Psychiatry, 31*, 103-111.

HODGES, K., KLINE, J., FITCH, P., MCKNEW, D. et CYTRYN, L. (1981). The Child Assessment Schedule : A diagnostic interview for research and clinical use. *Catalog of Selected Document in Psychology, 11*, 56.

HOEHN-SARIC, E., MAISAMI, M. et WEIGAND, D. (1987). Measurement of anxiety in children and adolescents using semi-structured interviews. *Journal of the American Academy of Child and Adolescent Psychiatry, 28*, 541-545.

HUDSON, J., SCHNIERING, C. et RAPEE, R. (1998). *The nature and treatment of anxiety disorders in children and adolescents.* Document inédit. Sydney, Australie : Child and Adolescent Anxiety Clinic, Macquarie University.

KAGAN, J., REZNICK, J.S., CLARKE, C., SNIDMAN, N. et GARCIA-COLL, C. (1984). Behavioral inhibition to the unfamiliar. *Child Development, 55*, 2212-2225.

KAGAN, J., REZNICK, J.S. et SNIDMAN, N. (1987). The physiology and psychology of behavioral inhibition in children. *Child Development, 58*, 1459-1473.

KAGAN, J., REZNICK, J.S. et SNIDMAN, N. (1988). Biological bases of childhood shyness. *Science, 240*, 167-171

KAGAN, J., SNIDMAN, N., ARCUS, D. et REZNICK, J.S. (1994). *Galen's prophecy : Temperament in human nature.* New York : Basic Books.

KANE, M. et KENDALL, P.C. (1989). Anxiety disorders in children : A multiple baseline evaluation of a cognitive-behavioral treatment. *Behavior Therapy, 20*, 499-508.

KENDALL, P.C. (1994). Treating anxiety disorders in children : Results of a randomized clinical trial. *Journal of Consulting and Clinical Psychology, 62*, 100-110.

KENDALL, P.C., FLANNERY-SCHROEDER, E., PANICHELLI-MINDEL, S.M., SOUTHAM-GEROW, M., HENIN, A., WARMAN, M. (1997). Therapy for youths with anxiety disorders : A second randomized clinical trial. *Journal of Consulting and Clinical Psychology, 65*, 366-380.

KENDALL, P.C., KANE, M., HOWARD, B. et SIQUELAND, L. (1990). *Cognitive-behavioral therapy for anxious children : Treatment manual.* Philadelphie, PA : Department of Psychology, Temple University.

KENDALL, P.C. et SOUTHAM-GEROW, M.A. (1996). Long-term follow-up of a cognitive-behavioral therapy for anxiety-disordered youth. *Journal of Consulting and Clinical Psychology, 64*, 724-730.

KESSLER, R.C., MCGONAGLE, K.A. et ZHAO, S. (1994). Lifetime and 12-month prevalence of DSM-III-R psychiatric disorders in the United States : Results from the National Comorbidity study. *Archives of General Psychiatry, 51*, 8-19.

KING, N.J., HAMILTON, D.I. et MURPHY, G.C. (1983). The prevention of children's maladaptive fears. *Child and Family Behavior Therapy, 5*, 43-47.

KOVACS, M. et BECK, A.T. (1977). An empirical clinical approach towards a definition of childhood depression. Dans J.G. Schulterbrandt et A. Raskin (dir.), *Depression in children : Diagnosis, treatment, and conceptual models* (p. 1-25). New York : Raven Press.

KROHNE, H.W. et HOCK, M. (1991). Relationships between restrictive mother-child interactions and anxiety of the child. *Anxiety Research, 4*, 109-124.

LADOUCEUR, R., TREMBLAY, M. et DUGAS, M. (1999). La prévention des inquiétudes chez les adolescents : impact d'une intervention cognitive. *Journal de thérapie comportementale et cognitive, 9*, 67-73.

LAGRECA, A.M., DANDES, S.K., WICK, P., SHAW, K. et STONE, W.L. (1988). Development of the Social Anxiety Scale for Children : Reliability and concurrent validity. *Journal of Clinical Child Psychology, 17*, 84-91.

LAST, C.G., PERRIN, S., HERSEN, M. et KAZDIN, A.E. (1992). DSM-III-R anxiety disorders in children : Sociodemographic and clinical characteristics. *Journal of the Academy of Child and Adolescent Psychiatry, 31*, 1070-1076.

LEBLANC, V., TURGEON, L., VITARO, F., MARCHAND, A. et BROUSSEAU, L. (2000, novembre). *The effects of family-based treatment for childhood anxiety on parenting.* Communication soumise pour le Congrès de l'Association for Advancement of Behavior Therapy (AABT), New Orleans.

LEROUX, S. et ROBAEY, P. (1999). *Échelle multidimensionnelle d'anxiété chez les enfants. Traduction et adaptation du Multidimensional Anxiety Scale for Children.* Document inédit. Montréal : Hôpital Sainte-Justine.

MANASSIS, K. et BRADLEY, S.J. (1994). The development of childhood anxiety disorders. *Journal of Applied Developmental Psychology, 15*, 345-366.

MANASSIS, K. et HOOD, J. (1998). Individual and familial predictors of impairment in childhood anxiety disorders. *Journal of the Academy of Child and Adolescent Psychiatry, 37*, 428-434.

MARCH, J.S. (1997). *Multidimensional Anxiety Scale for Children (MASC). Technical Manual.* Toronto : Multi-Health Systems.

MARCH, J.S., PARKER, J., SULLIVAN, K. et STALLINGS, P. (1997). The Multidimensional Anxiety Scale for Children : Factor structure, reliability, and validity. *Journal of the American Academy of Child and Adolescent Psychiatry, 36*, 554-565.

MARCH, J.S., SULLIVAN, K. et PARKER, J. (1999). Test-retest reliability of the Multidimensional Anxiety Scale for Children. *Journal of Anxiety Disorders, 13*, 329-358.

MASH, E.J. et LEE, C.M. (1993). Behavioral assessment with children. Dans R.T. Ammerman et M. Herson (dir.), *Handbook of behavior therapy with children and adults* (p. 13-31). Needham Heights, MA : Allyn et Bacon.

MCBURNETT, K., LAHEY, B.B. et FRICK, P.J. (1991). Anxiety, inhibition, and conduct disorder in children. *Journal of the American Academy of Child and Adolescent Psychiatry, 30*, 192-196.

MOWRER, O.H. (1939). A stimulus-response analysis of anxiety and its role as a reinforcing agent. *Psychological Review, 46*, 553-565.

NEIGHBORS, B., KEMPTON, T. et FOREHAND, R. (1992). Co-occurence of substance abuse with conduct, anxiety, and depression disorders in juvenile delinquents. *Addictive Behaviors, 17*, 379-386.

OLLENDICK, T.H. (1983). Reliability and validity of the Revised Fear Survey Schedule for Children (FSSC-R). *Behaviour Research and Therapy, 21*, 685-692.

OLLENDICK, T.H. (1995). Cognitive behavioral treatment of panic disorder with agoraphobia in adolescents : A multiple baseline design analysis. *Behavior Therapy, 26*, 517-531.

OLLENDICK, T.H. et KING, N.J. (1998). Empirically supported treatments for children with phobic and anxiety disorders : Current status. *Journal of Consulting and Clinical Psychology, 27*, 156-167.

OTTO, M.W., POLLACK, M.H., ROSENBAUM, J.F., SACHS, G.S. et ASHER, R.H. (1994). Childhood history of anxiety in adults with panic disorder : Association with anxiety sensitivity and avoidance. *Harvard Review of Psychiatry, 1*, 288-293.

PAPAY, J.P. et SPIELBERGER, C.D. (1986). Assessment of anxiety and achievement in kindergarten and first- and second-grade children. *Journal of Abnormal Child Psychology, 14*, 279-286.

POLLOCK, R.A., ROSENBAUM, J.F., MARRS, A., MILLER, B.S. et BIEDERMAN, J. (1995). Anxiety disorders of childhood : Implications for adult psychopathology. *Psychiatric Clinics of North America, 18*, 745-766.

PUIG-ANTICH, J. et CHAMBERS, W. (1978). *The Schedule for Affective Disorders and Schizophrenia for School-Age Children (Kiddie-SADS)*. New York : New York State Psychiatric Institute.

PYNOOS, R., NADER, K. et MARCH, J.S. (1990). Post-traumatic stress disorder in children and adolescents. Dans J. Weiner (dir.), *Textbook of child and adolescent psychiatry*. Washington, D.C. : American Psychiatric Press.

RACHMAN, J.S. (1976). The passing of the two-stage theory of fear and avoidance : Fresh possibilities. *Behaviour Research and Therapy, 14*, 125-131.

RACHMAN, J.S. (1990). The determinants and treatment of simple phobias. *Advances in Behaviour Research and Therapy, 12*, 1-30.

RAPEE, R.M. (1997). Potential role of childrearing practices in the development of anxiety and depression. *Clinical Psychology Review, 17*, 47-67.

RAPEE, R.M., SPENCE, S.H., COBHAM, V. et WIGNALL, A. (2000). *Helping your anxious child : A step-by-step guide for parents*. Oakland, CA : New Harbinger.

RAPEE, R.M., WIGNALL, A., HUDSON, J.L. et SCHNIERING, C.A. (2000). *Treating anxious children and adolescents : An evidence-based approach*. Oakland, CA : New Harbinger.

REYNOLDS, C.R. (1980). Concurrent validity of What I Think and Feel : The Revised Children's Manifest Anxiety Scale. *Journal of Consulting and Clinical Psychology, 48*, 774-775.

REYNOLDS, C.R. (1982). Convergent and divergent validity of the Revised Children's Manifest Anxiety Scale. *Educational and Psychological Measurement, 42*, 1205-1212.

REYNOLDS, C.R. et RICHMOND, B.O. (1978). What I think and feel : A revised measure of children's manifest anxiety. *Journal of Abnormal Child Psychology, 6*, 271-280.

RIDDLE, M.A., SCAHILL, L., KING, R.A., HARDIN, M.T., ANDERSON, G.M. et ORT, S.I. (1992). Double-blind, crossover trial of fluoxetine and placebo in children and adolescents with obsessive-compulsive disorder. *Journal of the American Academy of Child and Adolescent Psychiatry, 31*, 1062-1069.

RUBIN, K.H., CHEN, X. et HYMEL, S. (1993). Socioemotional characteristics of withdrawn and aggressive children. *Merrill-Palmer Quarterly, 39*, 518-534.

RUBIN, K.H., LEMARE, L.J. et LOLLIS, S. (1990). Social withdrawal in childhood : Developmental pathways to peer rejection. Dans S.R. Asher et J.D. Coie (dir.), *Peer rejection in childhood* (p. 217-249). Cambridge, Angleterre : Cambridge University Press.

SELIGMAN, M.E.P. et JOHNSTON, J.C. (1973). A cognitive theory of avoidance learning. Dans F. McGuigan et D.B. Lumsden (dir.), *Contemporary approaches to conditioning and learning* (p. 69-110). Washington, DC : V.H. Winston.

SILOVE, D., MANICAVASAGAR, V., O'CONNELL, D. et BLASZCZYNSKI, A. (1993). Reported anxiety separation symptoms in patients with panic and generalized anxiety disorder. *Australian and New Zealand Journal of Psychiatry, 27*, 489-494.

SILVERMAN, W.K. (1991). Diagnostic reliability of anxiety disorders in children. *Journal of Anxiety Disorders, 5*, 105-124.

SILVERMAN, W.K. et ALBANO, A.M. (1996). *The Anxiety Disorders Interview Schedule for Children DSM-IV. (Child and Parent Version).* Albany, New York : Greywinds.

SILVERMAN, W.K., KURTINES, W.M., GINSBURG, G.S., WEEMS, C.F., LUMPKIN, P.W. et CARMICHAEL, D.H. (1999). Treating anxiety disorders in children with group cognitive-behavioral therapy : A randomized clinical trial. *Journal of Consulting and Clinical Psychology, 67*, 995-1003.

SILVERMAN, W.K. et NELLES, W.B. (1988). The Anxiety Disorders Interview Schedule for Children. *Journal of the American Academy of Child and Adolescent Psychiatry, 27*, 772-778.

SPENCE, S.H. (1994). Preventive strategies. Dans T.H. Ollendick, N.J. King et W. Yule (dir.), *International handbook of phobic and anxiety disorders in children and adolescents* (p. 453-474). New York : Plenum.

SPENCE, S.H. (1998). A measure of anxiety symptoms among children. *Behaviour research and therapy, 36*, 545-566.

SPIELBERGER, C.D., EDWARDS, C.D., LUSHENE, R.E., MONTUORI, J. et PLATZEK, D. (1973). *STAIC Preliminary manual for the State-Trait Anxiety Inventory for Children (« How I Feel Questionnaire »).* Palo Alto, CA : Consulting Psychologists Press.

STALLINGS, P. et MARCH, J.S. (1995). Assessment. Dans J.S. March (dir.), *Anxiety disorders in children and adolescents* (p. 125-147). New York : Guilford.

STRAUSS, C.C., LAHEY, B.B., FRICK, P., FRAME, C.L. et HYND, G.W. (1988). Peer social status of children with anxiety disorders. *Journal of Consulting and Clinical Psychology, 56*, 137-141.

TURGEON, L. (1998a). *Échelle d'anxiété manifeste chez les enfants, version révisée. Traduction et adaptation du Revised Children's Manifest Anxiety Scale.* Document inédit. Montréal : Centre de recherche Fernand-Seguin, Hôpital Louis-H.-Lafontaine.

TURGEON, L. (1998b). *Inventaire d'anxiété situationnelle et de trait pour enfants. Traduction et adaptation du State-Trait Anxiety Inventory for Children.* Document inédit. Montréal : Centre de recherche Fernand-Seguin, Hôpital Louis-H.-Lafontaine.

TURGEON, L. et BROUSSEAU, L. (1999). *Intervention précoce auprès de jeunes présentant des problèmes d'anxiété : manuels de traitement.* Documents inédits. Montréal : Centre de recherche Fernand-Seguin.

TURGEON, L., MARCHAND, A. et BROUSSEAU, L. (1998). *Inventaire des peurs pour enfants, version révisée. Traduction et adaptation du Revised Fear Survey Schedule for Children.* Document inédit. Montréal : Centre de recherche Fernand-Seguin, Hôpital Louis-H.-Lafontaine.

TURGEON, L., MARCHAND, A. et VITARO, F. (1998). *Étude de l'efficacité d'un programme de prévention des troubles anxieux chez des enfants d'âge scolaire.* Projet subventionné par le Conseil de recherches en sciences humaines du Canada.

TURNER, S.M., BEIDEL, D.C., DANCU, C.V. et STANLEY, M.A. (1989). An empirically derived inventory to measure social fears and anxiety : The Social Phobia and Anxiety Inventory. *Psychological Assessment : A Journal of Consulting and Clinical Psychology, 1*, 35-40.

VALLA, J.-P., BERGERON, L., BÉRUBÉ, H., GAUDet, N. et ST-GEORGES, M. (1994). A structured pictorial questionnaire to assess DSM-III-R based diagnoses in children (6-11 years) : Development, validity and reliability. *Journal of Abnormal Child Psychology, 22*, 403-423.

VALLA, J.-P., BRETON, J.-J., BERGERON, L., GAUDET, N., BERTHIAUME, C. et SAINT-GEORGES, M. (1994). *Enquête québécoise sur la santé mentale des jeunes de 6 à 14 ans 1992. Rapport de synthèse.* Hôpital Rivière-des-Prairies et Santé Québec, en collaboration avec le ministère de la Santé et des services sociaux, gouvernement du Québec.

WATSON, J.B. et MORGAN, J.J.B. (1917). Emotional reactions and psychological experimentation. *American Journal of Psychology, 28*, 163-174.

WEGNER, D.M., SCHNEIDER, D.J., CARTER, S.R. et WHITE, T.L. (1987). Paradoxical effects of thought suppression. *Journal of Personality and Social Psychology, 53*, 5-13.

WEISSMAN, M.M., WARNER, V., WICKRAMARATNE, P., MOREAU, D. et OLFSON, M. (1997). Offspring of depressed parents : 10 years later. *Archives of General Psychiatry, 54*, 932-940.

WISNIEWSKI, J.J., MULICK, J.A., GENSHAFT, J.L. et COURCY, D. (1987). Test-retest reliability of the Revised Children's Manifest Anxiety Scale. *Perceptual and Motor Skills, 65*, 67-70.

CHAPITRE 6

LA PRÉVENTION DE LA DÉPRESSION CHEZ LES ENFANTS ET LES ADOLESCENTS

Diane Marcotte
Université du Québec à Trois-Rivières

Résumé

L'incidence de la dépression est dramatiquement élevée chez les jeunes québécois, particulièrement chez les filles, et constitue un problème social majeur dans plusieurs pays industrialisés. Bien que plusieurs facteurs de risque et facteurs de protection aient été identifiés, encore très peu nombreux sont les programmes de prévention pour contrer cette problématique chez les jeunes. Ce chapitre situe d'abord l'état général des connaissances sur la dépression chez les enfants et les adolescents et présente ensuite une revue des programmes de prévention ciblée de type indiqué et sélectif, de même qu'un programme de prévention universelle, développés pour prévenir la dépression chez les jeunes. Les études ayant vérifié l'efficacité des programmes sont revues. Les caractéristiques des échantillons, les critères de sélection, les types d'intervention ainsi que les résultats obtenus sur les différentes mesures sont décrits. L'efficacité des programmes est comparée et des pistes sont suggérées pour le développement des futurs programmes de prévention.

Le mythe d'une inévitable période de tumulte à l'adolescence (Hall, 1904) a pendant longtemps limité le développement tant de la recherche que de l'intervention dans le domaine de la dépression chez les jeunes populations. Jusqu'au début des années 1980, la conception de la dépression chez les enfants et les adolescents a été l'objet d'une controverse. Certains auteurs avaient d'abord proposé que la dépression s'exprimait chez ces populations par des équivalents comportementaux, c'est-à-dire par des symptômes de toutes sortes non spécifiques à la dépression (Cytryn et McKnew, 1972). Ce diagnostic de « dépression masquée » a fréquemment été appliqué à des jeunes présentant des problématiques extériorisées, telles que les troubles du comportement ou l'hyperactivité. En proposant l'existence d'une dépression sous-jacente aux troubles extériorisés, ce concept présupposait que les enfants et les adolescents n'étaient pas en mesure de manifester les symptômes classiques de la dépression. On présupposait également que les variables médiatrices de la dépression chez les adultes engendreraient des symptômes extériorisés chez les jeunes populations. La recherche n'a pas soutenu ces postulats. Le début des années 1980 marque un tournant dans l'évolution de l'étude du trouble dépressif chez les jeunes populations. Les résultats des études cliniques et épidémiologiques reflétant des taux élevés de dépression et de suicide chez la population adolescente ainsi que la publication du DSM-III (1980) reconnaissant que les critères diagnostiques adultes pouvaient être utilisés pour diagnostiquer les troubles dépressifs chez les enfants et les adolescents ont considérablement influencé l'émergence de la recherche appliquée à cette problématique. Ces changements ont permis de reconnaître l'existence du trouble dépressif chez les populations infantile et adolescente de même que le rôle des facteurs développementaux sur la phénoménologie de cette problématique. Cette conception présume qu'il y a une continuité de la mésadaptation à travers les âges, du moins pour la description de l'état dépressif. Le modèle d'une dépression analogue à la dépression adulte chez les enfants et les adolescents est donc celui qui offre une validité de contenu et permet de conceptualiser la recherche dans ce domaine. L'application des modèles adultes de la dépression à de jeunes populations demeure toutefois encore peu élaborée.

L'INCIDENCE

L'incidence de la problématique dépressive chez les enfants et les adolescents est encore difficile à établir de façon précise. La diversité des mesures utilisées dans les études, l'hétérogénéité des échantillons provenant de populations générales ou cliniques, ainsi que le regroupement d'enfants et d'adolescents dans les échantillons plutôt que la division de ces deux populations rendent difficilement comparables les résultats obtenus dans les différentes études. Le terme dépression lui-même est employé différemment selon les études. Les auteurs s'accordent cependant sur un aspect, soit celui d'une augmentation dramatique des symptômes dépressifs de l'enfance à l'adolescence (Angold, 1988 ; Radloff, 1991). La présence d'une humeur dépressive est observée chez 20 % à 35 % des garçons et 25 % à 40 % des filles à l'adolescence (Petersen *et al.*, 1993). La présence du syndrome dépressif, couramment nommé « dépression clinique » et évalué à partir de scores de coupure sur des mesures auto-évaluatives, a été relevée chez 8 % à 18 % des adolescents. Au Québec, Baron (1993) trouve des taux variant de 6,43 % à 26 %, alors que Marcotte (1995a) obtient un taux de 16 %. Finalement, le trouble dépressif tel qu'il est défini par le DSM-IV (1994) ajoute la dimension de la durée à celle de l'intensité des symptômes dépressifs et comporte des critères diagnostiques précis. Dans une revue de 14 études épidémiologiques, Fleming et Offord (1990) font état de taux variant entre 0,4 et 6,4 % d'adolescents présentant un trouble dépressif majeur, alors que Birmaher, Ryan, Williamson, Breant et Kaufman (1996) rapportent des taux variant entre 0,4 % et 8,3 % chez ce même groupe d'âge. Au Québec, une étude réalisée par Bergeron, Valla et Breton (1992) auprès d'un échantillon de 2400 adolescents de 12 à 14 ans a permis d'identifier que 4,2 % de ces derniers répondaient aux critères diagnostiques de la dépression majeure selon le DSM-III-R. Dans les échantillons cliniques, les taux augmentent de façon considérable, pouvant atteindre jusqu'à 42 % et faisant du trouble dépressif le diagnostic le plus souvent posé à propos de jeunes individus rencontrés par les professionnels de la santé mentale (Petersen *et al.*, 1993 ; Kashani *et al.* 1981).

Il est encore plus difficile d'évaluer la prévalence de la dépression chez les enfants. Cette difficulté provient en partie des contraintes développementales tant cognitives, langagières que de compréhension de soi qui compromettent la validité de l'évaluation de la présence des différents symptômes. Birmaher *et al.* (1996) rapportent des taux variant entre 0,4 % et 2,5 %. Une constante se dégage cependant des études : peu importe si le répondant est l'enfant ou le parent, les taux obtenus ne dépassent pas 3 % chez les populations d'enfants (Fleming et Offord, 1990) ; de plus, les enfants rapportent plus de symptômes que ne le font les enseignants, ces derniers en rapportant eux-mêmes plus que les parents.

Alors que les garçons obtiennent des taux similaires ou supérieurs à ceux des filles avant l'adolescence, ces dernières deviennent à leur tour plus déprimées pendant l'adolescence dans un ratio de deux pour un. Cette différence entre les genres demeure présente à chaque étape ultérieure de l'âge adulte et ne peut être expliquée par un quelconque artéfact, tel qu'une plus grande ouverture à reconnaître des difficultés psychologiques (Bryson et Pilon, 1984 ; Reynolds, 1992). Cette augmentation de la dépression chez les filles pendant l'adolescence serait plus reliée à la maturation pubertaire qu'à l'âge, les filles appréciant beaucoup moins que les garçons les changements physiques reliés à la puberté (Marcotte, 1995b). Ainsi, l'image corporelle négative des filles de même que leur faible estime de soi expliqueraient cette inversion du ratio et constitueraient des antécédents des épisodes dépressifs chez les filles (Nolen-Hoeksema et Girgus, 1994; Marcotte, Potvin, Fortin et Papillon, en préparation). L'adolescence comporte également plus de facteurs stressants pour les filles que pour les garçons.

LES CONSÉQUENCES ET LA RÉCURRENCE

L'épisode dépressif pendant l'adolescence entraîne non seulement des conséquences immédiates, telles que l'abandon scolaire et l'isolement des pairs, sans oublier les conséquences tragiques que représentent les gestes suicidaires, mais également des conséquences à long terme. La probabilité de vivre un nouvel épisode de dépression pendant l'adolescence ou à l'âge adulte constitue un facteur de risque majeur. Par exemple, Kandel et Davies (1986) trouvent une consistance entre la présence des symptômes dépressifs chez des sujets dépressifs entre 15 et 24 ans. Les individus ayant vécu un épisode de dépression à l'adolescence rapportent des difficultés accrues à assumer des rôles sociaux ; par exemple, des relations de couple de moins longue durée chez les femmes et des périodes de chômage plus fréquentes chez les hommes, ainsi qu'un recours plus fréquent aux services professionnels de santé mentale; l'usage plus fréquent de médicaments et une plus grande consommation de drogues sont également constatés.

Bien que certains auteurs constatent un rendement scolaire détérioré chez les jeunes dépressifs et que certaines études soulignent la présence de symptômes dépressifs chez les élèves en difficulté, la relation entre dépression et école demeure à ce jour très peu explorée par les chercheurs. Traditionnellement, ce sont plutôt le trouble des conduites et les troubles d'apprentissage qui ont été pointés comme les facteurs les plus prédicteurs de l'abandon scolaire. Des études récentes relèvent cependant l'existence d'une relation étroite entre la dépression et la réussite scolaire. Lewinsohn, Gotlib et Seeley (1995) trouvent que l'insatisfaction à l'égard des résultats scolaires prédit l'apparition de la dépression et de l'abus de substances. De même, chez une population d'adolescents en difficulté d'apprentissage, Dalley, Bolocofsky, Alcorn et Baker (1992) trouvent que ces élèves se distinguent de ceux fréquentant les classes régulières quant à la symptomatologie dépressive présentée. Dans une étude longitudinale débutée en 1996 et présentement en cours (Fortin, Marcotte, Potvin et Royer, 1998), nous avons identifié la dépression comme principale variable explicative de l'appartenance au groupe d'élèves à risque d'abandon en première année du secondaire, soit à l'âge de 12-13 ans. Nos résultats montrent aussi que la prévalence des élèves dépressifs est beaucoup plus élevée que celle des élèves en trouble du comportement; ces résultats s'ajoutent à ceux de Janosz et

Le Blanc (1996) et révèlent qu'un type d'élève vivant des problématiques intériorisés est très à risque d'abandon scolaire. Puig-Antich *et al.* (1993) rapportent également que les adolescents dépressifs ont des amitiés moins longues et sont moins populaires auprès de leurs pairs. Le fait de vivre des relations amicales médiocres après un épisode dépressif a aussi été associé à une récupération difficile (Goodyer, Germany, Gowrusankur et Altham, 1991).

La dépression est en outre une problématique qui se caractérise par l'intensité de sa récurrence. Les résultats des études longitudinales, tant auprès des échantillons épidémiologiques que cliniques, confirment que les jeunes dépressifs deviennent des adultes dépressifs, et cela, même lorsqu'un traitement leur est offert (Merikangas et Angst, 1995). Kovacs *et al.* (1984) évaluent à 72 % le risque de rechute dans un intervalle de cinq ans, et cela, dans un échantillon clinique. Le premier épisode de dépression se produit le plus souvent pendant l'adolescence : vers l'âge de 12-13 ans si une histoire familiale est présente et vers l'âge de 16-17 ans dans le cas contraire. Dans une étude épidémiologique, des symptômes dépressifs sont rapportés chez ces jeunes aussi longtemps que huit années après l'évaluation initiale. La spécificité diagnostique est également considérable. Parmi les facteurs qui prédisent la stabilité, on retrouve une apparition précoce ainsi que la présence d'un trouble concomitant (Merikangas et Angst, 1995).

LE MODÈLE COGNITIF DE LA DÉPRESSION

La quasi-totalité des programmes de prévention et d'intervention pour contrer la dépression chez les enfants et les adolescents ont été élaborés à partir de l'approche béhaviorale-cognitive. Il n'est pas surprenant que les auteurs aient privilégié cette approche puisque les distorsions cognitives se sont révélées très fortement associées à la dépression chez les jeunes et que les interventions ayant visé à diminuer ces distorsions se sont montrées efficaces pour diminuer les symptômes de dépression. C'est donc ce modèle qui sera retenu dans ce chapitre.

Le modèle béhavioral-cognitif met l'accent sur la médiation cognitive et explique la dépression par l'existence de schèmes cognitifs dysfonctionnels. Ces schèmes cognitifs dépressogènes, formés lors d'expériences précoces négatives, sont considérés comme des structures relativement stables qui s'activent lors d'événements stressants pour engendrer chez l'individu dépressif des erreurs cognitives. Ces dernières s'expriment par le biais du langage intérieur (*self-talk*) et se reflètent dans une vue négative de soi, de l'environnement et du futur, nommée la « triade cognitive ». C'est donc selon trois niveaux différents que le concept de cognitions dépressogènes peut être développé : les schèmes cognitifs, définis comme un ensemble organisé d'attitudes, de croyances et de présuppositions ; les processus cognitifs, définis par une série d'erreurs cognitives ; finalement, les contenus, c'est-à-dire le langage intérieur négatif, composé de pensées automatiques répétitives, non volontaires et difficilement contrôlables. L'existence distincte de ces trois instances demeure cependant encore au stade d'une proposition théorique, les résultats des études actuelles soulignant la difficulté d'y joindre un fondement empirique. Le terme « distorsions cognitives » est d'ailleurs le plus souvent employé sans référence spécifique à l'un de ces trois niveaux conceptuels.

Alors que plusieurs études ont confirmé la concomitance de différents types de distorsions cognitives avec les symptômes de la dépression chez l'adulte, encore peu d'études ont vérifié l'extrapolation possible de ce modèle à de jeunes populations ; quelques études rapportent toutefois la présence de distorsions cognitives chez des échantillons d'adolescents dépressifs. Les études de Haley, Fine, Marriage, Moretti et Freeman (1985) et Marton, Churchard et Kutcher (1993) auprès de populations cliniques d'adolescents ont révélé la présence d'un taux significativement plus élevé de distorsions cognitives chez les adolescents déprimés en comparaison avec leurs pairs non déprimés. Dans l'étude de Marton *et al.*, la rémission de l'épisode dépressif est associée à une diminution du niveau de distorsions cognitives, mais ces dernières demeurent présentes à un degré supérieur à celui retrouvé chez les jeunes n'ayant jamais connu d'épisode dépressif. Ces résultats laissent croire que les cognitions dépressives joueraient un rôle dans l'apparition d'un épisode dépressif. De leur côté, Thurber, Crow, Thurber et Woffington (1990) pointent les attentes négatives reliées à la perception du futur comme étant plus dépressogènes chez des jeunes hospitalisés. D'autre part, dans une étude comparative de groupes témoins, psychiatrique non déprimé et psychiatrique déprimé de jeunes de 12-17 ans, Kauth et Zettle (1990) revèlent également une différence entre les adolescents déprimés et non déprimés sur deux mesures de distorsions cognitives.

La présence de distorsions cognitives chez les enfants et les adolescents déprimés du milieu scolaire demeure très peu explorée dans les écrits. Chez une population d'adolescents en difficulté d'apprentissage, Dalley *et al.* (1992) ont trouvé que non seulement ces adolescents se distinguent des élèves fréquentant les classes régulières au regard de la symptomatologie dépressive présentée, mais également qu'ils adoptent un style attributionnel dépressif et plus d'attitudes dysfonctionnelles ; de plus, ils se perçoivent et sont perçus par leurs professeurs comme étant moins compétents socialement. Dans une étude explorant l'aspect développemental de la pensée dépressogène chez des élèves du secondaire, Garber, Weiss et Shanley (1993) rapportent, une fois de plus, une relation positive entre la dépression et les pensées automatiques négatives, ainsi que les attitudes dysfonctionnelles. Par ailleurs, bien que les scores obtenus sur l'échelle de la dépression augmentent avec l'âge, les résultats ne révèlent aucun changement dans le temps dans la relation entre les symptômes dépressifs et les modes de pensée dysfonctionnels. De même, aucun changement n'est observé dans les distorsions cognitives avec l'âge, laissant supposer que la pensée dépressogène est déjà formée à cet âge.

Dans les études que nous avons réalisées auprès de jeunes du milieu scolaire québécois, âgés de 11 à 18 ans (Marcotte, 1995 a et b, 1996, 1997 ; Marcotte et Baron, 1993), les croyances irrationnelles, les attitudes dysfonctionnelles, le style cognitif ainsi que les pensées automatiques négatives se sont aussi révélées être associées à la dépression, ainsi qu'à une faible estime de soi. Un changement selon l'âge a été décelé pour certaines catégories de croyances irrationnelles, alors que le facteur genre s'est montré significatif dans le cas des attitudes dysfonctionnelles et des pensées automatiques négatives. Nous avons également constaté que les distorsions cognitives sont des variables prédictrices de la présence de symptômes dépressifs dans un intervalle de trois ans, et ce, en contrôlant le niveau initial de dépression qui demeure le premier facteur prédicteur de la dépression à long terme (Marcotte, Leclerc, Potvin et Giguère, 2000).

En résumé, les résultats actuels appuient le modèle cognitif de la dépression et confirment que les distorsions cognitives constituent un corrélat majeur de la dépression tant chez les adultes que chez les jeunes. Et cela, bien qu'un design expérimental transversal demeure encore le plus souvent utilisé dans les études, ce qui ne permet pas d'explorer les distorsions cognitives en tant que facteur causal de la dépression. De plus, nous ne connaissons pas les trajectoires développementales des jeunes déprimés, c'est-à-dire que nous ne savons pas si l'émergence ainsi que la rémission de la dépression sont associées à des variations significatives des niveaux de distorsions cognitives. Néanmoins, les résultats des études ont amené les chercheurs à inclure dans les programmes d'intervention des composantes visant à faire ressortir et à modifier les distorsions cognitives des jeunes dépressifs et de leurs parents.

LES FACTEURS DE RISQUE ET DE PROTECTION

La dépression pendant l'enfance et l'adolescence influence considérablement la trajectoire du développement des habiletés scolaires, professionnelles, interpersonnelles et sociales des jeunes de même que leur adaptation à la vie adulte ; à ces facteurs s'ajoute la nature dramatiquement récurrente de cette problématique. C'est pourquoi il est impérieux d'identifier les facteurs de risque et de protection associés à cette problématique, ces derniers pouvant constituer les critères de sélection des participants auxquels les programmes d'intervention seront offerts.

Plusieurs facteurs de risque ont été associés à la dépression chez les jeunes. Parmi eux, on retrouve l'âge et le genre, le statut socioéconomique, la présence d'une histoire familiale de dépression, la psychopathologie parentale, les conflits conjugaux, le divorce des parents, les événements de vie stressants, le désespoir, les distorsions cognitives, le style attributionnel, une faible estime de soi et un faible rendement scolaire (Fleming et Offord, 1990 ; Merikangas et Angst, 1995 ; Windle et Davies, 1999). La spécificité du lien entre ces facteurs de risque et le trouble dépressif demeure cependant à être prouvée puisque plusieurs d'entre eux caractérisent aussi d'autres problématiques telles que le trouble des conduites ou les troubles alimentaires (Windle et Davies, 1999).

Certaines caractéristiques individuelles sont également relevées comme étant des facteurs de protection contre la dépression et la psychopathologie en général ; les facteurs les plus souvent cités sont la réussite scolaire, l'implication dans des activités parascolaires, la compétence sociale et les relations positives avec des adultes à l'extérieur de la famille. Parmi les facteurs de protection plus particulièrement reliés à la dépression, on retrouve la perception de soi comme une personne attrayante, la compétence intellectuelle, la popularité et la présence d'un soutien social satisfaisant (Merikangas et Angst, 1995).

L'âge et le genre constituent certainement les deux principaux facteurs de risque démographiques, l'adolescence représentant une période de vulnérabilité accrue et les filles étant particulièrement à risque. Par ailleurs, la présence d'une histoire familiale de dépression est le facteur de risque non démographique le plus important pour les troubles affectifs. En effet, une prévalence environ quatre fois plus élevée de troubles affectifs est relevée chez les enfants de parents dépressifs en comparaison aux enfants de parents non dépressifs. Les troubles concomitants sont également deux fois plus présents, particulièrement les troubles anxieux, le trouble des conduites et l'abus de substance. La chronicité ainsi que la gravité de la dépression parentale sont associées à un risque accru de dépression chez les enfants.

Afin de comprendre les mécanismes de transmission du trouble dépressif, les chercheurs ont tenté d'identifier les caractéristiques de l'environnement familial des adultes dépressifs, particulièrement les mères, qui sont associées au développement subséquent de la dépression chez les enfants (pour une revue, voir Hammen, 1991, 1997). Cet environnement est marqué par la présence de pauvres pratiques parentales, la mésentente familiale et conjugale, le divorce et l'abus. Les adultes dépressifs décrivent rétrospectivement leurs parents comme ayant été plus rejetants, contrôlants et hostiles. Les mères dépressives punissent sévèrement leurs enfants et utilisent un mode d'interaction inconsistant avec eux. Le manque de soins ainsi qu'une discipline de contrôle sans affection sont rapportés. Une combinaison de punitions sévères et de manque de consistance dans le style parental est associée à la persistance de la dépression (Merikangas et Angst, 1995). D'autre part, les jeunes enfants de mères dépressives ont été décrits comme présentant une attitude empathique mésadaptée, c'est-à-dire qu'ils interrompent leurs activités lorsque des signes de détresse sont émis par autrui (Zahn-Waxler, Cummings, Iannotti et Radke-Yarrow, 1984 ; cité par Gotlib et Goodman, 1999). Chez les enfants d'âge scolaire, une incidence de symptômes psychiatriques et de problèmes scolaires plus élevée est rapportée (Weissman *et al.*, 1984, cité par Gotlib et Goodman, 1999). Une limite de ces études se situe cependant dans le fait que les données sont recueillies essentiellement à partir de la perception des mères sans confirmer ces perceptions par une observation de l'enfant ; de même, l'impact de la relation avec le père demeure peu exploré. À titre d'exemple, Goodman, Brogan, Lynch et Fielding (1993) ont découvert que la présence d'un père dépressif ainsi que le divorce des parents contribuent à prédire une faible compétence sociale et émotive chez l'enfant, alors que la présence d'un père sain élimine l'association entre la dépression de la mère et la mésadaptation chez l'enfant.

L'environnement familial des jeunes dépressifs a aussi fait l'objet de plusieurs écrits. L'évaluation rétrospective décrite par les adultes dépressifs est consistante avec la perception des adolescents présentant le trouble dépressif ; ces jeunes décrivent des modes d'interaction négatifs avec leurs parents. Ainsi, le manque de cohésion familiale est souligné par plusieurs auteurs (Reinherz *et al.*, 1989 ; Garrison, Jackson, Marstellar, McKeown et Addy, 1990 ; Cole et McPherson, 1993). Quant à eux, Puig-Antich *et al.* (1993) et Kashani *et al.* (1981) rapportent que les mères d'adolescents dépressifs communiquent moins avec leur adolescent et que ces derniers perçoivent leur mère comme plus agressive verbalement. Le manque de soutien et d'engagement parental est également relevé (McFarlane, Bellissimo et Norman, 1995), de même que la présence de plus de conflits ainsi que la difficulté à les résoudre (Cole et McPherson, 1993 ; Forehand *et al.*, 1988).

La dimension du contrôle ressort comme une dimension importante étant donnée son effet inhibiteur sur le développement de l'autonomie et des compétences sociales chez l'adolescent, de même que son incidence sur la fréquence des conflits. Friedrich, Reams et Jacob (1988) trouvent que les jeunes dépressifs perçoivent leurs parents comme autocratiques et contrôlants. Amanat et Butler (1984) ont observé les interactions dans les familles comportant un adolescent dépressif ; ils confirment les perceptions des jeunes quant au style parental contrôlant et dominant des parents et rapportent que ces parents excluent l'adolescent des processus de décisions. L'impact de cette dimension pourrait cependant varier selon le genre et prédire la dépression davantage chez les filles que chez les garçons (Baumrind, 1991 ; Friedrich *et al.*, 1988). Également, le contrôle pourrait être une variable distinctive du style parental des jeunes dépressifs en comparaison aux jeunes présentant le trouble des conduites (Marcotte *et al.*, 1999).

Dans une étude prospective, les facteurs de risque relevés par Velez, Johnson et Cohen (1989), chez les jeunes de 9 à 18 ans sont le genre (être une fille), la présence d'un beau-père, les problèmes émotionnels maternels et une histoire d'échecs scolaires ; ces facteurs prédisent l'apparition d'un épisode dépressif deux ans plus tard. Lors d'une première analyse, lorsque les enfants étaient âgés de 1 à 10 ans, les auteurs avaient obervé un faible niveau d'instruction chez la mère et le fait que les parents n'ont jamais été mariés comme facteurs prédisant l'apparition d'un trouble dépressif 8 ans plus tard.

Certaines limites inhérentes à ces études méritent cependant d'être signalées. La spécificité des modes d'interaction rapportés n'est que rarement évaluée, c'est-à-dire que la majorité des études ont comparé des jeunes dépressifs à des groupes témoins sans toutefois les comparer à des jeunes présentant d'autres problématiques. De même, la présence de troubles concomitants est rarement évaluée chez les jeunes constituant les groupes dépressifs, limitant de nouveau l'évaluation de la spécificité du style parental au trouble dépressif. Une deuxième limite réside dans l'absence de distinction entre les genres encore trop fréquente dans les analyses effectuées. Finalement, certains auteurs ont posé l'existence d'une relation réciproque entre la dépression parentale et les difficultés d'adaptation des enfants ; l'impact du comportement de l'enfant sur la dépression du parent n'ayant été que rarement considéré (Downey et Coyne, 1990).

La dépression est également tributaire de facteurs de risque environnementaux qu'il ne faut pas oublier et qui expliquent en partie les ratios obtenus entre les genres. De même, ces facteurs environnementaux ont un effet différent sur les individus selon des caractéristiques propres à ces derniers, c'est-à-dire certains facteurs de protection. Ainsi, les membres d'une famille peuvent être exposés au même événement de vie stressant, mais réagir de façon différente selon leurs dispositions individuelles. Les événements de vie stressants les plus souvent rapportés par les jeunes dépressifs sont la séparation précoce d'un parent par la mort ou le divorce, la maladie et l'abus physique et sexuel (Merikangas et Angst, 1995). Dans une étude réalisée auprès d'une population de jeunes québécois âgés de 13 à 16 ans, les événements stressants qui ont été le plus fréquemment rapportés par les garçons dépressifs sont les disputes avec leurs parents, la séparation d'un ou d'une camarade proche et le manque d'argent dans la famille. De leur côté, les filles dépressives rapportent le plus fréquemment les disputes avec leurs parents, la séparation d'un ou d'une camarade et la séparation du petit ami comme les événements ayant entraîné un mauvais changement (Marcotte et Leclerc, en préparation).

Parmi les autres corrélats associés à la dépression chez les jeunes, on retrouve l'estime de soi, les caractéristiques typées au genre, l'image corporelle, la maturation pubertaire et les habiletés subjectives de résolution de problèmes sociaux (Fleming et Offord, 1990 ; Marcotte, Alain et Gosselin, 1999 ; Nolen-Hoeksema, 1990 ; Nolen-Hoeksema et Girgus, 1994).

LES PROGRAMMES DE PRÉVENTION DE LA DÉPRESSION CHEZ LES ENFANTS ET LES ADOLESCENTS ET LES ÉTUDES AYANT VÉRIFIÉ LEUR EFFICACITÉ

De nombreux écrits traitent de l'intervention auprès des jeunes dépressifs, alors que très peu abordent la prévention de cette problématique. De même, encore très peu de programmes d'intervention ont été élaborés pour contrer la dépression des enfants et des adolescents et très peu nombreuses sont les études contrôlées qui ont vérifié systématiquement l'efficacité des programmes existants. Dans la revue présentée dans les pages qui suivent, le lecteur constatera qu'il est difficile de discerner les programmes élaborés pour prévenir l'apparition de la dépression de ceux visant à intervenir auprès de jeunes présentant déjà des symptômes dépressifs.

Certaines caractéristiques inhérentes à la problématique dépressive elle-même ne sont pas étrangères à cet état de fait. Idéalement, comme le soulignent Jaycox, Reivich, Gillham et Saligman (1994), la prévention, par définition, devrait être proactive et être offerte avant que le trouble ne s'installe afin d'empêcher son apparition chez des groupes de jeunes à risque. Cependant, les circonstances d'apparition du trouble dépressif, les facteurs qui influencent son évolution, de même que les facteurs de risque qui y sont associés, demandent toujours à être confirmés empiriquement. De plus, la présence de symptômes de dépression de diverses intensités chez les jeunes les expose fortement à développer plus tard un trouble dépressif. Ainsi, les symptômes de dépression constituent simultanément un facteur de risque majeur et une partie de la définition du trouble dépressif.

À ce jour, dans la majorité des programmes de prévention qui ont été élaborés et testés, les participants ont été sélectionnés à partir de la présence de symptômes dépressifs de plus ou moins forte intensité. On peut parler ici de programmes de prévention ciblée de type indiqué ; ces programmes ne visent donc pas à prévenir l'apparition du trouble dépressif chez des jeunes n'ayant jamais été dépressifs. Cependant, comme la présence de symptômes de dépression d'intensité sous-clinique constitue l'un des facteurs de risque majeurs de prédiction de l'apparition du trouble dépressif, ce critère de sélection, à défaut d'être suffisant, est l'un des critères essentiels à l'application de programmes de prévention de la dépression chez les jeunes (Dohrenwend, Shrout, Egri et Mendelsohn, 1980 ; Gotlib, Lewinsohn et Seeley, 1995 ; Roberts, 1987). Roberts (1987) propose le terme « démoralisation » pour nommer cette population de jeunes à risque. Il est également pertinent de noter que parmi les mesures dépendantes utilisées pour évaluer l'efficacité des interventions, plusieurs auteurs ont inclus des variables représentatives des facteurs de risque, tant dans les mesures au post-test qu'à la relance ; ces mesures s'ajoutent à l'évaluation des symptômes de dépression eux-mêmes et fournissent des indices de l'efficacité des interventions sur les facteurs de risque associés à la problématique dépressive. Par ailleurs, les mesures des symptômes de dépression obtenues lors des procédures de relance constituent un indice important de l'effet préventif de l'intervention.

Un seul programme de prévention ciblée de type sélectif a été recensé, soit un programme qui a été offert à des participants ne présentant aucun symptôme de dépression et sélectionnés sur la base d'un autre facteur de risque, à savoir celui de la présence d'un parent dépressif (Beardslee *et al.*, 1993, 1997). Quelques programmes ajoutent toutefois un deuxième critère de sélection à celui de la présence de symptômes dépressifs, tel que les conflits familiaux, ou le divorce des parents. Finalement, une seule étude s'est intéressée à l'impact d'un programme d'intervention dans une perspective de prévention universelle (Kellam, Rebok, Mayer, Ialongo et Kalodner, 1994). Ainsi, on pourra constater que, malgré la richesse des programmes existants, le développement et l'application systématique de programmes de prévention ciblée de type sélectif ainsi qu'universelle demeurent à ce jour à un stade embryonnaire.

La majorité des études d'efficacité publiées ont été réalisées auprès de populations scolaires, ce qui apparaît très pertinent étant donné que l'école est l'un des principaux milieux de vie des jeunes et que l'échec scolaire est l'un des principaux facteurs de risque de la dépression chez les jeunes. Une approche de groupe est le plus souvent favorisée incluant de 10 à 16 rencontres dans un contexte didactique.

Dans la prochaine partie de ce chapitre nous présentons une revue des programmes existants ainsi que les études ayant vérifié leur efficacité. Cette présentation débute par les programmes de prévention ciblée de type indiqué ; cela veut dire que les participants ne sont pas des jeunes qui ont demandé une aide, mais ils ont été dépistés et invités à participer aux programmes étant donné la présence de symptômes dépressifs d'intensité sous-clinique. Suivent les études qui ont ajouté un deuxième facteur de risque comme critère de sélection. Un programme de prévention ciblée de type sélectif est ensuite présenté. Enfin, deux études portant sur l'impact d'un programme dans une perspective de prévention universelle sont abordées. Le tableau 1 résume l'information concernant les caractéristiques des échantillons, les critères de sélection, les interventions réalisées et les résultats de ces études tant sur les mesures de la dépression que sur les corrélats de cette problématique ; ces catégories sont inspirées de Mann et Borduin (1991).

Tableau 1
CARACTÉRISTIQUES DESCRIPTIVES DES ÉTUDES PORTANT SUR LES PROGRAMMES DE PRÉVENTION DE LA DÉPRESSION

Étude	Caractéristiques de l'échantillon	Critères de sélection
1. Butler, Miezitis, Friedman et Cole (1980).	1. Élèves, 5e et 6e années, 10-13 ans ; *N* = 54* (14 participants par groupe)**.	1. Référence par l'enseignant et score > 59 sur Depression Battery (incluant des mesures de dépression, estime de soi, distorsions cognitives et lieu de contrôle).
2. Reynolds et Coats (1986).	2. Élèves, M = 15,7 ans ; *N* = 24 ; (9-11 participants par condition expérimentale).	2. Score > 12 à l'Inventaire de dépression de Beck (IDB), score > 72 au Reynolds Adolescent Depression Scale (RADS), score > 20 à Bellevue Index of Depression (BID).
3. Stark, Reynolds et Kaslow (1987).	3. Élèves, 4e à 6e année, 9-12 ans ; *N* = 28 ; (9-10 participants par condition expérimentale).	3. Score > 16 au Children Depression Inventory (CDI).
4. Lewinsohn, Clarke, Hops et Andrew (1990).	4. Adolescents de milieux scolaire et communautaire, 14-18 ans ; *N* = 49 (19-21 participants par condition expérimentale).	4. Diagnostic de dépression majeure au DSM-III ou diagnostic d'épisode de dépression actuel au Research Diagnostic Criteria (RDC) ou trouble dépressif intermitant au Schedule for Affective Disorders and Schizophrenia for School-Aged Children (K-SADS).
5. Kahn, Kehle, Jenson et Clark (1990).	5. Élèves, 10-14 ans ; *N* = 68 (17 participants par condition expérimentale).	5. Score > 15 au CDI, score > 72 au RADS, score > 20 au BID.
6. Fine, Forth, Gilbert et Haley (1991).	6. Adolescent de clinique externe, 13-17 ans, M = 15,1, 7e à 12e années ; *N* = 47.	6. Mesure auto-évaluative (CDI) et diagnostic de trouble dépressif majeur ou trouble dysthymique pour 62,1 % des participants mesuré au K-SADS.
7. Marcotte et Baron (1993).	7. Élèves, 14-17 ans, M = 15,3 ans. ; *N* = 25 (13-15 participants par condition expérimentale).	7. Score >15 à l'IDB et score > 10 à l'Échelle de dépression Hamilton (cotation modifiée)

Tableau 1 (*suite*)

CARACTÉRISTIQUES DESCRIPTIVES DES ÉTUDES PORTANT SUR LES PROGRAMMES DE PRÉVENTION DE LA DÉPRESSION

Étude	Caractéristiques de l'échantillon	Critères de sélection
8. Beardslee *et al.* (1993, 1997)	8. Familles d'enfants et adolescents dont un parent présente un trouble de l'humeur ; $N = 20$ (Gr. exp. : $N = 12$, Gr. Lecture : $N = 8$)	8. Histoire d'un épisode de trouble affectif chez au moins un parent dans l'année ; au moins un enfant âgé entre 8 et 14 ans qui n'est pas présentement traité pour un trouble psychiatrique ; absence de schizophrénie, absence d'une crise familiale sévère.
9. Jaycox, Reivich, Gilham et Seligman (1994)	9. Élèves de 5e et 6e année, 10-13 ans ; $N = 121$ (22-24 participants par condition expérimentale).	9. Score *z* total > 0,50 sur la somme de deux mesures : CDI et Child's Perception Questionnaire (CPQ).
10. Kellam, Rebok, Mayer, Ialongo et Kalodner, 1994	10. Élèves de 19 écoles primaires, 4,7 à 9,4 ans ; M = 6,3 ans ; $N = 685$ (156 – 212 participants par condition expérimentale).	10. Aucun (programme de prévention universelle)
11. Clarke, Hawkins, Murphy, Sheeber, Lewinsohn et Seeley (1995)	11. Élèves de 9e et 10e années, M = 15,3 ans ; $N = 125$ (55 et 70 participants par condition expérimentale)	11. Score > 23 au CES-D et absence de troubles dépressifs évalué par le K-SADS.
12. Gamache, Marcotte et Morasse (1996).	12. Adolescents de milieu scolaire et services sociaux, M = 15,0 ans ; $N = 12$	12. Score > 15 à l'IDB et entrevue Hamilton.
13. Zubernis, Wright-Cassidy, Gilham, Reivich et Jaycox (1999)	13. Élèves de 5e et 6e années dont les parents sont divorcés ou non divorcés ; $N = 48$ (28-31 participants par condition expérimentale).	13. Score *z* total 0,50 sur la somme de deux mesures : CDI et CPQ.

* N après attrition au post-test.

** Nombre de participants qui ont débuté le programme dans chaque condition expérimentale.

Tableau 1 (*suite*)

CARACTÉRISTIQUES DESCRIPTIVES DES ÉTUDES PORTANT SUR LES PROGRAMMES DE PRÉVENTION DE LA DÉPRESSION

Étude	Résultats sur les mesures de la dépression	Résultats sur les autres mesures
1. *a)* Jeux de rôles (JR), 10 rencontres ; *b)* Restructuration cognitive (RC), 10 rencontres ; *c)* Attention-placebo (AP), 10 rencontres ; *d)* Contrôle (C).	1. *Mesures auto-évaluatives* : JR, RC, C améliorés ; JR> RC, C. *Observations des enseignants* : JR améliorés plus que RC, AP, C.	1. *Estime de soi* : JR, RC améliorés. *Stimulus appraisal* : JR améliorés. *Lieu de contrôle* : JR améliorés.
2. *a)* Béhaviorale-cognitive (CB), 10 rencontres ; *b)* Entraînement à la relaxation (R), 10 rencontres ; *c)* Contrôle (C).	2. *Post-test* : CB, R améliorés plus que C sur les trois mesures (IDB, RADS, BID). *Relance* (5 semaines) : CB, R améliorés plus que C sur deux mesures (IDB, BID).	2. *Anxiété* : Post-test : R améliorés plus que C. *Concept de soi scolaire* : Post-test : R, CB améliorés plus que C. Relance : CB améliorés plus que C.
3. *a)* Auto-contrôle (AC), 12 rencontres ; *b)* Résolution de problèmes comportementaux (RP), 12 rencontres ; *c)* Contrôle (C).	3. *Mesures auto-évaluatives et entrevue* : AC, RP > C au post-test et à la relance (8 semaines) ; AC > RP à la relance sur l'entrevue seulement. *Évaluation par les mères* : Relance : RP améliorés.	3. *Anxiété* : Post-test et relance : AC, RP améliorés. *Estime de soi* : Post-test : AC amélioré ; Relance : AC améliorés ; AC > RP. *Évaluation par les mères* : Post-test : RP améliorés sur comp. intériorisés ; Relance : RP améliorés sur comp. intériorisés et retrait social.
4. *a)* Béhaviorale-cognitive, Adolescents seulement (CB), 14 rencontres ; *b)* Béhaviorale-cognitive, Adolescents et Parents (CBP) 14 rencontres ; *c)* Contrôle (C).	4. *Entrevue* (K-SADS) : Post-test et relance (6 mois) : CB, CBP améliorés ; CB et CBP améliorés plus que C. *Mesures auto-évaluatives* : Post-test et relance (6 mois) : CB, CBP améliorés plus que C sur les deux mesures (IDB et CES-D). *Évaluation par les parents* : non significative.	4. *Résolution de conflits* : Relance : CB, CBP améliorés. *Anxiété, activités plaisantes et cognitions dépressogènes* : Post-test : CB, CBP améliorés. *Problèmes checklist* (CBCL) : Post-test : CBP améliorés plus que CB ; Relance : CBP, CB améliorés.

Tableau 1 (*suite*)
CARACTÉRISTIQUES DESCRIPTIVES DES ÉTUDES PORTANT SUR LES PROGRAMMES DE PRÉVENTION DE LA DÉPRESSION

Étude	Résultats sur les mesures de la dépression	Résultats sur les autres mesures
5. *a)* Behaviorale-cognitive (CB), 15 rencontres ; *b)* Entraînement à la relaxation (R), 12 rencontres ; *c)* Self-Modeling (SM), 6-8 rencontres individuelles ; *d)* Contrôle (C).	5. *Post-test et relance* (1 mois) : CB, SM, R et C améliorés ; CB, SM améliorés plus que C seulement au BID. *Évaluation par les parents* : CB, SM, R et C améliorés.	5. *Estime de soi* : Post-test et relance : CB, SM, R et C améliorés ; CB améliorés plus que C.
6. *a)* Entraînement aux habiletés sociales (HS), 12 rencontres ; *b)* Soutien thérapeutique (dérivé de l'approche interpersonnelle ; ST), 12 rencontres.	6. *Post-test* : K-SADS : ST, HS améliorés ; CDI : ST améliorés ; ST améliorés plus que HS sur les deux mesures. Relance (9 mois) : ST, HS améliorés.	6. *Concept de soi* : Post-test : ST améliorés ; ST améliorés plus que HS. Relance : ST, HS améliorés. *Distorsions cognitives* : non significatives.
7. *a)* Thérapie émotivo-rationnelle (TER), 12 rencontres ; *b)* Contrôle (C).	7. IDB : Post-test : TER, C améliorés, Relance : TER améliorés. Observations par les enseignants : TER, C améliorés.	7. *Croyances irrationnelles* : Post-test et relance : TER améliorés.
8. *a)* Intervention cognitive psycho-éducative (ICP), 6 à 10 rencontres ; *b)* Lecture (L).		8. Post-test et relance : ICP, L : nombre d'aspects de la maladie qui causent la détresse amélioré. ICP > L : changements comportementaux et d'attitudes.
9. *a)* Cognitif (COG) ; *b)* Résolution de problèmes (RP) ; *c)* Combiné (COGRP) ; *d)* Contrôle liste d'attente (C1) ; *e)* Contrôle sans participation (C2).	9. *Post-test et relance (6 mois)* : Mesures auto-évaluatives : COG, RP, COGRP > C1, C2.	9. *Problèmes de comp. extériorisé évalués par les parents* : Relance : COG, RP, COGRP > C1, C2. *Comp. en classe* : Post-test : COG, RP, COGRP > C1, C2. *Style attributionnel pessimiste* : Post-test et relance : COG, RP, COGRP > C1, C2.

Tableau 1 (*suite*)

CARACTÉRISTIQUES DESCRIPTIVES DES ÉTUDES PORTANT SUR LES PROGRAMMES DE PRÉVENTION DE LA DÉPRESSION

Étude	Résultats sur les mesures de la dépression	Résultats sur les autres mesures
10. *a*) Programme enrichi d'apprentissage de la lecture (AL). *b*) Contrôle interne (CI). *c*) Contrôle externe (CE).	10. – Pas d'effet direct du programme sur la dépression. – Chez les filles, l'amélioration du rendement est associée à la discontinuité de la dépression entre l'automne et le printemps, et ce, pour les groupes intervention et contrôle. – Chez les garçons, l'amélioration du rendement est associée à la discontinuité de la dépression entre l'automne et le printemps pour le groupe intervention seulement.	10. Aucune autre mesure.
11. *a*) Cognitif-béhavioral (CB). *b*) Contrôle (C).	11. *Post-test* : Mesure auto-évaluative : CB > C. Entrevues : Hamilton : non significatif *Relance (12 mois)* : Mesure auto-évaluative : CB = C. Entrevues : Hamilton : non significatif. K-SADS : CB > C	11. Troubles non affectifs : non significatifs.
12. *a*) Cognitif-béhavioral (CB), 16 rencontres. *b*) Contrôle (C).	12. *Post-test* : Mesure auto-évaluative : CB > C *Relance* : Mesure auto-évaluative : CB > C	12. *Post-test* : Croyances irrationnelles, langage intérieur pessimiste, estime de soi, conflits avec parents : CB > C. Résolution de problèmes : CB = C. *Relance* : Croyances irrationnelles, estime de soi : CB > C. Résolution de problèmes : CB = C.
13. *a*) Cognitif-résolution de problèmes (CRP), 12 rencontres. *b*) *Idem*.	13. *Post-test et relance (6 et 18 mois)* : le programme est efficace pour les deux groupes. *Relance (24 mois)* Mesure auto-évaluative : enfants du divorce > enfants de familles intactes.	13. *Post-test et relances :* Style attributionnel : le programme est efficace pour les deux groupes de participants.

Programmes de type ciblé-indiqué

Butler, Miezitis, Friedman et Cole (1980) sont reconnus comme des pionniers dans l'application et l'évaluation de stragégies d'intervention béhaviorales-cognitives auprès de jeunes présentant des symptômes de dépression. Les résultats de leur étude ont permis de confirmer la validité et l'efficacité d'une intervention psychologique de groupe auprès des jeunes, ce qui constituait à l'époque une première. C'est auprès d'une population scolaire d'enfants et d'adolescents âgés de 10 à 13 ans que ces auteurs ont comparé l'efficacité de quatre conditions expérimentales, soit le jeu de rôle, la restructuration cognitive, l'attention-placebo et un groupe de contrôle. Les interventions de jeu de rôle et de restructuration cognitive ont été offertes à l'intérieur du cadre scolaire. Les programmes ne sont cependant pas décrits de façon systématique dans des manuels. Le programme de jeu de rôle incluait l'enseignement d'habiletés sociales et d'habiletés de résolution de problèmes qui seront retrouvées dans plusieurs programmes ultérieurs. Il en va de même pour la stratégie d'intervention cognitive qui était dérivée des approches de Beck (1976), d'Ellis et Grieger (1977) et de Knaus (1974). Le programme consistait en 10 rencontres hebdomadaires qui duraient une heure. De leur côté, les élèves du groupe « attention-placebo » apprenaient à résoudre des problèmes par la coopération. Les participants ont été sélectionnés à partir d'un échantillon initial de 562 élèves de 5e et 6e année. Deux critères de sélection étaient considérés : 1) l'élève devait avoir été référé par son enseignant à la suite d'une entrevue où l'on demandait à ce dernier d'identifier les enfants présentant une faible estime de soi, de pauvres habiletés sociales, un rendement scolaire faible, de l'impuissance dans les situations stressantes, ainsi qu'un retrait social ou des problèmes de comportement ; de plus, 2) l'élève devait avoir obtenu un score supérieur ou égal à 1,5 écart type au-dessus de la moyenne à deux ou plus de quatre mesures auto-évaluatives dont une mesure de dépression (voir tableau 1) ou avoir obtenu un score global supérieur à 1,5 écart type au-dessus de la moyenne. Ainsi, cette première étude pourrait aujourd'hui être redéfinie comme une application d'un programme de prévention ciblée puisque plusieurs facteurs de risque ont été considérés dans la sélection des participants. La restructuration cognitive ainsi que le jeu de rôle se sont tous deux révélés des interventions efficaces pour réduire les symptômes de dépression. Cependant, le programme utilisant le jeu de rôle s'est révélé le plus efficace, autant sur la mesure de la dépression que sur les autres mesures des facteurs de risque tels que l'estime de soi et le lieu de contrôle. Cette étude n'inclut pas de procédure de relance.

En 1986, Reynolds et Coats ont comparé l'efficacité de deux types d'intervention béhaviorale-cognitive à une procédure de groupe de contrôle pour diminuer les symptômes dépressifs d'élèves du secondaire. Le programme d'intervention béhavioral-cognitif, dérivé directement du modèle d'autocontrôle de la dépression de Rehm (1977) pour adultes, visait l'enseignement des habiletés d'autocontrôle, incluant l'auto-observation, l'auto-évaluation et l'autorenforcement. Encore une fois, le programme n'a pas fait l'objet d'une systématisation à l'intérieur d'un manuel. Le programme d'entraînement à la relaxation suivait la procédure bien connue élaborée par Jacobsen (1938). Les participants ont été sélectionnés à partir d'un échantillon initial de 800 adolescents selon une procédure de sélection en trois stades incluant des mesures auto-évaluatives suivies d'une entrevue d'évaluation. Cette procédure proposée par Reynolds sera reprise par plus d'un chercheur dans les études ultérieures ; elle consiste en l'administration d'une mesure auto-évaluative de la dépression, telle que l'Inventaire de la dépression de Beck (IDB), le Reynolds Adolescent Depression Scale (RADS) ou le Center for Epidemiology Scale-Depression (CES-D), à un large échantillon scolaire permettant de sélectionner les jeunes présentant des symptômes de dépression à partir d'un score de coupure. Cette mesure est ensuite réadministrée à l'échantillon retenu. Enfin, une entrevue d'évaluation permet, dans certains cas, d'établir la proportion de participants qui présente un trouble dépressif afin de les inclure ou non dans l'étude. Dans le cas présent, les études où les participants ont été sélectionnés essentiellement en fonction d'une concordance à un diagnostic de trouble dépressif (Reed, 1994 ; Stark, 1990 ; Wood, Harrington et Moore, 1996) ont été exclues de la recension puisque nous nous intéressions à la prévention plutôt qu'à l'intervention auprès d'une population clinique. Il faut cependant mentionner que la distinction entre ces deux populations demeure parfois ambiguë et que certaines études ont inclus un certain nombre de participants présentant un trouble dépressif.

Dans leur étude, Reynolds et Coats rapportent que les participants des deux programmes d'intervention manifestent des améliorations significatives et similaires au post-test. L'amélioration demeure présente sur deux des trois mesures de la dépression lors de la relance (cinq semaines), constituant un indice d'efficacité préventive des programmes utilisés. Tous les participants aux programmes obtiennent des scores les situant à l'intérieur de la catégorie normale lors de la relance, alors que des scores dans la catégorie d'intensité modérée avaient été obtenus avant l'intervention. Les auteurs expliquent la similarité de l'efficacité des deux programmes par le fait que les deux types d'intervention permettent l'acquisition d'un sentiment de maîtrise personnelle chez les participants. Des améliorations au regard du concept de soi et des symptômes d'anxiété sont également constatées.

Les travaux de Kevin D. Stark figurent certainement parmi les contributions les plus significatives dans le domaine du développement de programmes d'intervention pour les enfants et les adolescents dépressifs dans le cadre scolaire. Les travaux de Stark et ses collègues ont débuté en 1987 ; ils ont alors réalisé une première étude sur l'efficacité de deux types d'intervention en comparaison à une procédure de contrôle avec liste d'attente (Stark, Reynolds et Kaslow, 1987). Le programme d'autocontrôle utilisé est de nouveau une extension et une révision du programme de Rehm pour adultes (Fuchs et Rehm, 1977) et inclut l'enseignement d'habiletés cognitives et behaviorales. Les habiletés d'auto-observation, d'autoévaluation et d'autorenforcement sont enseignées par le biais de présentations didactiques, de jeux de rôles, d'exercices au cours des rencontres de même que par des devoirs à la maison. Les enfants reçoivent des récompenses tangibles de façon intermittante, et ce, dans les deux programmes offerts ; on planifie aussi des activités plaisantes et on recourt à l'enseignement d'un style attributionnel plus adapté.

Le traitement béhavioral est celui proposé par Lewinsohn (1974) pour les adultes et orienté selon la théorie de l'apprentissage social ; on y enseigne la relation entre l'humeur et les activités plaisantes, et on insiste sur l'observation et l'augmentation des activités plaisantes. L'enseignement d'habiletés sociales et de processus de résolution de problèmes interpersonnels est également inclus dans le programme. Les participants sont des élèves de 9 à 12 ans recrutés suivant leur score au CDI (Children Depression Inventory) reflétant la présence de symptômes dépressifs. Des petits groupes de quatre ou cinq participants sont formés. Douze rencontres de 50 minutes réparties sur cinq semaines pour chacun des deux traitements sont offertes à l'école.

Au post-test, les deux interventions se révèlent efficaces suivant les mesures auto-évaluatives et l'entrevue mesurant la dépression ; ces changements sont maintenus à la relance, soit après huit semaines. Lors du post-test, 78 % des enfants du groupe autocontrôle et 60 % des enfants du groupe béhavioral ne sont plus déprimés. À la relance, 88 % des participants du groupe autocontrôle et 67 % du groupe béhavioral demeurent toujours non déprimés. Une évaluation de la présence de symptômes dépressifs par les mères laisse croire à un effet prépondérant de l'intervention béhaviorale sur l'intervention d'autocontrôle lors de la relance. Cependant, ces résultats méritent d'être considérés avec précaution puisque les évaluations des mères ne corrélaient pas avec celles des enfants au prétest. Des améliorations significatives sont également rapportées en ce qui concerne l'anxiété et l'estime de soi, et ce, tant au post-test qu'à la relance, mettant cette fois en relief un effet plus important du programme d'autocontrôle sur l'amélioration de l'estime de soi. Ces résultats confirment de nouveau la présence d'un effet préventif sur la récurrence des symptômes de dépression à moyen terme. Il importe toutefois de mentionner que, dans cette étude, les deux programmes d'intervention utilisés étaient des extensions de traitements conçus pour les populations adultes.

Les résultats de cette première étude amènent Stark à concevoir des programmes d'intervention multicomposantes, et éventuellement plus efficaces, spécialement conçus pour intervenir auprès des jeunes manifestant des symptômes de dépression d'intensités diverses. Ces programmes sont conçus pour être appliqués autant dans un but préventif que clinique, auprès de populations d'enfants ou d'adolescents. Un premier programme est publié par Stark en 1990 ; il comprend des composantes cognitives, soit la restructuration cognitive, l'entraînement à la résolution de problèmes, le modelage cognitif ainsi que des stratégies pour diriger l'attention. Les procédures d'autocontrôle utilisées incluent l'auto-observation, l'autoévaluation et l'autorenforcement, alors que les habiletés comportementales enseignées incluent la planification d'activités, l'affirmation de soi, les habiletés sociales ainsi que la relaxation combinée à l'imagerie mentale. Ce programme comprend également une intervention auprès des parents visant à les encourager à soutenir leur enfant dans l'acquisition d'habiletés ainsi qu'à s'engager dans des activités familiales plaisantes. Chaque technique d'intervention est décrite de façon détaillée, de même que les modalités d'intervention.

Plus récemment, Stark a proposé un nouveau programme d'intervention préventive ciblée pour la dépression chez les jeunes de 9 à 13 ans (Stark, Swearer, Kurowski, Sommer et Bowen, 1996). Bien que son efficacité n'ait pas encore fait l'objet d'une vérification contrôlée, le programme ACTION (Stark et Kendall, 1996 ; Stark, Kendall, McCarthy, Strafford, Barron et Thomeer, 1996) mérite d'être présenté puisqu'il constitue l'aboutissement des conclusions dérivées des études antérieures d'évaluation de programmes réalisées par Stark et ses collègues. De plus, il est le plus récent programme d'intervention pour la dépression chez les enfants à avoir été publié.

Le programme ACTION vise à remédier aux lacunes des programmes évalués par Stark et ses collègues et propose une intervention multiple tant au regard des dimensions abordées que des types d'intervention. Plus précisément, ce programme inclut des sous-groupes d'interventions visant les dysfonctions affectives, cognitives et comportementales des enfants dépressifs dans une perspective reconnaissant l'interaction de ces trois dimensions du fonctionnement de l'enfant ; une approche holistique est donc adaptée. Trois types d'intervention sont utilisées, soit une thérapie de groupe et individuelle pour l'enfant ainsi qu'une intervention auprès des parents et de la famille. L'intervention avec les parents permet de soutenir le travail réalisé en thérapie avec l'enfant tout en facilitant l'utilisation des habiletés enseignées une fois à l'extérieur du contexte d'intervention ; elle permet également d'agir sur les conditions environnementales qui contribuent à l'apparition et au maintien des difficultés de l'enfant. Soulignons que le jumelage d'une intervention individuelle à une intervention de groupe constitue un changement important par rapport aux programmes existants. De plus, à l'exception du Coping with Depression Course (CWD-A) de Clarke, Lewinsohn et Hops (1990), qui sera présenté ultérieurement, aucun des programmes évalués jusqu'à ce jour n'avait inclus une composante d'intervention auprès des parents systématique et définie dans un manuel. Plusieurs raisons motivent ces choix. D'abord, il est connu que les jeunes dépressifs, étant donné la nature de leur problématique, s'engagent difficilement dans une thérapie ; la cohésion du groupe est plus difficile à établir et requiert plus de temps. L'intervention individuelle est ainsi utilisée pour faciliter l'engagement dans la thérapie tout en favorisant la réalisation des devoirs à la maison. Elle permet également de mieux comprendre chaque participant, tant au plan des schèmes cognitifs que du contexte familial ; cette compréhension est essentielle à l'efficacité de l'intervention et ne peut être acquise, selon Stark, que dans l'intimité qu'offre l'intervention individuelle.

Les différentes composantes du programme proposent une variété de techniques d'intervention visant trois dimensions de la problématique de la dépression chez les jeunes ; l'humeur, les cognitions et les comportements. Le tableau 2 résume les difficultés relevées comme cible de l'intervention ainsi que les techniques d'intervention correspondantes. Une première série d'interventions a pour objectif de diminuer les symptômes affectifs de la dépression, à savoir la tristesse, la colère, la perte d'intérêts et les inquiétudes ; huit rencontres sont consacrées à cette dimension. Il s'agit d'apprendre à l'enfant à reconnaître ses émotions et à comprendre la relation entre les sentiments, les pensées et les comportements ; on veut aussi apprendre à l'enfant à utiliser son humeur comme un signal l'incitant à s'engager dans des activités adaptatives. À titre d'exemple, les activités au programme promeuvent l'enseignement d'un vocabulaire émotionnel ainsi que la conception des émotions selon un continuum plutôt que dans un mode dichotomique.

Fidèle au modèle cognitif de la dépression, l'intervention cognitive vise à amener l'enfant à identifier ses cognitions mésadaptées et à les modifier ou à les remplacer par d'autres plus adaptées. Cependant, dans ce programme, l'attention est centrée sur les schèmes cognitifs reliés au soi (*self schemata*) et aux erreurs cognitives qui entretiennent l'appréciation négative de soi. Afin de changer les schèmes cognitifs dysfonctionnels, les procédures de restructuration cognitive bien connues de Beck, Rush, Shaw et Emery (1979) sont utilisées.

La composante comportementale du programme propose l'apprentissage d'habiletés sociales semblables à celles qu'on retrouve dans plusieurs programmes ; mais en plus d'y enseigner les habiletés sociales de base, on y examine les distorsions cognitives ainsi que les signes physiques aversifs qui nuisent à l'établissement de contacts sociaux fructueux. Selon Stark, l'enfant dépressif est souvent contrôlant, entêté, plaignard et jaloux. La restructuration cognitive est donc employée de pair avec l'enseignement des habiletés sociales. On a aussi recours à l'entraînement à la relaxation afin d'aider les jeunes à diminuer les symptômes physiques négatifs associés aux situations sociales.

Tableau 2
LES DIFFICULTÉS IDENTIFIÉES CHEZ LES ENFANTS, LES PARENTS ET LA FAMILLE PAR LES ÉTUDES, ET LES INTERVENTIONS CORRESPONDANTES*

Difficultés	Interventions
Difficultés affectives chez l'enfant	
Dysphorie	Éducation affective
Colère	Réduction de la colère excessive
Anhédonie	Planification d'activités
Inquiétudes excessives	Interventions pour l'anxiété excessive
	Planification d'activités plaisantes
Difficultés comportementales chez l'enfant	
Déficits dans les habiletés sociales	Entraînement aux habiletés sociales
Difficultés cognitives chez l'enfant	
Schèmes mésadaptés	Procédures de restructuration cognitive
Traitement de l'information distorsionné	Expérimentations comportementales
Pensées automatiques dépressogènes	Quelle est l'évidence ?
Attentes négatives	Interprétations alternatives
Auto-évaluations négatives	Qu'est-ce qui arriverait si... ?
	Entraînement à l'auto-évaluation
	Entraînement à la résolution de problèmes
	Auto-observation
Difficultés cognitives et comportementales chez les parents	
Pratiques parentales punitives	Pratiques parentales positives
	Discipline non coercitive
Colère impulsive	Contrôle de la colère
Attentes irréalistes et perfectionnistes	Développement de l'estime de soi
Schèmes dysfonctionnels	Restructuration cognitive
Problème de communication	Écoute empathique
Faible taux d'activités sociales et récréationnelles	Activités récréatives
Difficultés familiales comportementales	
Faibles taux de renforcements positifs	Attitudes parentales positives
Faibles taux de comportements sociaux et récréationnels	Planification d'activités récréationnelles
Prises de décisions familiales	Habiletés de négociation
Déficits dans la communication familiale	Habiletés de communication
Difficultés familiales cognitives	
Déficits de résolution de problèmes	Entraînement à la résolution de problèmes
Déficits de la résolution de conflits	Habiletés de résolution de conflits
Communication de messages négatifs	Communication positive
	Changement des schèmes d'interactions

* Reproduit et traduit avec la permission des auteurs (Stark, Swearer, Kurowski, Sommer et Bowen, 1996).

L'intervention auprès des parents vise, dans un premier temps, à les informer au sujet du trouble dépressif. Dans un deuxième temps, l'intervention leur fera prendre conscience des messages qu'ils communiquent à leur enfant, et leur apprendra à communiquer des messages positifs et réalistes à l'enfant, et ce, à propos de lui-même, du monde et du futur. Des habiletés de gestion du comportement positif sont également enseignées afin de remplacer un style parental souvent blâmant et punitif et d'encourager l'utilisation de stratégies adaptatives. Les stratégies employées visent également à enseigner aux parents des méthodes pour améliorer l'estime de soi de leur enfant. À cet effet, les procédures proposées par Barkley (1987) sont retenues ; s'ajoute l'enseignement de méthodes de relaxation et de contrôle de la colère pour les parents.

L'intervention familiale permet de connaître les conditions environnementales qui contribuent au maintien de l'état dépressif. À titre d'exemple, on tente, d'une part, de relever la présence de conflits conjugaux nécessitant de référer les parents vers des ressources additionnelles au programme et, d'autre part, d'augmenter l'importance accordée à l'enfant dans le processus de prise de décisions familiales. Finalement, comme un nombre réduit d'activités familiales récréatives est fréquemment observé dans les familles d'enfants et d'adolescents déprimés, cette composante inclut la planification d'activités plaisantes pour la famille, qui permettent d'accroître la cohésion familiale.

Tout comme c'est le cas pour la majorité des programmes présentés jusqu'à maintenant, le format de groupe est privilégié dans le programme ACTION. Stark souligne que le groupe fournit aux jeunes le soutien et l'acceptation nécessaire à l'apprentissage et à la pratique de comportements plus adaptés, tout en favorisant l'intégration de techniques cognitives et béhaviorales. Ainsi, Stark soutient qu'il est insuffisant d'enseigner l'apprentissage d'habiletés sociales, mais qu'il faut aussi mettre au jour les distorsions cognitives présentes chez les jeunes dépressifs lors de la pratique de ces habiletés.

Le Coping with Depression Course for Adolescents (CWD-A) élaboré par Clarke, Lewinsohn et Hops (1990) constitue l'un des programmes les mieux structurés pour intervenir auprès des adolescents manifestant des symptômes dépressifs ; ce programme est une adaptation d'un programme originalement conçu et testé auprès d'une population d'adultes dépressifs (Lewinsohn, Antonuccio, Steinmetz et Teri, 1984). Basée sur la théorie d'apprentissage social, cette intervention multimodale comporte 16 rencontres très structurées et détaillées, décrites dans les manuels de l'animateur et du participant. Plusieurs habiletés cognitives et béhaviorales sont enseignées en mettant l'accent sur les habiletés béhaviorales. Chaque rencontre comprend deux à trois présentations didactiques accompagnées d'exercices et de devoirs à la maison. Parmi les composantes du programme, on retrouve l'enseignement des habiletés sociales et d'auto-observation ainsi que l'augmentation des activités plaisantes. Deux composantes portant sur les habiletés de communication et de résolution de problèmes, inspirées de Robin et Foster (1989), sont également incluses. De plus, deux techniques de relaxation sont aussi enseignées de même que des techniques permettant de faire ressortir les croyances irrationnelles et d'en discuter.

Les différentes composantes du programme ont été choisies par les auteurs afin qu'il y ait cohérence avec les résultats des études empiriques qui ont relevé des différences entre les adolescents dépressifs et leurs pairs non dépressifs sur ces divers aspects du fonctionnement psychosocial (Kandel et Davies, 1986). Ce programme s'inspire également des recommandations proposées par Zeiss, Lewinsohn et Munoz (1979) pour maximiser l'efficacité des programmes d'intervention béhavioraux-cognitifs pour la dépression. Ces recommandations incluent 1) la présentation d'un rationnel, 2) l'apprentissage d'habiletés qui accroissent chez le participant le sentiment d'avoir un certain contrôle sur sa vie, 3) l'utilisation indépendante d'habiletés en dehors du contexte thérapeutique, 4) l'encouragement du participant à adopter des attributions internes à propos de l'amélioration de son humeur.

Le programme comprend une version pour intervenir auprès des parents ; elle est composée de neuf rencontres et est offerte en parallèle au programme s'adressant aux adolescents. On y enseigne des habiletés de communication et de résolution de problèmes aux parents en plus d'y présenter un résumé des apprentissages proposés aux adolescents. Finalement, deux rencontres conjointes parents-adolescents sont intégrées dans le CWD-A, permettant la pratique des techniques enseignées dans le but de faciliter les relations parents-adolescents.

Le CWD-A a été évalué auprès de populations adolescentes d'âges et de provenances diverses, et ce, tant dans une perspective d'intervention préventive que clinique. Une première étude est celle de Lewinsohn, Clarke, Hops et Andrews (1990) qui se distingue par son originalité et ses qualités méthodologiques ; c'est l'une des rares études comparatives à avoir testé l'effet d'un programme auprès d'un groupe d'adolescents dépressifs par rapport à un programme complémentaire offert simultanément aux parents. Cette étude se situe dans une perspective d'intervention clinique ou de prévention tertiaire puisque les participants avaient reçu un diagnostic de dépression. Il sera cependant intéressant de comparer plus loin dans ce chapitre ces résultats avec ceux obtenus lorsque le programme a été utilisé dans un contexte de prévention ciblée.

Des jeunes âgés de 14 à 18 ans de milieux scolaire et communautaire ont été recrutés pour participer au programme par le biais d'une publicité diffusée auprès des professionnels de la santé, des conseillers scolaires et des médias. Les résultats de cette étude révèlent que les deux formes d'intervention apportent des améliorations significatives des symptômes de dépression au post-test qui se sont maintenues jusqu'à la relance. Cependant, 52,4 % des adolescents ayant participé au groupe « avec parents » et 57,1 % des participants du groupe « adolescents seulement » présentaient toujours des symptômes de dépression au post-test en comparaison de 94,7 % des participants du groupe de contrôle.

Le CWD-A a fait l'objet d'une application auprès d'un échantillon d'adolescents québécois lors d'une étude pilote ; ce programme s'est révélé fort prometteur (Gamache, Marcotte et Morasse, 1996). Douze adolescents âgés de 14 à 17 ans provenant du milieu scolaire et de services externes ont été assignés à un groupe expérimental et à un groupe de contrôle avec liste d'attente. La procédure de sélection proposée par Reynolds et Coats (1986) a été utilisée ; les mesures de la dépression ont été l'IDB et l'entrevue d'évaluation de la dépression de Hamilton. Les adolescents ont participé aux 16 rencontres du CWD-A d'une durée de deux heures chacune offertes sur une base bihebdomadaire pendant huit semaines ; les animateurs étaient des étudiants de maîtrise ayant complété leur formation en intervention. Les adolescents qui ont bénéficié du programme sont passés d'une intensité sévère de symptômes dépressifs au prétest à un niveau à la limite entre la dépression légère et l'absence de dépression au post-test. Cette amélioration fut maintenue lors de la relance, moment où l'intensité des symptômes avait continué de décroître chez 75 % des participants au programme. Les effets bénéfiques du programme d'intervention étaient également observables sur plusieurs corrélats de la dépression, soit les croyances irrationnelles, le langage intérieur pessimiste, les habiletés sociales, les conflits avec les parents et l'estime de soi au post-test ainsi qu'à la relance.

Malgré le nombre restreint de sujets inclus dans cette étude, ce qui limite la généralisation des résultats, les auteurs soulignent certaines limites importantes du CWD-A. Bien qu'il soit efficace, il ne susciterait pas un attrait suffisant chez les jeunes pour rendre leur participation volontaire et motivée. En effet, comme le soulignent Stark, Swearer, Kurowski, Sommer et Bowen (1996) à propos des programmes axés sur l'apprentissage de techniques béhaviorales, le CWD-A semble plutôt aride pour les adolescents qui n'y perçoivent pas un lieu où ils peuvent faire part de leurs sentiments et de leur expérience personnelle.

Kahn, Kehle, Jenson et Clark (1990) ont également vérifié l'efficacité du CWD-A, mais cette fois avec un échantillon de préadolescents. Le CWD-A a été comparé à l'entraînement à la relaxation et à la modification de comportements (apprentissage par modelage de comportements désirables à l'aide d'enregistrement vidéo) chez un échantillon de jeunes âgés de 10 à 14 ans. L'entraînement à la relaxation fut offert en petits groupes et la modification de comportements sur un base individuelle. De nouveau, les trois programmes offerts ont réussi à diminuer les symptômes dépressifs.

Alors que la première étude de Lewinsohn et ses collègues (1994) a été réalisée auprès d'un échantillon d'adolescents diagnostiqués dépressifs, une deuxième étude menée par Clarke *et al.* (1995) a cherché à vérifier l'efficacité préventive ciblée du CWD-A par une application à une population d'enfants et d'adolescents présentant une symptomatologie dépressive, mais en prenant soin d'exclure les adolescents manifestant un trouble dépressif. Ainsi, à partir d'un échantillon initial de 1652 élèves, les participants au programme ont été sélectionnés à l'aide du CES-D et du K-SADS pour une intervention d'une durée de 15 rencontres de groupe (6 à 11 participants par groupe) à raison de trois fois par semaine pendant cinq semaines. Une version modifiée du CWD-A, nommée Coping with Stress a été offerte par des psychologues et conseillers scolaires possédant une formation de deuxième cycle universitaire et à qui on a fourni 40 heures de formation. Une mesure de vérification de la mise en œuvre est incluse dans cette étude. Des extraits audio, sélectionnés au hasard au début, au milieu et à la fin du programme ont été évalués pour vérifier la concordance au protocole d'intervention ; une conformité moyenne de 93,9 % au protocole a été obtenu pour les 21 extraits évalués. Le taux moyen de participation au traitement s'élève à 72 %.

Lors de la relance à 12 mois d'intervalle, 14,5 % (8 sur 55) des participants au programme avaient développé un trouble dépressif majeur ou un trouble dysthymique en comparaison de 25,7 % (18 sur 70) des sujets du groupe de contrôle. Les auteurs interprètent ces résultats comme un effet préventif du programme sur le développement à moyen terme du trouble dépressif. Cependant, les résultats des analyses effectuées sur la mesure auto-évaluative ainsi que l'entrevue d'évaluation de la dépression de Hamilton, calculés à partir d'analyses de survie (Singer et Willett, 1991), ne confirment l'efficacité du programme que sur le CES-D, et ce, au post-test et non lors de la relance à 12 mois. De plus, aucune différence significative entre le groupe ayant participé au programme et le groupe de contrôle n'est constatée à partir des résultats obtenus à l'entrevue Hamilton. Les auteurs expliquent cette absence de résultats significatifs par l'emploi de procédures statistiques qui mesurent le nombre de cas apparus sur l'étendue complète de temps en comparaison des analyses avec mesures répétées qui examinent la symptomatologie à des points isolés dans le temps. Finalement, il est pertinent de mentionner que le programme n'a pas d'effet sur la prévention de troubles non affectifs tels que le trouble des conduites, les troubles anxieux ou l'abus de drogues ou d'alcool.

Le CWD-A constitue certes l'un des programmes disponibles pour contrer la dépression chez les adolescents qui, à ce jour, a fait l'objet d'études contrôlées les plus rigoureuses pour vérifier son efficacité. En tant que programme d'intervention clinique, son efficacité apparaît confirmée, alors que son efficacité en tant que programme de prévention ciblée demeure à être établie, bien que les résultats obtenus jusqu'à présent soient prometteurs.

Peu d'études ont comparé l'efficacité de stratégies d'intervention découlant de deux approches théoriques distinctes. Fine, Fortin, Gilbert et Haley (1991) obtiennent des résultats surprenants en comparant une intervention de soutien thérapeutique à un programme d'apprentissage d'habiletés sociales chez un échantillon d'adolescents présentant des symptômes de dépression. Le programme de soutien thérapeutique fournit aux adolescents l'occasion de faire part de leurs préoccupations mutuelles et de discuter de stratégies pour surmonter des situations difficiles. Le thérapeute intervient pour instaurer un climat sécure favorable à l'expression de soi et au soutien émotionnel. L'un des principaux objectifs de l'intervention est d'améliorer le concept de soi en insistant sur les forces des individus. Ainsi, chaque participant relate ses expériences récentes et fait part de ses préoccupations. De son côté, le thérapeute fait ressortir l'universalité de plusieurs préoccupations des jeunes.

Les résultats révèlent une plus grande efficacité du soutien thérapeutique que du programme d'habiletés sociales dans la réduction des symptômes de dépression. Bien que les deux interventions soient efficaces, les participants du groupe ayant reçu le soutien thérapeutique affichent une plus grande amélioration au post-test, et ce, aussi bien sur les mesures autoévaluatives de la dépression qu'à l'entrevue ; cette différence n'est cependant pas maintenue lors de la relance. Cette étude présente également certaines limites ; l'absence d'un groupe de contrôle de même que le fait que les participants des deux groupes recevaient d'autres traitements en parallèle limitent la portée des résultats obtenus. Il faut ajouter que, dans cette étude, un pourcentage important de l'échantillon répond au diagnostic de dépression plutôt que de manifester seulement des symptômes d'intensité sous-clinique.

Il demeure intéressant de s'attarder aux résultats de cette étude, puisqu'ils nous informent sur l'effet non spécifique de l'intervention. Il semble qu'à court terme une intervention n'offrant que la possibilité d'expression de soi pourrait être bénéfique sur l'état dépressif. Quant à eux, Fine *et al.* (1991) sont d'avis que les adolescents dépressifs pourraient avoir besoin d'une période pour s'exprimer et améliorer de leur concept de soi, ce que fournit le groupe de soutien thérapeutique, avant de pouvoir bénéficier d'une intervention orientée vers l'acquisition d'habiletés. Une deuxième explication, qui sera également retenue dans l'étude de Marcotte et Baron (1993) présentée subséquemment, concerne l'existence possible d'une période de latence après la fin de l'intervention avant que l'adolescent ne soit en mesure d'utiliser pleinement les habiletés cognitives nouvellement apprises. Un effet significatif de l'intervention pourrait alors émerger lors de la relance seulement plutôt qu'immédiatement après l'intervention.

Peu d'études ont vérifié l'efficacité de programmes d'intervention exclusivement cognitive, la plupart des traitements ayant inclus des composantes cognitives et comportementales. Dans notre étude (Marcotte et Baron, 1993), nous avons choisi de vérifier l'efficacité d'un programme d'intervention exclusivement cognitive pour diminuer les symptômes de dépression et les croyances irrationnelles chez les adolescents dépressifs. À partir d'un échantillon initial de 586 élèves d'une école secondaire, 28 participants (moyenne d'âge, 15,3 ans et écart type, 1,03) ont été sélectionnés à partir d'une procédure inspirée de Reynolds et Coats (1986). Le programme d'intervention émotivo-rationnelle de groupe de Bernard et Joyce (1986) a été offert au groupe traitement alors qu'une procédure liste d'attente a été utilisée auprès du groupe de contrôle. Le programme de Bernard et Joyce se présente sous une forme détaillée et structurée et il comprend un nombre précis de rencontres ; il vise l'enseignement des principes de base de la pensée émotivo-rationnelle. Afin de respecter les capacités cognitives des jeunes personnes auxquelles s'adresse l'intervention, trois niveaux d'intervention sont offerts selon l'âge des participants. Tout comme le programme de Clarke *et al.* (1990), les buts visés par ces programmes sont atteints par le biais d'une approche didactique et éducationnelle. Le programme s'adressant aux 13-17 ans a été appliqué par la première auteure et le psychologue de l'école ; il comprend 12 rencontres. Une procédure de vérification de la mise en œuvre comportait l'évaluation d'extraits audio d'une durée de cinq minutes pour chaque rencontre qui ont été cotés à partir d'une grille de cotation par deux juges familiers de l'approche émotivo-rationnelle. L'ensemble des cotes obtenues révèlent une excellente fidélité au programme.

Les groupes traitement et de contrôle se distinguent à l'IDB lors de la relance mais non lors du post-test. Les participants au programme démontrent une amélioration significative au post-test qui continue de se poursuivre jusqu'à la relance. L'absence de différence significative entre les groupes au post-test peut être attribuable à une amélioration temporaire du groupe de contrôle qui s'estompe lors de la relance. Le programme se révèle également efficace à diminuer les croyances irrationnelles, et ce, dès la fin de l'intervention. Comme nous l'avons mentionné précédemment, ces résultats autorisent à penser qu'il existe peut-être une période de latence qui précède l'utilisation maximale des habiletés cognitives acquises lors de l'intervention, retardant ainsi l'effet du programme sur la diminution des symptômes dépressifs. Cependant, nous avons observé un taux de rémission spontanée plus élevé chez les jeunes adolescents par comparaison avec leurs pairs plus âgés qui explique aussi en partie l'amélioration de l'état dépressif des participants du groupe de contrôle au post-test. Ces résultats soulèvent la question de la stabilité des symptômes dépressifs chez les jeunes adolescents. Finalement, le traitement s'est révélé particulièrement efficace pour diminuer trois types de croyances irrationnelles, soit la tendance à dramatiser, la faible tolérance à la frustration et les croyances à l'égard de la valeur personnelle.

Le Penn Prevention Program (PPP) élaboré par Jaycox *et al.* (1994) a pour objectif d'enseigner aux enfants des stratégies à utiliser pour faire face à des événements de vie négatifs et d'accroître leur sentiment de maîtrise et de compétence dans différentes situations et cela, au moyen de techniques béhaviorales-cognitives proactives. Un aspect intéressant de ce programme de prévention est qu'il ne cible pas seulement la dépression, mais aussi les troubles concomitants de la dépression, soit les conflits familiaux, la faible performance scolaire, de pauvres relations avec les pairs, une faible estime de soi ainsi que les problèmes de comportements. Kendall, Kortlander, Chansky et Brady (1992) soulignent l'importance d'orienter les cibles d'intervention des programmes pour la dépression à la fois sur les symptômes dépressifs et sur les conditions concomitantes. Force est de constater cependant que le PPP, dans son contenu, ne se distingue pas singulièrement des autres programmes béhavioraux-cognitifs visant à intervenir auprès des jeunes dépressifs ; c'est plutôt dans les mesures d'efficacité mesurant les effets du programme que les troubles concomitants à la dépression sont bien représentés.

Le PPP inclut deux composantes : une composante cognitive et une composante de résolution de problèmes. La première, tout comme pour le programme de Bernard et Joyce (1984) testé par Marcotte et Baron (1993), est basée sur le modèle ABC d'Ellis qui soutient que ce sont nos croyances à propos d'un événement, plutôt que l'événement lui-même, qui engendrent nos émotions. Cette composante découle également du modèle de Beck qui met lui aussi l'accent sur le défi des croyances négatives à propos de soi, du monde et du futur. Finalement, cette composante inclut l'enseignement d'un style attributionnel moins pessimiste selon le modèle de Seligman.

La composante de résolution de problèmes sociaux montre aux participants à établir des buts, à prendre du recul, à se renseigner, à envisager des solutions différentes et à prendre des décisions. On enseigne également des stratégies pour s'adapter aux conflits familiaux et autres stresseurs. À titre d'exemple, le PPP inclut la dé-catastrophisation relativement aux conséquences potentielles d'un problème, des façons de se distancier des situations stressantes, des techniques de distraction, de relaxation et des moyens de trouver du soutien social. Selon les auteurs du PPP, la composante cognitive du programme convient mieux à la dépression, alors que la composante de résolution de problèmes est plus appropriée pour les troubles extériorisés. Ce programme inclut des travaux à la maison et est offert selon un format de groupe ; il est décrit dans un manuel, mais n'a pas encore fait l'objet d'une diffusion formelle.

Jaycox *et al.* (1994) ont procédé à une vérification préliminaire de l'efficacité du PPP à prévenir les symptômes dépressifs chez des adolescents à risque de 10-13 ans. Un aspect méthodologique particulièrement intéressant et novateur de cette étude est que les participants n'ont pas été sélectionnés seulement en raison de la présence de symptômes de dépression, mais aussi d'un autre facteur de risque, soit les conflits parentaux. À partir de deux échantillons initiaux de 900 et 700 élèves de 5e et 6e année, les groupes traitement et de contrôle ont été constitués; entre 13 % et 19 % (N: 262) des élèves ont retourné le formulaire de consentement. Au moyen du CDI et d'une mesure de perception des conflits parentaux, 149 préadolescents ont été identifiés comme présentant un risque de dépression. Parmi eux, 24 % obtenaient un score supérieur à 15 au CDI lors du prétest. Huit groupes traitement de 10 à 12 préadolescents ont été formés dans sept écoles, ainsi que deux groupes de contrôle de 11-12 sujets. L'âge moyen était de 11,4 ans (écart type de 0,67) et la durée de l'intervention, de trois mois, soit 12 rencontres hebdomadaires de 90 minutes. Les thérapeutes étaient des étudiants au doctorat en psychologie clinique.

D'une durée de cinq ans, cette étude a comparé trois versions du programme (cognitif, résolution de problèmes et combiné) à deux groupes de contrôle, soit une procédure liste d'attente et un groupe de sujets qui refusaient de participer (*no-participation control group*). Cependant, puisque les deux composantes du programme n'ont pas produit d'effets différents, donc une efficacité semblable, les trois versions sont considérées ensemble dans l'évaluation de la portée préventive du programme. Les mesures d'efficacité utilisées permettent d'évaluer l'impact du programme dans diverses sphères de la vie du préadolescent. En plus d'être soumis à deux mesures auto-évaluatives de la dépression (CDI et Reynolds Children's Depression Scale; RCDS), le comportement à la maison est évalué par le questionnaire d'Achenbach et le comportement en classe, par le professeur; le style attibutionnel est également mesuré.

Les résultats révèlent une diminution importante des symptômes dépressifs chez les participants au programme. Alors que 24 % de ces jeunes obtenaient un score supérieur à 15 au CDI lors du prétest, seulement 15 % se situent au-dessus de ce critère au post-test, en comparaison de 23 % des participants des groupes de contrôle. À la relance, ces pourcentages passent à 14 % pour les participants au programme et à 25 % pour les sujets témoins. Ainsi, le programme réduit sensiblement le nombre d'enfants et d'adolescents dans la catégorie des symptômes dépressifs d'intensité modérée, soit de 24 % à 14 % et cette réduction est maintenue à la relance. Également lors de la relance, les parents des enfants ayant participé au programme rapportent moins de problèmes de comportements extériorisés que ceux des groupes de contrôle. Au post-test, les enseignants relèvent une amélioration du comportement des enfants ayant participé au programme en comparaison des groupes de contrôle. Après deux ans, les effets bénéfiques du programme demeurent présents chez les participants en comparaison des sujets des groupes de contrôle (Gillham, Reivich, Jaycox et Seligman, 1995). Chez le groupe ayant participé au programme, seulement 22 % des enfants obtiennent un score supérieur à 15 au CDI en comparaison de

44 % des sujets du groupe de contrôle. Les auteurs concluent que le programme a des effets durables à long terme sur la rémission des symptômes dépressifs.

Les résultats démontrent également un effet médiateur du style attributionnel sur l'impact du programme sur la dépression, c'est-à-dire que l'habileté accrue des enfants à attribuer les événements négatifs à des causes temporaires influence l'efficacité de l'intervention à diminuer les symptômes dépressifs ; cet effet est présent autant au post-test qu'à la relance. En revanche, le style attributionnel n'a pas d'effet médiateur sur l'impact du programme sur les comportements en classe, ni sur les problèmes de comportements extériorisés.

Les résultats révèlent également que le programme a plus d'effets sur les symptômes dépressifs des enfants et adolescents provenant de familles aux prises avec de nombreux conflits familiaux que sur ceux des jeunes vivant peu de conflits au sein de leur famille. Dans ce dernier cas, le programme ne démontre pas d'effet. De même, le programme a plus d'effets sur les symptômes intériorisés pour le groupe vivant d'intenses conflits familiaux que pour le groupe de contrôle, mais cette fois-ci au post-test seulement. À l'inverse, le programme n'a aucun effet sur les symptômes extériorisés des enfants et adolescents vivant un fort degré de conflits parentaux, et ce, tant au post-test qu'à la relance. Par contre, l'intervention a un effet positif sur les symptômes extériorisés des enfants vivant peu de conflits familiaux à plus long terme, soit à la relance après six mois.

Les auteurs ont également examiné l'effet du programme sur les jeunes manifestant de faibles et intenses niveaux de symptômes dépressifs au prétest. Chez le groupe présentant d'intenses symptômes dépressifs au prétest, l'effet du programme, bien que présent au post-test, atteint le seuil de signification statistique à la relance seulement. Chez le groupe présentant un faible niveau de symptômes dépressifs, l'effet de l'intervention est absent tant au post-test qu'à la relance. On pourrait donc avancer que le traitement est plus efficace pour les enfants présentant plus de symptômes dépressifs. Cependant, il faut demeurer prudents dans l'interprétation de ces résultats puisque des jeunes présentant un score inférieur au score de coupure ont été inclus dans l'échantillon au départ. De plus, les auteurs ne nous informent pas sur les scores moyens de dépression des groupes à faible et à haut niveau de symptômes de dépression. Il est donc impossible de savoir si le groupe présentant d'intenses symptômes de dépression est représentatif d'un groupe clinique. Un résultat fort pertinent de cette étude demeure certainement l'effet du programme non seulement sur les symptômes de dépression mais aussi sur les troubles extériorisés à long terme.

PROGRAMMES DE TYPE CIBLÉ-SÉLECTIF

Récemment, Zubernis, Wright-Cassidy, Gillham, Reivich et Jaycox (1999) ont repris les données de Jaycox *et al.* (1994) afin de vérifier l'effet préventif de ce programme sur le sous-échantillon de préadolescents dont les parents sont divorcés. L'une des conséquences les plus fréquentes du divorce étant la dépression chez les enfants, il est plus que nécessaire de vérifier l'efficacité des programmes préventifs auprès de cette sous-population. De nombreuses études confirment que les enfants de parents divorcés sont plus dépressifs que ceux de familles intactes. Ainsi, Zubernis *et al.* (1999) ont comparé l'effet du programme sur les enfants de parents divorcés qui ont reçu le traitement avec les enfants de familles intactes qui ont aussi participé au programme.

Le programme s'est montré efficace à réduire les symptômes de dépression autant chez les enfants de parents divorcés que chez les enfants de familles intactes, et ce, tant au post-test qu'aux relances après 6 et 18 mois. De même, le style attributionnel s'est amélioré chez les deux groupes au post-test et aux relances. Un résultat mérite cependant qu'on s'y attarde. Lors de la relance après 24 mois, le groupe d'enfants de parents divorcés était redevenu plus déprimé que le groupe d'enfants de familles intactes, et même plus déprimé qu'au pré-test. Les auteurs rapportent également que les filles étaient plus nombreuses dans ce groupe d'enfants de divorcés que dans le groupe d'enfants de familles intactes. Ainsi, ce sont surtout les filles qui tendent à présenter une augmentation de leurs symptômes dépressifs après deux ans. À ce moment-là, ces filles étaient âgées de 12-13 ans ; plusieurs d'entre elles étaient donc devenues pubères. Or, plusieurs études ont démontré que la dépression est plus fréquente à la puberté chez les filles (Nolen-Hoeksema, 1992 ; Nolen-Hoeksema et Girgus, 1994 ; Marcotte *et al.*, en préparation). Ces résultats démontrent donc qu'il est nécessaire de tenir compte du genre dans l'élaboration des programmes de prévention, non seulement dans la reconnaissance du genre et de la maturation pubertaire comme facteur de risque, mais également dans l'élaboration de programmes d'intervention différentiels selon le genre. Dans le cas présent, il est possible de penser que le stress d'un changement non normatif que constitue le divorce s'additionne au stress normatif de la maturation pubertaire pour créer une condition de risque accrue de développer des symptômes dépressifs. Les filles de familles divorcées seraient ainsi particulièrement à risque.

Finalement, il faut mentionner que ce programme n'a pas été conçu pour prévenir la dépression chez les enfants de parents divorcés. Ainsi, il n'inclut pas d'intervention auprès des parents, intervention qui pourrait être nécessaire puisque le déséquilibre créé par le divorce, ainsi que l'hostilité et la détresse des parents peuvent engendrer des conditions réduisant considérablement les acquis faits par les enfants pendant l'intervention.

Comme nous l'avons déjà mentionné, l'un des facteurs de risque les plus reconnus en ce qui concerne la dépression est le fait de vivre avec un parent dépressif. Pourtant, très peu de ces jeunes à risque bénéficient d'une intervention préventive ; il est estimé qu'environ un quart de ces jeunes seulement reçoivent des services alors que les taux de troubles affectifs relevés dans cette population varient entre 11 % et 50 %. Hammen, Burge, Burney et Adrian (1990) font même état d'un taux aussi élevé que 80 % des enfants de mères dépressives qui auront reçu un diagnostic psychiatrique à l'adolescence. À ce jour, un seul programme de prévention a été élaboré en vue de son utilisation auprès des familles dont l'un des parents est dépressif : c'est le Cognitive Psychoeducational Intervention (Intervention cognitive psychoéducative, ICP ; Beardslee, communication personnelle) ; il vise à expliquer la dépression aux membres de la famille ainsi qu'à accroître la compréhension du vécu de chaque membre par les autres membres de la famille. Les auteurs fondent leur intervention sur le rationnel que la compréhension de soi est une composante de résilience, ainsi que sur l'efficacité reconnue des approches cognitives dans le traitement de la dépression. L'intervention vise aussi à améliorer la communication avec l'enfant.

Ce programme s'adresse aux jeunes âgés entre 9 et 14 ans. Les auteurs ont privilégié ce groupe d'âge en raison du risque élevé de troubles affectifs au milieu de l'adolescence. Toutefois, le programme a été appliqué avec des échantillons dont les enfants étaient âgés entre 4 et 25 ans, avec au moins un enfant au début de l'adolescence. Le nombre de rencontres varie généralement autour de six à huit rencontres, incluant des rencontres individuelles avec les parents et avec chaque enfant ainsi qu'une ou deux rencontres familiales. Le programme peut être appliqué par des professionnels autres que des psychothérapeutes d'expérience, mais ils doivent avoir acquis une expérience en santé mentale auprès des enfants et des adolescents. Une formation leur est offerte, incluant la discussion des cas, l'état des recherches sur les troubles affectifs ainsi que l'orientation théorique de l'intervention.

Une variété de stratégies d'intervention sont employées, incluant l'enseignement de notions sur la dépression et le trouble bipolaire ainsi que leurs effets sur le développement des enfants, l'évaluation de chaque membre de la famille et la référence à des services connexes lorsque nécessaire, le développement d'un sentiment d'espoir face au futur et l'établissement d'un lien entre l'information cognitive offerte et le vécu expérientiel unique de chaque famille. Ainsi, dans un premier temps, on vise à informer les parents sur la dépression et à discuter de ses effets potentiels sur la mésadaptation des enfants. Chaque membre de la famille fait part de son vécu relativement à la dépression du parent et une attention particulière est accordée à l'enfant afin de l'aider à articuler son expérience et donner son interprétation de la maladie du parent. En ce sens, le programme adopte la perspective cognitive de la dépression élaboré par Beck (1967, 1976). Dans un deuxième temps, on vise à aider la famille à reconnaître les besoins actuels de l'enfant. L'intervenant aide les parents à développer des attitudes qui protégeront l'enfant tout en lui permettant de trouver lui-même des stratégies d'adaptation efficaces. Les facteurs de résilience sont également discutés et renforcés. Notamment, on encourage l'enfant à maintenir une identité séparée de celle de sa famille et à poursuivre son engagement dans ses propres activités, intérêts et relations signifiantes à l'extérieur de la famille. Cette identité séparée de la famille place l'enfant dans une position où il connaît les difficultés de son parent sans en porter la responsabilité. Finalement, on vise à aider la famille à planifier l'avenir.

Beardslee et ses collaborateurs (1993, 1997) ont vérifié l'efficacité de leur programme auprès de 20 familles dont l'un des parents présentait un trouble affectif. Les enfants étaient âgés de 8 à 14 ans. Le ICP a été comparé à un programme de lecture. Malheureusement, la dépression n'a pas été mesurée comme variable dépendante dans ces études, ce qui ne permet pas de dire si le programme a réussi à prévenir l'apparition de la dépression chez les jeunes. Cependant, les auteurs font état de plusieurs retombées positives de ce programme d'intervention. Notamment, 18 semaines après l'intervention, les deux groupes se montrent satisfaits de l'intervention reçue, mais le ICP engendre une satisfaction plus grande que le groupe de lecture. De plus, le ICP se montre plus efficace pour « aider à comprendre l'opinion du conjoint » et « améliorer la communication avec l'enfant ». Les participants au ICP rapportent également plus de changements comportementaux et d'attitudes que les participants du groupe de lecture. Les effets positifs de l'intervention sont maintenus lors de la relance, soit un an et demi après.

Le décès d'un parent peut aussi représenter une signification à risque pour certains enfants. Dans ce contexte, Sandler *et al.* (1992) ont développé un programme pour les familles dont un membre est décédé. Les trois premières rencontres du programme permettent aux participants de ventiler leurs émotions et de se centrer sur les relations parents-enfants. Les 13 séances suivantes concernent des éléments tels la démoralisation parentale, la chaleur parentale,le partage d'activités agréables et le développement d'habiletés pour faire face au stress. Ces séances sont animées par un conseiller familial. À la fin du programme et lors d'un suivi effectué à 6 mois, les parents du groupe expérimental rapportent moins d'événements de vie négatif, plus de chaleur parentale, une meilleure communication et moins de problèmes de comportement et de sentiments dépressifs chez leurs enfants âgés entre 11 et 17 ans que les parents du groupe de contrôle. Malheureusement, les enfants du groupe expérimental ne rapportent aucune différence par rapport à ceux du groupe de contrôle.

PROGRAMMES DE TYPE UNIVERSEL

Deux études ont cherché à évaluer l'efficacité d'un programme d'intervention dans une perspective de prévention universelle. La première étude est celle de Kellam *et al.* (1994) qui a été réalisée auprès d'élèves de première année fréquentant des écoles situées dans cinq régions urbaines de Baltimore. Trois écoles ont été retenues par région afin de constituer un échantillon épidémiologique initial de 1197 enfants. Ces auteurs ont examiné l'impact d'un programme de soutien à l'apprentissage de la lecture sur la dépression. Le Mastery Learning est un programme scolaire enrichi visant à améliorer le rendement en lecture ; il est appliqué par des enseignants ayant reçu 40 heures de formation dans le domaine de la prévention. Deux principes guident cette intervention. D'abord, une approche de groupe est adoptée et implique que la gradation des apprentissages ne se fait que lorsque 80 % des élèves ont atteint 80 à 85 % des objectifs d'apprentissage de l'unité précédente. Ensuite, le processus de correction est orienté vers les faiblesses particulières des élèves et il est appliqué de façon plus flexible.

Bien que le but premier de l'implantation du programme soit d'améliorer le rendement en lecture et le comportement agressif (Kellam et Rebok, 1992) et non de vérifier son effet sur la dépression, Kellam *et al.* (1994) font l'hypothèse que les symptômes dépressifs seront réduits par le biais de l'amélioration du rendement en lecture, à la suite de l'intervention. Les résultats sont intéressants, même si on observe aucun effet direct de l'intervention sur la dépression. Ainsi, on relève un effet modérateur du rendement en lecture sur la stabilité des symptômes dépressifs, c'est-à-dire que les filles et les garçons qui améliorent de façon significative leur rendement en lecture présentent une diminution de leurs symptômes dépressifs entre le début et la fin de l'année scolaire. La dépression prédirait également un faible rendement scolaire chez les deux genres, alors que le faible rendement scolaire ne mènerait que les filles à la dépression.

La seconde étude est celle de Greenberg et Kusche (1997) qui ont développé le programme PATHS destiné à des classes d'enfants d'âge scolaire. Comme le programme de Kellam *et al.* (1994), celui de Greenberg et coll. (Greenberg, Kusche, Cook et Quamma, 1995) ne vise pas spécifiquement les symptômes dépressifs. Plutôt, le programme PATHS vise l'enseignement d'habiletés pour gérer et exprimer les émotions. Une description plus détaillée du programme PATHS se trouve dans le chapitre de Bowen *et al.* (cet ouvrage). En plus, d'améliorer les habiletés sociales et de réduire les problèmes de comportement, le programme PATHS produit aussi une diminution des sentiments dépressifs chez les enfants du groupe expérimental en comparaison avec ceux du groupe de contrôle.

LES INDICES DE LA TAILLE DE L'EFFET

Afin d'évaluer de façon plus globale l'efficacité des programmes offerts en comparaison de l'absence d'intervention, les indices de la taille de l'effet (d) ont été calculés lorsque les données étaient disponibles. Les groupes qui ont bénéficié des programmes d'intervention ont été comparés aux groupes de contrôle (Cohen, 1988). Comme les écarts types obtenus dans plusieurs études diffèrent sensiblement entre les groupes expérimentaux et témoins, des écarts types moyens ont été calculés selon la procédure proposée par Hopkins, Glass et Hopkins (1987). Pour certaines des études présentées, il n'a pas été possible de calculer les indices de la taille de l'effet. À titre d'exemple, aucun groupe de contrôle n'a été inclus dans les études de Fine *et al.* (1991) et Zubernis *et al.* (1999). Par ailleurs, les moyennes et écarts types pour la mesure de dépression ne sont pas fournis pour les études de Butler *et al.* (1980) et de Beardslee *et al.* (1993, 1997). Les résultats de ces analyses sont présentés au tableau 3.

En utilisant les critères proposés par Cohen (1988), ces résultats confirment que les programmes d'intervention préventive ciblée de type indiqué, qui ont fait l'objet d'une évaluation systématique, produisent une amélioration des symptômes dépressifs en comparaison de l'absence d'intervention. Les indices de la taille de l'effet se situent entre 0,27 et 1,70 à la suite de l'intervention, reflétant un effet positif de tous les programmes. Pour plusieurs programmes, soit 8 parmi les 13 programmes évalués, la taille de l'effet au post-test se situe dans la catégorie « large » ($d > 80$), reflétant une amélioration substantielle des groupes ayant reçu l'intervention en comparaison des groupes de contrôle. Les effets à moyen terme des programmes sont également présents dans la majorité des cas, bien que l'intensité de cet effet soit souvent affaibli en comparaison du post-test. Pour quatre des programmes évalués, la taille de l'effet demeure dans la catégorie « large », confirmant l'efficacité des programmes non seulement à réduire les symptômes de dépression chez les jeunes, mais à acquérir des forces qui deviennent des facteurs de résilience à moyen terme. On remarque cependant que les programmes diffèrent peu pour ce qui est de leur efficacité relative. Parmi les quatre programmes qui obtiennent des indices de la taille de l'effet moyens à larges lors de la relance, on retrouve autant des interventions incluant des composantes cognitives, d'autocontrôle que de relaxation.

Les effets préventifs des programmes à long terme demeurent peu évalués, les procédures de relance employées dans la majorité des études se limitant à des intervalles de un à deux mois. Seul le Penn Prevention Program élaboré par Jaycox *et al.* (1994) a fait l'objet de procédures d'évaluation à intervalles réguliers de six mois jusqu'à deux ans. Ce dernier programme semble aussi l'unique intervention ayant produit des améliorations qui se sont maintenues à long terme. L'indice de la taille de l'effet atteint

0,36 à six mois et 0,53 après deux ans, ce qui reflète non seulement le maintien des apprentissages, mais que le passage du temps améliore la maîtrise des stratégies cognitives et de résolution de problèmes enseignées, particulièrement au regard des conflits familiaux.

Tableau 3
INDICES DE LA TAILLE DE L'EFFET DES COMPARAISONS DES PROGRAMMES DE PRÉVENTION EN COMPARAISON AUX GROUPES DE CONTRÔLE

Étude	Programme	d (Post-test)		d (Relance)	
1. Reynolds et Coats (1986)	Béhavioral-cognitif	1,60	Large	1,57	Large
	Relaxation	1,70	Large	1,39	Large
2. Stark, Reynolds, et Kaslow (1987)	Résolution de problèmes	1,15	Large	0,009	Nul
	Auto-contrôle	1,01	Large	0,38	Petit
3. Lewinsohn, Clarke, Hops et Andrew (1990)	Adolescents seulement	0,94	Large	____	____
	Adolescents et parents	1,48	Large	____	____
4. Kahn, Kehle, Jenson et Clark (1990)	Béhavioral-cognitif	0,41	Petit	1,03	Large
	Relaxation	1,06	Large	0,60	Moyen
	« Self-modeling »	1,11	Large	0,63	Moyen
5. Marcotte et Baron (1993)	Thérapie émotivo-relationnelle	0,56	Moyen	1,69	Large
6. Kellam, Rebok, Mayer, Ialongo et Kalodner (1994)	Amélioration du rendement en lecture (Contrôle interne)	0,12 (garçons)	Nul		
		0,16 (filles)	Nul		
	Amélioration du rendement en lecture (Contrôle externe)	0,23 (garçons)	Petit		
		0.18 (filles)	Nul		
7. Jaycox, Reivich, Gilham et Seligman (1994) et Gilham *et al.* (1995)	Traitements combinés	0,27	Petit	0,36	Petit
				0,53	Moyen
8. Clarke, Hawkins, Murphy, Sheeber, Lewinsohn et Seeley (1995)	Béhavioral-cognitif	0,34	Petit	0,08	Nul
				0,01	Nul
9. Gamache, Marcotte et Morasse (1996)	Béhavioral-cognitif	0,60	Moyen	0,45	Petit

Quant au CWD-A, ses effets à long terme ne semblent pas se maintenir puisque les indices de la taille de l'effet à six et douze mois sont nuls. Comme le CWD-A est l'un des programmes ayant fait l'objet d'un nombre considérable d'évaluations, il est possible de comparer ces résultats à ceux obtenus lors de son application dans des contextes différents. L'une des hypothèses à vérifier serait son efficacité différentielle selon l'âge des participants. À cet effet, Kahn *et al.* (1990) obtiennent un rendement inférieur avec de jeunes adolescents (10-14 ans) en comparaison de Lewinsohn *et al.* (1990) et Gamache *et al.* (1996) auprès d'adolescents plus âgés (14-18 ans). À plus long terme, cependant, les jeunes adolescents semblent bénéficier d'un effet préventif et maintiennent davantage leurs gains que ceux ayant participé au groupe de relaxation et de *self-modeling*. Une deuxième hypothèse réside dans les différences relevées dans l'application du CWD-A, plus particulièrement dans l'utilisation du programme concomitant offert aux parents ; ce dernier a été appliqué seulement par Lewinsohn *et al.* (1990). Or, c'est dans cette condition que la taille de l'effet obtenue est la plus importante. Malheureusement, on ne dispose pas de données sur les effets préventifs à long terme de l'application du CWD-D dans cette condition. L'étude de Clarke *et al.* (1995) fournit des résultats plutôt décevants sur l'effet préventif du CWD-A ; différents facteurs peuvent expliquer ces résultats dont le fait d'avoir appliqué le programme dans une forme modifiée n'incluant pas la composante familiale. De plus, les résultats à l'entrevue diffèrent de ceux concernant la mesure auto-évaluative et révèlent un effet du programme à prévenir l'apparition de trouble dépressif majeur ou dysthymique en comparaison du groupe de contrôle.

DISCUSSION

Dans l'ensemble, les programmes de prévention de la dépression chez les enfants et les adolescents sont prometteurs, et ce, bien qu'actuellement, nous ne disposions que de programmes de prévention ciblée de type indiqué, soit des programmes conçus pour l'intervention auprès d'adolescents présentant déjà des symptômes de dépression. Les programmes de prévention ciblée de type sélectif ainsi que les programmes de prévention universelle demeurent très peu nombreux à ce stade de la recherche.

Les programmes existants se sont révélés efficaces à réduire l'intensité des symptômes de dépression à partir d'interventions à court terme d'orientation cognitive et béhaviorale auprès de populations d'enfants et d'adolescents de différents âges, variant de 9 à 18 ans. Certains programmes ont pris soin de décrire leurs composantes ainsi que leurs modalités d'intervention de façon spécifique et détaillée dans des manuels, ce qui permet une application plus rigoureuse et conforme des programmes. L'école demeure le milieu le plus fréquemment ciblé pour implanter des programmes, ce qui est judicieux et nécessaire puisqu'il constitue le milieu de vie quotidien des jeunes. De plus, l'incidence élevée de jeunes de milieu scolaire présentant des symptômes de dépression, ainsi que l'étroite relation entre la dépression et le rendement scolaire, justifient le développement de programmes en collaboration avec les milieux scolaires.

La grande majorité des programmes existants ont fondé leurs assises sur l'approche béhaviorale-cognitive puisque de nombreuses études confirment la présence de distorsions cognitives chez les individus dépressifs, ainsi que des déficits dans les habiletés sociales et les habiletés de résolution de problèmes. Cependant, l'efficacité différentielle des diverses composantes incluses dans les programmes demeure peu explorée. Comme plusieurs programmes n'ont pas inclus un type d'intervention seulement, mais plutôt un amalgame de procédures tant cognitives que béhaviorales, il demeure impossible à ce stade-ci de distinguer l'efficacité de chacune de ces composantes. Selon Lewinsohn *et al.* (1990), on devrait parler d'un effet d'ensemble plutôt que de l'effet de certaines composantes des programmes.

Mentionnons également la pauvreté des mesures d'évaluation de l'application des programmes. L'importance de la relation thérapeutique de même que la formation requise de la part des intervenants qui auront à mettre en œuvre les programmes demeurent peu explorées. L'évaluation de l'efficacité des programmes à long terme et centrés sur diverses composantes de l'intervention devra être réalisée afin d'établir celles qui se révèlent nécessaires et suffisantes pour assurer l'efficacité d'une intervention préventive.

L'une des faiblesses des études ayant évalué l'efficacité des programmes est certainement la sélection des participants selon un seul facteur de risque, soit la présence de symptômes dépressifs. Seulement deux études, celles de Jaycox *et al.* (1994) et Zubernis *et al.* (1999), ont ajouté un deuxième facteur de risque, soit les conflits familiaux et le divorce des parents. Une seule étude utilise un critère de sélection autre que les symptômes de dépression, soit la présence d'un parent dépressif (Beardslee *et al.*, 1993, 1997). De plus, l'absence de programmes conçus spécialement pour la prévention universelle illustre bien le stade embryonnaire qui caractérise le domaine de la prévention de la dépression chez les jeunes. Il est pour le moins surprenant que les facteurs de risque aient été si peu considérés dans la sélection des participants aux programmes, alors que plusieurs de ces facteurs sont documentés dans les écrits. Notamment, le rendement scolaire devrait constituer l'un des critères de sélection prépondérant vu sa relation étroite avec la dépression, et ce, d'autant plus que la majorité des programmes sont appliqués dans le cadre scolaire. Le développement de programmes de prévention universelle dans les écoles secondaires devrait donc constituer l'une des avenues de recherche à explorer dans les prochaines années.

L'intervention auprès des parents est l'une des composantes des programmes qui, bien qu'elle fasse l'objet d'une reconnaissance par les auteurs, demeure encore trop peu développée. En effet, seulement les programmes de Clarke *et al.* (1990) pour les adolescents, de Stark *et al.* (1996) pour les enfants et de Beardslee (1993, 1997) pour les familles, incluent une intervention directe auprès des parents. Stark, Swearer, Kurowski, Sommer et Bowen (1996) soulignent d'ailleurs la difficulté d'une telle intervention. Plusieurs facteurs limitent l'engagement des parents dans les programmes offerts, que ce soit un manque de temps, la présence de psychopathologie parentale ou encore celle d'un conflit de couple. Ces mêmes facteurs constituent d'aillleurs des entraves au succès des programmes puisqu'ils en limitent l'impact auprès des jeunes.

La prévention de la dépression chez les enfants et les adolescents demeure à un stade de développement préliminaire. Clarke *et al.* (1995) se considèrent comme les premiers à avoir réalisé une étude sur la prévention du trouble dépressif. Ces auteurs concluent que la prévention des troubles dépressifs demeure à être établie, pour tous les âges, et ce, même s'ils considèrent qu'il y a des avantages certains à participer au programme. En effet, dans leur étude, le nombre de jeunes qui ont développé un trouble dépressif est réduit de moitié en comparaison du groupe de contrôle. Toutefois, l'effet préventif demeure partiel et incomplet puisque cette prévalence de 14,5 % est de deux à trois fois plus élevée que celle retrouvée dans la population adolescente générale, soit entre 5 % et 9 %. Afin de maximiser l'efficacité du programme, ces auteurs proposent des rencontres *booster* à des intervalles réguliers après la fin de l'intervention. Il est tout de même permis de penser que les « dépressions sauvées » par cette intervention préventive relativement peu coûteuse ont permis d'éviter des coûts de traitements plus onéreux qui auraient été offerts par des cliniques externes ou internes. Le risque de rechute le plus élevé se présenterait dans les trois premiers mois après l'intervention.

Les programmes existants comportent également certaines limites additionnelles que les chercheurs devront résoudre dans les années 2000. L'une d'elles est reliée au fait que les programmes ont habituellement été conçus en premier lieu pour des populations adultes ; les modifications pour les rendre applicables à des de populations d'enfants et d'adolescents demeurent trop souvent superficielles. Il faut souligner également l'absence de programmes applicables aux jeunes enfants d'âge préscolaire. Les programmes actuels reposant presque essentiellement sur des procédures d'intervention béhaviorales-cognitives, il est difficile d'envisager l'élaboration de versions pour les jeunes enfants. Le langage et les activités sont modifiés pour s'adapter aux styles de vie ou milieux de vie des jeunes tels que l'école. Des améliorations nettement plus substantielles doivent cependant être apportées afin de tenir compte de facteurs développementaux tant cognitifs, sociaux qu'affectifs qui influent aussi bien sur les facteurs de risque que sur l'expression elle-même de la dépression chez les jeunes. Quoiqu'il soit reconnu que la dépression chez les jeunes s'inscrit en parallèle de celle des adultes et que les modèles élaborés auprès de populations adultes sont applicables à de jeunes populations, des efforts de recherche sont requis afin d'établir les réactions développementales caractéristiques des jeunes à chaque période de la vie face aux événements de vie stressants qui peuvent les rendent vulnérables à la dépression. De même, la phénoménologie dépressive associée aux différents stades développementaux doit être connue afin d'être intégrée dans les interventions proposées. En ce sens, l'intégration d'une perspective de la psychopathologie développementale (Cicchetti et Schneider-Rosen, 1986 ; Rutter, 1986) aux programmes béhavioraux-cognitifs est essentielle.

En terminant, nous ne pouvons passer sous silence l'absence de considération des différences liées au genre autant dans l'élaboration des programmes de prévention que dans les devis de recherche qui ont permis d'examiner leur efficacité. Il a été démontré que les filles présentent un risque plus élevé que les garçons de devenir déprimées dès le début de l'adolescence, ceci en raison de la synchronicité de deux stress normatifs que sont la puberté, cette dernière étant associée à une image corporelle plus négative, et la transition entre le primaire et le secondaire. À cet effet, nous avons constaté que les filles sont beaucoup plus nombreuses que les garçons à être dépistées et à accepter de participer au programme. Il serait alors pertinent d'envisager la possibilité d'élaborer des programmes différentiels d'intervention pour chaque genre. Dans le cas des filles, il serait essentiel d'inclure dans ces programmes de prévention des composantes telles que la maturation pubertaire, l'image corporelle, les rôles sexuels et l'estime de soi.

BIBLIOGRAPHIE

AMANAT, E. et BUTLER, C. (1984). Oppressive behaviors in the families of depressed children. *Family Therapy, 11*, 65-77.

AMERICAN PSYCHOLOGICAL ASSOCIATION (1994). *DSM-III : Diagnostic and statistical manual of mental disorders* (4e éd.). Washington, D.C. : APA.

AMERICAN PSYCHOLOGICAL ASSOCIATION (1980). *DSM-III : Diagnostic and statistical manual of mental disorders* (3e éd.). Washington, D.C. : APA.

ANGOLD, A. (1988). Childhood and adolescent depression : 1. Epidemiological and etiological aspects. *British Journal of Psychiatry, 152*, 601-617.

BARKLEY, R.A. (1987). *Defiant children : A clinician's manual for parent training.* New York : Guilford Press.

BARON, P. (1993). *La dépression chez les adolescents*. Montréal : Maloine, Edisem.

BAUMRIND, D. (1991). Parenting styles and adolesent development. Dans J. Brooks-Gunn, R. Lerner et A.C. Petersen (dir.), *The encyclopedia of adolescence*. New York : Garland.

BEARDSLEE, W.R. (communication personnelle). Cognitive psychoeducational intervention. Boston.

BEARDSLEE, W.R., SALT, P., PORTERFIELD, K., ROTHBERG, P.C., VAN DE VELDE, P., SWATLING, S., HOKE, L., MOILANEN, D.L. et WHEELOCK, I. (1993). Comparison of preventive interventions for families with parental affective disorder. *Journal of American Academy of Child and Adolescent Psychiatry, 32*, 254-263.

BEARDSLEE, W.R., SALT, P., VERSAGE, E.M., GLADSTONE, T.R.G., WRIGHT, E.J. et ROTHBERG, P.C. (1997). Sustained change in parents receiving preventive interventions for families with depression. *American Journal of Psychiatry, 154*, 510-515.

BECK, A.T. (1967). *Depression : Causes and treatment*. Philadelphie : University of Pennsylvania Press.

BECK, A.T. (1976). *Cognitive therapy and the emotional disorders*. New York : International Universities Press.

BECK, A.T., RUSH, A.J., SHAW, B.F. et EMERY, G. (1979). *Cognitive therapy of depression*. New York : Guilford Press.

BERGERON, L., VALLA, J.P. et BRETON, J.J. (1992). Pilot study for the Quebec child mental health survey : Part I. Measurement of prevalence estimates among six to 14 year olds. *Canadian Journal of Psychiatry, 37*, 374-380.

BERNARD, M.E. et JOYCE, M.R. (1986). *Rational-emotive therapy with children and adolescents : Theory, treatment strategies, preventative methods*. New York : Wiley and sons.

BIRMAHER, B., RYAN, N.D., WILLIAMSON, D.E., BREANT, D.A. et KAUFMAN, J. (1996). Childhood and adolescent depression : A review of the past 10 years. Part II. *Journal of the American Academy of Child and Adolescent Psychiatry, 35*, 1575-1583.

BRYSON, S.E. et PILON, D.J. (1984). Sex differences in depression and the method of administering the Beck Depression Inventory. *Journal of Clinical Psychology, 40*, 529-534.

BUTLER, I., MIEZITIS, S., FRIEDMAN, F. et COLE, E. (1980). The effect of two school-based intervention programs on depressive symptoms in preadolescents. *American Educational Research Journal, 17*(1), 111-119.

CICCHETTI, D. et SCHNEIDER-ROSEN, K. (1986). An organizational approach to childhood depression. Dans M. Rutter, C.E. Izard et P.R. Read (dir.), *Depression in young people* (p. 71-134). New York : Guilford Press.

CLARKE, G., HAWKINS, W., MURPHY, M., SHEEBER, L.B., LEWINSOHN, P.M. et SEELEY, J.R. (1995). Targeted prevention of unipolar depressive disorder in an at-risk sample of high school adolescents : A randomized trial of a group cognitive intervention. *Journal of the American Academy of Child and Adolescent Psychiatry, 34*, 312-321.

CLARKE, G., LEWINSOHN, P. et HOPS, H. (1990). *Adolescent coping with depression course. Leader's manual for adolescent groups*. Eugene : Castalia Publishing.

COHEN, J. (1988). *Statistical power analysis for the behavioral sciences* (2e éd.). Hillsdale, NJ : Lawrence Erlbaum Associates.

COLE, D.A. et MCPHERSON, A.E. (1993). Relation of family subtypes to adolescent depression : Implementing a new family assessment strategy. *Journal of Family Psychology, 7*, 119-133.

CYTRYN, L. et MCKNEW, D.H. (1972). Proposed classification of childhood depression. *American Journal of Psychiatry, 129*, 149-155.

DALLEY, M.B., BOLOCOFSKY, D.N., ALCORN, M.B. et BAKER, C. (1992). Depressive symptomatology, attributional style, dysfunctional attitude, and social competency in adolescents with and without learning disabilities. *School Psychology Review, 21*(3), 444-458.

DOHRENWEND, B.P., SHROUT, P.E., EGRI, G. et MENDELSOHN, F.S. (1980). Nonspecific psychological distress and other dimensions of psychopathology. *Archives of General Psychiatry, 37*, 1229-1236.

DOWNEY, G. et COYNE, J.C. (1990). Children of depressed parents : An integrative review. *Psychological Bulletin, 108*, 50-76.

ELLIS, A. et GRIEGER, R. (1977). *Handbook of rational-emotive therapy*. New York : Springer Pub. Co.

FINE, S., FORTH, A., GILBERT, M. et HALEY, G. (1991). Group therapy for adolescent depressive disorder : A comparison of social skills and therapeutic support. *Journal of American Academy of Child and Adolescent Psychiatry, 30*(1), 79-85.

FLEMING, J.E. et OFFORD, D.R. (1990). Epidemiology of childhood depressive disorders : A critical review. *Journal of the American Academy of Child and Adolescent Psychiatry, 29*, 571-580.

FOREHAND, R., BRODY, G., SLOTKIN, J., FAUBER, F., MCCOMBS, A. et LONG, N. (1988). Young adolescents and maternal depression : Assessment, interrelations, and family predictors. *Journal of Consulting and Clinical Psychology, 56*, 422-426.

FORTIN, L., MARCOTTE, D., POTVIN, P. et ROYER, E. (1998). *Les caractéristiques psychologiques, sociales et environnementales des élèves à risque de décrochage scolaire*. Congrès de l'ACFAS, Québec.

FRIEDRICH, W.N., REAMS, R. et JACOB, H. (1988). Sex differences in depression in early adolescents. *Psychological Reports, 62*, 475-481.

FUCHS, C.Z. et REHM, L.P. (1977). A self-control behavior therapy program for depression. *Journal of Consulting and Clinical Psychology, 45*, 206-215.

GAMACHE, N., MARCOTTE, D. et MORASSE, F. (1996, août). *Application of a cognitive-behavioral program to depressed adolescents : A pilot study*. Communication présentée au congrès de l'International Society for Study of Behavioral Development, Québec.

GARBER, J., WEISS, B. et SHANLEY, N. (1993). Cognitions, depressive symptoms, and development in adolescents. *Journal of Abnormal Psychology, 102*(1), 47-57.

GARRISON, C.Z., JACKSON, K.L., MARSTELLAR, F., MCKEOWN, R.E. et ADDY, C. (1990). A longitudinal study of depressive symptomatology in young adolescents. *Journal of the American Academy of Child and Adolescent Psychiatry, 29*, 581-585.

GILLHAM, J.E., REIVICH, K.J., JAYCOX, L.H. et SELIGMAN, M.E.P. (1995). Prevention of depressive symptoms in schoolchildren : Two-year follow-up. *Psychological Science, 6*, 343-351.

GOODMAN, S.H., BROGAN, D., LYNCH, M.E. et FIELDING, B. (1993). Social and emotional competence in children of depressed mothers. *Child Development, 64*, 516-531.

GOODYER, I.M., GERMANY, E., GOWRUSANKUR, J. et ALTHAM, P.M.E. (1991). Social influences on the course of anxious and depressive disorders in school-age children. *British Journal of Psychiatry, 158*, 676-684.

GOTLIB, I.H. et GOODMAN, S.H. (1999). Children of parents with depression. Dans W.K. Silverman et T.H. Ollendick (dir.), Developmental issues in the clinical treatment of children (p. 415-432). Toronto : Allyn and Bacon.

GOTLIB, I.H., LEWINSOHN, P.M. et SEELEY, J.R. (1995). Symptoms versus a diagnosis of depression : Differences in psychosocial functioning. *Journal of Consulting and Clinical Psychology, 63*, 90-100.

GREENBERG, M.T. et KUSCHE, C.A. (1997). Improving children's emotion regulation and social competence : The effects of the PATHS curriculum. Communication présentée au congrès de la Society for Research in Child Development, Washington, DC.

GREENBERG, M.T., KUSCHE, C.A., COOK, E.T. et QUAMMA, J.P. (1995). Promoting emotional competence in school-aged deaf children : The effects of the PATHS curriculum. *Development and Psychopathology, 7*, 117-136.

HALEY, G.M.T., FINE, S., MARRIAGE, K., MORETTI, M.M. et FREEMAN, R.J. (1985). Cognitive bias and depression in psychiatrically disturbed children and adolescents. *Journal of Consulting and Clinical Psychology, 53*(4), 535-537.

HALL, G.S. (1904). *Adolescence : Its psychology and its relations to physiology, anthropology, sociology, sex, crime, religion and education*. Vol. I et II. New York : D. Appleton.

HAMMEN, C. (1997). *Depression*. UK : Psychology Press.

HAMMEN, C.L. (1991). *Depression runs in families : The social context of risk and resilience in children of depressed mothers*. New York : Springer-Verlag.

HAMMEN, C.L., BURGE, D., BURNEY, E. et ADRIAN, C. (1990). Longitudinal study of diagnoses in children of women with unipolar and bipolar affective disorder. *Archives of General Psychiatry, 47*, 1112-1117.

HOPKINS, K.D., GLASS, G.V. et HOPKINS, B.R. (1987). *Basic statistics for the behavioral sciences* (2e éd). Englewood Cliffs, NJ : Prentice-Hall.

JACOBSEN, E. (1938). *Progressive relaxation*. Chicago : University of Chicago Press.

JANOSZ, M. et LE BLANC, M. (1996). Pour une vision intégrative des facteurs reliés à l'abandon scolaire. *Revue canadienne de psycho-éducation, 25*, 61-88.

JAYCOX, L.H., REIVICH, K.J., GILLHAM, J. et SELIGMAN, M.E.P. (1994). Prevention of depressive symptoms in school children. *Behaviour Research and Therapy, 32*, 801-816.

KAHN, J.S., KEHLE, T.J., JENSON, W.R. et CLARK, E. (1990). Comparison of cognitive-behavioral, relaxation, and self-modeling interventions for depression among middle-school students. *School Psychology Review, 19*, 196-211.

KANDEL, D.B. et DAVIES, M. (1986). Adult sequelae of adolescent depressive symptoms. *Archives of General Psychiatry, 43*, 255-262.

KASHANI, J.H., HUSAIN, A., WALID, O., SHERKIN, W., HOJUES, K.K., CYTRYN, L. et MCKNEW, D.H. (1981). Current perspectives on childhood depression : An overview. *American Journal of Psychiatry, 138*(2), 143-153.

KAUTH, M.R. et ZETTLE, R.D. (1990). Validation of depression measures in adolescent populations. *Journal of Clinical Psychology, 46*(3), 291-295.

KELLAM, S. et REBOK, G.W., MAYER, L., IALONGO, N. et KALODNER, C.R. (1994). Depressive symptoms over first grade and their response to a developmental epidemiologically based preventive trial aimed at improving achievement. *Development and Psychopathology, 6,* 463-481.

KELLAM, S. et REBOK, G.W. (1992). Building developmental and etiological theory through epidemiologically based preventive intervention trials. Dans J. McCord et R.E. Tremblay (dir.), *Prevention antisocial behavior : Intervention from birth through adolescence* (p. 162-192). New York : Guilford Press.

KENDALL, P.C., KORTLANDER, E., CHANSKY, T.E. et BRADY, E.U. (1992). Comorbidity of anxiety and depression in youth : Treatment implications. *Journal of Consulting and Clinical Psychology, 60,* 869-880.

KNAUS, W. (1974). *Rational-emotive education : A manual for elementary school teachers.* New York : Institute for Rational Living.

KOVACS, M., FEINBERG, T.L., CROUSE-NOVAK, M.C., PAULAUSKAS, S.L., POLLOCK, M. et FINKELSTEIN, R. (1984). Depressive disorders in childhood. *Archives of General Psychiatry, 41,* 643-649.

LEWINSOHN, P.M. (1974). A behavioral approach to depression. Dans R.J. Friedman et M.M. Katz (dir.), *The psychology of depression : Contemporary theory and research* (p. 157-184). Washington, D.C. : Winston-Wiley.

LEWINSOHN, P.M., ANTONUCCIO, D.O., STEINMETZ, J. et TERI, L. (1984). *The Coping With Depression course : A psychoeducational intervention for unipolar depression.* Eugene, OR : Castalia Press.

LEWINSOHN, P.M., CLARKE, G.N., HOPS, H. et ANDREWS, J. (1990). Cognitive-behavioral treatment for depressed adolescents. *Behavior Therapy, 21,* 385-401.

LEWINSOHN, P.M., GOTLIB, I.H. et SEELEY, J.R. (1995). Adolescent psychopathology : IV. Specificity of psychosocial risk factors for depression and substance abuse in older adolescents. *Journal of the American Academy of Child and Adolescent Psychiatry, 34,* 1221-1229.

MANN, B.J. et BORDUIN, C.M. (1991). A critical review of psychotherapy outcome studies with adolescents : 1978-1988. *Adolescence, 26*(103), 505-541.

MARCOTTE, D. (1997). Treating depression in adolescence : A review of the efficiency of cognitive-behavioral treatments. *Journal of Youth and Adolescence, 26*(3), 273-283.

MARCOTTE, D. (1996). Irrational beliefs and depression in adolescence. *Adolescence, 31,* 935-954.

MARCOTTE, D. (1995a, juin). *Co-occurrence and prediction of depressive state by irrational beliefs in adolescents.* Communication présentée au Congrès de l'Association canadienne de psychologie, Charlottetown.

MARCOTTE, D. (1995b). L'influence des distorsions cognitives, de l'estime de soi et des sentiments reliés à la maturation pubertaire sur les symptômes de dépression des adolescents de milieu scolaire. *Revue québécoise de psychologie, 16*, 109-132.

MARCOTTE, D., ALAIN, M. et GOSSELIN, M.J. (1999). Gender differences in adolescent depression : Gender-typed characteristics or problem-solving skills deficits ? *Sex Roles, 41*, 31-47.

MARCOTTE, D. et BARON, P. (1993). L'efficacité d'une stratégie d'intervention émotivo-rationnelle auprès d'adolescents dépressifs du milieu scolaire. *Revue canadienne de counseling, 27*(2), 77-92.

MARCOTTE, D., GIGUÈRE, J., FORTIN, L., ROYER, E., POTVIN, P. et LECLERC, D. (1999, avril). *Le style parental des parents d'adolescentes et d'adolescents dépressifs, avec troubles extériorisés ou concomitants et son impact sur la réussite scolaire.* Symposium présenté au Congrès international d'éducation familiale, Padoue, Italie.

MARCOTTE, D. et LECLERC, D. (soumis). Les schèmes cognitifs des adolescents dépressifs et l'impact de la dépression sur le rendement scolaire. *Revue internationale de psychologie.*

MARCOTTE, D., LECLERC, D., POTVIN, P. et GIGUÈRE, J. (2000, août). *Cognitive distortions and depression in adolescence : A longitudinal perspective.* Communication présentée au Congrès de l'Association américaine de psychologie, Washington.

MARCOTTE, D., POTVIN, P., FORTIN, L. et PAPILLON, M. (en révision). Gender differences in depression during adolescence : The role of gender-typed characteristics, self-esteem, body image, stressful life events and pubertal status. *Journal of Emotional and Behavioral Disorders.*

MARTON, P., CHURCHARD, M. et KUTCHER, S. (1993). Cognitive distortion in depressed adolescents. *Journal of Psychiatry and Neurosciences, 18*(3), 103-107.

MCFARLANE, A.H., BELLISSIMO, A. et NORMAN, G.R. (1995). Family structure, family functioning and adolescent well-being : The transcendent influence of parental style. *Journal of Child Psychology and Psychiatry and Allied Disciplines, 36*, 847-864.

MERIKANGAS, K.R. et ANGST, J. (1995). The challenge of depressive disorders in adolescence. Dans M. Rutter (dir.), *Psychosocial disturbances in young people* (p. 131-165). Cambridge : Cambridge University Press.

NOLEN-HOEKSEMA, S. (1990). *Sex differences in depression.* Stanford, CA : Stanford University Press.

NOLEN-HOEKSEMA, S. et GIRGUS, J. (1994). The emergence of gender differences in depression during adolescence. *Psychological Bulletin, 115*(3), 424-443.

PETERSEN, A.C., COMPAS, B.E., BROOKS-GUNN, J., STEMMLER, M., EY, S. et GRANT, K.E. (1993). Depression in adolescence. *American Psychologist, 48*(2), 155-168.

PUIG-ANTICH, J., KAUFMAN, J., RYAN, N.D., WILLIAMSON, D.E., DAHL, R.E., LUKENS, E., TODAK, G., AMBROSINI, P., RABINOVICH, H. et NILSON, G. (1993). The psychosocial functioning and family environment of depressed adolescents. *Journal of the American Academy of Child and Adolescent Psychiatry, 32*, 244-253.

RADLOFF, L.S. (1991). The use of the Center for Epidemiological Studies Depression Scale in adolescents and young adults (Special issue : The emergence of depressive symptoms during adolescence). *Journal of Youth and Adolescence, 20*, 149-166.

REED, M.K. (1994). Social skills training to reduce depression in adolescents. *Adolescence, 29*(114), 293-301.

REHM, L.P. (1977). A self-control model of depression. *Behavior Therapy, 8*, 787-804.

REINHERZ, H.Z., STEWART-BERGHAUER, G., PAKIZ, B., FROST, A.K., MOEYKENS, B.A. et HOLMES, W.M. (1989). The relationship of early risk and current mediators to depressive symptomatology in adolescence. *Journal of the American Academy of Child and Adolescent Psychiatry, 28*, 942-947.

REYNOLDS, W.M. (1992). Depression in children and adolescents. Dans W.M. Reynolds (dir.), *Internalizing disorders in children and adolescents*. New York : Wiley and Sons.

REYNOLDS, W.M. et COATS, K.I. (1986). A comparison of cognitive-behavioral therapy and relaxation training for the treatment of depression in adolescents. *Journal of Consulting and Clinical Psychology, 54*, 653-60.

ROBERTS, R.E. (1987). Epidemiological issues in measuring preventive effects. Dans R.F. Munoz (dir.), *Depression Prevention : Research Directions* (p. 45-68). New York : Hemisphere.

ROBIN, A.L. et FOSTER, S.L. (1989). *Negotiating parent-adolescent conflict : A behavioral family systems approach*. New York : Guilford Press.

RUTTER, M. (1986). The developmental psychopathology of depression : Issues and perspectives. Dans M. Rutter, C.E. Izard et P.B. Read (dir.), *Depression in young people : Clinical and developmental perspectives* (p. 3-32). New York : Guilford.

SINGER, J.D. et WILLET, J.B. (1991). Modeling the days of our lives : Using survival analysis when designing and analyzing longitudinal studies of duration and the timing of events. *Psychological Bulletin, 110*, 268-290.

SANDLER, I.N., WEST, S.G., BACA, L., PILLOW, D.R., GERSTEN, J.C., ROGOSCH, F., VIRDIN, L., BEALS, J., REYNOLDS, K.D., KALLGREN, C., TEIN, J.-Y., KRIEGE, G., COLE, E. et RAMIREZ, R. (1992). Linking empirically based theory and evaluation : The family bereavement program. *American Journal of Community Psychology, 20*, 491-421.

STARK, K.D. (1990). *Childhood depression : School-based intervention*. New York : Guilford.

STARK, K.D., REYNOLDS, W.M. et KASLOW, N.J. (1987). A comparison of the relative efficacy of self-control therapy and a behavioral problem-solving therapy for depression in children. *Journal of Abnormal Child Psychology, 15*, 91-113.

STARK, K.D. et KENDALL, P.C. (1996). *Treating depressed children : Therapist manual for "ACTION"*. Ardmore, PA : Workbook Publishing.

STARK, K.D., KENDALL, P.C., MCCARTHY, M., STRAFFORD, M., BARRON, R. et THOMEER, M. (1996). *ACTION : A workbook for overcoming depression*. Ardmore, PA : Workbook Publishing.

STARK, K.D., SWEARER, S., KUROWSKI, C., SOMMER, D. et BOWEN, B. (1996). Targeting the child and the family : A holostic approach to treating child and adolescent depressive disorders. Dans E.D. Hibbs et P.S. Jensen (dir.), *Psychosocial treatment for child and adolescent disorders : Empirically based strategies for clinical practice* (p. 207-238). Washington, D.C. : American Psychological Association.

THURBER, S., CROW, L.A., THURBER, J.A. et WOFFINGTON, L.M. (1990). Cognitive distortions and depression in psychiatrically disturbed adolescent inpatients. *Journal of Clinical Psychology, 46*(1), 57-60.

VELEZ, C.N., JOHNSON, J. et COHEN, P. (1989). A longitudinal analysis of selected risk factors for childhood psychopathology. *Journal of the American Academy of Child and Adolescent Psychiatry, 28*, 861-864.

WINDLE, M. et DAVIES, P.T. (1999). Depression and heavy alcohol use among adolescents : Concurrent and prospective relations. *Development and Psychopathology, 11*, 823-844.

WOOD, A., HARRINGTON, R. et MOORE, A. (1996). Controlled trial of a brief cognitive-behavioural intervention in adolescent patients with depressive disorders. *Journal of Child Psychology and Psychiatry, 37*, 737-746.

ZEISS, A.M., LEWINSOHN, P.M. et MUNOZ, R.F. (1979). Nonspecific improvment effects in depression using interpersonal skills training, pleasant activity schedules, or cognitive training. *Journal of Consulting and Clinical Psychology, 47*, 427-439.

ZUBERNIS, L.S., WRIGHT-CASSIDY, K., GILLHAM, J.E., REIVICH, K.J. et JAYCOX, L.H. (1999). Prevention of depressive symptoms in preadolescent children of divorce. *Journal of Divorce and Remarriage, 30*, 11-36.

CHAPITRE 7

LA PRÉVENTION DU SUICIDE

Jean-Jacques Breton
Université de Montréal
et Hôpital Rivières-des-Prairies
Richard Boyer
Université de Montréal
et Centre de recherche Fernand-Seguin

Résumé

L'Organisation mondiale de la santé identifie le suicide comme un problème de santé publique prioritaire. Les adolescents constituent le groupe d'âge qui a connu la plus forte augmentation des taux de suicide à partir des années 1950. Au Québec, on compte 100 jeunes qui font une tentative de suicide pour un jeune qui se suicide. Parents et adultes sous-estiment la fréquence des tentatives de suicide et idéations suicidaires. Un jeune sur deux n'obtient pas d'aide dans les services de santé à la suite d'une tentative de suicide. L'étiologie multifactorielle des conduites suicidaires est largement démontrée. Les troubles mentaux des jeunes et la dysfonction familiale se révèlent des facteurs de risque importants. La recherche évaluative sur les programmes de prévention du suicide s'adressant aux jeunes est peu développée. Les 17 programmes identifiés dans la littérature se déroulent en majorité dans les écoles, utilisent l'éducation générale sur le suicide comme stratégie de prévention et visent surtout à modifier des variables médiatrices (p. ex. : attitudes au sujet du suicide) sans suffisamment considérer les conduites suicidaires. Le milieu familial est laissé pour compte et peu de programmes ciblent les troubles mentaux des jeunes. Le décalage entre les connaissances et les pratiques s'explique en partie par une absence de formulation de la base théorique des programmes. Parmi les 17 programmes évalués, cinq programmes rapportent une diminution des idéations suicidaires et un programme, s'appuyant sur une approche multimodale du début à la fin de la scolarité, conduit à une diminution des tentatives de suicide et des suicides complétés.

L'Organisation mondiale de la santé (OMS) a établi sept critères pour identifier des priorités en santé publique. Ces critères sont : ampleur du problème, sévérité, importance sociale, contrôlabilité, disponibilité de ressources, coûts et ententes institutionnelles (internationales ou nationales). À partir de ces critères, le suicide a été identifié comme une priorité et l'OMS a recommandé de réduire l'accès aux méthodes de suicide et de dépister et traiter les personnes atteintes de troubles mentaux (Bertolote, 1996). En accord avec la position de l'OMS, les pays développent de plus en plus des stratégies nationales de prévention du suicide (Taylor *et al.*, 1997). C'est dire l'importance que le suicide a acquis comme problème de santé publique. Cette approche de santé publique guide les auteurs de ce chapitre sur les conduites suicidaires des jeunes. Quelle est l'ampleur du problème ? Que sait-on des facteurs de risque des conduites suicidaires ? Qu'en est-il de l'efficacité des programmes de prévention du suicide chez les jeunes ?

La réponse à ces questions requiert une description de l'ampleur du problème, une classification des facteurs de risque et une présentation du contexte théorique et des résultats du bilan des programmes de prévention du suicide évalués au cours des dernières décennies. Ces données quantitatives plutôt arides traduisent cependant la réalité de jeunes suicidaires en détresse que tous les intervenants en santé et en éducation ont croisés un jour ou l'autre. Ce sont ces jeunes qu'il faut avoir à l'esprit à la lecture de ce chapitre en espérant que l'information contribue à une meilleure compréhension de leurs trajectoires de vie et à la mise en œuvre d'interventions plus efficaces.

DÉFINITION ET AMPLEUR DU PROBLÈME

L'association québécoise de suicidologie propose les définitions suivantes des trois manifestations des conduites suicidaires.

Le suicide complété comprend les décès dans lesquels un acte délibéré menaçant la vie est accompli par une personne contre elle-même et cause la mort.

La tentative de suicide est la situation dans laquelle une personne a manifesté un comportement qui met sa vie en danger, avec l'intention réelle ou simulée de causer sa mort ou de faire croire que telle était son intention, mais dont l'acte n'aboutit pas à la mort.

L'idée suicidaire inclut les comportements qui peuvent être directement observés ou entendus et par rapport auxquels il est justifié de conclure à une intention possible de suicide, ou qui tendent vers cette intention, mais où l'acte létal n'a pas été accompli.

Au Québec comme au Canada et dans plusieurs pays industrialisés, les adolescents constituent le groupe d'âge qui a connu la plus forte augmentation des taux de suicide par 100 000 jeunes des années 1950 aux années 1980 (MSSS, 1998). Des années 1980 à l'année 1997, l'augmentation des taux de suicide s'est poursuivie au Québec chez les jeunes de 15 à 19 ans (de 19,8 à 30,9 pour les garçons et de 2,9 à 8,5 pour les filles) et s'est accélérée chez les jeunes de 10 à 14 ans (de 2 à 5,5 pour les garçons et de 0,4 à 1,8 pour les filles). L'évolution des taux de suicide des jeunes de ces deux groupes d'âge a été variable dans d'autres pays. À partir des années 1980, les taux de suicide ont aussi augmenté en Norvège et en Irlande mais ont diminué en Allemagne et en Hongrie. En Finlande, ils sont demeurés stables chez les jeunes de 10 à 14 ans et ont augmenté chez les jeunes de 15 à 19 ans (Groholt *et al.*, 1998 ; Madge, 1999).

Au Québec, comme dans la majorité des pays européens, le suicide constitue la deuxième cause de décès (après les accidents de la route) chez les adolescents de 15 à 19 ans. Le Québec se retrouve cependant dans le peloton de tête des pays industrialisés pour le suicide à l'adolescence. Avec un taux de 20,2 par 100 000 en 1994, il se situe légèrement sous le taux européen le plus élevé observé en Finlande (22 par 100 000) et au-dessus des taux en Norvège (17,1 par 100 000), en Autriche (15,5 par 100 000) et en Suisse (18,2 pour les garçons et 3,1 pour les filles) (Rey *et al.*, 1997).

En France et au Québec, la pendaison constitue la méthode de suicide la plus fréquente chez les jeunes de 15 à 24 ans des deux sexes et elle est suivie des armes à feu pour les garçons et de l'empoisonnement pour les filles (MSSS, 1998 ; Facy *et al.*, 1998). Aux États-Unis, où les armes à feu sont facilement accessibles, le taux de suicide par cette méthode est deux fois plus élevé que le taux de suicide par d'autres méthodes chez les jeunes de 15 à 24 ans (Johnson *et al.*, 2000). De façon générale, les filles utilisent plus l'empoisonnement et les garçons recourent plus aux armes à feu (Madge, 1999). Ainsi, le choix des méthodes de suicide varie selon le sexe et l'accessibilité des moyens.

Est-ce que les taux de suicide des jeunes permettent de prédire les tentatives de suicide ? La réponse serait positive selon une étude de l'OMS réalisée de 1989 à 1992 dans 13 pays européens. Cette étude a montré une corrélation positive entre taux de suicide et taux de tentatives de suicide, la corrélation se révélant significative pour les garçons (Hawton *et al.*, 1998). Ainsi une augmentation des taux de suicide se traduirait par une augmentation des tentatives de suicide. Mais, est-ce que l'augmentation des tentatives de suicide conduit à une utilisation accrue des services médicaux ? Voilà une bonne question puisque moins d'un jeune sur quatre faisant une tentative de suicide se retrouve dans un service d'urgence (Ladame et Wagner, 1994). Il est plausible de penser cependant qu'une augmentation des suicides complétés conduise tout autant à une augmentation des tentatives avec consultation que des tentatives sans consultation médicale et donc à une utilisation accrue des services de santé. Au Québec par exemple, l'augmentation des taux de suicide des adolescents de 15 à 19 ans depuis les années 1980 s'est accompagnée d'une augmentation des taux annuels d'hospitalisation de 1987-1988 à 1994-1995 tant chez les garçons (de 40 à 63 par 100 000) que chez les filles (de près de 90 à 148 par 100 000) (D'Amours, 1997).

La prévalence des tentatives de suicide au cours de la vie chez les jeunes québécois de 12 à 19 ans varie de 3,5 % à 11,7 %. La prévalence des idéations suicidaires au cours de la vie varie de 14,3 % à 32,4 %, et de 7,2 % à 10,3 % sur une période de 6 à 12 mois (Légaré, 2000). La variation des prévalences des tentatives de suicide et idées suicidaires est tributaire de la population couverte, du groupe d'âge, du sexe et de la période étudiée. Les prévalences sont plus élevées chez les jeunes chômeurs que chez les jeunes en milieu scolaire et chez les jeunes de 15 à 19 ans que chez ceux de 10 à 14 ans. Les filles rapportent des prévalences supérieures à celles des garçons. Les prévalences des tentatives de suicide et idées suicidaires sur la vie doivent être interprétés avec prudence en raison des biais liés à la mémoire. Elles se révèlent généralement plus élevées que les prévalences sur une période de 12 mois. Les prévalences varient également selon qu'on interroge les jeunes ou leurs parents lors des enquêtes populationnelles. Les parents rapportent moins de tentatives de suicide et d'idéations suicidaires que leurs jeunes (Velez et Cohen, 1988 ; Valla *et al.*, 1994). Ainsi, les parents sous-estiment la fréquence des tentatives de suicide et idéations suicidaires de leurs jeunes.

Les résultats d'une étude de prévalence doivent également toujours être analysées en prenant en compte la modalité d'administration du questionnaire. La fréquence rapportée des conduites suicidaires est plus élevée lorsque les jeunes répondent à un questionnaire auto-administré anonyme que lorsqu'ils répondent à un interviewer ou à un questionnaire non anonyme. Aux États-Unis et au Canada, la médiane des prévalences de tentatives de suicide sur la vie dans 14 études avec questionnaire auto-administré se situe à 9,6 % et elle diminue à 4,2 % dans 4 études faisant appel à des interviewers. Les études réalisées dans sept autres pays indiquent aussi que la prévalence des tentatives de suicide sur la vie varie selon la modalité d'administration des questions : la médiane passe de 7,2 % à 2,6 % lorsque 10 études avec questionnaire auto-administré sont comparées à 3 études faisant appel à des interviewers (Safer, 1997).

Évidemment, les tentatives de suicide chez les jeunes surviennent beaucoup plus fréquemment que les suicides complétés. Par exemple au Québec, une prévalence d'environ 2 % de tentatives de suicide (Camirand, 1996) comparée à un taux de suicide de 20 par 100 000 adolescents de 15 à 19 ans en 1994 donne un rapport de 100 tentatives de suicide pour un suicide. Est-ce que ces jeunes dont le passage à l'acte peut être interprété comme un signal de détresse et une tentative de trouver une solution reçoivent de l'aide dans les services de santé ? Au Québec, 49 % des jeunes de 15 à 24 ans ayant fait une tentative de suicide ont obtenu de l'aide (Boyer *et al.*, 1998) et en Suisse, seulement 28 % des jeunes de 15 à 20 ans ont consulté à la suite de leur tentative de suicide (Rey *et al.*, 1997).

FACTEURS DE RISQUE

SUICIDES COMPLÉTÉS

Les autopsies psychologiques et les études longitudinales ont confirmé l'étiologie multifactorielle du suicide complété en mettant en évidence une pluralité de facteurs qui ont fait l'objet de plusieurs revues de littérature au cours des dernières années (Bell et Clark, 1998 ; Brent, 1995 ; Moscicki, 1997). Les facteurs de risque identifiés peuvent être classés en facteurs individuels, familiaux et sociaux.

Facteurs individuels : tentatives de suicide antérieures, troubles mentaux, âge (risque plus élevé chez les adolescents plus âgés), sexe (risque plus élevé chez les garçons), gémellité (concordance de suicides plus élevée chez les jumeaux homozygotes que chez les jumeaux hétérozygotes), neurotransmission (anomalie du métabolisme de la sérotonine), événements stressants tels que démêlés avec la justice, conflits avec les parents et abus physique ou sexuel antérieurs.

Facteurs familiaux : décès d'un parent, maladie d'un parent, troubles mentaux des parents, séparation des parents, démêlés d'un parent avec la justice, antécédents familiaux de conduites suicidaires.

Facteurs sociaux : isolement et retrait social, déménagements fréquents, accessibilité des armes à feux.

Les facteurs dont la probabilité d'association aux suicides complétés est la plus forte sont les tentatives de suicide antérieures et les troubles mentaux, particulièrement la dépression majeure et l'abus d'alcool ou de drogues. Le risque est multiplié s'il y a comorbidité de troubles mentaux. Les adolescents décédés par suicide ont 30 fois plus de chances d'avoir fait des tentatives comparativement à un groupe témoin et plus de 90 % de ces adolescents présentent un trouble mental. De 25 à 50 % des jeunes suicidés sont déprimés ou abusent d'alcool ou de drogues au moment de leur décès. Environ 33 % des adolescents ont de l'alcool dans le sang. Les études montrent que le trouble des conduites est également associé au suicide des jeunes, ce qui explique qu'environ un jeune sur trois décédé par suicide en

1995 et 1996 au Québec recevait ou avait reçu des services des Centres jeunesse (Association des Centres jeunesse du Québec, Collège des médecins du Québec et Protecteur du citoyen, 1999).

IDÉATIONS SUICIDAIRES ET TENTATIVES DE SUICIDE

Les études dans la population générale ayant pris en compte les troubles mentaux montrent qu'ils constituent des facteurs de risque des idéations suicidaires et tentatives de suicide (p. ex. Andrews et Lewinsohn, 1992 ; Valla *et al.*, 1994 ; Gould *et al.*, 1998 ; Kashani *et al.*, 1989 ; Lewinsohn *et al.*, 1993 ; Velez et Cohen, 1988). Parmi les troubles mentaux, l'abus de substances se révèle significativement plus associé aux tentatives de suicide qu'aux idéations suicidaires (Garrison *et al.*, 1993 ; Gould *et al.*, 1998). Plusieurs autres variables influencent les idéations suicidaires et tentatives de suicide comme la dysfonction familiale (p. ex. Dubow *et al.*, 1989 ; Tousignant et Hanigan, 1993), une histoire antérieure d'abus physique ou sexuel (p. ex. Brown *et al.*, 1999) ; l'existence de fugues (p. ex. Gould *et al.*, 1998) ; les événements de vie récents (p. ex. Dubow *et al.*, 1989), une faible estime de soi (p. ex. Lewinsohn *et al.*, 1994) et les cognitions dysfonctionnelles (p. ex. Priester et Clum, 1992).

ASPECTS SOCIOLOGIQUES DU SUICIDE

Le concept d'anomie, développé par Durkheim dans sa thèse de doctorat sur la division du travail social et son analyse sociologique du suicide, constitue une contribution majeure de la sociologie (Boudon, 1998). Le suicide anomique survient lorsque la fonction de régulation de la société sur les activités humaines est compromise lors de périodes de déstabilisation des valeurs sociales. Le concept de suicide anomique s'applique également à la position d'un individu au sein de la société. Ainsi, le mariage exerce une fonction régulatrice sur la vie personnelle et favorise l'équilibre moral. Les personnes divorcées se donnent plus fréquemment la mort que les personnes mariées. La présence des enfants exerce également un effet protecteur (Durkheim, 1930). À l'opposé un excès de régulation sociale conduit au suicide fataliste. En s'appuyant cette fois-ci sur le concept d'intégration sociale, Durkheim propose deux autres types de suicide. Le suicide égoïste résulte d'un manque d'intégration sociale chez des individus dont les règles de conduite relèvent plus d'eux-mêmes que de la société. Ainsi les célibataires se suicident plus que les gens mariés. Enfin, le suicide altruiste résulte d'un excès d'intégration sociale dans les sociétés primitives ou les organisations sociales très structurées (p. ex. suicide des militaires) (Durkheim, 1930).

La théorie durkheimienne de l'anomie, utilisée avec succès pour l'étude de l'adaptation des immigrants dans les sociétés d'accueil (p. ex. paysans polonais immigrés aux États-Unis), pourrait être appliquée avec intérêt à l'analyse du changement social dans nos sociétés contemporaines (Boudon, 1998). L'association entre taux de divorce et taux de suicide est bien démontrée dans la littérature sociologique (Stack, 2000a, 2000b). Une étude récente des jeunes de 15 à 24 ans de 34 nations parmi les plus riches au monde révèle une forte association entre taux de divorce et taux de suicide (Johnson *et al.*, 2000). Au Canada et aux États-Unis, l'augmentation des divorces et la diminution des naissances sont associées aux taux de suicide (Leenaars *et al.*, 1993). L'association se révèle plus forte chez les jeunes de 15 à 24 ans que chez les adultes (Leenaars et Lester, 1995). Le taux de chômage est associé aux taux de suicide chez les jeunes hommes de 15 à 24 ans et les hommes de 25 à 44 ans au Canada et aux États-Unis (Leenaars et Lester, 1995) ainsi qu'en France (Nizard *et al.*, 1998).

Au Québec, pour les années 1950 à 1981, l'association entre le taux de chômage et le taux de suicide est négative pour la période 1950 à 1965 mais positive pour la période 1966 à 1981. Ces différences entre les deux périodes pourraient s'expliquer par l'interaction entre le taux de chômage et les changements sociaux rapides engendrés par la révolution tranquille des années 1960 et l'augmentation consécutive de l'anomie sociale (Cormier *et al.*, 1985). Les changements sociaux liés à la révolution tranquille sont également invoqués pour expliquer l'augmentation majeure des taux de suicide chez les jeunes québécois de 15 à 29 ans à partir des années 1960. Ces transformations profondes ont largement favorisé l'émergence des suicides *d'être* des jeunes québécois définis à l'aide d'une analyse sociologique détaillée de cinq histoires de vie de jeunes suicidés (Gratton, 1996).

PROGRAMMES EN SUICIDOLOGIE

LE CONCEPT DE PROGRAMME

Un programme se définit comme « un ensemble organisé, cohérent et intégré d'activités et de services réalisés simultanément ou successivement, avec les ressources nécessaires, dans le but d'atteindre des objectifs déterminés, en rapport avec des problèmes de santé précis et ce, pour une population définie » (Pineault et Daveluy, 1995). Un « ensemble organisé, cohérent et intégré » implique que les activités sont logiquement liées les unes aux autres et qu'elles permettent d'atteindre les objectifs. Cette notion de liens logiques entre activités et objectifs implique l'existence d'un modèle théorique du programme. Les « activités et services » réalisés avec « les ressources nécessaires » dans le but d'atteindre des « objectifs déterminés » constituent les trois composantes du programme. « En rapport avec des problèmes de santé précis et ce, pour une population définie » permet d'identifier les cibles du programme. Un programme peut être classifié selon la nature du problème de santé mentale (le suicide, la toxicomanie, l'ensemble des troubles mentaux, etc.), la population rejointe (enfants, adultes et personnes âgées), le milieu (écoles, hôpitaux, domiciles, centres d'hébergements, etc.) et d'autres caractéristiques.

La base théorique d'un programme

La base théorique d'un programme comprend la théorie (ou modèle théorique) du problème de santé ciblé et la théorie (ou modèle théorique) du programme. La théorie du problème de santé identifie les facteurs associés au problème de santé et le rationnel du choix du facteur ciblé par le programme. La théorie du programme identifie quant à elle les liens logiques entre les opérations (ressources et activités) et l'atteinte des objectifs du programme. Les deux théories constituent la base théorique du programme telle qu'illustrée à la figure 1.

La théorie du problème de santé

Le départ se fait du problème de santé au sommet du triangle vers le facteur choisi à droite de la base du triangle. L'ensemble des facteurs associés et les critères du choix du facteur ciblé par le programme sont identifiés. Le facteur est choisi en s'appuyant sur quatre critères.

Premièrement, le facteur devrait être le plus possible **modifiable.** Par exemple, la dépression est plus facilement modifiable que les valeurs personnelles.

Deuxièmement, le facteur devrait exercer le plus d'influence possible sur les conduites suicidaires. C'est le **degré d'association**. Par exemple, la dépression est plus associée aux conduites suicidaires que les troubles anxieux.

Troisièmement, le facteur devrait exercer son influence le plus près possible du problème de santé. C'est le caractère **proximal** du facteur. Par exemple, l'abus de substances par un jeune a plus d'influence sur ses conduites suicidaires que les troubles mentaux des parents.

Quatrièmement, le facteur devrait être **mesurable**. Par exemple, les manifestations cliniques de la schizophrénie sont plus facilement mesurables que les anomalies de la neurotransmission cérébrale.

Évidemment, la rencontre de ces quatre critères constitue un objectif rarement atteint. Des compromis en fonction du problème de santé ciblé et des contraintes liées à l'implantation du programme deviennent souvent nécessaires.

Figure 1
BASE THÉORIQUE DU PROGRAMME

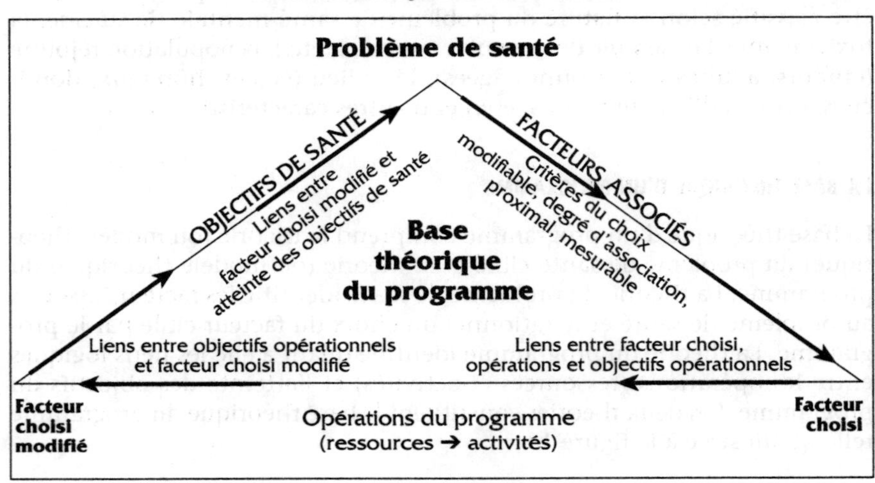

La théorie du programme

La théorie du programme doit être sensée et plausible et prendre en compte les connaissances issues de la planification, l'implantation et l'évaluation des programmes ciblant les mêmes problèmes. La théorie du programme ne peut cependant toujours s'appuyer sur des connaissances démontrées. Il peut aussi y avoir urgence d'intervenir alors que les connaissances demeurent limitées. L'expérience, l'intuition et la créativité jouent également un rôle dans la formulation de la théorie du programme qui comprend l'hypothèse du programme et l'hypothèse causale du programme.

Hypothèse du programme

Du facteur choisi à droite de la base du triangle (figure 1), on se dirige vers le facteur choisi modifié à gauche. Les opérations du programme sont identifiées et on indique quels sont les liens logiques entre le facteur choisi, les opérations et les objectifs opérationnels et quels sont les liens entre l'atteinte des objectifs opérationnels et la modification du facteur choisi par le programme.

Hypothèse causale du programme

Du facteur choisi modifié à gauche de la base du triangle, on se dirige vers le problème de santé au sommet du triangle en indiquant comment la modification du facteur choisi permet d'atteindre les objectifs généraux de santé du programme.

LES TYPES DE PROGRAMME

Le terme prévention est souvent utilisé pour couvrir toute la gamme des programmes en suicidologie. Jusqu'à maintenant, les programmes étaient classifiés en programmes de prévention primaire (contrôle des facteurs associés à l'émergence des conduites suicidaires), secondaire (dépistage et interventions précoces) ou tertiaire (traitement et réadaptation). La prévention primaire s'adresse alors à la population générale ou à une sous-population à risque. La prévention secondaire et la prévention tertiaire concernent les individus, soit au début de la condition pathologique, dans un contexte de dépistage, ou lorsque les manifestations cliniques sont présentes dans un contexte de traitement. Cette conceptualisation, issue de la santé publique, a été appliquée à la programmation en santé mentale dans la communauté (Caplan, 1964). L'utilisation d'un concept de prévention aussi global visant à couvrir toute la gamme des programmes a généré de la confusion et entraîné des problèmes de communication (Blanchet *et al.*, 1993 ; Silverman et Felner, 1995).

Dans le cadre du bilan des programmes en suicidologie évalués, les types de programmes sont classifiés selon la proposition de l'institut de médecine des États-Unis (1994). Le concept de prévention est restreint aux programmes s'adressant à tous les jeunes dans une région ou un milieu de vie (prévention de type universel) ou à tous les jeunes d'une sous-population jugée à risque (prévention de type ciblé) en raison de caractéristiques liées à leur environnement (prévention sélective) ou en raison de caractéristiques personnelles (prévention indiquée). Le terme traitement est utilisé pour des programmes s'intéressant à des individus avec conduites suicidaires.

LES STRATÉGIES DE PRÉVENTION DU SUICIDE

La classification des stratégies de prévention du suicide utilisée pour le bilan s'inspire de celle proposée par le Centers for Disease Control (1992). Ces huit stratégies sont :

- éducation générale sur le suicide
- promotion en santé mentale
- groupes de soutien par les pairs
- contrôle des moyens
- interventions après un suicide (postvention)
- dépistage
- formation de sentinelles
- centres de prévention du suicide

CADRE DE RÉFÉRENCE DE L'ÉVALUATION DES PROGRAMMES

Deux types d'évaluation peuvent s'appliquer à un programme : l'évaluation normative et la recherche évaluative. L'évaluation normative consiste essentiellement à appliquer des normes et des critères, à la structure, au processus et aux résultats d'un programme. La recherche évaluative s'appuie sur une démarche scientifique et vise à analyser les relations entre les différentes composantes du programme afin de comprendre le « pourquoi » et expliquer les résultats observés. Elle comprend six types d'analyse : 1) l'analyse stratégique qui porte sur la pertinence d'intervenir sur un problème de santé donné et la pertinence d'intervenir comme on le fait ; 2) l'analyse du programme ou de l'intervention qui considère les hypothèses causales liant les opérations du programme aux objectifs et qui s'intéresse également à la capacité des opérations du programme à atteindre les objectifs ; 3) l'analyse de la productivité, c'est-à-dire la capacité des ressources à produire les services ; 4) l'analyse des effets du programme sur le problème de santé ciblé ; 5) l'analyse du rendement, soit l'étude des liens entre les ressources utilisées et les effets obtenus ; 6) l'analyse de l'implantation, qui étudie l'influence de la variation dans le niveau d'implantation sur l'impact du programme ainsi que l'influence du contexte environnemental (voir Champagne *et al.*, 1986 ; Contandriopoulos *et al.*, 1992 ; voir aussi Vitaro, ce volume).

LES PROGRAMMES ÉVALUÉS EN SUICIDOLOGIE

LES PROGRAMMES ÉVALUÉS AU CANADA

Un bilan des recherches évaluatives sur les programmes de prévention du suicide s'adressant aux jeunes du Canada a déjà été réalisé (Breton *et al.*, 2000). En plus des rapports détaillés des évaluations, les textes décrivant les programmes ont été obtenus afin de permettre une analyse en profondeur des programmes évalués. Quinze programmes d'intervention et de prévention du suicide chez les jeunes ont été identifiés au Canada de 1970 à 1996. Moins d'un programme par année a fait l'objet d'une évaluation de 1970 à 1996. On retrouve une évaluation pancanadienne (contrôle des armes à feu), deux évaluations en Alberta et 12 au Québec. Les résultats de seulement trois de ces 15 évaluations ont fait l'objet de publications dans des revues scientifiques.

Neuf programmes se déroulent en milieu scolaire. L'éducation générale sur le suicide est la stratégie choisie. Trois programmes impliquent des centres de prévention du suicide et trois programmes se réalisent sur plusieurs sites. Les objectifs généraux des programmes sont présentés mais seulement six programmes mentionnent des objectifs spécifiques. La base théorique des programmes n'est pas explicitée dans les documents sur le fonctionnement des programmes ou les rapports de recherche. La population cible et la nature des activités sont bien identifiées. Il s'agit le plus souvent d'activités ponctuelles. Les informations au sujet des ressources matérielles se révèlent sommaires.

Toutes les évaluations impliquent une analyse des effets avec des devis de recherche de type quasi expérimental. Une analyse d'implantation est ajoutée pour trois évaluations et une analyse de structure ou de processus pour trois autres recherches évaluatives. Les questions d'évaluation apparaissent le plus souvent posées par les chercheurs sans implication tangible des décideurs. L'information demeure partielle au sujet des participants et se révèle complètement absente au sujet des non-participants. Les chercheurs en majorité ont recours à des questionnaires créés pour les fins de leurs recherches. Six des neuf programmes scolaires ont un impact sur les connaissances, un programme conduit à une amélioration des attitudes et trois programmes, à une amélioration des habiletés. Deux des trois programmes des centres de prévention du suicide permettent de réduire le risque suicidaire. Aucun des programmes n'a d'impact sur les tentatives de suicide et les effets du programme canadien de contrôle des armes à feu sur les suicides complétés ne sont pas concluants.

RECENSION DE LA LITTÉRATURE SUR LES PROGRAMMES ÉVALUÉS

Les sources d'information ayant servi à la recension des études publiées comprennent les banques de données habituelles et deux revues de littérature récentes (Mazza, 1997 ; Ploeg *et al.*, 1996). Dix-sept évaluations de programmes ont ainsi été identifiées à partir des années 1980. Onze de ces études ont été complétées aux États-Unis, trois au Canada (incluses dans le Bilan canadien), deux en Israël et une en Australie. Une description succincte des types de programme, des populations ciblées, de l'orientation et du contenu du programme, des types d'analyse et de devis de recherche, des participants et finalement des résultats des évaluations est présentée au tableau 1 (en annexe).

Les 17 programmes évalués se répartissent de la façon suivante : 14 programmes de prévention, 2 programmes de traitement et 1 programme mixte faisant appel à des activités de prévention et des activités de traitement. Les programmes de prévention se divisent en type universel ($n = 10$), type indiqué ($n = 3$) et type sélectif ($n = 1$). L'éducation générale sur le suicide est la stratégie utilisée dans 10 programmes. Deux programmes recourent à des activités de promotion en santé mentale, 2 programmes ciblent les personnes suicidaires des centres de prévention du suicide, 1 fait appel à la postventien, 1 porte sur le contrôle des armes à feu et 1 programme mixte fait appel à plusieurs stratégies. La majorité des programmes ($n = 13$) se déroulent dans les écoles de niveau secondaire ou collégial. L'orientation théorique est identifiée pour 5 programmes. Elle se reépartit comme suit : cognitions sociales (*n* = 2), approche béhaviorale-cognitive, intervention de crise et approche conceptuelle de Ross. La base théorique des programmes n'est pas présentée pour aucun des programmes évalués.

L'analyse des effets est utilisée pour tous les programmes évalués. L'analyse des effets s'appuie sur un devis de recherche quasi expérimental avec groupe témoin pour une majorité des évaluations (*n* = 12). L'étude des effets des programmes révèle que 6 des 17 programmes ont eu un impact sur les conduites suicidaires. Cinq programmes ont permis de réduire les idéations suicidaires et 1 programme a eu un impact à la fois sur la fréquence des suicides complétés et des tentatives de suicide. Ce dernier programme propose une approche multimodale du suicide (Zenere et Lazarus, 1997). Mis en place au début des années 1990 auprès des 300 000 élèves des écoles primaires et secondaires du comté de Dale en Floride, le programme TRUST (To Reach Ultimate Success Together) fait appel à plusieurs stratégies tout en ciblant principalement le développement de différentes habiletés de vie par des activités d'éducation et de formation de la maternelle à la 12e année. Ce n'est qu'en 10e année qu'un sous-programme vise spécifiquement la prévention du suicide. Chaque école a cependant ses politiques et procédures au sujet des conduites suicidaires et dispose d'une équipe de crise. Les résultats sont remarquables puisque le programme permet de réduire de 63 % le nombre moyen de suicides par année au cours de la période de cinq ans qui suit l'implantation du programme. La diminution est du même ordre de 1993-1994 à 1989-1990 pour le nombre moyen de jeunes faisant une tentative de suicide.

DISCUSSION

Le suicide des jeunes constitue indéniablement un problème de santé publique majeur au Québec et dans de nombreux pays industrialisés comme le Canada, la Finlande, la Norvège, la Suisse, la Nouvelle-Zélande, les États-Unis, la Belgique et la France (Johnson *et al.*, 2000). Ces conduites suicidaires, fortement associées à la détresse psychologique (Boyer *et al.*, 1998), s'inscrivent dans des trajectoires de vie marquées par un vécu d'impuissance et de solitude affective. Parents et adultes en général sous-estiment la fréquence et l'importance de cette souffrance et des tentatives de suicide et idéations suicidaires qui en témoignent. Environ un jeune sur deux ayant fait une tentative ne reçoit pas d'aide après son passage à l'acte. Les professionnels de la santé en contact avec des jeunes ne doivent donc pas hésiter à poser des questions advenant la moindre inquiétude au sujet du bien-être psychologique d'un jeune. Les médecins de famille sont particulièrement bien placés puisqu'ils sont les professionnels les plus consultés par les jeunes qui ont des problèmes de santé mentale (Breton, 1999). Également, les professionnels et les enseignants en milieu scolaire ne doivent pas hésiter à poser des questions sur l'existence d'inquiétudes et de sentiments dépressifs et, si nécessaire, sur la présence d'idéations suicidaires et de tentatives de suicide. Une telle stratégie proactive a trois avantages : 1) informer l'adulte au sujet de la vie intérieure du jeune ; 2) soulager et réconforter et 3) permettre une référence à une ressource spécialisée si nécessaire.

La réalité des facteurs de risque associés aux conduites suicidaires est multiple et complexe comme en témoignent les recherches des dernières décennies. Les troubles mentaux constituent un facteur de risque majeur puisqu'ils touchent plus de 90 % des adolescents qui se donnent la mort. En plus des troubles mentaux, les recherches montrent que les facteurs familiaux comme le décès d'un parent, le divorce, la santé mentale des parents et les antécédents de conduites suicidaires jouent un rôle de premier plan. Au sujet des troubles mentaux des jeunes, on peut certes orienter les interventions vers le dépistage et le traitement de ces troubles mentaux (Shaffer et Craft, 1999) mais il y a peut-être lieu de se demander également comment agir sur ce déterminant majeur des conduites suicidaires des jeunes. En bref, quels sont les facteurs de risque associés aux quatre catégories de troubles mentaux les plus fréquents des jeunes (troubles dépressifs, troubles anxieux, troubles d'opposition/des conduites et déficit de l'attention avec hyperactivité) ? Une revue des études épidémiologiques dans la population générale révèle que 1) les facteurs de risque sont sensiblement les mêmes quelle que soit la catégorie de troubles mentaux et 2) les variables familiales comme le stress parental, la santé mentale des parents, une histoire familiale de troubles mentaux, le statut marital et la relation parent-enfant sont associées aux troubles mentaux des jeunes à l'instar des variables individuelles comme l'âge, le sexe, les événements stressants et la performance scolaire et plus fortement associées aux troubles mentaux que les variables socioéconomiques comme l'éducation des parents et le revenu familial (Valla *et al.*, 1996).

Les variables familiales exercent donc une influence à la fois sur les troubles mentaux et les conduites suicidaires des jeunes. Les études sociologiques indiquent également que les variables familiales comme le divorce sont associées à une plus grande fréquence de suicides complétés. Or, la majorité des programmes de prévention du suicide s'adressant aux jeunes et évalués au Canada et dans les autres pays au cours des dernières décennies ciblent le milieu scolaire en utilisant l'éducation générale sur le suicide comme stratégie de prévention. Le milieu familial est laissé pour compte et peu de programmes ciblent les troubles mentaux des jeunes. On observe donc un décalage entre connaissances et pratiques. Pourquoi en est-il ainsi ?

Certes, les écoles permettent de rejoindre rapidement un grand nombre de jeunes et constituent un milieu plus accessible que le milieu familial. Les résultats du bilan des recherches évaluatives montrent par ailleurs que l'orientation théorique des programmes évalués est formulée une fois sur trois et que la base théorique de ces programmes n'est jamais explicitée. Rappelons que cette base théorique comprend la théorie du suicide et la théorie de l'intervention ou du programme. La théorie du suicide permet la révision des connaissances empiriques sur les facteurs associés aux conduites suicidaires et l'identification des critères (proximal, degré d'association, etc.) qui président au choix des facteurs ciblés par le programme. La formulation explicite de cette théorie contribuerait probablement à recentrer les programmes sur les facteurs de risque documentés tels que le dysfonctionnement familial et les troubles mentaux des jeunes comme la dépression ou l'abus de substances.

La formulation explicite de la théorie du programme permettrait de bien examiner les liens entre les variables médiatrices et l'atteinte des objectifs du programme (voir Vitaro, ce volume). Par exemple, lors de la planification des programmes d'éducation générale sur le suicide, les liens présumés entre modification des connaissances, des attitudes et des habiletés d'une part et diminution des conduites suicidaires d'autre part devraient faire l'objet d'une analyse approfondie. L'analyse de l'intervention ou du programme constitue un type d'analyse sous-utilisé dont la pertinence est maintenant bien établie surtout pour les programmes à leur début (Lipsey *et al.*, 1985 ; Weiss, 1998). Il peut être également souhaitable de combiner une analyse de l'intervention à une analyse des effets pour un programme déjà en cours (Breton *et al.*, 2000).

Le seul programme qui conduit à une diminution des tentatives de suicide et des suicides complétés fait appel à une approche multimodale (Zenere et Lazarus, 1997). Le programme s'appuie sur la prévention de type universel et de type ciblé ainsi que sur le traitement des jeunes suicidaires (équipes de crise). Les multiples stratégies permettent de prendre en compte tous les milieux de vie des jeunes. Le développement des habiletés de vie des jeunes occupe une place centrale. Une approche multimodale, où un ensemble de stratégies permettent de cibler plusieurs facteurs de risque est conforme aux principes d'équifinalité (résultats similaires à partir de points de départ différents) en développement normal et pathologique des enfants (Ritchers, 1997). L'approche multimodale en prévention du suicide des jeunes (White, 1998) nous semble théoriquement fondée et le bilan des recherches évaluatives sur les programmes suggère qu'elle est empiriquement valable.

RÉFÉRENCES

ABBEY, K.J., MADSEN, C.H. et POLAND, R. (1989). Short-term suicide awareness curriculum. *Suicide and Life-Threatening Behavior, 19*(2), 216-227.

ANDREWS, J.A. et LEWINSHON, P.M. (1992). Suicidal attempts among older adolescents : prevalence and co-occurrence with psychiatric disorders. *Journal of the American Academy of Child and Adolescent Psychiatry, 31*, 655-662.

ASSOCIATION DES CENTRES JEUNESSE DU QUÉBEC, Collège des médecins du Québec et Protecteur du citoyen (1999). *Le suicide chez les usagers des centres jeunesse : il est urgent d'agir*, 53 p.

BELL, C.C. et CLARK, D.C. (1998). Adolescent suicide. *Pediatric Clinics of North America, 45*(2), 365.

BERTOLOTE, J. (1996). World Health Organization approaches to suicide prevention. Dans R.F. Ramsay & B.L. Tanney (dir.), *Global trends in suicide prevention*, Tata Institute of Social Sciences, Mumbai, 95-106.

BLANCHET, L., LAURENDEAU, M.-C., PAUL, D. et SAUCIER, J.F. (1993). Prévention et promotion en santé mentale. Dans *La prévention et la promotion en santé mentale. Préparer l'avenir*. Gaëtan Morin, Éditeur, 11-25.

BOUDON, R. (1998). Dictionnaire de la sociologie, *Encyclopaedia Universalis*, Albin Michel, 24-30.

BOYER, R., LÉGARÉ, G., ST-LAURENT, D. et PRÉVILLE, M. (1998). Epidemiology of suicide, parasuicide and suicidal ideation in Quebec. Dans A.A. Leenaars, S. Wenckstern, I. Sakinofsky, R.J. Dyck, M.J. Kral, R.C. Bland (dir.), *Suicide in Canada*, University of Toronto Press inc. Toronto, Buffalo, London, 67-84.

BRENT, D. (1995). Facteurs de risque associés au suicide à l'adolescence : revue des recherches. *P.R.I.S.M.E., 5*(4), 360-374.

BRETON, J.J., Comment évaluer le risque de suicide chez les jeunes ? (1999) *Le Clinicien, 14*(10), 127-142.

BRETON, J.J., BOYER, R., BILODEAU, H., RAYMOND, S., JOUBERT, N. et NANTEL, M.A. (2000). Is evaluative research on suicide programs for young people theory-driven ? The Canadian experience. *Suicide and Life-Threatening Behavior*, en révision.

BROWN, J., COHEN, P., JOHNSON, J.G. et SMAILES, E.M. (1999). Childhood abuse and neglect : Specificity of effects on adolescent and young adult depression and suicidality. *Journal of the American Academy of Child and Adolescent Psychiatry, 38*(12), 1490-1496.

CAMIRAND, J. (1996). *Un profil des enfants et adolescents québécois, enquête sociale et de santé 1992-1993*, Montréal, Santé Québec, 194.

CAPLAN, G. (1964). *Principles of preventive psychiatry*, New York : Basic Books.

CARRINGTON, P. et MOYER, S. (1994). Gun control and suicide in Ontario. *American Journal of Psychiatry, 151*, 606-608.

CENTERS FOR DISEASE CONTROL (1992). *Youth suicide prevention programs : A resource guide*. U.S. Department of Health and Human Services, Public Health Services, National Center for Injury Prevention and Control, Epidemiology Branch, Atlanta, Georgia, 190 p.

CHAMPAGNE, F., CONTANDRIOPOULOS, A.P. et PINEAULT, R. (1986). A health care evaluation framework. *Health Management Forum*, été, 57-65.

CIFFONE, J. (1993). Suicide prevention : A classroom presentation to adolescents. *Social Work, 38*(2), 197-203.

CONTANDRIOPOULOS, A.P., CHAMPAGNE, F., DENIS, J.L. et PINEAULT, R. (1992). L'évaluation dans le domaine de la santé : concepts et méthodes. Version révisée de l'article des mêmes auteurs publié dans les actes du Colloque *L'évaluation en matière de santé : des concepts à la pratique*, édité par T. Lebrun, J.C. Sailly et M. Amourette, Lille, CREGE, 1992.

CORMIER, H.J. et KLERMAN, G.L. (1985). Suicide, économie et environnement social au Québec, 1950-1981. *L'Union médicale du Canada, 114*, 360-388.

D'AMOURS, Y., (1997). *Le suicide chez les jeunes : S.O.S. Jeunes en détresse !* Gouvernement du Québec, Ministère du Conseil exécutif, Conseil permanent de la jeunesse, 132 pages.

DEMAN, A. et LABRÈCHE-GAUTHIER, L. (1991). Suicide ideation and community support : an evaluation of two programs. *Journal of Clinical Psychology, 47*(1), 57-60.

DUBOW, E.F., KAUSCH, D.F., BLUM, M.C., REED, J. et BUSH, E. (1989). Correlates of suicidal ideation and attempts in a community sample of junior high-school students. *Journal of Clinical Child Psychology, 18*, 158-166.

DURKHEIM, E. (1930). *Le suicide*. Presses universitaires de France. 10e édition « Quadrige » : 1999, 463 p.

FACY, F., JOUGLA, E. et HATTON, F. (1998). Épidémiologie du suicide de l'adolescent. *La revue du particien, 48*, 1409-1414.

EGGERT, L.L., THOMPSON, E.A., HERTING, J.R. et NICHOLAS, L.J. (1995). Reducing suicide potential among high-risk youth : Test of a school-based prevention program. *Suicide and Life-Threatening Behavior, 25*(2), 276-296.

GARRISON, C.Z., MCKEOWN, R.E., VALOIS, R.F. et VINCENT, M.L. (1993). Aggression, substance use, and suicidal behaviors in high school students. *American Journal of Public Health, 83*, 179-184.

GOULD, M., KING, R., GREENWALD, S., FISHER, P., SCHWAB-STONE, M., KRAMER, R., FLISHER, A.J., GOODMAN, S., CANINO, G. et SHAFFER, D. (1998). Psychopathology associated with suicidal ideation and attempts among children and adolescents. *Journal of the American Academy of Child and Adolescent Psychiatry, 37*(9), 915-923.

GRATTON, F. (1996). *Les suicides d'être de jeunes québécois*. Presses de l'Université du Québec, 354 p.

GROHOLT, B., EKEBERG, O., WICHSTROM, L. et HALDORSEN, T. (1998). Suicide among children and young and older adolescents in Norway : A comparative study. *Journal of the American Academy of Child and Adolescent Psychiatry, 37*(5), 473-487.

HAWTON, K., ARENSMAN, E., WASSERMAN, D., HULTÉN, A., BILLE-BRAHE, U., BJERKE, T., CREPET, P., DEISENHAMMER, E., KERKHOF, A., DE LEO, D., MICHEL, K., OSTAMO, A., PHILIPPE, A., QUEREJETA, I., SALANDER-RENBERG, E., SCHMIDTKE, A. et TERNESVARY, B. (1998). Relation between attempted suicide and suicide rates among young people in Europe. *Epidemiol Community Health, 52*, 191-194.

HAZELL, P. et LEWIN, T. (1993). An evaluation of postvention following adolescent suicide. *Suicide and Life-Threatening Behavior, 23*(2), 101-109.

INSTITUTE OF MEDICINE (1994). *Reducing risk for mental disorders : frontiers for preventive intervention research.* Washington (D.C.) : National Academy Press, 605 p.

JOHNSON, G.R., KRUG, E.G. et POTTER, L.B. (2000). Suicide among adolescents and young adults : A cross-national comparison of 34 countries. *Suicide and Life-Threatening Behavior, 30*(1), 74-82.

KALAFAT, J. et ELIAS, M. (1994). An evaluation of a school-based suicide awareness intervention. *Suicide and Life-Threatening Behavior, 24*(3), 224-233.

KASHANI, J.H., GODDARD, P. et REID, J.C. (1989). Correlates of suicidal ideation in a community sample of children and adolescents. *Journal of the American Academy of Child and Adolescent Psychiatry, 28*, 912-917.

KLINGMAN, A. et HOCHDORF, Z. (1993). Coping with distress and self harm : The impact of a primary prevention program among adolescents. *Journal of Adolescence, 16*, 121-140.

LADAME, F. et WAGNER, P. (1994). Adolescence and suicide : an update of recent literature. *Eur Psychiatry, 9*, 211s-217s.

LAFROMBOISE, T. et HOWARD-PITNEY, B. (1995). The Zuni life skills development curriculum : Description and evaluation of a suicide prevention program. *Journal of Counseling Psychology, 42*(4), 479-486.

LEENAARS, A.A., YANG, B. et LESTER, D. (1993). The effects of domestic and economic stress on suicide rates in Canada and the United States. *Journal of Clinical Psychology, 49*, 918-921.

LEENAARS, A.A. et LESTER, D. (1995). The changing suicide pattern in Canadian adolescents and youth, compared to their American counterparts. *Adolescence, 30*(119), 539-547.

LEENAARS, A.A. et LESTER, D. (1996). Gender and the impact of gun control on suicide and homicide. *Archives of Suicide Research, 72*, 787-790.

LÉGARÉ, G. (2000). Communication personnelle.

LEWINSOHN, P.M., ROHDE, P. et SEELEY, J.R. (1993). Psychosocial characteristics of adolescents with a history of suicide attempts. *Journal of the American Academy of Child and Adolescent Psychiatry, 32*, 60-68.

LEWINSOHN, P.M., ROHDE, P. et SEELEY, J.R. (1994). Psychosocial risk factors for future adolescent suicide attempts. *Journal of Consulting and Clinical Psychology, 62*(2), 297-305.

LIPSEY, M.W., CROSSE, S., DUNKLE, J., POLLARD, J. et STOBART, G. (1985), Evaluation : The state of the art and the sorry state of the science. Dans ER House & MW Lipsey (dir.), *Utilizing prior research in evaluation planning.* San Francisco : Jossey-Bass Inc., Publisher, 7-61.

MADGE, N., (1999), Youth suicide in an international context. *European Child and Adolescent Psychiatry, 8*, 283-291.

MAZZA, J.J. (1997). School-based suicide prevention programs : Are they effective ? *School Psychology Review, 26*(3), 382-396.

MINISTÈRE DE LA SANTÉ ET DES SERVICES SOCIAUX (1998), *Stratégie québécoise d'action face au suicide : s'entraider pour la vie.* Gouvernement du Québec, 94 p.

MISHARA, B.L. et DAIGLE, M. (1992). L'efficacité des interventions téléphoniques dans les Centres de prévention du suicide. *Santé mentale au Canada*, 26-32.

MOSCICKI, E.K. (1997). Identification of suicide risk factors using epidemiologic studies. *Psychiatric Clinics of North America, 20*(3), 499-517.

MOYER, S. et CARRINGTON, J. (1992). *Gun availability and firearms suicide* (document de travail). Research and Statistics Directorate, Corporate Management, Policy and Programs Sector, Department of Justice, Canada.

NELSON, F.L. (1987). Evaluation of a youth suicide prevention school program. *Adolescence, 22*(88), 813-825.

NIZARD, A., BOURGOIN, N. et DE DIVONNE, G. (1998). Éditorial : Suicide et mal-être social. *Population et sociétés*, 334, 1-4.

ORBACH, I. et BAR-JOSEPH, H. (1993). The impact of a suicide prevention program for adolescents on suicidal tendencies, hopelessness, ego identity, and coping. *Suicide and Life-Threatening Behavior, 23*(2), 120-129.

OVERHOLSER, J.C., HEMSTREET, H., SPIRITO, A. et VYSE, S. (1989). Suicide awareness programs in the schools : Effects of gender and personal experience. *Journal of the American Academy of Child and Adolescent Psychiatry, 28*(6), 925-930.

PINEAULT, R. et DAVELUY, C. (1995). L'évaluation. Dans *La planification de la santé. Concepts, méthodes, stratégies*. Éditions Nouvelles, 411-466.

PLOEG, J., CILISKA, D., DOBBINS, M., HAYWARD, S., THOMAS, H. et UNDERWOOD, J. (1996). A systematic overview of adolescent suicide prevention programs. *Canadian Journal of Public Health, 87*(5), 319-324.

PRIESTER, M.J. et CLUM, G.A. (1992). Attributional style as a diathesis in predicting depression, hopelessness, and suicide ideation in college students. *Journal of Psychopathology and Behavioral Assessment, 14*(2), 111-122.

REY, C., MICHAUD, T.A., NARRING, F. et FERRON, C. (1997). Comportements suicidaires des adolescents en Suisse : rôle des médecins. *Archives de pédiatrie, 4*(8), 784-792.

RICHTERS, J.E. (1997). The Hubble hypothesis and the developmentalist's dilemma. *Developmental Psychology, 9*, 193-229.

SAFER, D.J (1997). Self-Reported Suicide Attempts by Adolescents, *Annals of Clinical Psychiatry, 9*(4), 263-269.

SHAFFER, D., VIELAND, V., GARLAND, A., ROJAS, M., UNDERWOOD, M. et BUSNER, C. (1990). Adolescent suicide attempters. Response to suicide-prevention programs. *Journal of the American Medical Association, 264*(24), 3151-3155.

SHAFFER, D., GARLAND, A., VIELAND, V., UNDERWOOD, M. et BUSNER, C. (1991). The impact of curriculum-based suicide prevention programs for teenagers. *Journal of the American Academy of Child and Adolescent Psychiatry, 30*(4), 588-596.

SHAFFER, D. et CRAFT, L., (1999). Methods of Adolescent Suicide Prevention. *Journal Clinical Psychiatry*, 60 (suppl. 2), 70-74.

SILVERMAN, M.M. et FELNER, R.D. (1995). The place of suicide prevention in the spectrum of intervention : Definitions of critical terms and construct. Dans M.M. Silverman, R.W. Maris (dir.), *Suicide prevention toward the year 2000*. New York : The Guilford Press, 70-81.

SPIRITO, A., OVERHOLSER, J., ASHWORTH, S., MORGAN, J. et BENEDICT-DREW, C. (1988). Evaluation of a suicide awareness curriculum for high school students. *Journal of the American Academy of Child and Adolescent Psychiatry, 27*(6), 705-711.

STACK, S. (2000a). Suicide : A 15-year review of the sociological Litterature. Part 1 : Cultural and economic factors. *Suicide and Life-Threatening Behavior, 30*(2), 145-162.

STACK, S. (2000b). Suicide : A 15-year review of the sociological Litterature. Part 2 : Modernization and social integration perspectives. *Suicide and Life-Threatening Behavior, 30*(2), 163-181.

TAYLOR, S.J., KINGDOM, D. et JENKINS, R. (1997). How are nations trying to prevent suicide ? An analysis of national suicide prevention strategies. *Acta Psychiatrica Scandinavia, 95*, 457-463.

TOUSIGNANT, M. et HANIGAN, D. (1993). Crisis support among suicidal students following a loss event. *Journal of Community Psychology, 21*, 83-96.

VALLA, J.P., BERGERON, L., LAGEIX, P. et BRETON, J.J. (1996). *L'étude épidémiologique des variables associées aux troubles mentaux des enfants*. Paris, Masson, 155 p.

VALLA, J.P., BRETON, J.J., BERGERON, L., GAUDET, N., BERTHIAUME, C., ST-GEORGES, M., DAVELUY, C., TREMBLAY, V., LAMBERT, J., HOUDE, L. et LÉPINE, S. (1994). *Enquête québécoise sur la santé mentale des jeunes de 6 à 14 ans 1992. Rapport de synthèse*. Services d'Éditions Interressources, 132 p.

VELEZ, C.N. et COHEN, P. (1988). Suicidal behavior and ideation in a community sample of children : maternal and youth reports. *Journal of the American Academy of Child and Adolescent Psychiatry, 27*, 349-356.

WEISS, C.H. (1998), *Evaluation : Methods for studying programs and policies*, 2nd edition. Prentice Hall, 370 p.

WHITE, J. (1998), Comprehensive youth suicide prevention : A model for understanding. Dans A.A. Leenars, S. Wenckstern, I. Sakinofsky, R.J. Dyck, M.J. Kral, R.C. Bland (dir.). *Suicide in Canada*. University of Toronto Press Inc. Toronto, Buffalo, London, 275-290.

ZENERE, F.J. et LAZARUS, P.J. (1997). The decline of youth suicidal behavior in an urban, multicultural public school system following the introduction of a suicide prevention and intervention program. *Suicide and Life-Threatening Behavior, 27*(4), 387-403.

ANNEXE

TABLEAU-SYNTHÈSE

Programmes de prévention du suicide évalués

Auteurs	PROGRAMME			ÉVALUATION DU PROGRAMME		
	Type de programme et stratégie	Facteur ciblé et population	Orientation et contenu	Type d'analyse et devis de recherche	Participants et mesures	Résultats
Abbey, K.J. et coll. (1989) Floride, États-Unis	Prévention de type indiqué Éducation générale sur le suicide	Manque de sensibilisation des pairs à identifier et à intervenir sur le processus suicidaire Étudiants de niveau collégial	Orientation théorique : non présentée. Base théorique du programme : non présentée. Le programme s'adresse à des jeunes à risque de suicide. Groupe 1 : étude individuelle d'un document sur le suicide pendant 4 semaines. Groupe 2 : étude individuelle d'un document sur le suicide plus cours pendant 4 semaines. Groupe 3 : groupe témoin de jeunes recevant des cours sur la socialisation.	Effets Quasi expérimental (prétest – post-test avec groupe témoin)	Groupe 1 : 23 jeunes Groupe 2 : 25 jeunes Groupe 3 : 25 jeunes Suicide Intervention Response Scale (SIRI), Knowledge of Suicide Test (KOST) et Suicide Prevention Questionnaire (SPQ), Suicide Related Vignettes.	Amélioration de la réponse face à une crise suicidaire, des connaissances et de l'application en pratique des connaissances pour les groupes 1 et 2. Les différences sont significatives entre le groupe 1 et 2 au sujet de l'amélioration des connaissances et de leur application en pratique.
Ciffone, J. (1993) Illinois, États-Unis	Prévention de type universel Éducation générale sur le suicide	Manque d'attitudes appropriées au sujet du problème du suicide Étudiants d'une école secondaire	Orientation théorique : non présentée. Base théorique du programme : non présentée. L'intervention dure 2 jours. Lors de la première journée, le professeur distribue aux élèves de l'information sur les signes précurseurs du suicide et les stratégies d'intervention. Cette information est ensuite révisée en classe. Lors de la deuxième journée, un travailleur social présente un vidéo sur la crise suicidaire suivie d'une discussion structurée de 40 minutes.	Effets Quasi expérimental (prétest – post-test avec groupe témoin)	Groupe expérimental : 203 participants Groupe témoin : 121 participants 8 questions sur les attitudes au sujet du suicide provenant du questionnaire développé par Shaffer, Garland et Whittle (1987)	Amélioration significative de la majorité des attitudes au sujet du suicide dont la recherche d'aide personnelle, l'aide apportée à un pair à risque et l'association entre maladie mentale et suicide.

de Man, A.F. (1991) Québec, Canada	Traitement Centre de prévention du suicide	Soutien social, difficulté pour l'individu à gérer son stress et manque d'estime de soi Tous les individus dont la crise suicidaire n'est pas chronique	Orientation théorique : non présentée. Base théorique du programme : non présentée. Deux programmes (2 semaines chacun). Le premier programme se caractérise par du soutien social et le second par du soutien social, de l'aide pour gérer le stress et augmenter l'estime de soi.	Effets Quasi expérimental (prétest, post-test avec groupe témoin)	Groupe expérimental : 15 Groupe témoin : 16 Estime de soi, stress de la vie et idées suicidaires mesurées à l'aide d'un questionnaire auto-administré validé auprès de la population francophone.	Pas de différence entre les deux programmes quant aux idéations suicidaires. La participation aux programmes augmente le niveau d'estime de soi, diminue le nombre d'événements stressants et d'idéations suicidaires.
Eggert, L.L. et coll. (1995) Washington, États-Unis	Prévention de type indiqué Promotion de la santé mentale par le développement des habiletés de vie et du réseau de support social	Manque d'habiletés de vie et de support social pour diminuer les problèmes à l'adolescence dont les conduites suicidaires Étudiants de 5 écoles secondaires (9e à 12e année)	Orientation théorique : apprentissage et contrôle social (Elliott et coll., 1985). Base théorique du programme : non présentée. Le programme s'adresse à des jeunes à risque d'abandon scolaire. Groupe 1 : programme de croissance personnelle d'une durée de 5 mois et comprenant 90 jours/classe. Les activités se réalisent en groupes de 12 étudiants (1 groupe par école). Les échanges entre les étudiants et avec l'animateur (professeur, conseiller en orientation ou infirmière) sont favorisés. Groupe 2 : programme de croissance personnelle d'une durée de 10 mois et comprenant 180 jours/classe. Les activités se réalisent en groupes de 12 étudiants (1 groupe par école). Les échanges entre les étudiants et avec l'animateur (professeur, conseiller en orientation ou infirmière) sont favorisés. Groupe témoin : évaluation initiale seulement.	Effets Quasi expérimental [prétest – post-test (5 mois et 10 mois) avec groupe témoin]	Groupe 1 : 36 jeunes Groupe 2 : 34 jeunes Groupe 3 : 35 jeunes Brief Suicide Risk Behavior Scale ; CES-D (échelle de dépression) ; échelle de désespoir de Beck ; agressivité (3 items) ; stress perçu (4 items) ; contrôle personnel (4 items) ; échelle Rosenberg pour l'estime de soi ; support social (6 sources de support).	Les trois groupes démontrent une diminution significative du risque suicidaire, de la dépression, du désespoir, de l'agressivité et du stress. L'estime de soi et le réseau de support social s'améliorent de façon significative dans chacun des trois groupes. L'amélioration du contrôle personnel s'observe dans les deux groupes expérimentaux seulement. En conclusion, les améliorations observées dans le groupe témoin sont similaires à celles constatées dans les 2 groupes expérimentaux.

PROGRAMMES DE PRÉVENTION DU SUICIDE ÉVALUÉS (*suite*)

	PROGRAMME			ÉVALUATION DU PROGRAMME		
Auteurs	**Type de programme et stratégie**	**Facteur ciblé et population**	**Orientation et contenu**	**Type d'analyse et devis de recherche**	**Participants et mesures**	**Résultats**
Hazell, P., Lewin, T. (1993) New South Wales, Australie	Prévention de type indiqué Intervention après un suicide (postvention)	Absence d'intervention concertée et compétente à la suite d'un suicide à l'école Étudiants de 2 écoles secondaires qui ont vécu le décès d'un étudiant par suicide	Orientation théorique : non présentée. Base théorique du programme : non présentée. Counselling en groupe de 20 à 30 étudiants dans les 7 jours suivant le suicide. Session de 90 minutes animée par un pédopsychiatre et un membre sénior du personnel scolaire.	Effets Étude rétrospective (post-test avec groupe témoin)	806 étudiants (9e à 11e année) de 2 écoles ont rempli les questionnaires 8 mois après les suicides. À partir de cet échantillon, 2 groupes de 63 étudiants ont été identifiés : groupe expérimental avec counselling et groupe témoin. Child Behavior Checklist ; Risk Behavior Questionnaire ; Proximity to Attempted and Completed Suicide ; Suicidal Ideation and Behavior Profile ; Drug and Alcohol Consumption Questionnaire.	Il n'y a pas de différence entre les deux groupes pour l'échelle internalisée et externalisée d'Achenbach, les comportements jugés à risque, les conduites suicidaires et la consommation de drogues.

Kalafat, J., Elias, M. (1994) Kentuky, États-Unis	Prévention de type universel Éducation générale sur le suicide	Manque de compétence des jeunes pour agir sur le processus suicidaire Jeunes de deux écoles secondaires (10e année)	Orientation théorique : non présentée. Base théorique du programme : non présentée. Trois sessions de 40 à 45 minutes sur une période d'une semaine.	Effets Quasi expérimental (Devis de Solomon avec 4 groupes)	Groupe expérimental : 136 étudiants Groupe témoin : 117 étudiants Questionnaire comprenant des items des questionnaires développé par Shaffer, Garland et Whittle (1998) et Spirito et coll. (1998) et des items développés par les professeurs	Les résultats statistiquement significatifs favorisant le groupe expérimental sont les suivants : Connaissances, attitudes et réponse à un risque suicidaire chez un jeune. Pas de différence significative liée à la présence ou absence de prétest.
Klingman, A., Hochdorf, Z. (1993) Israël	Prévention de type universel Éducation générale sur le suicide	Manque de compétence cognitive et comportementale pour faire face à la détresse et à ses conséquences Étudiants d'une école secondaire (8e année)	Orientation théorique : approche cognitivo-comportementale. Base théorique du programme : non présentée. Intervention en trois phases consistant en une phase d'éducation/conceptualisation sur la détresse et ses conséquences, une phase de développement d'habiletés dont celle d'identifier un pair à risque de suicide et une phase de mise en application des connaissances et habiletés acquises. Sessions hebdomadaires de 3 heures sur une période de 12 semaines	Effets Quasi expérimental (prétest – post-test avec groupe témoin)	237 étudiants : 116 pour le groupe expérimental et 121 pour le groupe témoin recevant un autre programme d'éducation. Israeli Index of Potential Suicide (IIPS) ; UCLA Loneliness Scale ; Index of Empathy for Children and Adolescents ; Histoires complétées ; Semantic Differential (SD) ; Knowledge Assessment Instrument ; Retour sur le programme	Les résultats statistiquement significatifs favorisant le groupe expérimental sont les suivants : Diminution du risque suicidaire (Israeli Index) ; amélioration des habiletés pour faire face à la détresse (histoires complétées) ; amélioration des connaissances sur le suicide et les ressources d'aide (Knowledge Assessment Instrument) ; amélioration de l'empathie (filles, mais non garçons), attitudes plus positives (Semantic Differential). Les différences entre les deux groupes ne sont pas significatives pour la solitude (UCLA Loneliness Scale).

PROGRAMMES DE PRÉVENTION DU SUICIDE ÉVALUÉS (*suite*)

	PROGRAMME			ÉVALUATION DU PROGRAMME		
Auteurs	**Type de programme et stratégie**	**Facteur ciblé et population**	**Orientation et contenu**	**Type d'analyse et devis de recherche**	**Participants et mesures**	**Résultats**
LaFromboise, T., Howard-Pitney, B. (1995) Nouveau-Mexique, États-Unis	Prévention de type sélectif Promotion de la santé mentale par le développement des habiletés de vie	Manque de compétence sociale et d'habiletés de vie pour permettre un développement sain et contrecarrer l'impact des cognitions sociales négatives Étudiants de l'école secondaire d'une réserve amérindienne	Orientation théorique : théorie de la cognition sociale (Bandura, 1986). Base théorique du programme : non présentée. Programme de développement des habiletés de vie adapté aux jeunes de la population Zuni (9 000 personnes demeurant sur une réserve au Nouveau-Mexique). Le programme se divise en 7 parties : estime de soi, émotions et stress, communication et habiletés de résolution de problèmes, comportements autodestructeurs, information sur le suicide, formation pour intervenir sur le suicide, buts personnels et communautaires. Le programme comprend 3 activités par semaine et se déroule sur une période de 30 semaines.	Effets Quasi expérimental (prétest – post-test avec groupe témoin)	Prétest Groupe expérimental : 31 jeunes (14 jeunes pour l'observation comportementale) Groupe témoin : 31 jeunes (14 jeunes pour l'observation comportementale) Suicide Probability Scale, Hopelessness Scale de Beck et coll., Échelle de dépression du Indian Adolescent Health Survey, Échelle d'efficacité personnelle, Observation comportementale de jeux de rôle et évaluation par les pairs.	Les résultats statistiquement significatifs favorisant le groupe expérimental sont les suivants : diminution des idéations suicidaires, diminution du désespoir, habiletés pour intervenir auprès de jeunes à risque de suicide (observation comportementale) et habiletés à résoudre une situation problématique (observation comportementale). Le programme n'a pas d'impact sur la dépression, le sentiment d'efficacité personnelle et l'évaluation par les pairs.

Mishara, B., Daigle, M. (1992) Québec, Canada	Traitement Centre de prévention du suicide	Crise suicidaire d'individus clients d'un centre de prévention du suicide	Orientation théorique : intervention de crise. Base théorique du programme : non présentée. Interventions téléphoniques par 190 bénévoles de Suicide-Action Montréal (SAM) et 39 bénévoles de *Carrefour Intervention suicide* (CIS).	Effets Étude de cas multiples avec niveaux d'analyses imbriqués (effet sur les individus et style des intervenants)	617 interventions téléphoniques faites pour 263 appelants 110 bénévoles – Urgence suicidaire et humeur dépressive Questionnaire validé – Observation des réponses de l'aidant Grille créée pour l'étude – Document-entente entre le suicidaire et le bénévole	La dépression a diminué dans 14 % des cas. Le degré d'urgence suicidaire a diminué dans 31 % des cas à SAM et dans 12 % des cas au CIS. Des contrats ont été conclu avec 68 % des appelants. Deux styles d'intervention se dégagent : rogérien et directif.
Moyer, S., Carrington, P. (1992) Canada Leenaars, A.A., Lester, D. (1996) Canada Carrington, P., Moyer, S. (1994) Ontario, Canada	Prevention de type universel Contrôle des moyens (armes à feu)	Accessibilité aux armes à feu au Canada	Orientation théorique : non présentée. Base théorique du programme : non présentée. Ensemble des ressources liées à la mise en vigueur de la loi C-51. Activitées requises pour l'application de la loi.	Effets Éxpérimental (prétest – post-test avec groupe unique)	Ne s'applique pas Taux de suicide globaux Taux de suicide par arme à feu Taux de suicide par d'autres méthodes	Non concluant

PROGRAMMES DE PRÉVENTION DU SUICIDE ÉVALUÉS (*suite*)

	PROGRAMME			ÉVALUATION DU PROGRAMME		
Auteurs	**Type de programme et stratégie**	**Facteur ciblé et population**	**Orientation et contenu**	**Type d'analyse et devis de recherche**	**Participants et mesures**	**Résultats**
Nelson, F.L. (1987) Californie, États-Unis	Prévention de type universel Éducation générale sur le suicide	Manque de capacité du milieu scolaire à agir sur le processus suicidaire Étudiants d'écoles secondaires (9e à 12e année), personnel scolaire et parents	Orientation théorique : non présentée. Base théorique du programme : non présentée. Étudiants : programme d'une durée de 4 heures sur la prévention du suicide. Personnel scolaire et parents : séminaire de sensibilisation à la prévention du suicide.	Effets Quasi expérimental (prétest – post-test et post-test)	Prétest – post-test : 370 étudiants Post-test : 278 étudiants, 132 membres du personnel scolaire et 40 parents Curriculum Assessment Instrument.	Prétest – post-test : amélioration des scores d'attitudes/opinions et des connaissances au post-test Post-test : 42 % des étudiants ont aimé comment apprendre à s'aider et à aider les autres et 16 % ont trouvé le programme ennuyant et répétitif. 20 % du personnel scolaire a apprécié comment identifier un jeune à risque suicidaire et 18 % n'ont pas aimé l'organisation matérielle du séminaire. 15 % des parents ont apprécié les suggestions concrètes et les dépliants et 30 % n'ont pas aimé le manque d'assiduité au séminaire.

Orbach, I., Bar-Joseph, H. (1993) Israël	Prévention de type universel Éducation générale sur le suicide	Manque de compétence des jeunes pour agir sur le processus suicidaire Étudiants des écoles secondaires	Orientation théorique : confrontation graduelle et stratégique d'adaptation (Ross, 1987). Base théorique du programme : non présentée. Étudiants : atelier hebdomadaire d'une durée de 2 heures pendant 7 semaines sur les émotions ressenties antérieurement, les expériences de vie liées aux conduites suicidaires et les stratégies d'adaptation.	Effets Quasi expérimental (prétest – post-test avec groupe témoin)	393 étudiants de 6 écoles secondaires The Israeli Index of Potential Suicide (IIPS) ; The Adolescent's Ego Identity Scale (AEIS) ; Beck's Hopelessness Scale ; The Self-Control Schedule et questionnaire d'évaluation du programme.	Les résultats significatifs favorisant le groupe expérimental sont les suivants : Diminution du risque suicidaire dans 4 des 6 écoles ; diminution du désespoir dans 3 écoles ; amélioration des stratégies d'adaptation dans 2 écoles et amélioration de la cohésion du moi dans 2 écoles. Le programme est évalué positivement par la majorité des jeunes.
Overholser, J.C. et coll. (1989) Rhode Island, États-Unis	Prévention de type universel Éducation générale sur le suicide	Manque de compétence des jeunes pour agir sur le processus suicidaire Étudiants d'écoles secondaires	Orientation théorique : non présentée. Base théorique du programme : non présentée. Programme développé par les Samaritains du RhodeIsland sur les connaissances, les attitudes et les stratégies d'adaptation pour faire face à une crise suicidaire. Le programme comprend 5 cours.	Effets Quasi expérimental (prétest – post-test avec groupe témoin)	Groupe expérimental : 215 étudiants de 2 écoles secondaires Groupe témoin : 256 étudiants d'une école secondaire Expérience personnelle au sujet du suicide ; Hopelessness Scale for Children ; Suicide Knowledge Test ; Attitudes au sujet du suicide ; Kidcope (stratégies cognitives et comportementales d'adaptation) ; evaluation subjective.	L'impact du programme est plus important chez les étudiants qui connaissent un pair qui a déjà tenté de se suicider. Les résultats ensuite diffèrent pour les filles et les garçons. Le désespoir diminue chez les filles et augmente chez les garçons. Les attitudes deviennent plus positives chez les filles, mais non chez les garçons. Les stratégies d'adaptation s'améliorent chez les filles, mais se détériorent chez les garçons.

PROGRAMMES DE PRÉVENTION DU SUICIDE ÉVALUÉS (*suite*)

	PROGRAMME			ÉVALUATION DU PROGRAMME		
Auteurs	**Type de programme et stratégie**	**Facteur ciblé et population**	**Orientation et contenu**	**Type d'analyse et devis de recherche**	**Participants et mesures**	**Résultats**
Shaffer, D. et coll. (1990) New Jersey, États-Unis	Prévention de type universel Éducation générale sur le suicide	Manque de compétence des jeunes pour agir sur le processus suicidaire Étudiants des écoles secondaires (9e année)	Orientation théorique : non présentée. Base théorique du programme : non présentée. Cours de 1½ heure (2 écoles) et de 3 heures (2 écoles) sur la sensibilisation au problème du suicide, les connaissances au sujet des signes précurseurs du suicide, la façon d'orienter des jeunes à risque vers des ressources d'aide et la recherche d'aide par les jeunes qui ont des préoccupations suicidaires.	Effets Quasi expérimental (prétest – post-test avec groupe témoin)	1. 35 étudiants qui rapportent une tentative de suicide (prétest et post-test) et 489 étudiants qui ne rapportent pas de tentative de suicide (prétest et post-test). Ces deux groupes ont bénéficié du programme. 2. 35 étudiants ont fait une tentative de suicide antérieure et ont bénéficié du programme et 28 étudiants ont fait une tentative de suicide antérieure et font partie du groupe témoin. Questionnaire de 48 items sur les attitudes, les signes précurseurs et la recherche d'aide.	1. Les jeunes qui ont fait une tentative de suicide comparativement aux jeunes qui n'en ont pas fait sont plus susceptibles de penser que les autres étudiants ne devraient pas participer au programme et que parler du suicide peut inciter certains jeunes à faire une tentative. Les différences entre les deux groupes sont significatives. 2. Les différences au post-test ne sont pas significatives entre les 2 groupes.

Shaffer, D. et coll. (1991) New Jersey, États-Unis	Prévention de type universel Éducation générale sur le suicide	Manque de compétence des jeunes pour agir sur le processus suicidaire Étudiants des écoles secondaires (9e et 10e année)	Orientation théorique : non présentée. Base théorique du programme : non présentée. Trois programmes qui visent à sensibiliser les étudiants au sujet du problème du suicide. Le contenu et les modalités d'implantation diffèrent légèrement d'un programme à l'autre. Un programme dure 4 heures et les deux autres 3 heures.	Effets Quasi expérimental (prétest – post-test avec groupe témoin)	758 étudiants provenant de 6 écoles exposées au programme et 680 étudiants de 5 écoles témoins. Questionnaire auto-administré de 48 items sur les attitudes, les signes précurseurs et la recherche d'aide.	Les réactions au programme sont généralement positives. Le programme a un effet limité, considérant que les connaissances (à l'exception du lien entre maladie mentale et suicide) et les attitudes étaient adéquates au prétest. Un impact significatif du programme est observé pour 3 des 9 items chez les étudiants dont les connaissances et attitudes n'étaient pas adéquates au prétest. Le suicide comme solution devient plus acceptable pour les jeunes exposés au programme que pour ceux du groupe témoin. Le programme a un effet positif sur la connaissance des ressources d'aide.
Spirito, A. et coll. (1988) Rhode Island, États-Unis	Prévention de type universel Éducation générale sur le suicide	Manque de compétence des jeunes pour agir sur le processus suicidaire Étudiants des écoles secondaires	Orientation théorique : non présentée. Base théorique du programme : non présentée. Programme sur la sensibilisation au problème du suicide développé par les Samaritains du Rhode Island d'une durée de 6 semaines pour un total de 8 heures.	Effets Quasi expérimental (devis de Solomon avec 4 groupes)	Groupe expérimental : 291 étudiants de 3 écoles secondaires Groupe témoin : 182 étudiants de 2 écoles secondaires Suicide Knowledge Test ; questionnaire sur les attitudes ; questionnaire sur les comportements de recherche d'aide et des connaissances personnelles ; Hopelessness Scale for Children ; Kidcope (stratégies cognitives et comportementales d'adaptation).	Amélioration des connaissances sur le suicide liée au programme et au prétest. Amélioration des attitudes liée au prétest seulement. Les filles présentent des attitudes plus positives que celles des garçons, qu'elles bénéficient ou non du programme.

PROGRAMMES DE PRÉVENTION DU SUICIDE ÉVALUÉS (*suite*)

	PROGRAMME			ÉVALUATION DU PROGRAMME		
Auteurs	**Type de programme et stratégie**	**Facteur ciblé et population**	**Orientation et contenu**	**Type d'analyse et devis de recherche**	**Participants et mesures**	**Résultats**
Zenere, F.J., Lazarus, P.J. (1997) Floride, États-Unis	Prévention de type universel et ciblé et intervention Ensemble des stratégies	Programme TRUST (To reach ultimate success together) s'adressant aux élèves de niveau primaire et secondaire et dont l'objectif principal est le développement des habiletés de vie Environ 300 000 élèves des écoles publiques du comté de Dade en Floride	Orientation théorique : non présentée. Base théorique du programme : non présentée. Le programme est mis en place en 1989-1990. Équipe de crise dans les écoles. Développement de politiques et procédures dans chaque école au sujet du suicide. Session de formation de 2 heures s'adressant au personnel scolaire de chacune des 300 écoles à tous les 3 ans afin de faire une mise à jour sur le problème du suicide. Documentation à l'intention des parents et participation à des groupes de parents sur demande. À l'école primaire (de la maternelle à la 5e année) et à l'école secondaire (de la 6e à la 12e année), mise en place de nombreuses activités de formation et d'éducation au sujet de différentes habiletés de vie. Réalisation d'un programme portant spécifiquement sur la prévention du suicide lors de la 10e année au secondaire.	Effets Pré-expérimental (prétest – post-test avec groupe témoin)	Les étudiants de niveau primaire et secondaire du comté de Dade à Miami en Floride. Nombre et taux annuels de suicides complétés, de jeunes faisant des tentatives de suicide et de jeunes présentant des idéations suicidaires. Ces données proviennent des équipes de crise des écoles.	De 1980 à 1988, le nombre moyen d'étudiants décédés par suicide s'élève à 13 et diminue pour la période de 1989 à 1994 à 4,6 par année. Il s'agit d'une diminution de 63 %. Le nombre de jeunes ayant fait une tentative de suicide diminue de 87 par 100 000 étudiants en 1989-1990 à 31 par 100 000 étudiants en 1993-1994. Le nombre de jeunes présentant des idéations suicidaires diminue au début du programme et augmente au niveau de 1989-1990 en 1993-1994.

CHAPITRE

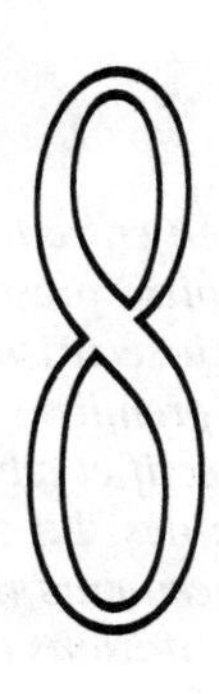

LA PRÉVENTION DES PROBLÈMES D'ATTACHEMENT À LA PETITE ENFANCE

Sophie Parent
Université de Montréal
Ann Ménard
Université de Montréal
Sophie Pascal
Université de Montréal

Résumé

Après un bref survol des hypothèses actuelles concernant le lien entre la qualité des relations d'attachement et la psychopathologie, ce chapitre présente une recension des recherches sur la prévention des attachements insécurisants. Les programmes recensés sont regroupés en trois sections. Les deux premières incluent respectivement les programmes de prévention de type ciblé-sélectif et ciblé-mixte qui s'adressent à des populations de nourrissons et leurs familles. La troisième section présente un programme qui vise la prévention des placements multiples en famille d'accueil par le biais d'une modification des représentations mentales de l'attachement chez des enfants d'âge préscolaire et scolaire. La conclusion met en exergue les types de programmes les plus intéressants en fonction des clientèles visées.

Vignette clinique

Marie, 13 mois, et sa mère Diane fréquentent de façon hebdomadaire un organisme communautaire proposant des activités familiales. Au fil des rencontres, Diane a confié qu'elle avait eu une enfance difficile, dans une famille où il y avait présence d'abus et d'une grande rivalité fraternelle. Elle demeure depuis cinq ans avec un homme ayant eu des problèmes d'alcool et de violence. Âgée de près de 40 ans, Diane a souhaité et désiré cette grossesse. Son conjoint actuel lui offre toutefois peu de soutien pour l'éducation de leur enfant. Quelques signes de négligence sont présents : aucune stimulation à la maison, le lait de Marie est souvent caillé et son linge est souillé. Notons toutefois que les parents, malgré leur manque de ressources, font la démarche de fréquenter un organisme communautaire pouvant les aider dans leurs pratiques et attitudes parentales. Quant à Marie, elle est plutôt frêle, elle rampe un peu et a un tempérament irritable. En général, elle explore peu son environnement physique et social : elle reste à proximité de sa mère, elle s'occupe seule avec des objets et ne cherche l'interaction ni avec sa mère ni avec d'autres personnes. Lors d'une activité de peinture collective, les intervenants observent que la relation mère-enfant manque d'harmonie. Diane n'accorde pas une attention constante à son enfant : elle n'a pas de contacts verbaux ou visuels avec elle pendant de longues périodes, puis la stimule de façon exagérée, à tel point que Marie détourne la tête. Par ailleurs, Diane réagit de façon imprévisible aux signaux de détresse de son enfant. Par exemple, lorsque Marie se cogne en rampant, elle peut la laisser pleurer en dénigrant ce comportement, lui crier de se taire ou encore la prendre dans ses bras en la collant tout contre elle. Marie ne se console pas facilement, il lui arrive même de hurler dans ces situations. Il semble que la stratégie élaborée par Marie pour s'adapter au caractère imprévisible des comportements de sa mère soit d'exagérer l'expression de ses besoins de réconfort de façon à augmenter la probabilité d'un contact avec sa mère. Son tempérament irritable pourrait l'avoir amenée initialement à privilégier cette stratégie par opposition à une stratégie d'évitement et d'auto-apaisement.

LA THÉORIE DE L'ATTACHEMENT

LES RELATIONS ENTRE LA QUALITÉ DE L'ATTACHEMENT PARENT-ENFANT À LA PETITE ENFANCE ET LES PROBLÈMES D'ADAPTATION ULTÉRIEURS

Dès son élaboration, la théorie de l'attachement formulée par Bowlby avait pour but de clarifier les liens entre la psychopathologie et l'absence de relation affective stable avec une figure parentale au cours de la petite enfance (Bowlby, 1979 ; Sroufe, Carlson, Levy et Egeland, 1999). Bowlby s'est en effet intéressé à la fois au développement normal des relations d'attachement et aux conséquences ultérieures d'attachements atypiques. Il soutient que la qualité des premières relations d'attachement interagit avec les circonstances de la vie d'un individu pour déterminer la qualité de son adaptation sociale future. Au plan théorique, l'attachement constitue ainsi une cause probabiliste : un attachement insécurisant augmente la probabilité qu'un individu éprouve des difficultés d'adaptation à son environnement social au cours de sa vie.

D'un point de vue empirique, il existe un grand nombre d'études ayant démontré que la qualité de l'attachement chez le nourrisson prédit les problèmes de comportement à la garderie ou dans les environnements préscolaires et scolaires (pour une recension, voir Carlson et Sroufe, 1995). Des études plus récentes montrent également une association concourante entre la qualité de l'attachement et les problèmes d'adaptation à l'âge préscolaire ou en début de scolarisation (voir par exemple, Moss, Rousseau, Parent, St-Laurent et Saintonge, 1998 ; Easterbrooks, Davidson et Chazan, 1993). De façon générale, les enfants dont l'attachement est sécurisant démontrent des habiletés d'autorégulation et une compétence sociale plus développée, alors que les enfants en insécurité présentent une probabilité plus élevée d'être identifiés comme agressifs, anxieux ou isolés socialement dans les environnements préscolaires ou scolaires. Le groupe des enfants en insécurité présente toutefois une grande hétérogénéité et les risques de psychopathologie varient considérablement d'un sous-groupe à l'autre.

Le développement des relations d'attachement et des différences individuelles : variations normales et trajectoires atypiques

Trois catégories principales ont été définies pour le classement des relations d'attachement à partir des comportements manifestés par les enfants dans la procédure de séparation-réunion élaborée par Ainsworth, Blehar, Waters et Wall (1978) : le profil d'attachement sécurisant ou « type B » et les profils d'attachement insécurisant évitant « type A » et ambivalent résistant « type C » (pour une description de ces profils, voir Parent et Saucier, 1999). Cette taxinomie en trois catégories a été dérivée initialement à partir d'un échantillon de familles à faible risque d'inadaptation et permet de classer de façon fiable entre 85 % et 90 % des enfants provenant de cette population. Un certain nombre d'enfants ne peuvent toutefois être associés à l'une ou l'autre de ces catégories, et leur proportion est particulièrement élevée dans les populations à risque. Une quatrième catégorie a été proposée par divers auteurs pour regrouper la majeure partie de ces enfants, dont la plus connue et la plus inclusive est l'attachement insécurisant désorganisé-désorienté ou « type D » (Main et Solomon, 1990 ; voir Barnett et Vondra, 1999, pour une présentation des diverses alternatives et Crittenden, 1999, pour une critique de la notion de désorganisation). Cette dernière catégorie représente environ 15 % des enfants dans les échantillons non cliniques de classe moyenne, environ 25 % des enfants dans les échantillons non cliniques de milieux économiquement défavorisés et jusqu'à 80 % des enfants issus de populations caractérisées par des problèmes de maltraitance (Barnett et Vondra, 1999 ; van IJzendoorn, Schuengel et Bakermans-Kranenberg,

1999). Ces quatre types d'attachement (A, B, C et D) résultent d'histoires relationnelles différentes quant aux réponses comportementales et émotionnelles reçues de la part de la figure maternante pour répondre aux besoins de protection de l'enfant, de même qu'à ses sentiments de détresse (voir Parent et Saucier, 1999, pour une description des principaux facteurs responsables de ces différences individuelles).

Bien que les différents profils d'attachement ne puissent être qualifiés en soi de normaux ou de pathologiques, ils sont associés à des niveaux bien différents de vulnérabilité face aux événements stressants. Dans des conditions de stress extrême, l'individu en sécurité est susceptible de rechercher le réconfort et le soutien d'autrui, tout en s'attendant à ce que son entourage soit disponible et lui procure l'aide dont il a besoin (Sroufe *et al.*, 1999). Les individus en insécurité de type « A » ou « C » ont développé des stratégies défensives, selon le cas, l'évitement ou la résistance, pour gérer les situations émotionnelles conflictuelles (p. ex., le besoin de réconfort et la peur du rejet) ; ces stratégies peuvent toutefois devenir inefficaces dans certaines conditions de stress. Ces individus se sentent alors envahis par leurs émotions et risquent d'avoir recours à des stratégies plus extrêmes, plus problématiques pour gérer la situation. À titre d'exemple, un enfant pourrait manifester des réactions hypocondriaques comme stratégie pour obtenir la proximité ou des soins de la part de son entourage (Sroufe *et al.*, 1999). Finalement, les individus présentant un attachement de type « D » disposent de peu de stratégies organisées pour réguler leurs émotions et sont ainsi très vulnérables à la pathologie lorsqu'ils vivent des situations de stress élevé. Ce type d'attachement a d'ailleurs été associé théoriquement et empiriquement à l'apparition de troubles dissociatifs jusqu'à l'âge adulte (Liotti, 1999 ; Sroufe *et al.*, 1999). Plusieurs études montrent également que ces individus présentent les plus fortes probabilités de manifester des problèmes de comportement de nature agressive (Lyons-Ruth, Alpern et Repacholi, 1993 ; Lyons-Ruth, Easterbrooks et Cibelli, 1997 ; Moss *et al.*, 1998).

L'ÉVALUATION DE LA QUALITÉ DE L'ATTACHEMENT ET L'INTERPRÉTATION CLINIQUE : FACTEUR DE PROTECTION, FACTEUR DE RISQUE OU TROUBLES DE L'ATTACHEMENT... ?

Il existe d'importants débats sur la signification clinique des différents profils d'attachement. La majorité des chercheurs évaluent l'attachement à partir de la Situation d'étrangeté et utilisent la taxinomie présentée ici pour explorer les relations entre ces profils et divers indicateurs d'adaptation (voir Carlson et Sroufe, 1995, notamment pour une recension de ces travaux). L'attachement de type B est alors considéré comme un facteur de protection et l'attachement de type D est associé au niveau de risque le plus élevé. Ces recherches portent toutefois rarement sur des populations pour lesquelles les conditions nécessaires à l'établissement d'une relation d'attachement sont sérieusement compromises, comme dans les cas de maltraitance et de séparation prolongée (placement).

Pour obvier à cette limite, d'autres auteurs, en particulier Lieberman et Zeanah (1995 ; Zeanah, 1996), proposent un classement des troubles de l'attachement, élaborée à partir d'échantillons cliniques. Ces derniers parlent des troubles de non-attachement, des troubles d'attachement et des troubles d'attachement interrompu, chacune de ces catégories comportant plusieurs sous-catégories. Ce type de classement présente un intérêt certain : il attire l'attention sur le fait qu'un problème important au sein d'une relation d'attachement au cours de la petite enfance devrait constituer en soi une source de préoccupation clinique. Elle présente toutefois deux lacunes importantes qui en limitent l'utilité tant au plan clinique que scientifique. Les catégories sont définies de façon parallèle aux catégories traditionnelles (types A, B, C et D) et peu d'effort est fait pour établir des distinctions ou des recoupements entre les deux taxinomies. La description des troubles de l'attachement laisse pourtant entrevoir d'importants recoupements avec les catégories traditionnelles à la petite enfance ou à la période préscolaire (Cassidy et Marvin, 1992). La création d'un système parallèle rend extrêmement difficile la cohérence au plan conceptuel, de même que la validation empirique des catégories proposées.

Plus récemment, Vondra et Barnett (1999) ont décidé de regrouper les travaux portant sur diverses populations à risque (victimes de maltraitance, avec mères dépressives, vivant dans la pauvreté) ou dont le développement est perturbé (avec troubles neurologiques, avec syndrome de Down), de façon à examiner ce qu'ils nomment les attachements « atypiques ». Ceux-ci incluent toutes les relations d'attachement qui ne correspondent pas à la typologie en trois catégories proposée par Ainsworth *et al.* (1978). Le but est de clarifier théoriquement et empiriquement la nature et la diversité des relations non sécurisantes souvent regroupées dans une quatrième catégorie fourre-tout[1]. Il semble qu'il s'agisse là d'une avenue prometteuse, non seulement pour distinguer les relations d'attachement qui constituent un facteur de risque pour l'enfant de celles qui sont suffisamment perturbées pour mériter une attention clinique, mais également pour adapter les stratégies d'intervention comme le propose Crittenden (1999) en fonction des difficultés relationnelles particulières aux différents types d'attachement. Une telle adaptation requiert une grande cohérence théorique et des outils d'évaluation valides. Jusqu'à maintenant, le modèle de Bowlby et d'Ainsworth a fourni les outils conceptuels et méthodologiques qui s'en

1. Non seulement le type D regroupe déjà beaucoup de variations (p. ex., ceux qui reçoivent une sous-classification A, B, C ou A/C), mais il n'est pas rare que les auteurs réunissent dans une seule catégorie les enfants qui répondent aux critères du type D avec ceux qui se retrouvent dans la catégorie en insécurité autre ou « type I/O ».

approchent le plus. La majorité des études répertoriées dans ce chapitre s'en inspire pour évaluer l'efficacité des interventions proposées et, dans une moindre mesure, pour concevoir ces interventions.

PROGRAMMES DE PRÉVENTION

Les programmes de prévention répertoriés sont regroupés en trois sections. Les deux premières regroupent respectivement les interventions préventives de type ciblé-sélectif et ciblé-mixte qui s'adressent à des familles avec un jeune bébé (moins de 18 mois). Ces familles présentent un ou plusieurs des facteurs de risque associés à une proportion plus élevée d'attachements insécurisants : faible niveau socioéconomique, réseau restreint de soutien social, problèmes de santé mentale chez la mère, histoire passée d'abus ou de maltraitance par la mère, jeune âge de la mère, modèles opérationnels internes d'attachement insécurisant, enfant prématuré, irritable, avec retard de croissance anorganique ou encore avec un attachement insécurisant. Pour ces deux sections, seules les études publiées en langue anglaise ou française et qui comportent une mesure standardisée d'attachement ont été retenues. La troisième section traite d'un cas particulier de prévention ciblée-sélective des problèmes d'attachement : une intervention pour faciliter la réorganisation des représentations mentales de l'attachement d'enfants qui vivent la difficile expérience d'un placement en famille d'accueil.

PRÉVENTION DE TYPE CIBLÉ-SÉLECTIF

Prévenir la transmission intergénérationnelle des attachements insécurisants par une augmentation de la sensibilité maternelle

Un grand nombre d'études, tant observationnelles qu'expérimentales, ont mis en évidence le fait que la qualité des soins reçus par le bébé au cours de sa première année de vie constitue l'un des facteurs déterminants pour le développement de ses relations d'attachement. À cet égard, la sensibilité maternelle, définie comme la capacité de reconnaître les signaux du bébé et la réponse prompte et efficace à ses besoins dès la naissance, constitue l'un des principaux ingrédients d'un attachement sécurisant (De Wolff et van IJzendoorn, 1997). Dans ce contexte, l'objectif de plusieurs interventions préventives mises sur pied par les chercheurs en attachement visent justement à augmenter la sensibilité maternelle, dans le but éventuel d'améliorer la qualité de l'attachement. Ces interventions sont regroupées selon le type de clientèle à qui elles s'adressent : familles à niveau socioéconomique peu élevé, familles avec peu de soutien social, mères anxieuses ou familles à risques multiples.

Pour les familles à niveau socioéconomique peu élevé

Deux interventions visant la prévention des attachements insécurisants par le biais d'une augmentation de la sensibilité maternelle chez les familles de niveau socioéconomique peu élevé ont été répertoriées (Jacobson et Frye, 1991 ; Anisfeld, Casper, Nozyce et Cunningham, 1990) et sont présentées de façon détaillée.

Plusieurs études corrélationnelles ont documenté l'existence d'un lien entre le soutien social, la sensibilité maternelle et la qualité du lien d'attachement qui s'établit entre la mère et l'enfant (entre autres, Belsky et Isabella, 1988). Pour tester ce lien de façon expérimentale, Jacobson et Frye (1991) ont mis au point une intervention pour améliorer le soutien social disponible aux jeunes mères primipares de milieux défavorisés. Des femmes participant au programme américain d'aide alimentaire Women, Infants and Children (WIC) ont reçu la visite périodique d'une aide volontaire, à partir du troisième trimestre de leur grossesse et jusqu'à ce que leur bébé ait atteint l'âge d'un an. La fréquence de ces visites variait selon les besoins des mères : mensuelles durant la grossesse, elles s'intensifiaient après la naissance, demeuraient hebdomadaires pendant les deux ou trois premiers mois, et redevenaient mensuelles par la suite. Les mères pouvaient faire appel à leur aide volontaire en tout temps si elles en sentaient le besoin. Ces aides étaient elles-mêmes mères d'au moins un enfant et avaient reçu six séances de formation étalées sur autant de semaines pour fournir un soutien social orienté vers la réponse aux besoins développementaux de la jeune mère et de son bébé.

Jacobson et Frye (1991) ont vérifié deux hypothèses reliées à cette intervention : 1) le soutien social favorise le développement d'une relation d'attachement sécurisante et 2) le soutien social a un plus grand impact sur l'attachement mère-enfant lorsque le nourrisson est irritable et lorsque le niveau de développement personnel de la mère (*ego level*) est peu élevé. Les auteurs ont recruté 61 mères en provenance de trois sites du programme WIC et les ont assignées aléatoirement à un groupe expérimental (GE) et à un groupe de contrôle (GT). Seules les mères du GE recevaient les visites à domicile. Les auteurs ont toutefois pris soin de demander aux mères du GT leur accord pour participer à un tel programme s'il existait ; en cas de refus, les mères n'étaient pas retenues pour l'étude. Après la visite d'évaluation de 14 mois, l'échantillon se composait de 23 mères dans chacun des groupes, majoritairement anglo-américaines. L'évaluation prénatale du réseau social de ces mères a confirmé leur isolement. Malgré leur défavorisation, tous les enfants sont nés à terme et un seul d'entre eux présentait un poids à la naissance inférieur à 2 500 grammes.

Le niveau de développement personnel des mères a été évalué pendant la grossesse à l'aide du test de Phrases à compléter de Loevinger et

Wessler (1970). Le niveau d'irritabilité de l'enfant a été évalué à partir de l'Échelle d'évaluation du comportement néonatal de Brazelton (1984) de une à trois semaines après la naissance. Enfin, l'attachement a été évalué lorsque l'enfant était âgé de 14 mois à l'aide de la procédure de tri de cartes développée par Waters et Deane (1985). Le tri de carte a été complété par des observateurs externes entraînés après une visite à domicile d'une durée de trois à quatre heures.

Après avoir vérifié que les GE et GT étaient comparables sur un ensemble de mesures sociodémographiques, les auteurs ont comparé les scores obtenus par les deux groupes sur quatre indicateurs de la qualité de l'attachement tirés du tri de cartes : le score critère de sécurité (le plus largement utilisé), une échelle de réponse différentielle aux figures d'attachement, une échelle d'équilibre entre la proximité et l'exploration et une échelle globale d'attachement composée de 21 items. Même si les quatre indicateurs montrent que les dyades mère-enfant du GE ont développé des relations plus sécurisantes que les dyades du GT, les trois échelles se sont révélées plus sensibles que le score critère, pour lequel la différence entre les groupes n'était pas significative. Sur les quatre indicateurs, l'ampleur de l'effet (*d* de Cohen) était respectivement de 0,41, 0,70, 0,89, et 0,99. La première hypothèse reçoit ainsi un appui solide : le soutien social joue un role important dans la qualité de l'attachement mère-enfant. Les analyses de régression effectuées par les auteurs ne permettent toutefois pas de confirmer la deuxième hypothèse : ni l'irritabilité du nourrisson, ni le niveau de développement personnel de la mère ne modèrent l'impact de l'intervention. Les auteurs expliquent cette divergence avec les résultats des études antérieures par le fait que les mères de leur échantillon présentaient un niveau d'isolement social très élevé et un niveau de développement personnel relativement faible. Dans de telles conditions, il semble que l'effet du soutien apporté par une aide volontaire s'observe tout autant lorsque le bébé est peu irritable et il faut probablement un niveau de développement personnel assez élevé pour « compenser » l'absence de soutien social.

En résumé, il semble que l'intervention proposée par Jacobson et Frye (1991) produise des effets bénéfiques importants sur l'attachement mère-enfant, tel qu'il a été évalué par le tri de cartes de Waters et Deane (1985), pour une population de mères primipares socialement et économiquement défavorisées. Trois nuances doivent toutefois être apportées à cette conclusion. Premièrement, comme le soulignent les auteurs, il est probable que pour des clientèles encore plus défavorisées, un programme d'aide volontaire similaire à celui-ci ne serait pas suffisant. Les analyses effectuées par les auteurs pour comparer les sujets perdus en cours d'intervention révèlent en effet que ceux-ci étaient encore plus isolés socialement que ceux qui ont persisté jusqu'à l'évaluation de 14 mois. Dans ces cas, une aide professionnelle ou plus intensive pourrait être nécessaire pour assurer le succès de l'intervention. Une deuxième nuance concerne la mesure de l'attachement. Bien que le tri de carte soit une alternative intéressante à la procédure d'Ainsworth pour évaluer l'attachement à domicile plutôt qu'en laboratoire, il n'est pas possible de savoir si l'écart entre les scores observés correspond à une proportion plus élevée d'enfants dont l'attachement est sécurisant, d'autant plus que cette amélioration a été observée à l'aide d'échelles peu utilisées par les chercheurs en attachement. Il est ainsi difficile de savoir si cette différence statistiquement significative correspond à une différence cliniquement significative. Enfin, une troisième nuance concerne la fréquence des visites. Bien que les auteurs rapportent des variations importantes (entre 10 et 46 visites), aucune analyse n'a été faite pour vérifier l'influence possible de cette variable sur les résultats obtenus. On peut s'interroger sur l'existence possible d'un seuil critique en deçà duquel les effets de l'intervention deviennent nuls. Cette question demeure à explorer.

L'étude menée par Anisfeld et ses collaborateurs (1990) se distingue de l'ensemble des études répertoriées et présente un grand intérêt pour deux raisons. Premièrement, ces chercheurs ont mis sur pied une intervention d'une grande simplicité pour promouvoir le contact physique mère-enfant dès les premiers jours de vie : à la naissance de leur enfant, ils ont fait cadeau d'un porte-bébé ventral ou sac kangourou (de type Snugli) à des mères de faible niveau socioéconomique, leur en ont montré l'usage et les ont incitées à s'en servir tous les jours. Deuxièmement, ils ont testé l'efficacité de cette intervention fort simple par un devis de recherche et une série de mesures d'une grande rigueur : ils ont en effet pris la précaution d'évaluer la mise en œuvre, de même que certaines variables médiatrices potentielles, en plus d'avoir inclus un groupe de contrôle approprié.

Au plan théorique, le rationnel de cette intervention repose sur l'hypothèse de Bowlby selon laquelle les bébés naissent équipés d'un répertoire de comportements instinctifs pour favoriser la proximité à l'adulte (pleurs, vocalisations, sourires, etc.). L'exercice de ces comportements et les réponses reçues de la part du parent forment la base de la relation d'attachement et en déterminent la qualité (Main, Kaplan et Cassidy, 1985). Dans ce contexte, le porte-bébé vise justement à accroître la proximité mère-enfant. Les auteurs postulent qu'une telle augmentation favorise chez la mère une plus grande sensibilité aux signaux de l'enfant. D'un point de vue corrélationnel, Ainsworth, Bell et Stayton (1979) avaient déjà observé que les mères qui portent plus longtemps leurs bébés, et pas uniquement pour les soins de routine, au cours du premier trimestre après la naissance de l'enfant ont plus souvent des enfants en sécurité à la fin de la première année.

Pour vérifier leurs hypothèses, les auteurs ont recruté 60 femmes dans un hôpital en milieu urbain. Toutes ces femmes avaient fréquenté une clinique pour citoyens à faibles revenus pour leur suivi prénatal. La majorité d'entre elles étaient d'origine afro-américaine ou hispano-américaine. Les chercheurs ont appliqué une série de critères de sélection (accouchement normal à terme, bébé en bonne santé, enrôlement dans un programme de suivi médical pour l'enfant, etc.), de telle sorte que les sujets retenus ne présentaient vraisemblablement pas d'autres facteurs de risque que leur faible SSE ou leur appartenance à un groupe ethnique minoritaire. Après avoir vérifié que ces femmes n'étaient pas réfractaires à l'idée d'utiliser un sac kangourou ou un siège d'enfant rigide, les auteurs ont fait cadeau d'un de ces deux articles, au hasard, à chacune des mères, de façon à constituer un groupe expérimental (celles qui ont reçu un sac kangourou, $n = 30$) et un groupe de contrôle (celles qui ont reçu un siège d'enfant rigide, $n = 30$). Ces articles ont été remis aux mères, avant leur sortie de l'hôpital, accompagnés d'une courte démonstration sur la façon de les utiliser ; elles se sont engagées à utiliser l'article reçu tous les jours et à ne pas utiliser l'article alternatif. Le suivi des sujets couvrait une période de 13 mois. À la fin des 13 mois, le groupe expérimental comportait 23 sujets et le groupe de contrôle, 26.

Deux équipes de chercheurs se sont chargées du suivi de façon à éviter les biais lors de la codification des données observationnelles. Pour évaluer l'efficacité de l'intervention, les auteurs ont vérifié l'usage effectif du porte-bébé à l'aide d'un podomètre cousu à l'intérieur et de mesures autorapportées, ils ont évalué la réactivité et la sensibilité maternelle à l'aide de mesures observationnelles lors d'une visite en laboratoire à trois mois et demi et, enfin, ils ont administré la Situation étrangère à 13 mois afin de déterminer la qualité de l'attachement mère-enfant. La réactivité et la sensibilité maternelle ont toutes deux été codifiées à partir du vidéo d'une période de jeu libre mère-enfant d'une durée de 15 minutes. La réactivité maternelle se manifeste par les réponses vocales contingentes aux vocalisations de l'enfant (mesure des probabilités séquentielles de transition à l'intérieur d'un intervalle de deux secondes). La mesure de sensibilité maternelle est constituée d'une échelle plus globale en cinq points tirés des travaux de Crnic, Ragozin, Greenberg, Robinson et Basham (1983) ; cette dernière mesure présente toutefois un niveau de fidélité peu impressionnant (kappa de Cohen de 0,55 pour des accords à l'intérieur d'un point).

L'évaluation de la mise en œuvre confirme que toutes les mères du groupe expérimental ont utilisé le porte-bébé, et la majorité d'entre elles (16 sur 23) de façon quotidienne ou intensive (leur podomètre indiquait neuf milles à trois mois). Seulement quatre mères du groupe de contrôle ont fait l'usage d'un sac kangourou et elles ont commencé l'usage plus tardivement (à partir de deux mois).

Les analyses statistiques portant sur la sécurité de l'attachement à 13 mois corroborent les hypothèses : 83 % des enfants du GE ont un attachement sécurisant comparativement à 38 % pour les enfants du GT. En outre, les mères du GE démontrent en moyenne à la fois une plus grande réactivité et une plus grande sensibilité à leur bébé que celles du GT ; leur avantage concernant la sensibilité maternelle doit toutefois être considéré comme plus incertain. En effet, les groupes se distinguent significativement sur la mesure de réactivité maternelle aux vocalisations de l'enfant ($d = 0,80$), mais la comparaison des groupes sur le plan de la sensibilité maternelle n'atteint pas le seuil de signification ($p = 0,09$; $d = 0,50$). Finalement, bien que la réactivité maternelle soit reliée significativement à la sécurité de l'attachement à l'intérieur du GT, son inclusion dans les analyses n'entraîne pas la disparition de l'effet de l'intervention. Il ne s'agirait donc pas de la seule variable médiatrice. Les auteurs envisagent la possibilité que l'intervention modifiera également les comportements du bébé (par exemple, la fréquence des pleurs).

En résumé, l'intervention toute simple et peu coûteuse proposée par Anisfeld et ses collaborateurs se révèle très efficace pour augmenter la proportion d'enfants ayant un attachement sécurisant dans une population de faible SSE. Malgré la considération de variables médiatrices potentielles dans les analyses effectuées, les mécanismes par lesquels l'usage d'un porte-bébé influence le développement de l'attachement demeurent à préciser. Une mesure de sensibilité maternelle plus discriminante et plus fiable que celle utilisée serait nécessaire avant de pouvoir tirer quelque conclusion quant au rôle de cette variable. Comme l'ont proposé les auteurs, l'impact du porte-bébé sur les comportements du bébé (et non seulement sur celui de la mère) est aussi à explorer plus systématiquement. Certaines études tant sur les animaux que sur les humains montrent en effet que le contact corporel entre la mère et le nouveau-né produit un effet apaisant qui se répercute même sur le développement du cerveau (Francis, Diorio, Liu et Meaney, 1999 ; Gunnar, 1998).

Pour les familles avec peu de soutien social

Comme nous l'avons mentionné précédemment, plusieurs études ont établi un lien entre le faible soutien social des mères et le développement d'un attachement anxieux chez leur enfant. À cet égard, Barnard *et al.* (1985) notent que les mères les plus résistantes à l'aide sont celles qui ont à la fois de nombreux problèmes reliés à leur situation et peu de proches qui les soutiennent.

Deux évaluations d'interventions réalisées auprès de mères socialement isolées sont présentées. La première étude (Barnard, Magyary, Sumner, Booth, Mitchell et Spieker, 1988) compare des programmes basés sur les modèles de santé publique (information/ressources) et de santé mentale, alors que la seconde (Lambermon et van IJzendoorn, 1989) compare des programmes utilisant de l'information écrite ou transmise par vidéos.

Barnard *et al.* (1988) ont comparé deux stratégies d'intervention visant à aider les mères à améliorer leurs habiletés à établir et à maintenir des relations sociales pouvant leur apporter un soutien dans leur rôle de parent. La première est basée sur le modèle de la santé mentale et implique activement la mère. Son but premier consiste à développer une relation thérapeutique entre la mère et l'intervenante – une infirmière – afin d'amener la mère à établir des contacts positifs avec sa famille et ses amis. Dans ses interactions avec la mère, l'intervenante propose des façons de gérer les situations interpersonnelles, les conflits, les problèmes familiaux et divers aspects du développement de l'enfant. La seconde intervention est basée sur le modèle traditionnel de santé publique aussi nommé information/ressources. L'intervenante fournit de l'information à la mère et la dirige vers les ressources nécessaires afin de promouvoir et de maintenir un style de vie sain. La santé physique ainsi que le développement de la mère et de l'enfant sont les principales cibles de l'intervention. Seule la première intervention – basée sur le modèle de la santé mentale – énonce l'objectif de favoriser l'attachement entre la mère et l'enfant. Pour des raisons éthiques, les auteurs n'ont pas intégré de groupe de contrôle à cette évaluation.

Afin de comparer l'efficacité de ces deux interventions, les auteurs recrutent les mères au second trimestre de leur grossesse. Leur soutien social est évalué au moyen d'une courte entrevue sur leurs conditions de vie réalisée par une infirmière des cliniques prénatales. Les femmes enceintes de moins de 22 semaines identifiées comme ayant peu de soutien social sont invitées à participer à l'étude. Alors que 68 mères sont aléatoirement assignées à la première intervention, 79 prennent part à la seconde. Toutes reçoivent la visite d'une intervenante à leur domicile depuis le second trimestre de leur grossesse et pendant la première année de vie de l'enfant. La fréquence des visites n'est pas mentionnée.

Des données permettant d'évaluer ces interventions ont été recueillies à intervalles réguliers dès le début des interventions et jusqu'à ce que l'enfant ait 36 mois. Les compétences maternelles sont évaluées à partir d'observations des interactions mère-enfant au moyen de deux échelles élaborées par Barnard et ses collaborateurs. Les items de ces échelles sont élaborés autour du concept de sensibilité des parents aux signaux de l'enfant. Les items se rapportant à l'enfant touchent la clarté des signaux et la réponse aux parents. L'attachement à la mère est évalué au moyen de la Situation étrangère alors que l'enfant a 13 et 20 mois. Plusieurs compétences de l'enfant sont aussi évaluées, mais elles ne se rapportent pas au sujet traité ici.

De l'échantillon initial, 95 mères (65 %) maintiennent leur participation jusqu'à ce que l'enfant ait un an. Les mères qui cessent de participer ne se distinguent pas des autres sur les variables démographiques, mais les comparaisons indiquent qu'elles sont moins compétentes socialement. Le bilan des interventions révèle que les mères du groupe de santé mentale ont eu plus de contacts avec l'infirmière intervenante, sont plus compétentes dans leurs habiletés parentales et perçoivent un plus grand soutien que les mères du groupe de comparaison. Malheureusement, aucune analyse intégrant un contrôle du nombre de contacts avec l'infirmière n'est rapportée.

Les résultats des analyses montrent qu'il n'y a pas de différence entre les deux groupes quant à la proportion d'enfants (45 %) qui développent un attachement sécurisant à 13 mois tel que le mesure la Situation étrangère. Les auteurs soulignent cependant que l'attrition est très différente dans les deux groupes. Si 80 % des mères du groupe de santé mentale persistent, seulement 53 % des mères du groupe de comparaison maintiennent leur participation. Constatant l'attrition différentielle selon les groupes d'intervention, les auteurs ont réalisé des analyses afin de déterminer si les interventions pouvaient entraîner des effets différents selon l'intelligence de la mère, son niveau de dépression, son éducation, le nombre d'enfants ou ses habiletés sociales. Les résultats indiquent que les familles dans lesquelles la mère a un QI inférieur à 90 bénéficient davantage de l'intervention basée sur le modèle de santé mentale (48 % de leurs enfants ont un attachement sécurisant comparé à 33 % des enfants du groupe information/ressources ; les interactions mère-enfant sont plus positives ; il y a une plus grande stabilité de l'attachement sécurisant lorsque l'enfant a entre 1 an et 2 ans), alors que les familles où la mère a un QI plus élevé (supérieur à 90) bénéficient davantage de l'intervention basée sur le modèle de santé publique (60 % de leurs enfants développent un attachement sécurisant et il y a une plus grande stabilité de l'attachement sécurisant entre 1 an et 2 ans). Pour chacune des caractéristiques maternelles – QI, dépression, éducation et habiletés sociales, les mères les moins compétentes présentent de meilleurs résultats lorsqu'elles participent au programme de santé mentale, alors que les mères les plus compétentes réussissent mieux avec le modèle de santé publique.

Lambermon et van IJzendoorn (1989), quant à eux, comparent des interventions où l'information transmise aux parents au moyen de vidéos ou de brochures écrites vise à accroître la sensibilité des parents aux besoins et signaux de l'enfant. Les auteurs avaient postulé que l'intervention au moyen de vidéos serait plus efficace pour influer sur le comportement des parents que le recours aux brochures. Les parents ayant un petit réseau social devraient aussi profiter davantage de l'intervention parce que leur environnement social et leurs ressources pour obtenir de l'information sont plus restreints.

Afin de mettre ces hypothèses à l'épreuve, 35 familles néerlandaises intactes de classe moyenne sont divisées en deux groupes selon la taille du réseau social de la mère (évalué selon le nombre de proches avec lesquels elle interagit fréquemment). Les mères ayant trois sources de soutien ou moins sont considérées comme ayant un petit réseau social et celles qui en ont six ou plus hors de la famille sont perçues comme ayant un grand réseau social. Elles sont ensuite aléatoirement assignées à un groupe d'intervention par vidéo ou par brochure en tenant compte de leur réseau social. Alors que l'enfant a trois mois, et ce, une fois par semaine pendant un mois, les parents du groupe d'intervention regardent une vidéocassette se rapportant aux divers soins à apporter à l'enfant de même qu'à son développement. Les familles du groupe d'intervention par brochure reçoivent une information semblable, mais à travers de brochures contenant des informations écrites, des dessins et des photos.

Les familles sont évaluées avant l'intervention lorsque les enfants ont entre six et huit semaines puis, après l'intervention alors qu'ils ont entre 13 et 16 semaines. La sensibilité et la réactivité de la mère sont évaluées à partir des échelles d'Ainsworth *et al.* (1978) et la réciprocité, la détresse, les soins de base et le non-engagement, à partir des échelles de Belsky, Taylor et Rovine (1984). Une adaptation du HOME (Bradley et Caldwell, 1984) est aussi administrée aux familles. Constatant les corrélations entre les différentes mesures, les auteurs ont regroupé ces variables en deux facteurs grâce à une analyse factorielle : l'engagement sensible (regroupant le HOME, la réactivité de la mère, la réciprocité et le non-engagement [corrélation négative]) et l'interaction non harmonieuse (regroupant la sensibilité [corrélation négative] et la détresse).

Les résultats révèlent que l'effet d'interaction entre le type d'intervention – par vidéocassette ou par brochure – et la taille du réseau social de la mère n'est pas significatif, infirmant l'hypothèse de l'influence modératrice de la taille du réseau social sur l'efficacité de l'intervention. Notons toutefois que la puissance analytique pour tester cet effet est bien faible. L'effet principal du réseau social ne se révèle pas significatif non plus. Par contre, les mères du groupe intervention au moyen de brochures obtiennent des résultats plus élevés sur la variable d'engagement sensible comparativement aux mères du groupe intervention par vidéocassette, quelle que soit la taille de leur réseau social : 15 % de la variance de l'engagement sensible de la mère peut être expliquée par l'éducation des parents au moyen d'information écrite (brochures). Les auteurs postulent que les détails concrets sur les soins à l'enfant et les styles comportementaux de la mère et de l'enfant de l'enregistrement vidéo ont pu distraire les parents des aspects essentiels de l'information transmise. L'information écrite permettrait aux parents d'évoluer dans leur propre rythme, de revenir sur des passages plus complexes en plus de respecter davantage les différences individuelles. L'éducation des parents au moyen de vidéocassettes pourrait par ailleurs être plus efficace dans un contexte structuré où il est possible de diriger l'attention des parents sur les aspects essentiels.

Si Lambermon et van IJzendoorn (1989) ne rapportent aucune mesure ni aucun résultat quant à la qualité de l'attachement de l'enfant, étrangement, il est fait mention de données à ce sujet dans le tableau récapitulatif de la méta-analyse de van IJzendoorn, Juffer et Duyvesteyn (1995). L'attachement de l'enfant aurait été mesuré à 15 mois au moyen de la Situation étrangère : 50 % des enfants du groupe d'intervention avec vidéocassettes et 38 % des enfants du groupe d'intervention au moyen de brochures présentent un attachement sécurisant. Bien que cette différence ne soit pas significative, notons qu'elle contredit les résultats concernant l'engagement sensible de la mère.

De l'étude de Barnard *et al.* (1988), retenons que l'intervention pendant la première année de vie de l'enfant intégrant l'objectif de favoriser le développement d'un attachement sécurisant entre la mère et l'enfant procure en fait des bénéfices variables selon les caractéristiques maternelles telles que le QI, les niveaux de dépression et d'éducation ainsi que les habiletés sociales. Chez les mères présentant un QI normal, par exemple, l'intervention traditionnelle n'intégrant pas d'objectif spécifique relié à l'attachement produit des résultats supérieurs concernant l'attachement et les interactions mère-enfant à ceux de l'intervention en santé mentale. Quant à l'étude de Lambermon et van IJzendoorn (1989), l'absence de groupe de contrôle ainsi que la petite taille des groupes comparés (entre 8 et 9 sujets, pour un total de 35) exigent une grande prudence dans l'interprétation. Par ailleurs, les mères de classe moyenne sélectionnées à partir du fait qu'elles disposent de trois sources de soutien ou moins présentent un niveau de risque bien inférieur à celui des mères de l'étude de Barnard *et al.* (1988) chez qui le manque de soutien social s'accompagne, par exemple, de conditions de vie désorganisées, de maladie, de crises familiales et de conflits. Cette différence pourrait expliquer pourquoi la taille du réseau social telle qu'elle est définie ici n'est associée à aucune différence d'engagement sensible de la mère, d'interaction mère-enfant non harmonieuse ou d'attachement. Pourtant, la sécurité d'attachement y est bien peu fréquente (entre 38 % et 50 % d'attachement sécurisant). En résumé, il est difficile de tirer une conclusion claire quant à l'efficacité du matériel vidéo ou écrit pour favoriser la sensibilité maternelle et l'attachement mère-enfant chez des mères de classe moyenne socialement isolées.

Pour les mères anxieuses

En plus d'étudier l'influence du degré d'anxiété de la mère sur le type d'attachement que développera son enfant, Barnett, Blignault, Holmes, Payne et Parker (1987) ont implanté une intervention auprès de mères australiennes chroniquement anxieuses afin de vérifier leur hypothèse de façon expérimentale. Selon l'hypothèse émise, l'enfant dont la mère est anxieuse sera plus à risque de développer un attachement anxieux à sa mère. La réduction de l'anxiété chez la mère favoriserait alors le développement d'un attachement sécurisant chez son enfant. Des 627 mères de classe moyenne dont l'anxiété a été évaluée trois ou quatre jours après la naissance de l'enfant au moyen de la mesure développée par Spielberger, Gorsuch et Lushene (1970), trois groupes sont constitués suivant leur degré d'anxiété : les mères fortement (*n* : 90), modérément (*n* : 30) et peu anxieuses (*n* : 30). Les mères fortement anxieuses (dont le score sur la mesure de Spielberger *et al.* [1970] est supérieur à 40) sont assignées aléatoirement à un groupe d'intervention professionnelle, non professionnelle ou au groupe de contrôle. L'intervention professionnelle, réalisée par une travailleuse sociale d'expérience, consiste en un soutien général et en des mesures spécifiques pour combattre l'anxiété, promouvoir l'estime de soi et encourager l'implication des pères auprès de l'enfant et de la mère. L'intervention non professionnelle, pour sa part, est donnée par une mère expérimentée qui offre soutien, aide pratique et conseils aux mères. Les deux interventions ont lieu pendant les 12 premiers mois de vie de l'enfant. La fréquence n'est pas mentionnée.

Les résultats révèlent que seule l'intervention professionnelle diminue de façon significative le taux d'anxiété des mères : cette diminution est de 19 % alors que pour les mères du groupe de contrôle et du groupe d'intervention non professionnelle, elle est respectivement de 3 % et de 12 %. La proportion d'enfants ayant un attachement sécurisant à 12 mois, tel qu'il est évalué par la Situation étrangère, ne diffère pas significativement selon le degré d'anxiété de la mère : respectivement 68 %, 74 % et 74 % des enfants de mères fortement, modérément et peu anxieuses développent un attachement sécurisant. Par ailleurs, la proportion d'enfants en sécurité de mères fortement anxieuses n'est pas significativement différente selon le type d'intervention dont la mère a bénéficié (intervention professionnelle : 59 % ; non professionnelle : 71 % ; groupe de contrôle : 74 %). Enfin, la proportion d'enfants dont l'attachement est sécurisant chez les mères fortement anxieuses dont l'anxiété a diminué de 10 % ou plus pendant les 12 mois d'intervention (64 %) n'est pas significativement différente de celle des enfants de mères dont l'anxiété a augmenté de 10 % ou plus pendant cette même période (67 %). Si l'intervention professionnelle a contribué à réduire le degré d'anxiété des mères très anxieuses, on ne peut conclure que l'une ou l'autre des interventions ait eu un effet positif sur les enfants. En fait, il semble même que l'anxiété chronique chez la mère ne constitue pas un facteur de risque pour le développement d'une relation d'attachement sécurisante.

Pour les familles à risques multiples

Dans cette section, les deux interventions proposées visent des familles aux prises avec plusieurs problèmes qui menacent leur capacité d'assurer un environnement adéquat pour le développement sain de leurs enfants. L'intervention évaluée dans l'étude de Lyons-Ruth, Connell, Grunebaum et Botein (1990) s'adresse à un sous-groupe de la population qui constitue la principale clientèle des services sociaux : les familles aux prises avec des stresseurs multiples, à la fois économiques et sociaux. Bien que cette clientèle soit la plus susceptible d'éprouver des difficultés à fournir à un jeune enfant les soins nécessaires pour assurer son développement normal, elle échappe très souvent aux études sur l'efficacité des interventions, se retrouvant très souvent parmi les sujets « perdus » en cours de route. Dans ce contexte, l'étude de Lyons-Ruth et ses collaborateurs est fort intéressante, et ce, malgré la répartition non aléatoire des sujets dans les groupes expérimentaux et témoin.

Pour recruter la population visée, les auteurs ont publicisé leur projet dans les diverses instances offrant des services médicaux, éducatifs ou sociaux aux familles à faibles revenus de la communauté (par exemple, Head Start, le programme d'aide alimentaire WIC, les cliniques pédiatriques du quartier, le département d'État des services de protection, etc.). La publicité demandait au personnel de ces diverses institutions de référer au projet les familles avec un bébé de moins de 9 mois lorsqu'il considérait que la qualité de l'environnement éducatif était une source de préoccupation. Cette procédure a permis de recruter un total de 40 familles. À 18 mois, les données sont complètes pour 31 d'entre elles. Les trois quarts de l'échantillon final présentent l'un ou l'autre des facteurs de risque suivants : histoire connue de maltraitance par la mère (32 %), histoire d'hospitalisation de la mère pour problèmes psychiatriques (31 %) ou dépression maternelle (64 %) telle qu'elle a été évaluée par l'échelle de dépression du Centre d'études épidémiologiques (CES-D ; Radloff, 1977).

Toutes ces familles ont reçu l'un ou l'autre des niveaux d'intervention proposés par les responsables : des visites hebdomadaires à domicile par une mère de la communauté ayant reçu un entraînement à cet effet, ou des visites hebdomadaires à domicile par un psychologue, combinées à des rencontres de groupes hebdomadaires. Les visites hebdomadaires à domicile poursuivaient les mêmes objectifs dans les deux cas, objectifs qui s'apparentent au modèle de santé mentale sous-jacent au programme de Barnard *et al.* (1988) présenté précédemment. Malgré des différences de formation et de philosophie d'intervention entre les responsables des visites hebdomadaires pour les deux niveaux de service, les auteurs mentionnent que des analyses préliminaires n'ont indiqué aucune différence quant aux effets. En conséquence, ils sont traités de façon conjointe dans l'ensemble des analyses présentées. À cet égard, notons que les services évalués étaient en place dans la communauté depuis plusieurs années déjà au moment de la réalisation de l'étude de Lyons-Ruth *et al.* (1990). La durée totale de l'intervention varie selon l'âge de l'enfant au moment de la référence (entre 0 et 9 mois, âge moyen : 4,7 mois) : les familles ont reçu entre 9 et 18 mois de services (moyenne : 13 mois), pour un nombre moyen de 47 visites à domicile par famille.

Deux groupes de comparaisons ont été constitués. L'un d'eux (le GT à risque élevé) a été recruté selon la même procédure que le GE, mais les familles (*n* : 10) ont été référées lorsque leur bébé avait 18 mois. Ce groupe est constitué principalement de mères dépressives (60 %) ou avec une histoire d'hospitalisation en psychiatrie (30 %), mais n'inclut aucune famille avec une histoire de maltraitance. Le deuxième groupe (le GT de la communauté) inclut 35 familles pairées au GE à partir du revenu familial par personne, de l'éducation, de l'âge et du groupe ethnique maternel, ainsi que de l'âge, du sexe et du rang de naissance du bébé. Ce GT de la communauté correspond toutefois à un groupe à risque beaucoup plus faible puisque les familles incluses n'ont jamais demandé ou reçu de services sociaux ayant trait aux habiletés parentales, n'ont jamais été identifiées pour un problème de maltraitance et n'ont jamais reçu de services psychiatriques intensifs. Vingt-trois pour cent des mères de ce groupe présentent malgré tout des problèmes de dépression.

Les auteurs ont vérifié l'efficacité de leur intervention pour modifier plusieurs aspects du développement de l'enfant. Pour des raisons d'espace, seuls leurs résultats concernant la qualité des interactions mère-enfant et l'attachement sont discutés ici. La qualité des interactions mère-enfant a été évaluée à 18 mois lors d'une visite filmée à la maison d'une durée de 40 minutes. Douze échelles en cinq points ont été utilisées pour codifier le comportement maternel, puis regroupées en deux indicateurs globaux à la suite d'une analyse factorielle : l'engagement maternel et l'hostilité-intrusion. Aucun effet de l'intervention n'est noté sur ces deux indicateurs. Les auteurs attribuent cet échec au fait que les échelles utilisées seraient peu appropriées pour évaluer les comportements maternels à cet âge dans une population à haut risque. Cette conclusion s'appuie sur le fait que des analyses (non présentées) de la validité des échelles révèlent des associations attendues avec des indicateurs externes seulement pour le GT de la communauté (population à risque moins élevé). Cette interprétation est intéressante, mais doit être considérée avec prudence étant donné la taille relativement petite de l'échantillon à risque (*n* : 41). L'attachement mère-enfant a aussi été évalué à 18 mois à l'aide de la Situation étrangère d'Ainsworth. Les classes ont été regroupées en quatre catégories : attachement sécurisant sans aucun signe de désorganisation (B), attachement insécurisant de type A ou C sans aucun signe de désorganisation (A ou C), attachement désorganisé avec sous-classes sécurisant (D/B) et attachement désorganisé avec sous-classes insécurisant de type A ou C (D/A ou D/C). Les résultats obtenus montrent que l'intervention a produit des effets bénéfiques, particulièrement en ce qui concerne les enfants de mères dépressives. Le GT à risque élevé comporte la proportion la plus élevée d'enfants dont l'attachement est classé D/A ou D/C (60 %), comparativement à 29 % pour le GE et à 28 % pour le GT de la communauté. Ainsi, dans l'ensemble, les résultats obtenus par le GE sont comparables à ceux de la communauté, et nettement meilleurs que ceux des sujets du GT dont le niveau de risque est élevé.

Des analyses supplémentaires sur les mères dépressives seulement indiquent que les sujets du GE s'en tirent mieux que ceux des deux autres groupes : 22 % des enfants sont classés D/A ou D/C, comparativement à 67 % dans le GT à risque élevé et à 43 % dans le GT de la communauté. Il semble toutefois que l'intervention ait eu pour effet d'augmenter la proportion d'enfants dont l'attachement est de type D/B. Les auteurs offrent peu d'explication pour ce phénomène. Il semble que l'intervention ait été plus efficace pour réduire l'incidence de l'insécurité que pour réduire celle de la désorganisation : alors que la proportion de sujets classés comme désorganisés dans le GE se situe à mi-chemin des deux autres groupes (54 % pour le GE comparativement à 70 % pour le GT à risque élevé et 34 % pour le GT de la communauté), près de la moitié de ces sujets (47 %) ont une sous-classification sécurisant, comparativement à seulement 14 % et 18 % respectivement dans les deux GT. L'attachement de type D/B n'est pas considéré comme un attachement sécurisant ; quelques études révèlent toutefois qu'il s'agit d'un groupe d'enfants présentant moins de facteurs de risque que ceux dont l'attachement est de type D/A ou D/C (voir, entre autres, Lyons-Ruth, Bronfman et Parsons, 1999).

En résumé, l'étude de Lyons-Ruth *et al.* (1990) est intéressante parce qu'elle concerne un sous-groupe de la population qui présente un risque très élevé pour le développement de l'enfant. Il est impossible toutefois de conclure de façon non équivoque quant aux effets bénéfiques de l'intervention proposée en l'absence de mesures à plus long terme de l'adaptation sociale des enfants puisque l'incidence des attachements désorganisés n'a pas été réduite de façon substantielle ; seule la proportion de sous-classification en insécurité a diminué significativement.

Au Québec, Tarabulsy, Robitaille, Lacharité, Deslandes et Coderre (1998) ont mis au point un programme d'intervention préventive s'adressant aux mères adolescentes (âgées entre 14 et 19 ans) et à leur enfant de six mois. Leur programme intitulé « Être parent » est adapté d'un programme élaboré en Ontario par Krupka (1995) qui vise l'amélioration de la relation mère-enfant par le biais de visites à domicile et de feedbacks personnalisés à partir de vidéos. Les principes qui guident l'intervention au cours de ces visites sont inspirés directement de la théorie de l'attachement et visent l'apprentissage de la sensibilité maternelle.

L'intervention s'échelonne sur quatre mois et comporte 12 visites ; chacune des visites se divise en trois parties. Premièrement, il y a prise de contact pour établir une relation de confiance avec soutien émotionnel et instrumental de la mère. Deuxièmement, l'intervenante filme une séquence d'interaction mère-enfant d'une durée d'environ six minutes qu'elle visionne ensuite avec la mère. Au cours de ce visionnement, elle guide la mère pour l'amener à identifier les moments où l'enfant signale un besoin, elle renforce la mère pour les moments où elle s'est montrée sensible et elle valorise les interactions cohérentes où la mère et l'enfant partagent leurs affects. Dans la troisième et dernière partie, l'intervenante propose certaines activités interactives qui amènent la mère à jouer un rôle plus actif. C'est elle, en effet, qui doit maintenant détecter les signaux et les comportements de son enfant, agir de façon cohérente et prendre note des réactions de son bébé lorsqu'elle agit de façon sensible.

Bien que les résultats de l'étude de Tarabulsy et ses collaborateurs ne soient pas disponibles pour le moment, quelques résultats préliminaires le sont en provenance de l'équipe de Moran et Pederson en Ontario. Une de leurs étudiantes de doctorat, Krupka (1995), a mené une première étude avec 20 mères adolescentes, auprès desquelles elle a effectué entre 12 et 16 visites à domicile selon la structure décrite ci-dessus. À la fin de leur première année de vie, 68 % des enfants de ces mères adolescentes démontraient un attachement sécurisant dans le contexte de la Situation étrangère, comparativement à 35 % dans le groupe de comparaison. Une nouvelle étude menée par Moran et Pederson (2000) comporte un échantillon de 100 mères adolescentes, réparties aléatoirement en un groupe expérimental et un groupe de contrôle. Le groupe expérimental a reçu huit visites à domicile. Les résultats pour l'ensemble de l'échantillon concernant la sensibilité maternelle évaluée à la maison à 12 mois et l'attachement mère-enfant évalué à 12 mois à l'aide de la Situation étrangère sont en faveur du groupe expérimental, mais n'atteignent pas le seuil de signification (53 % des enfants du GE ont un attachement sécurisant comparativement à 42 % dans le GT). Les auteurs observent toutefois un effet modérateur de la présence d'une histoire d'abus physique ou sexuel dans le milieu familial de la mère (présent chez 43 % de l'échantillon). Il semble que l'intervention ait produit un effet significatif positif uniquement pour les mères adolescentes qui n'ont pas vécu une telle histoire d'abus (63 % des enfants du GE ont un attachement sécurisant comparativement à 37 % pour ceux du GT). Pour les mères qui ont vécu une histoire d'abus, les huit visites à domicile n'ont produit aucun effet (41 % des enfants du GE ont un attachement sécurisant comparativement à 46 % pour ceux du GC). Il semble ainsi que le nombre de visites dans cette deuxième étude (8 plutôt que 12 à 16 dans l'étude originale de Krupka, 1995) aurait été insuffisant pour les mères ayant vécu un traumatisme important en relation avec l'attachement durant leur enfance. Notons que cette variable ne semble pas influencer le niveau de risque initial, puisque la proportion d'enfants dont l'attachement est sécurisant dans les deux groupes témoins est comparable ; elle influencerait plutôt la réceptivité de la mère à l'égard de l'intervention.

En conclusion, il s'agit d'une intervention prometteuse, d'une durée relativement courte, qui peut produire des effets positifs dans une population qui présente un ensemble de facteurs de risque psychosociaux menaçant l'établissement d'une relation mère-enfant sécurisante (Tarabulsy *et al.*, 1998). Il faudra toutefois attendre la parution de résultats plus substantiels pour mieux connaître les sous-populations les plus susceptibles de bénéficier de cette intervention, les mécanismes par lesquels les changements se produisent et les retombées à plus long terme.

Dans l'ensemble, et ceci va dans le sens des conclusions de van IJzendoorn *et al.* (1995), il semble que les interventions visant une augmentation des attachements sécurisants par le biais d'une amélioration de la sensibilité maternelle produisent des effets intéressants. Cinq des sept programmes répertoriés ont permis d'augmenter la proportion d'enfants en sécurité comparativement à divers groupes de comparaison. Les clientèles visées varient toutefois considérablement, de même que l'ampleur des moyens proposés. Les visites à domicile sont privilégiées dans cinq des sept programmes. Les effets obtenus sont généralement positifs, mais il semble que l'intensité de l'intervention doive être adaptée aux caractéristiques de la clientèle (Jacobson et Frye, 1991 ; Barnard *et al.*, 1988 ; Moran et Pederson, 2000). Malgré cette remarque, il n'est pas évident que « plus » soit synonyme de « mieux ». En effet, la qualité des moyens mis en œuvre semble également un facteur à considérer. Par exemple, la jolie étude d'Anisfeld *et al.* (1990) produit un maximum d'effets avec un minimum de moyens (usage quotidien d'un sac kangourou). Le nombre de visites proposées par Krupka (1995) est modeste, mais ces visites sont mieux structurées et théoriquement plus justifiées que dans la majorité des autres études. Bref, il semble que la qualité des assises théoriques (moyens d'intervention directement inspirés du modèle de Bowlby) interagisse avec l'intensité de l'intervention et les caractéristiques de la clientèle pour déterminer les effets produits.

Prévenir la transmission intergénérationnelle des attachements insécurisants par la modification des représentations mentales maternelles

La prévention de la transmission intergénérationnelle des attachements insécurisants par la modification des représentations mentales des parents est basée sur l'idée selon laquelle les expériences d'attachement sont encodées dans des modèles internes de soi et des autres qui déterminent le style de communication et de relations émotionnelles (van IJzendoorn *et al.*, 1995). Les différences dans ces modèles internes ont une grande incidence sur la capacité de la mère à développer des relations intimes et à répondre de façon sensible, particulièrement à ses enfants. Crittenden (1992) souligne que les adultes ayant développé un attachement anxieux envers leurs parents, plus encore que ceux dont l'attachement est sécurisant, abordent leur nouveau rôle de parents avec l'espoir de vivre enfin la proximité et la synchronie tant désirée. Quoique beaucoup de parents conçoivent que la naissance de leur enfant effacera magiquement les conflits du passé, l'enfant montre une capacité troublante à évoquer chez ses parents des modèles internes de relations primitifs et non verbaux (Wright, 1986).

Bakermans-Kranenburg, Juffer et van IJzendoorn (1998) observent que la plupart des interventions conçues pour la prévention de l'attachement anxieux sont axées sur le développement de la sensibilité maternelle. Ils mentionnent aussi le risque inhérent à ces interventions comportementales : engendrer des effets temporaires puisque les représentations internes des parents sur l'attachement restent inchangées. Deux programmes qui visent spécifiquement le développement d'un attachement sécurisant entre l'enfant et sa mère par la modification des représentations mentales maternelles sont ici présentés. Si l'intervention STEEP évaluée par Erickson, Korfmacher et Egeland (1992) est intensive et s'étend sur plus d'une année, celle qu'évaluent Bakermans-Kranenburg *et al.* (1998) est relativement courte (quatre sessions) ; elle est aussi comparée à une intervention basée sur le concept de sensibilité maternelle.

Erickson *et al.* (1992) présentent le projet STEEP (Steps Toward Effective, Enjoyable Parenting) implanté aux États-Unis. Ce programme intensif vise la promotion de saines relations parent-enfant et la prévention de problèmes sociaux et émotionnels chez les enfants en aidant les mères à intégrer les émotions et souvenirs associés aux expériences négatives de leur enfance pour développer des modèles plus positifs de soi et des autres. Les représentations mentales maternelles sont clairement identifiées comme cibles d'intervention. Le programme STEEP utilise une variété de stratégies éducatives, thérapeutiques et de soutien aux mères pour les aider à faire face à leur propre histoire et à examiner la façon dont celle-ci affecte leurs habiletés maternelles. Les mères sont encouragées à exprimer la souffrance associée aux expériences passées et présentes, à prendre conscience de leurs pratiques actuelles afin de s'approprier davantage leurs choix de vie.

Le programme consiste en une série de visites à domicile à intervalle de deux semaines à partir du second trimestre de la grossesse jusqu'à ce que l'enfant atteigne l'âge d'un an. De plus, après la naissance de l'enfant, des groupes d'environ huit mères ayant accouché à quelques semaines d'intervalle sont formés et se réunissent deux fois par mois, pendant un an, en alternance avec les visites à la maison. Les interventions sont réalisées par des mères ayant de l'expérience de travail auprès des familles défavorisées. Ces mères sont sélectionnées suivant leurs réactions à diverses situations qui leur sont présentées ; aucune formation n'est mentionnée. L'intervenante qui visite la mère à la maison est la même que celle qui anime le groupe de discussion auquel elle participe.

Lors des visites à la maison, l'intervenante cherche à promouvoir chez la mère l'exploration et la compréhension de la façon dont ses expériences passées influencent ses pensées, sentiments et comportements actuels, particulièrement à l'égard de son enfant. Au cours des visites prénatales, les sujets abordés sont les sentiments de la mère à l'égard de sa grossesse et la préparation au rôle maternel. L'intervenante s'efforce de gagner la confiance de la mère et tente de l'amener à modifier ses attentes au sujet de ses relations interpersonnelles. Par la suite, les visites à la maison permettent d'approfondir les éléments soulevés pendant les rencontres de groupe et d'individualiser le programme pour répondre aux besoins de chaque mère. Plusieurs techniques sont utilisées par l'intervenante, par exemple parler pour le bébé (Carter, Osofsky et Hann, 1991) et utiliser des enregistrements vidéo pour commenter par la suite les interactions mère-enfant. L'établissement d'une relation thérapeutique entre la mère et l'intervenante conduit à la révision des nouveaux modèles de représentations internes.

Quant aux rencontres de groupe, elles sont composées d'un temps d'activités centré sur l'enfant et d'un autre, centré sur la mère. La première partie vise à guider la mère dans des activités qui lui permettent de mieux comprendre le comportement de son enfant ainsi que son développement. La seconde partie encourage les mères à créer des relations de soutien mutuel. Elles sont aussi incitées à apprendre à gérer ou à s'approprier divers aspects de leur vie, tels que le stress, les relations interpersonnelles, l'école ou le travail et l'utilisation des ressources communautaires. Les discussions de groupe constituent un outil permettant l'exploration réaliste du passé et les stratégies développées pour se protéger de la souffrance : les intervenantes saisissent l'occasion pour souligner la puissance avec laquelle le passé influence les relations présentes.

L'intervention a été évaluée auprès de 154 mères primipares à risque de présenter des problèmes dans leur rôle maternel à cause de leur pauvreté, leur jeunesse (leur âge varie entre 17 et 25 ans), leur statut monoparental, leur isolement social, leur manque d'éducation et leurs conditions de vie instables. Soixante-quatorze d'entre elles sont aléatoirement assignées au programme STEEP et 80 au groupe de contrôle. Les mères sont évaluées pendant leur grossesse, puis l'attachement mère-enfant est évalué alors que l'enfant a 13 et 19 mois.

Les auteurs ont d'abord comparé les dyades du groupe expérimental à celles du groupe de contrôle : 67 % des enfants du GT et seulement 46 % des enfants du GE présentent un attachement sécurisant à 13 mois. De plus, 19 % des enfants du GT et 41 % des enfants du GE ont un attachement désorganisé. Par la suite, Egeland et Erickson (1993) ont divisé le groupe d'intervention en deux sous-groupes selon le niveau de participation au programme (plus ou moins de 30 rencontres avec l'intervenante), mais les résultats obtenus ne sont pas significatifs. Les auteurs tentent d'expliquer ces résultats en supposant que l'intervention ait interrompu temporairement le processus d'attachement entre la mère et l'enfant. À 19 mois, il n'y a pas de différence significative entre les groupes quant au pourcentage de dyades dont l'attachement est sécurisant. On observe cependant une diminution significative du taux d'attachement sécurisant dans le GT entre 13 et 19 mois (67 % à 48 %), alors que le GE demeure stable (46 % et 47 %).

Les enfants n'auraient donc pas bénéficié d'une intervention axée sur l'introversion. Egeland et Erickson (1993) attribuent cet échec à la capacité d'introversion réduite des mères ainsi qu'aux nombreux problèmes comportementaux, intellectuels et d'adaptation dont elles souffrent. D'ailleurs, six des sept mères dont le quotient intellectuel se situe sous 70 appartiennent au GE. Les auteurs répètent donc les analyses après avoir éliminé toutes les mères dont le QI est inférieur à 70, ou dont le résultat sur une échelle quelconque du MMPI est supérieur à 80. La différence significative en faveur du groupe de contrôle persiste : à 13 mois, 68 % des enfants du GT et 43 % des enfants du GE présentent un attachement sécurisant, et 20 % des enfants du GT contre 46 % des enfants du GE, un attachement désorganisé. L'impact du programme STEEP est donc le même, que l'on exclue ou non les mères en raison de leur faible intelligence ou de leurs troubles de personnalité.

Les résultats engendrés par le programme STEEP sur l'attachement entre l'enfant et sa mère sont décevants. Soulevons même la présence d'un effet iatrogène : les enfants du GE présentent à 13 mois, dans des proportions inquiétantes un attachement anxieux et désorganisé. On peut d'ailleurs s'interroger sur le recours à des intervenantes non professionnelles – sélectionnées à partir de leur style, mais certes non formées – lorsqu'il s'agit de modifier les représentations mentales maternelles. Loin de se limiter à la transmission d'informations, le rôle des intervenantes comporte des opérations complexes comme amener la mère à explorer les expériences de son passé et à découvrir comment elles influencent ses pensées, sentiments et comportements actuels, ou à modifier ses attentes dans ses relations. Le recours à des intervenantes professionnelles, ou à tout le moins formées en relation avec ces objectifs et évaluées au cours du déroulement du projet, semblerait plus adéquat.

Pour leur part, Bakermans-Kranenburg *et al.* (1998) comparent deux courtes interventions réalisées aux Pays-Bas dont le modèle est différent : l'une vise le développement de la sensibilité maternelle (intervention par vidéo : niveau comportemental), alors que l'autre cherche à amener les parents à modifier leurs représentations internes de l'attachement (intervention par vidéo et discussion : niveau des représentations). La particularité de cette intervention est qu'elle est évaluée auprès de mères sélectionnées en raison de leur attachement anxieux, tel qu'il a été évalué par l'Entrevue sur l'attachement adulte (AAI – Main *et al.*, 1985). Seuls les résultats concernant un échantillon partiel sont rapportés : les auteurs soulignent d'ailleurs qu'il s'agit d'une étude préliminaire.

Des mères primipares et leur enfant de quatre mois appartenant à la limite inférieure de la classe moyenne ont été recrutés et invités à participer à une entrevue portant sur leur enfance. L'AAI a été administrée à cette occasion. Les données concernent 30 mères dont l'attachement avait été évalué comme anxieux (mères détachées ou préoccupées) qui ont été aléatoirement assignées en nombre égal à un des trois groupes suivants : un groupe de contrôle, un groupe d'intervention par vidéo et un groupe d'intervention par vidéo et discussion. Les deux interventions commencent alors que l'enfant a en moyenne 7 mois et se terminent lorsqu'il a 10 mois.

L'intervention par vidéo consiste en quatre sessions d'une durée d'une heure et demie espacées de trois à quatre semaines et animés par des intervenantes professionnelles. L'intervention par vidéo vise la promotion de la sensibilité maternelle à partir d'informations écrites et de feedbacks vidéo. Les sessions commencent par la préparation du vidéo qui sera utilisé subséquemment. Le contexte de chacun des vidéos est planifié pour favoriser l'émergence de thèmes qui seront discutés à la session suivante. L'intervenante et la mère visionnent ensuite un de ces vidéos et l'intervenante commente les interactions en faisant des suggestions. L'intervention par vidéo et discussion consiste en quatre sessions d'une durée de trois heures et vise la modification des représentations de la mère sur l'attachement. Après le visionnement du vidéo, les mères discutent de leurs expériences d'attachement passées et de leur influence sur leur style parental actuel.

L'hypothèse émise est la suivante : les mères détachées, étant moins motivées à discuter des expériences de leur enfance et minimisant leur influence dans leur vie quotidienne, profiteront moins de l'intervention au niveau des représentations (vidéo et discussion) que les mères préoccupées. Le type d'attachement anxieux des mères serait donc un facteur modérateur des effets de l'intervention.

La sensibilité maternelle est évaluée alors que l'enfant a en moyenne 13 mois au moyen des échelles d'Ainsworth *et al.* (1978) lors d'une session de jeu entre la mère et l'enfant au laboratoire. L'attachement de l'enfant est évalué au moyen de la Situation étrangère alors que l'enfant a 13 mois. Les résultats révèlent que les mères préoccupées et détachées des deux groupes d'intervention présentent une sensibilité maternelle comparable, mais fortement supérieure à celle des mères du groupe de contrôle (l'ampleur de l'effet est de *d* : 0,87). L'intervention a ainsi contribué au développement de la sensibilité maternelle peu importe la nature de l'intervention (comportementale ou des représentations) ou le type d'attachement anxieux de la mère (préoccupé ou détaché). Toujours au regard de leur sensibilité, comme l'avaient prévu les auteurs, les mères détachées bénéficient davantage de l'intervention comportementale avec vidéo seulement et les mères préoccupées bénéficient davantage de l'intervention avec vidéo et discussion. En revanche, cet effet d'interaction d'ampleur moyenne (*d*: 0,65) n'est pas significatif (*p*: 0,19). En ce qui concerne la sécurité d'attachement, aucune différence n'est rapportée entre les trois groupes et les pourcentages correspondant aux différents types d'attachement sont omis.

L'intervention mise en place par Bakermans-Kranenburg *et al.* (1998) engendre des effets intéressants. D'abord, s'il n'y a pas de différence significative entre les deux groupes d'intervention en ce qui concerne la sécurité d'attachement des enfants, il ne semble pas y avoir non plus d'effets iatrogènes liés au recours aux représentations mentales maternelles comme c'est le cas pour l'étude d'Egeland et Erickson (1993). Cependant, il ne semble pas que l'intervention sur les représentations ajoute quoi que ce soit par rapport à l'intervention comportementale. Notons aussi le recours à des intervenantes professionnelles – trois intervenantes dont les deux premières auteures (ainsi que la courte durée de l'intervention) trois mois ou quatre sessions, facteurs qui distinguent cette étude de celle d'Egeland et Erickson (1993). Enfin, l'analyse de l'effet différentiel des interventions selon le classement des mères à l'AAI est innovatrice. Il faudra toutefois attendre les résultats avec l'échantillon complet pour se prononcer sur sa valeur.

Bref, et jusqu'à preuve du contraire, il n'apparaît pas que l'intervention préventive visant les modèles opérationnels internes (MOI) présente quelque avantage que ce soit comparativement aux programmes qui visent la sensibilité maternelle. La prudence demeure toutefois de rigueur compte tenu du très petit nombre d'études répertoriées en ce qui concerne la modification des représentations mentales. Il n'est pas exclu que les moyens mis en place soient en cause. Mentionnons, à ce sujet, les travaux d'une équipe de l'institut Hincks à Toronto (Cohen *et al.*, 1999) qui évaluent un programme de type thérapeutique plutôt que préventif portant sur les MOI et dont les résultats sont fort intéressants. Il reste à voir si le programme proposé par Cohen et ses collaborateurs pourrait produire les mêmes effets positifs en prévention.

PRÉVENTION DE TYPE CIBLÉ-MIXTE : LES RELATIONS PARENT-ENFANT À DOUBLE RISQUE

Cette section s'attarde aux interventions portant sur des relations parent-enfant à double risque en raison à la fois des caractéristiques de l'environnement familial et de celles de l'enfant. Toutes les interventions retenues ciblent des familles de faible niveau socioéconomique. Du côté des enfants, chaque programme cible une problématique différente. Tous ces programmes s'appuient sur la théorie de l'attachement et intègrent parfois des concepts issus du modèle systémique (van den Boom, 1990, 1994, 1995). Exception faite de celui de Lieberman, Weston et Pawl (1991), tous ces programmes se déroulent au cours de la première année de l'enfant, ils prennent la forme de visites à domicile menées par un professionnel et visent principalement à ce que la mère soit plus attentive aux signaux de son enfant.

Le premier programme se démarque par sa très courte durée. Afin de promouvoir chez les mères des réponses plus sensibles aux expressions émotionnelles positives et négatives de leur enfant, van den Boom (1990, 1994, 1995) a elle-même mis en place une intervention brève (trois rencontres de deux heures) auprès de dyades mère-enfant néerlandaises dont l'enfant âgé de six mois a un tempérament irritable. L'intervenante guide les mères à travers les quatre étapes du processus de réponse aux indices comportementaux émis par l'enfant : percevoir le signal, l'interpréter correctement, sélectionner la réponse appropriée et répondre efficacement. Des moyens sont proposés afin de promouvoir la synchronie affective (imitation du comportement du bébé, être silencieuse lorsque le bébé est inattentif) et des réponses nouvelles aux besoins de l'enfant sont introduites sous forme de jeux.

Cette intervention constitue un excellent exemple d'intervention ciblée-mixte efficace et ayant fait l'objet d'une évaluation rigoureuse. Un plan à quatre groupes indépendants (avec ou sans prétest, avec ou sans intervention) est mis en place, avec répartition aléatoire de 100 dyades mère-enfant. La qualité des interactions dans un contexte de vie quotidienne et la qualité de l'exploration de l'enfant durant un jeu libre avec trois nouveaux jouets sont évaluées en prétest par le biais d'une observation systématique avec balayage visuel aux six secondes permettant de coder 24 comportements. La mère répond en outre à un questionnaire sur les événements stressants de sa vie. Les effets de l'intervention sont mesurés à plusieurs reprises, soit tout de suite après l'intervention lorsque l'enfant est âgé de 9 mois, puis lors de suivis à 12, 18, 24 et 42 mois. Par l'entremise d'analyses factorielles, l'auteur regroupe les différents codes d'observation afin de créer 11 variables reliées aux comportements interactifs maternels, aux comportements interactifs de l'enfant, de même qu'à ses comportements exploratoires. Les variables reliées aux comportements interactifs de la mère ou de l'enfant sont traités tantôt comme variables proximales, tantôt comme variables distales selon l'âge auquel elles ont été mesurées (avant ou après l'attachement). Du côté des variables distales, les problèmes de comportement (à l'aide d'évaluation sociométrique, d'observation et de listes à cocher) sont aussi explorés.

Plusieurs effets positifs résultent de cette courte intervention. Le rôle médiateur de l'attachement et la durabilité des effets de l'intervention méritent d'être soulignés. D'abord, les enfants du GE présentent une proportion significativement plus élevée d'attachement sécurisant à leur mère que les enfants du GT. À l'âge de 12 mois, 62 % des enfants du GE sont classés en sécurité selon la Situation étrangère comparativement à seulement 22 % dans le GT. Six mois plus tard, l'écart s'accentue puisque 72 % des enfants du GE présentent un attachement sécurisant, alors qu'il n'y en a que 26 % dans le GT. À plus long terme, des analyses de régression linéaire multiple hiérarchique révèlent que l'attachement (tri de carte de Waters et Deane (1985), complété par un professionnel après la visite à domicile) joue un rôle médiateur au regard du soutien et de la coopération parentale, de même que dans l'établissement de contacts positifs entre l'enfant et ses pairs. Quant au maintien des effets, lorsque l'enfant a 18, 24 et 42 mois, les mères du groupe d'intervention continuent de se montrer plus sensibles. De plus, les maris de ces femmes sont aussi plus sensibles à leur enfant, ce qui constitue un intéressant phénomène systémique. Enfin, les enfants interagissent de façon plus coopérative, autant avec leur mère qu'avec leurs pairs. Les résultats autorisent à penser que l'attachement sécurisant à la mère et la compétence sociale sont influencés par l'histoire des expériences d'interaction de l'enfant avec sa mère.

Le second programme présente certaines similitudes avec le premier, quoiqu'il s'échelonne sur une plus longue période (de la naissance à 13 mois), qu'il semble moins clairement articulé au plan théorique par rapport à la notion de sensibilité maternelle et qu'il vise des enfants nés prématurément. L'intervention menée par Beckwith (1988) dans le contexte d'une étude du UCLA Preterm Infant met aussi l'accent sur l'interaction mère-enfant et adapte l'intervention à chaque dyade. L'intervention est basée sur une relation de confiance avec l'intervenant qui offre son soutien (référence, aide concrète) et aide le parent à développer son habileté à observer les comportements de son enfant de même qu'à adapter ses attentes à l'égard des compétences d'un nourrisson. L'auteure fournit toutefois très peu de détails à propos de son intervention, notamment en ce qui concerne la fréquence des visites, qualifiées simplement de régulières.

Si l'approche proposée présente certaines similitudes avec celle de van den Boom (1990, 1994, 1995), Beckwith (1988) ne parvient pas aux mêmes résultats. Afin d'évaluer son intervention, elle recrute 92 dyades mère-enfant où l'enfant est prématuré (faible poids, minimum de trois jours de soins intensifs) et constitue un plan de recherche à deux groupes indépendants, avec répartition aléatoire des dyades. Notons que le groupe de contrôle subit une importante attrition (36 %). L'évaluation des effets, à l'aide d'observations, d'instruments standardisés et d'entrevues avec la mère, a lieu lorsque l'enfant a 1, 4, 9, 13 et 20 mois en âge corrigé. Les variables proximales considérées sont l'interaction mère-enfant et les attitudes maternelles. Les variables distales incluent la motivation de l'enfant, le jeu et le développement de l'enfant. Enfin, les soins prénataux reçus lors de la grossesse et le fait que la mère ait grandi dans une famille abusive ou non sont considérés comme variables modératrices.

Les résultats indiquent que seules les mères qui étaient ambivalentes ou rejetantes lors de leur grossesse se montrent significativement plus impliquées avec leur enfant et manifestent un degré de réciprocité plus élevé en réponse à l'intervention. Le même phénomène est relevé chez les mères ayant grandi dans des conditions adverses. Toutefois, peu d'effets sont constatés chez l'enfant puisque l'intervention n'augmente pas la performance aux tests développementaux (sauf pour les tâches cognitives) ni la proportion d'enfants en sécurité à 13 mois (51 % des enfants développent un attachement sécurisant dans les deux groupes). Notons que l'auteure ne précise pas l'instrument utilisé pour évaluer l'attachement. Lors du suivi à 20 mois, les enfants du GE font plus de jeux symboliques que ceux du GT.

Le troisième programme compare trois types d'intervention auprès d'enfants ayant un retard de croissance anorganique (*failure to thrive*). Brinich, Drotar et Brinich (1989) proposent trois modalités d'intervention ayant lieu au domicile durant la première année de vie de l'enfant. Le premier groupe reçoit des interventions hebdomadaires centrées sur la famille qui ont pour but d'augmenter la collaboration familiale aux soins de l'enfant. L'intervenant engage la famille en entier dans le processus, il apporte un soutien à chacun des membres et favorise la concertation dans le but d'améliorer les soins à l'enfant et d'organiser la routine plus efficacement. Le deuxième groupe reçoit aussi des visites hebdomadaires centrées sur le parent afin d'informer la mère pour qu'elle améliore la qualité de ses interactions et qu'elle organise mieux les repas. L'intervenant fournit de l'information sur les besoins nutritionnels de l'enfant et donne des trucs pour le stimuler. Le troisième groupe reçoit six visites dans les semaines qui suivent le congé de l'hôpital et un contact téléphonique est maintenu par la suite. L'intervenant offre un soutien émotionnel et propose des ressources.

Afin d'évaluer l'efficacité de leurs interventions, Brinich *et al.* (1989) évaluent l'attachement de l'enfant à 12 mois à l'aide de la Situation étrangère, puis, lorsque l'enfant a 42 mois, ils procèdent à deux séances d'observation de quatre heures après quoi un professionnel utilise le tri de carte sur le comportement de Block et Block (1969), pour évaluer la résilience de l'enfant. Des mesures physiologiques (taille, poids, circonférence de la tête, proportion poids/taille) sont également recueillies à cette occasion, de même que des données sur les hospitalisations et les accidents de l'enfant.

Les interventions proposées ne se distinguent pas du point de vue de leur impact sur la qualité de l'attachement. Après l'intervention, la proportion d'enfants en sécurité (51 %) se répartit également dans les trois groupes :

intervention centrée sur la famille (10 sur 19), intervention centrée sur les parents (11 sur 20) et intervention par recommandation (9 sur 20). Les interventions ne se distinguent pas non plus sur le plan de la résilience ou du développement physique de l'enfant à 42 mois.

Le dernier programme de prévention de type ciblé-mixte diffère des autres programmes présentés puisque l'intervention prend la forme d'une psychothérapie mère-enfant. Basé sur le travail de Fraiberg (1980) en psychothérapie parent-enfant, le programme de Lieberman et ses collaborateurs (1991) vise à améliorer la qualité de l'attachement ainsi que le fonctionnement socioémotif de la dyade. À l'instar des programmes de Bakermans-Kranenburg *et al.* (1998) et d'Erickson *et al.* (1992) présentés dans la section précédente, c'est par le biais d'une modification des représentations mentales de la mère que les auteurs espèrent obtenir ces changements. Un des quatre intervenants multiethniques et bilingues rencontre chacune des dyades pour une session d'une heure et demie chaque semaine et assure le suivi pour toute la durée du programme (un an). La psychothérapie s'intéresse à l'expérience affective de la mère, à son besoin de protection et de sécurité dans sa vie d'adulte et aussi de manière rétrospective à sa vie d'enfant. Les sentiments d'ambivalence et de colère à l'égard de l'enfant et de l'intervenant sont aussi explorés. L'intervenant répond aux expériences affectives de la dyade selon ce que la mère rapporte et ce qu'il observe. Il cherche à faciliter la résolution des conflits psychiques et fournit des informations sur le développement de l'enfant au moment opportun en fonction de l'individualité de l'enfant (contingence au signal de l'enfant, opportunité d'exploration, collaboration).

Lieberman *et al.* (1991) ont recruté 100 dyades mère-enfant mexicaines nouvellement arrivées aux États-Unis dont l'enfant était âgé de 12 mois afin de constituer trois groupes indépendants. Les caractéristiques de cette population incluent la pauvreté, le non-emploi et une situation de choc culturel. Les auteurs ne précisent pas davantage la façon dont ils ont recruté leurs dyades, si ce n'est que le recrutement s'est fait dans une clinique pédiatrique, un hôpital et des cliniques médicales. Les dyades anxieuses (évaluées par une Situation étrangère) ont été réparties aléatoirement entre un groupe d'intervention et un groupe de contrôle. Un deuxième groupe de contrôle a été constitué avec les dyades en sécurité. Deux tests sont administrés à 12, 18 et 24 mois (un Inventaire des événements de vie et une Échelle d'attitude maternelle). À 24 mois, les comportements de la mère et de l'enfant sont observés lors d'une Situation étrangère modifiée et la sécurité de l'attachement est aussi évaluée par un tri de carte de Waters et Deane (1985), complété par l'intervenant après sa visite à domicile. Plusieurs variables sont évaluées lors des observations faites en laboratoire : le comportement (empathie et initiation de l'interaction) et les attitudes de la mère (contrôle de l'agression, encouragement de la réciprocité, conscience de la complexité de l'éducation de l'enfant) font partie des variables proximales. Les variables distales incluent les manifestations de colère, la restriction des affects, l'évitement et la résistance de l'enfant, de même que la collaboration de la dyade. De plus, l'engagement maternel dans le processus thérapeutique est codifié sur une échelle de 10 points.

Lieberman *et al.* (1991) effectuent des analyses univariées afin de comparer les trois groupes entre eux. Les enfants du GE sont significativement moins évitants, résistants et colériques en plus d'avoir développé une meilleure relation de partenariat avec leur mère que les enfants du GT anxieux. En revanche, la différence entre ces groupes n'est pas significative en ce qui concerne la restriction des affects et le score critère de sécurité (*d* : 0,14 en faveur du GT anxieux). Il est important de souligner que les résultats significatifs à 24 mois proviennent des observations vidéo alors que le tri de carte ne parvient pas à faire ressortir des différences significatives. La sensibilité de l'outil, et notamment du score critère de sécurité, pourrait être en cause, comme l'ont observé Jacobson et Frye (1991, voir la section précédente). L'absence de différence significative sur les scores de sécurité entre le GE et le GT en sécurité (*d*: 0,49 en faveur du GT) et entre les deux GT (*d*: 0,35 en faveur du GT en sécurité) tend d'ailleurs à accréditer cette hypothèse. Du côté des mères, celles ayant bénéficié de l'intervention manifestent significativement plus de réponses empathiques et sont plus interactives avec leur enfant que les mères du GT anxieux. Enfin, à l'intérieur du GE, le degré d'engagement thérapeutique de la mère est significativement associé à de meilleurs scores de sécurité d'attachement, à moins d'évitement et à une meilleure collaboration de l'enfant, de même qu'à plus d'engagement, d'empathie, d'interaction et de meilleures attitudes de la part de la mère. Notons qu'un effet iatrogénique est observé à 18 mois ; les enfants du GE expriment alors plus de colère et de désorganisation. Les auteurs formulent l'hypothèse que ces effets néfastes temporaires soient dus au changement d'un attachement anxieux-résistant à un attachement plus sécurisant. Selon eux, l'intervention aiderait les enfants à changer leurs défenses par une expression plus directe de leur colère ou de leur ambivalence. Les résultats obtenus dans les scores de sécurité à 24 mois apportent toutefois peu d'appui à cette interprétation. Notons en outre qu'un effet iatrogène similaire a été observé dans le contexte du programme STEEP (Egeland et Erickson, 1993, voir la section précédente).

En conclusion, les programmes présentés font ressortir la difficulté d'influencer l'attachement lorsque la relation est menacée à la fois par les caractéristiques de l'enfant et celles de sa famille. Malgré cette observation, force est de constater qu'une intervention de courte durée qui tient compte des contraintes de la vie quotidienne et dont les assises théoriques sont solides peut produire un effet fort intéressant, à la fois sur la sensibilité maternelle et sur l'attachement de l'enfant. À cet égard, l'intervention mise au point par van den Boom (1990, 1994, 1995) est non seulement efficace, mais elle présente, en outre, un rapport coûts-bénéfices avantageux. Par ailleurs, l'étude de Beckwith (1988) met en lumière l'influence de l'histoire du parent sur le succès de l'intervention, alors que celle de Lieberman *et al.* (1991) fait ressortir l'importance de considérer le degré d'engagement de la mère dans le processus thérapeutique. Enfin, compte tenu du fait que chacune des interventions présentées vise une problématique différente du point de vue de l'enfant (irritabilité, prématurité, retard de croissance anorganique, attachement anxieux), il demeure possible que les résultats obtenus soient spécifiques à la clientèle visée. Par exemple, le programme mis au point par van den Boom pourrait être inefficace avec des enfants prématurés, alors que celui de Beckwith pourrait être efficace avec des enfants irritables.

Prévention de type ciblé-sélectif : le cas particulier du placement

Le placement en famille d'accueil par les services sociaux est parfois nécessaire pour assurer la protection de l'enfant et lui prodiguer les soins requis par un jeune enfant. Cette mesure crée toutefois une importante discontinuité au regard des figures parentales. Qui plus est, il n'est pas rare que des enfants même très jeunes connaissent une suite rapide de placements et déplacements qui accentuent cet effet de discontinuité (Fanshel, Finch et Grundy, 1990 ; Kliman et Zelman, 1996 ; Samuels, 1996). Lorsque ces placements se produisent en très bas âge, avant que l'enfant ait établi une relation d'attachement avec une figure parentale, ils constituent automatiquement une menace sérieuse à la capacité d'établir éventuellement une telle relation. Celle-ci requiert en effet un minimum de stabilité (au moins 12 à 18 mois – *cf.* Samuels, 1996) pour se développer. Par ailleurs, même dans les cas où un attachement a déjà été établi avant le premier placement, les facteurs qui motivent généralement la décision de procéder au placement (abus, négligence, abandon, etc.) sont tels qu'il est peu probable que cet attachement soit de nature à fournir à l'enfant des stratégies appropriées pour bâtir de nouvelles relations et gérer le stress occasionné par la séparation. Ainsi, le placement, et à plus forte raison les placements multiples, constitue une menace sérieuse à la capacité d'attachement des enfants, quel que soit leur âge. Malgré ce fait, les placements et déplacements multiples continuent d'être des pratiques relativement courantes, d'une part (Fanshel *et al.*, 1990), et, d'autre part, les études systématiques rigoureuses sur les moyens de prévenir ces pratiques ou d'en atténuer l'impact sur l'attachement sont rarissimes, voire inexistantes.

Compte tenu de l'importance de cette problématique du point de vue clinique, nous présentons les résultats d'une étude dont la rigueur laisse quelque peu à désirer, mais qui a le mérite : 1) de viser une réduction des placements multiples par un soutien à la réorganisation des modèles opérationnels internes de l'enfant, 2) de proposer pour ce faire un moyen d'intervention structuré et concret (le livre d'histoire personnalisé) qui s'utilise à l'intérieur d'une période de temps bien délimitée (30 semaines) et 3) d'avoir vérifié l'efficacité du moyen proposé à l'aide d'un devis quasi expérimental. Ce devis, bien qu'appliqué ici avec relativement peu de rigueur, se révèle nettement supérieur aux habituelles études de cas.

L'intervention mise sur pied par Kliman et Zelman (1996) utilise un support écrit, le livre d'histoire personnalisé, pour soutenir l'enfant dans sa reconstruction narrative des événements de vie qui ont précédé son placement. Ce support offre le double avantage de fournir une certaine structure pour le rappel et la discussion des événements passés et une certaine permanence à cette structure puisque les mots écrits et les images collées dans le livre constituent des témoins matériels, concrets, des événements vécus et de leur signification. Par extension, le livre d'histoire personnalisé peut procurer une certaine stabilité au sentiment d'identité de l'enfant.

Le livre comporte une page pour l'identification de l'enfant et 21 chapitres à propos de la vie passée, présente et future de l'enfant. Il est composé principalement de phrases à compléter à propos des préférences et des aversions de l'enfant, des événements positifs et négatifs de sa vie, de même que des informations à caractère plus neutre. Les phrases à compléter sont privilégiées parce que, contrairement aux questions, elles ne sous-entendent pas qu'il existe de bonnes ou mauvaises réponses et suggèrent que l'enfant a quelque chose à dire sur le sujet. Le livre contient également des illustrations de scènes typiques de l'enfance et des espaces pour que l'enfant y insère des photos et dessins. Les chapitres sont organisés de façon à ce que les faits plus neutres soient abordés au début du cahier, alors que les faits plus chargés d'émotions arrivent plus tard. Les thèmes sont variés et assez complets : la naissance, les membres de la famille biologique, ce qui est « spécial » chez l'enfant, les amis, les foyers précédents, les jeux et les émissions de télévision préférés, les raisons et les circonstances du placement, les plans d'avenir concernant le placement, les informations à propos des parents substituts, l'école, les personnes dont l'enfant s'ennuie, ses souhaits et espoirs, ses souvenirs et les visites qu'il reçoit ou aimerait recevoir. Le livre comporte en outre un espace pour les informations médicales que les parents substituts sont invités à compléter, un espace pour les anniversaires, les résultats scolaires et un bottin personnel d'adresses et de numéros de téléphone (pour plus de détails, voir Kliman, 1993). Le livre est complété conjointement par l'enfant et un thérapeute expérimenté au cours de 30 séances hebdomadaires de 45 minutes.

Le livre d'histoire personnalisé a été utilisé auprès de huit enfants en situation de placement (modalités de sélection non décrites). Chacun de ces enfants a été pairé (critères non précisés) à un enfant dans la même situation. Au cours de la période couverte par l'étude de Kliman et Zelman (1996), un seul des huit enfants suivi avec le livre d'histoire personnalisé a dû être changé de foyer d'accueil, comparativement à cinq dans le groupe de comparaison (dont un enfant transféré deux fois). Cette différence est rapportée comme statistiquement significative (sans plus de détails). Quatre études de cas montrent également que la perception qu'ont les parents substituts des symptômes des enfants s'améliore à la suite du traitement.

En résumé, bien que l'étude présente un caractère plutôt exploratoire, le moyen proposé semble une solution de rechange fort intéressante à la psychothérapie classique, peu structurée et de longue durée (voir, par exemple, Samuels, 1996). Les assises théoriques sont élégantes et articulées. Il s'agit d'un travail innovateur, qui mérite d'être testé plus rigoureusement et à plus grande échelle. L'inclusion de mesures d'attachement serait également souhaitable : puisque le moyen proposé procède à une réorganisation des modèles opérationnels internes, une évaluation de ces modèles serait probablement le moyen le plus approprié de tester l'impact de l'intervention sur l'attachement – par exemple, en utilisant le test d'anxiété de séparation (Slough et Greenberg, 1990), ou les récits narratifs élaborés par Cassidy (1988).

CONCLUSION

Le bilan des études recensées laisse entrevoir qu'il y a encore beaucoup de travail à faire pour bien comprendre les stratégies qui permettent d'améliorer la qualité du lien d'attachement mère-enfant. Sur 14 études qui incluent une mesure d'attachement, seulement 5 observent des effets positifs significatifs sur la qualité de cet attachement (Anisfeld *et al.*, 1990 ; Jacobson et Frye, 1991 ; Krupka, 1995 ; Lyons-Ruth *et al.*, 1990 ; van den Boom, 1990, 1994, 1995). Trois constats principaux émergent lorsque ces cinq études sont comparées aux autres.

Premièrement, à l'exception des travaux de van den Boom, les études qui observent un effet sur l'attachement ont toutes évalué une intervention préventive de type ciblé-sélectif. Notons tout de même que, dans deux cas (Krupka, 1995 et Lyons-Ruth *et al.*, 1990), les familles visées présentent des facteurs de risques multiples et constituent ainsi des populations pour lesquelles il est difficile d'obtenir des effets positifs. De fait, 40 % (4 sur 10) des études de prévention ciblée-sélective obtiennent un effet positif sur l'attachement contre 25 % (1 sur 4) des études de prévention ciblée-mixte. Le type de prévention n'influence toutefois pas de la même façon la probabilité d'observer un effet positif sur le comportement maternel ou sur celui de l'enfant (autres que l'attachement). Parmi les explications possibles de ce phénomène, le caractère relationnel de l'attachement pourrait être en cause : il pourrait en effet être plus difficile d'influencer l'attachement lorsque les deux membres de la dyade éprouvent des difficultés. En ce sens, bien que l'intervention menée par van den Boom puisse être considérée comme ciblée-mixte à cause du choix d'une population de faible niveau socioéconomique, notons que le degré de défavorisation au niveau familial était bien léger comparativement à la majorité des études menées aux États-Unis. Les stratégies pour venir en aide aux familles à « double risque » du point de vue de l'attachement ne semblent pas encore au point.

Un deuxième constat est d'ordre méthodologique. Quatre des cinq études qui observent un effet sur l'attachement incluent un groupe de comparaison qui ne reçoit aucune intervention. Les effets obtenus lorsque les auteurs comparent deux stratégies d'intervention sont bien maigres, comme on peut s'y attendre, compte tenu du caractère peu spécifique de la majorité des interventions évaluées. Seule l'étude menée par Anisfeld et ses collaborateurs (1990) a recours à une intervention de type placebo pour le groupe de comparaison (la provision d'un siège d'enfant rigide). Il est intéressant de noter que cette étude produit des effets tant sur l'attachement que sur le comportement maternel et celui des enfants. Compte tenu de ces variations méthodologiques, il est essentiel que les chercheurs reproduisent les résultats obtenus à l'aide de devis de recherche plus rigoureux. Compte tenu du coût relativement élevé de ces recherches, la collaboration entre chercheurs et entre chercheurs et cliniciens sera essentielle pour atteindre cet objectif.

Finalement, nonobstant les deux commentaires précédents, il peut être intéressant d'analyser ce qui caractérise les cinq études qui observent des effets positifs sur l'attachement. Au premier coup d'œil, ces cinq études ont testé des interventions fort diversifiées. De fait, tant au plan de la durée que de l'intensité ou de l'âge des enfants au début de l'intervention, les interventions « efficaces » présentent la même variabilité que les autres : elles durent de quelques minutes à 18 mois, comportent de 1 à 40 visites en moyenne, et débutent quelque part entre le dernier trimestre de la grossesse et lorsque l'enfant atteint l'âge de 6 ou même 9 mois. Des nuances plus intéressantes apparaissent lorsque la nature du programme proposé est considérée ; elles sont regroupées ci-après en trois points.

Les interventions inefficaces. Il semble que la psychothérapie mère-enfant et l'éducation se démarquent par leur impuissance à influencer positivement l'attachement mère-enfant. Ces deux types d'intervention ont fait l'objet de trois évaluations chacune, sans succès, même avec l'observation d'effets iatrogéniques dans le cas de la psychothérapie. Bien qu'on ne puisse exclure la possibilité que l'éducation produise des effets positifs lorsque utilisée comme moyen de prévention universelle (voir à cet égard les résultats de Barnard *et al.*, 1988), les études recensées laissent penser que cette stratégie est de peu d'utilité chez les populations à risque.

Une intervention qui répond à des besoins précis. Le soutien social à la mère est efficace dans deux études sur six (33 %), et ce, peu importe s'il est apporté par des intervenants professionnels ou paraprofessionnels. Notons que cette stratégie se révèle plus efficace lorsqu'elle est proposée à des populations qui présentent comme caractéristique d'être isolées socialement (les deux tiers des études ou 67 %), ce qui, malgré l'évidence, se retrouve dans seulement la moitié des études qui proposent ce type d'intervention (Barnard *et al.*, 1988 ; Jacobson et Frye, 1991 ; Lyons-Ruth *et al.*, 1990).

Les interventions prometteuses. La stimulation mère-enfant produit des effets positifs sur l'attachement dans deux études sur trois (Krupka, 1995 et van den Boom, 1990, 1994, 1995 ; ou 67 %). Dans l'étude de Moran et Pederson (2000), notons que la stimulation mère-enfant a tout de même été efficace pour une partie de l'échantillon : les mères qui n'ont pas vécu d'histoire d'abus dans leur enfance. Cette stratégie d'intervention, de durée relativement courte et bien articulée au plan conceptuel, est ainsi la plus récente et la plus prometteuse. Par ailleurs, il faut reconnaître qu'il serait difficile d'imaginer une intervention plus simple, plus élégante et meilleur marché que celle conçue par Anisfeld et ses collaborateurs (1990). La provision d'un porte-bébé ventral aux mères à la naissance de leur bébé s'est révélé être un moyen extrêmement efficace de promouvoir l'attachement sécurisant (plus du double d'attachements sécurisants dans le groupe expérimental, 83 %, comparativement au groupe de comparaison placebo, 38 %). Compte tenu de l'ampleur des moyens déployés, ses résultats sont vraiment impressionnants. La reproduction de ces résultats se fait malheureusement attendre.

Dans l'ensemble, il ressort que la cohérence conceptuelle, la qualité de la mise en œuvre et les caractéristiques de la population visée déterminent la capacité d'une intervention à prévenir le développement d'attachements insécurisants entre les mères et leurs enfants. Les mécanismes par lesquels les interventions produisent leurs effets demandent à être explorés plus systématiquement. La sensibilité et les autres comportements maternels à l'égard de l'enfant n'expliquent qu'une portion de la variance et, bien souvent (dans 75 % des études), ne suffisent pas à produire les effets attendus sur l'attachement. Tant au plan empirique que théorique, d'autres aspects de la relation mère-enfant, du comportement de l'enfant ou de la dynamique familiale sont à explorer (voir, par exemple, Anisfeld *et al.*, 1990 ou van den Boom, 1990, 1994, 1995). Malgré ces limites, la pertinence de modifier les interactions mère-enfant en bas âge pour prévenir les difficultés ultérieures chez l'enfant n'est pas en cause. En effet, toutes les études qui ont observé des effets bénéfiques de leur intervention sur le comportement ou les compétences des enfants (autres que l'attachement) ont aussi observé des effets positifs soit sur les comportements maternels, soit sur l'attachement mère-enfant. À l'instar de Fonagy (1998), on peut conclure que malgré les défis posés aux les chercheurs et aux cliniciens pour trouver les stratégies d'intervention les plus efficaces, la qualité des interactions et de l'attachement mère-enfant en tant que cibles des interventions constitue certainement une avenue à privilégier.

BIBLIOGRAPHIE

AINSWORTH, M.D.S., BELL, S.M. et STAYTON, D.J. (1979). L'attachement de l'enfant à sa mère. Dans J.-P. Desportes et A. Vloebergh (dir.), *La recherche en éthologie : les comportements animaux et humains* (p. 100-117). Paris : Le Seuil.

AINSWORTH, M.D.S., BLEHAR, M.C., WATERS, E. et WALL, S. (1978). *Patterns of attachment : A psychological study of the Strange Situation*. Hillsdale, NJ : Lawrence Erlbaum.

ANISFELD, E., CASPER, V., NOZYCE, M. et CUNNINGHAM, N. (1990). Does infant carrying promote attachment ? An experimental study of the effects of increased physical contact on the development of attachment. *Child Development, 61*, 1617-1627.

BAKERMANS-KRANENBURG, M.J., JUFFER, F. et VAN IJZENDOORN, M.H. (1998). Interventions with video feedback and attachment discussions : Does type of maternal insecurity make a difference ? *Infant Mental Health Journal, 19*, 202-219.

BARNARD, K.E., HAMMOND, M., MITCHELL, S.K., BOOTH, C.L., SPIETZ, A., SNYDER, C. et ELSAS, T. (1985). Caring for high-risk infants and their families. Dans M. Green (dir.), *The psychosocial aspects of the family* (p. 245-259). Lexington, MA : Lexington Books.

BARNARD, K.E., MAGYARY, D., SUMNER, G., BOOTH, C.L., MITCHELL, S.K. et SPIEKER, S. (1988). Prevention of parenting alterations for women with low social support. *Psychiatry, 51*, 248-253.

BARNETT, B., BLIGNAULT, I., HOLMES, S., PAYNE, A. et PARKER, G. (1987). Quality of attachment in a sample of 1-year-old Australian children. *Journal of the American Academy of Child and Adolescent Psychiatry, 26*, 303-307.

BARNETT, D. et VONDRA, J.I. (1999). Atypical patterns of early attachment : Theory, research, and current directions. Dans J.I. Vondra et D. Barnett (dir.) (1999). Atypical attachment in infancy and early childhood among children at developmental risk. *Monographs of the Society for Research in Child Development, 64*, (N° de série 258).

BECKWITH, L. (1988). Intervention with disadvantaged parents of sick preterm infants. *Psychiatry, 51*, 242-247.

BELSKY, J. et ISABELLA, R. (1988). Maternal, infant, and social-contextual determinants of attachment security. Dans J. Belsky et T. Nezworski (dir.), *Clinical implications of attachment* (p. 41-94). Hillsdale, NJ : Lawrence Erlbaum.

BELSKY, J., TAYLOR, D.G. et ROVINE, M. (1984). The Pennsylvania Infant and Family Development Project : II. The development of reciprocal interaction in the mother-infant dyad. *Child Development, 55*, 706-717.

BLOCK, J.H. et BLOCK, J. (1969). *The California Q-set*. Berkeley, CA : University of California, Institute of Human Development.

BOWLBY, J. (1979). Note sur le contexte historique de la théorie de l'attachement. Dans R. Zazzo (dir.), *L'attachement* (p. 55-57). Neuchâtel : Delachaux et Niestlé.

BRADLEY, R.H. et CALDWELL, B.M. (1984). The HOME Inventory and family demographics. *Developmental Psychology, 20*, 315-320.

BRAZELTON, T.B. (1984). *Neonatal Behavioral Assessment Scale* (2e éd.). Philadelphie : Spastics International.

BRINICH, E., DROTAR, D. et BRINICH, P. (1989). Security of attachment and outcome of preschoolers with histories of nonorganic failure to thrive. *Journal of Clinical Child Psychology, 18*, 142-152.

CARLSON, E.A. et SROUFE, L.A. (1995). Contribution of attachment theory to developmental psychopathology. Dans D. Cicchetti et D.J. Cohen (dir.), *Developmental psychopathology, vol. 1 : Theory and methods* (p. 581-617). New York : John Wiley.

CARTER, S.L., OSOFSKY, J.D. et HANN, D.M. (1991). Speaking for the Baby : A therapeutic intervention with adolescent mothers and their infants. *Infant Mental Health Journal, 12*, 291-301.

CASSIDY, J. (1988). Child-mother attachment and the self in six-year-olds. *Child Development, 59*, 121-135.

CASSIDY, J. et MARVIN, R.S. (1992). *Attachment organization in preschool children : Procedures and coding manual.* Document non publié, Pennsylvania State University.

COHEN, N.J., MUIR, E., LOJKASEK, M., MUIR, R., PARKER, C.-J., BARWICK, M. et BROWN, M. (1999). Watch, Wait, and Wonder : Testing the effectiveness of a new approach to mother-infant psychotherapy. *Infant Mental Health Journal, 20*, 429-451.

CRITTENDEN, P.M. (1992). Treatment of anxious attachment in infancy and early childhood. *Development and Psychopathology, 4*, 575-602.

CRITTENDEN, P.M. (1999). Danger and development : The organization of self-protective strategies. Dans J.I. Vondra et D. Barnett (dir.) (1999). Atypical attachment in infancy and early childhood among children at developmental risk. *Monographs of the Society for Research in Child Development, 64* (N[o] de série 258).

CRNIC, K.A., RAGOZIN, A.S., GREENBERG, M.T., ROBINSON, N.M. et BASHAM, R.B. (1983). Social interaction and developmental competence of preterm and full-term infants during the first year of life. *Child Development, 54*, 1199-1210.

DE WOLFF, S. et VAN IJZENDOORN, M.H. (1997). Sensitivity and attachment : A meta-analysis on parental antecedents of infant attachment. *Child Development, 68*, 571-591.

EASTERBROOKS, M.A., DAVIDSON, C.E. et CHAZAN, R. (1993). Psychosocial risk, attachment, and behavior problems among school-aged children. *Development and Psychopathology, 5*, 389-402.

EGELAND, B. et ERICKSON, M. (1993). Implications of attachment theory for prevention and intervention. Dans H. Parens et S. Kramer (dir.). *Prevention in mental health* (p. 23-50). Northvale, NJ : Jason Aronson.

ERICKSON, M., KORFMACHER, J. et EGELAND, B. (1992). Attachments past and present. Implications for therapeutic intervention with mother-infant dyads. *Development and Psychopathology, 4*, 495-507.

FANSHEL, D., FINCH, S.J. et GRUNDY, J.F. (1990). *Foster children in a life course perspective*. New York : Columbia University Press.

FONAGY, P. (1998). Prevention, the appropriate target of infant therapy. *Infant Mental Health Journal, 19*(2), 124-150.

FRAIBERG, S. (1980). *Clinical studies in infant mental health*. New York : Basic Books.

FRANCIS, D., DIORIO, J., LIU, D., MEANEY, M.J. (1999). Nongenomic transmission across generations of maternal behavior and stress responses in the rat. *Science, 286*, 1155-1158.

GUNNAR, M.R. (1998). Quality of early care and buffering of neuroendocrine stress reactions : Potential effects on the developing human brain. *Preventive Medicine : An International Journal Devoted to Practice and Theory, 27*, 208-211.

JACOBSON, S.W. et FRYE, K.F. (1991). Effect of maternal social support on attachment : Experimental evidence. *Child Development, 62*, 572-582.

KLIMAN, G.W. (1993). *My Personal Life History Book*. San Francisco, CA : Children's Psychological Trauma Center.

KLIMAN, G.W. et ZELMAN, A.B. (1996). Use of a personal life history book in the treatment of foster children : An attempt to enhance stability of foster care placements. Dans A.B. Zelman (dir.), *Early intervention with high-risk children : Freeing prisoners of circumstance*. Northvale, NJ : Jason Aronson.

KRUPKA, A. (1995). The quality of mother-infant interactions in families at risk for maladaptive parenting. University of Western Ontario, London (Ont.). Thèse de doctorat non publiée.

LAMBERMON, M.W.E. et VAN IJZENDOORN, M.H. (1989). Influencing mother-baby interaction through videotaped or written instruction : Evaluation of a parent education program. *Early Childhood Research Quarterly, 4*, 449-459.

LIEBERMAN, A.F., WESTON, D.R. et PAWL, J.H. (1991). Preventive intervention and outcome with anxiously attached dyads. *Child Development, 62*, 199-209.

LIEBERMAN, A.F. et ZEANAH, C.H. (1995). Disorders of attachment in infancy. *Child and Adolescent Psychiatric Clinics of North America, 4*, 571-587.

LIOTTI, G. (1999). Disorganization of attachment as a model for understanding dissociative psychopathology. Dans J. Solomon et C. George (dir.), *Attachment disorganization* (p. 291-317). New York : Guilford Press.

LOEVINGER, J. et WESSLER, R. (1970). *Measuring ego development (Vol. 1)*. San Francisco : Jossey-Bass.

LYONS-RUTH, K., ALPERN, L. et REPACHOLI, B. (1993). Disorganized infant attachment classification and maternal psychosocial problems as predictors of hostile-aggressive behavior in the preschool classroom. *Child Development, 64*, 572-585.

LYONS-RUTH, K., BRONFMAN, E. et PARSONS, E. (1999). Maternal frightened, frightening, or atypical behavior and disorganized infant attachment patterns. Dans J.I. Vondra et D. Barnett (dir.). Atypical attachment in infancy and early childhood among children at developmental risk. *Monographs of the Society for Research in Child Development, 64* (N° de série 258).

LYONS-RUTH, K., CONNELL, D.B., GRUNEBAUM, H.U. et BOTEIN, S. (1990). Infants at social risks : Maternal depression and family support services as mediators of infant development and security of attachment. *Child Development, 61*, 85-98.

LYONS-RUTH, K., EASTERBROOKS, M.A. et CIBELLI, C. (1997). Infant attachment strategies, infant mental lag, and maternal depressive symptoms : Predictors of internalizing and externalizing problems at age 7. *Developmental Psychology, 33*, 681-692.

MAIN, M., KAPLAN, N. et CASSIDY, J. (1985). Security in infancy, childhood, and adulthood : A move to the level of representation. Dans I. Bretherton et E. Waters (dir.), Growing points of attachment theory and research. *Monographs of the Society for Research in Child Development, 50* (1-2, N° de série 209).

MAIN, M. et SOLOMON, J. (1990). Procedure for identifying infants as disorganized/disoriented during the Ainsworth Strange Situation. Dans M. Greenberg, D. Cicchetti et M. Cummings (dir.), *Attachment in the preschool years : Theory, research, and intervention* (p. 121-160). Chicago : University of Chicago Press.

MORAN, G et PEDERSON, D.R. (2000). http ://www.sscl.uwo.ca/psychology/faculty/pedmor/pedermor.html

MOSS, E., ROUSSEAU, D., PARENT, S., ST-LAURENT, D. et SAINTONGE, J. (1998). Correlates of attachment at school-age : Mother-child interaction, maternal self-reports, and teacher-reported behavior problems. *Child Development, 69*, 1390-1405.

PARENT, S. et SAUCIER, J.-F. (1999). La théorie de l'attachement. Dans E. Habimana, L.S. Éthier, D.J. Petot et M. Tousignant (dir.), *Psychopathologie de l'enfant et de l'adolescent : une approche intégrative*. Boucherville, Québec : Gaëtan Morin Éditeur.

RADLOFF, L.S. (1977). The CES-D Scale : A self-report depression scale for research in the general population. *Applied Psychological Measurement, 1*, 385-401.

SAMUELS, S.C. (1996). Treatment of foster children : Working through the loss to facilitate attachment. Dans A.B. Zelman (dir.), *Early intervention with high-risk children : Freeing prisoners of circumstance*. Northvale, NJ : Jason Aronson.

SLOUGH, N.M. et GREENBERG, M.T. (1990). Five-year-olds' representations of separation from parents : Responses from the perspective of self and other. Dans I. Bretherton et M.W. Watson (dir.), *Children's perspectives on the family* (p. 67-84). San Francisco : Jossey-Bass.

SPIELBERGER, C.D., GORSUCH, R.L. et LUSHENE, R.E. (1970). *Manual for the State-Trait Anxiety Inventory (Self-Evaluation Questionnaire)*. Palo Alto, CA : Consulting Psychologists Press.

SROUFE, L.A., CARLSON, E.A., LEVY, A.K. et EGELAND, B. (1999). Implications of attachment theory for developmental psychopathology. *Development and Psychopathology, 11*, 1-14.

TARABULSY, G.M., ROBITAILLE, J., LACHARITÉ, C., DESLANDES, J. et CODERRE, R. (1998). L'intervention auprès de jeunes mères et de leur enfant : perspective de la théorie de l'attachement. *Criminologie, 31*, 7-23.

VAN DEN BOOM, D. (1990). Preventive intervention and the quality of mother-infant interaction and infant exploration in irritable infants. Dans W. Koops, H. Soppe, J.L. van der Linden, P.C.M. Molenaar et J.J.F. Schroots (dir.), *Developmental psychology behind the dykes. An outline of developmental psychological research in the Netherlands* (p. 249-269). Delft, Pays-Bas : Eburon.

VAN DEN BOOM, D.C. (1994). The influence of temperament and mothering on attachment and exploration : An experimental manipulation of sensitive responsiveness among lower-class mothers with irritable infants. *Child Development, 65*, 1457-1477.

VAN DEN BOOM, D.C. (1995). Do first-year intervention effects endure ? Follow-up during toddlerhood of a sample of Dutch irritable infants. *Child Development, 66*, 1798-1816.

VAN IJZENDOORN, M.H., JUFFER, F. et DUYVESTEYN, M.G.C. (1995). Breaking the intergenerational cycle of insecure attachment : A review of the effects of attachment-based interventions on maternal sensitivity and infant security. *Journal of Child Psychology and Psychiatry and Allied Disciplines, 36*(2), 225-248.

VAN IJZENDOORN, M.H., SCHUENGEL, C. et BAKERMANS-KRANENBURG, M.J. (1999). Disorganized attachment in early childhood : Meta-analysis of precursors, concomitants, and sequelae. *Development and Psychopathology, 11*, 225-249.

VONDRA, J.I. et BARNETT, D. (dir.) (1999). Atypical attachment in infancy and early childhood among children at developmental risk. *Monographs of the Society for Research in Child Development, 64* (N° de série 258).

WATERS, E. et DEANE, E.K. (1985). Defining and assessing individual differences in attachment relationships : Q-methodology and the organization of behavior in infancy and early childhood. Dans I. Bretherton et E. Waters (dir.), Growing points of attachment theory and research. *Monographs of the Society for Research in Child Development, 50* (N° de série 209).

WRIGHT, B.M. (1986). An approach to infant-parent psychotherapy. *Infant Mental Health Journal, 7*, 247-263.

ZEANAH, C.H. (1996). Beyond insecurity : A reconceptualization of attachment disorders in infancy. *Journal of Consulting and Clinical Psychology, 64*, 42-52.

ANNEXE

TABLEAU-SYNTHÈSE

PROGRAMMES DESTINÉS À PRÉVENIR LES PROBLÈMES D'ATTACHEMENT À LA PETITE ENFANCE

Auteurs (année)	Nature du programme	Composantes	Durée de l'intervention ; intensité	Contexte de réalisation ; clientèle visée	Âge des enfants au début de l'intervention	Protocole de recherche ; taille de l'échantillon initial/suivi*	Variables proximales (âge des enfants) ; résultats	Variables distales (âge des enfants) ; résultats	Instrument d'évaluation de l'attachement (âge des enfants) ; résultats
Anisfeld *et al.* (1990)	Soutien technique à la mère	Provision d'un sac kangourou et instructions avant congé de l'hôpital	Quelques minutes ; 1 seule rencontre	Projet de recherche ; faible SSE	2-3 jours	Quasi expérimental avec répartition aléatoire ; GE = 30/23 GC = 30/26	Réactivité et sensibilité maternelles (3,5 mois) ; GE > GC sur réactivité	n/d	Situation étrangère (13 mois) GE = 83 % B GC = 38 % B
Bakermans-Kranenburg *et al.* (1998)	GE_1 : psychothérapie mère-enfant (professionnel) GE_2 : soutien social (professionnel)	Visites à domicile : Visionnement vidéo (GE_1 et GE_2) Discussions (GE_1)	3 mois ; 4 rencontres	Projet de recherche ; mères ayant un attachement insécurisant selon AAI	7 mois	Quasi expérimental avec répartition aléatoire ; GE_1 = 10 GE_2 = 10 GC = 10	Sensibilité maternelle (13 mois) ; $GE_1 = GE_2 > GC$	n/d	Situation étrangère (13 mois) $GE_1 = GE_2 = GC$
Barnard *et al.* (1988)	Soutien social à la mère	Visites à domicile	18 mois ; fréquence non mentionnée	Services existants ; faible soutien social	2e trimestre de la grossesse	Quasi expérimental avec répartition aléatoire ; GE : 68/54 GC : 79/41	Sensibilité maternelle (âge non précisé) ; GE > GC	Échelles de développement de Bayley (2 ans) ; GE = GC	Situation étrangère (13 mois) GE = GC = 45 % B

Barnett *et al.* (1987)	Soutien à la mère et psychothérapie GE_1 : professionnel GE_2 : non professionnel	Visites à domicile	12 mois ; fréquence non mentionnée	Projet de recherche ; mères anxieuses	Naissance	Quasi expérimental avec répartition aléatoire ; $GE_1 = 30$ $GE_2 = 30$ $GC = 30$	Anxiété maternelle (12 mois) ; $GE_1 < GE_2 = GC$	n/d	Situation étrangère (12 mois) $GE_1 = 59$ % B $GE_2 = 71$ % B $GC = 74$ % B non significatif
Beckwith (1988)	Éducation	Visites à domicile	13 mois ; régulièrement	Projet de recherche ; faible SSE, enfant prématuré	Quelques jours	Plan quasi expérimental à deux groupes indépendants avec répartition aléatoire ; GE = 37/35 GC = 55/35	Interaction et attitudes maternelles (1 et 9 mois) ; GE > GC sur engagement de la mère et niveau de réciprocité (13 mois) ; GE > GC sur évaluation et attente face à l'enfant	Motivation enfant (13 mois) ; GE = GC Échelles de développement de Bailey (13 mois) ; GE = GC Jeu symbolique (20 mois) ; GE > GC	Situation étrangère (13 mois) GE = GC = 51 % B (20 mois) GE = GC
Brinich, Drotar et Brinich (1989)	Soutien social et éducation GE1 : organisation familiale GE2 : comportement parental	Visites à domicile	12 mois ; hebdomadaire	Projet de recherche ; faible SSE, enfant ayant un retard de croissance anorganique	Entre 1 à 9 mois	Plan quasi expérimental à trois groupes indépendants et répartition aléatoire ; $GE_1 = 19$ $GE_2 = 20$ $GC = 20$	n/d	Résilience (42 mois) ; GE = GC Statut physique (42 mois) ; GE = GC	Situation étrangère (42 mois) $GE_1 = 53$ % B $GE_2 = 55$ % B $GC = 45$ % B non significatif

PROGRAMMES DESTINÉS À PRÉVENIR LES PROBLÈMES D'ATTACHEMENT À LA PETITE ENFANCE (*suite*)

Auteurs (année)	Nature du programme	Composantes	Durée de l'intervention ; intensité	Contexte de réalisation ; clientèle visée	Âge des enfants au début de l'intervention	Protocole de recherche ; taille de l'échantillon initial/suivi*	Variables proximales (âge des enfants) ; résultats	Variables distales (âge des enfants) ; résultats	Instrument d'évaluation de l'attachement (âge des enfants) ; résultats
Erickson, Korfmacher et Egeland (1992)	Psychothérapie mère-enfant (non professionnel)	Visites à domicile, rencontre de groupe	18 mois ; aux deux semaines	Projet de recherche ; familles à risques multiples	2e trimestre de la grossesse (visites) Naissance (rencontres)	Quasi expérimental avec répartition aléatoire ; GE = 74 GT = 80	s/o	n/d	Situation étrangère (13 mois) GE = 47 % B GT = 67 % B significatif (19 mois) GE = 47 % B GT = 48 % B non significatif
Lambermon et van Ijzendoorn (1989)	Éducation	GE_1 : visionnement de vidéos GE_2 : lecture de brochures	1 mois ; hebdomadaire	Projet de recherche ; faible soutien social	3 mois	Quasi expérimental sans GT, avec répartition aléatoire GE_1 = 17 GE_2 = 18	Engagement sensible (6-8 sem. – 13-16 sem.) ; $GE_1 < GE_2$ Interaction non harmonieuse (6-8 sem. – 13-16 sem.) ; $GE_1 = GE_2$	n/d	Situation étrangère (15 mois) GE_1 = 50 % B GE_2 = 38 % B non significatif
Jacobson et Frye (1991)	Soutien social à la mère (paraprofessionnel)	Visites à domicile	15 mois ; hebdomadaire à mensuelle (médiane : 30 visites)	Projet de recherche ; faible SSE	3e trimestre de la grossesse	Quasi expérimental avec répartition aléatoire ; GE = 23 GT = 23	n/d	n/d	Tri de carte : 4 indicateurs (14 mois) GE > GT sur 3 indicateurs ; d = 0,70 – 0,99

Kliman et Zelman (1996)	Psychothérapie structurée avec l'enfant	Complétion d'un cahier	30 semaines ; hebdo-madaire	Projet de recherche ; enfants en famille d'accueil	5-11 ans	Quasi expé-rimental avec GT pairé mais non aléatoire ; GE = 8 GT = 8	n/d	Changement de famille d'accueil ; GE = 1 enfant GT = 5 enfants	n/d
Krupka (1995)	Stimulation mère-enfant	Visites à domicile : feedback à partir de vidéos	12 à 16 visites	Projet de thèse ; mères adolescentes	6 mois	Quasi expérimental GE = 20 GT = ?	n/d	n/d	Situation étrangère (12 mois) GE = 68 % B GT = 35 % B
Lieberman, Weston et Pawl (1991)	Psycho-thérapie parent-enfant	Visites à domicile	12 mois ; hebdo-madaire	Projet de recherche ; immigrants d'origine mexicaine, enfant anxieux	12 mois	Plan quasi expé-rimental à trois groupes indé-pendants (GT_1 = anxieux, GT_2 = sécurisé) avec répartition aléatoire des anxieux ; GE = 34/29 GT_1 = 25/23 GT_2 = 34/30	Attitudes de la mère (12, 18, 24 mois) ; GE = GT_1 Comportement de la mère (24 mois) ; GE > GT_1 sur empathie et initiation de l'interaction	Colère, évitement et résistance (24 mois) ; GE < GT_1 Association (24 mois) ; GE < GT_1	Tri de carte (42 mois) GE = GC_1 = GC_2
Lyons-Ruth *et al.* (1990)	Soutien social à la mère : professionnel (A) ou para-professionnel (B)	Visites à domicile ; rencontres de groupe	9 à 18 mois ; visites hebdo-madaires ; rencontres de groupe hebdo-madaires (A) ou men-suelles (B)	Services communau-taires existants ; familles à risques multiples	0-9 mois	Quasi expé-rimental avec 2 GT non aléatoire ; GE = 31 GT_1 = 35 (communauté) GT_2 = 10 (à haut risque)	Engagement maternel et hostilité-intrusion (18 mois) ; GE = GC_1 = GC_2	n/d	Situation étrangère (18 mois) GE = 29 % D/I et 32 % B GT_1 = 28 % D/I et 41 % B GT_2 = 60 % D/I et 10 % B

PROGRAMMES DESTINÉS À PRÉVENIR LES PROBLÈMES D'ATTACHEMENT À LA PETITE ENFANCE (*suite*)

Auteurs (année)	Nature du programme	Composantes	Durée de l'intervention; intensité	Contexte de réalisation; clientèle visée	Âge des enfants au début de l'intervention	Protocole de recherche; taille de l'échantillon initial/suivi*	Variables proximales (âge des enfants); résultats	Variables distales (âge des enfants); résultats	Instrument d'évaluation de l'attachement (âge des enfants); résultats
Moran et Pederson (2000)	Stimulation mère-enfant	Visites à domicile : feedback à partir de vidéos	8 visites	Projet de recherche ; mères adolescentes	6 mois	Quasi expérimental avec répartition aléatoire ; GE = 50 GC = 50	Sensibilité maternelle (12 mois) ; GE = GC	n/d	Situation étrangère (12 mois) GE = 53 % B GC = 42 % B non significatif
Van den Boom (1990, 1994,1995)	Stimulation parent-enfant	Visites à domicile	9 semaines ; aux trois semaines	Projet de recherche ; familles de faible SSE avec enfant irritable	6 mois	Plan quasi expérimental à quatre groupes indépendants et répartition aléatoire ; GE_1 sans prétest, GE_2 avec prétest, GT_1 sans prétest et GT_2 avec prétest, GE_1 = 25, GE_2= 25 /43 GT_1 = 25, GT_2 =25 /39	*Mère* Stress (9 mois) ; GE = GC Stimulation, attention visuelle et contrôle (9 mois) ; GE > GC Acceptation, accessibilité, coopération (18 mois) ; GE > GC Sensibilité (9 et 18 mois) ; GE > GC *Enfant* Comportement social, sentiment d'assurance, exploration (9 mois) ; GE > GC *Interaction mère-enfant* (9 mois) ; GE > GC sur qualité de l'interaction	*Mère* Sensibilité de la mère (24 et 42 mois) ; GE > GC *Enfant* Coopération avec les pairs (42 mois) ; GE > GC	Situation étrangère (12 mois) GE = 62 % B GT = 22 % B Situation étrangère (18 mois) GE = 72 % B GT = 26 % B

* Lorsqu'un seul *n* est rapporté, il s'agit de la taille de l'échantillon au moment de la plus récente évaluation de l'attachement.

CHAPITRE 9

LA PRÉVENTION DES PROBLÈMES D'ADAPTATION CHEZ LES JEUNES DE FAMILLES SÉPARÉES OU RECOMPOSÉES

Marie-Christine Saint-Jacques
Université Laval
Sylvie Drapeau
Université Laval
Richard Cloutier
Université Laval

Résumé

Ce chapitre traite des problèmes d'adaptation pouvant se manifester chez les jeunes vivant des transitions familiales survenant à la suite de la séparation de leurs parents. La première partie introduit la question des transitions familiales et de leur prévalence. La seconde est consacrée à l'examen des conséquences les mieux connues de la séparation parentale et de la recomposition familiale sur l'adaptation psychosociale des enfants et des adolescents. La troisième et dernière partie traite des programmes d'intervention visant à prévenir les risques d'inadaptation psychosociale chez ces jeunes. En conclusion, les auteurs abordent certaines limites des programmes d'intervention actuels et proposent quelques voies pouvant être empruntées afin d'améliorer les pratiques auprès des enfants et des adolescents qui vivent des transitions familiales.

LES TRANSITIONS FAMILIALES

La famille est une cellule sociale qui comporte au moins une relation parent-enfant. La présence du lien intergénérationnel est ainsi une caractéristique essentielle de la notion de famille. Même si la rupture des parents est généralement la résultante de problèmes conjugaux, la transition qui s'ensuit concerne directement l'enfant parce que son développement pourra en être affecté profondément. La famille est, en effet, son premier milieu de vie et le contexte d'émergence des attachements et des prototypes relationnels les plus influents pour son adaptation future (Belsky, 1981 ; Bronfenbrenner, 1979 ; Cloutier, 1985).

Le cycle habituel de la vie d'une famille comporte différentes étapes et le passage d'une étape à l'autre impose des changements dans les modes de fonctionnement pour ses membres (Beaudoin *et al.*, 1997 ; Cloutier et Renaud, 1990 ; Duval, 1957). Par exemple, l'entrée du petit à la garderie impose de nouvelles tâches à l'enfant et exige un remaniement de certains rôles parentaux afin d'assurer l'accompagnement de l'enfant et l'adaptation à l'interaction famille-garderie. La remise en question des zones de contrôle entre les parents et le jeune à l'adolescence est un autre exemple de transition prévisible dans le cycle de vie familiale, transition marquée notamment par la prise de conscience des nouveaux besoins du jeune, par l'identification de nouvelles responsabilités mutuelles, etc. (Claes, 1999). Enfin, le départ du jeune qui va vivre en appartement constitue une autre illustration des changements qui surviennent dans le cycle typique de l'évolution d'une famille. Ces étapes normales sont souvent appelées « transitions développementales » ou « transitions normatives » parce qu'elles font partie du cycle de la vie familiale. Le rythme de progression d'une étape à l'autre et l'ampleur des ajustements requis pourront varier selon les familles, mais ces transitions ont en commun le fait d'être prévisibles et de faire partie de l'évolution normale des choses (Beaudoin *et al.*, 1997).

Par ailleurs, d'autres événements pourront venir influencer la trajectoire familiale : un décès, l'émigration dans un autre pays, l'apparition d'une maladie chronique chez un des membres de la famille ou le placement d'un enfant en vertu de la *Loi sur la protection de la jeunesse*. Ces transitions, souvent qualifiées de « non normatives », ont en commun le fait de ne pas être inscrites dans le cycle habituel de la vie familiale, de ne pas être attendues et d'être provoquées par un événement qui déstabilise le fonctionnement du système familial. Ce dernier doit alors se trouver un nouvel équilibre, un nouveau paradigme de fonctionnement. Plusieurs facteurs viendront influencer ce processus d'équilibration, certains favorisant l'adaptation, d'autres augmentant les risques d'inadaptation. Les transitions conséquentes à la séparation des parents font partie des transitions familiales dites « non normatives ».

LA PRÉVALENCE DES TYPES DE FAMILLES

Les profils familiaux affichent une diversité plus grande que jamais (Conseil de la famille et de l'enfance, 1999). Ainsi, la proportion d'enfants ayant connu la séparation de leurs parents varie d'une région du pays à l'autre et la prévalence est généralement plus élevée en milieu plus urbanisé. Par ailleurs, différents facteurs influencent cette probabilité. Le type d'union des parents constitue un facteur particulièrement puissant : en 1993, au Canada, les enfants vivant avec deux parents en union libre représentaient 13 % de tous les enfants canadiens âgés entre 0 et 11 ans, comparativement à 84 % dont les parents étaient mariés. Or, lorsque l'on ne considère que les enfants de familles séparées au pays, les enfants d'unions libres représentaient 34 % de l'ensemble des enfants âgés entre 0 et 11 ans, ce qui témoigne d'un risque nettement plus grand de séparation pour les couples vivant en union de fait (Marcil-Gratton et Le Bourdais, 1999).

L'examen de la répartition des familles québécoises comprenant au moins un enfant de moins de 18 ans fait ressortir que 73,6 % de ces familles sont biparentales intactes, que 17,8 % sont monoparentales et que 8,9 % sont des familles recomposées (Conseil de la famille et de l'enfance, 1999). Le tableau 1 fournit la répartition des arrangements de garde des élèves du secondaire au Québec à partir de l'échantillon des 4 213 élèves du secondaire qui ont participé à l'Enquête québécoise sur le tabagisme publiée en 1999. Ces données concernent des adolescents et, par conséquent, elles présentent un taux de séparation parentale plus élevé que celui que l'on retrouverait chez des enfants plus jeunes puisque, avec le temps, la probabilité qu'une séparation survienne augmente.

Tableau 1
RÉPARTITION DES ÉLÈVES QUÉBÉCOIS DU SECONDAIRE SELON LEUR MILIEU DE VIE (N = 4213)

Milieu de vie	
Famille biparentale intacte	70,3 %
Famille recomposée	11,1 %
Famille monoparentale	10,4 %
Garde partagée	6,5 %
Autres	1,7 %
Total	100 %

Source : Institut de la statistique du Québec (1998). Enquête québécoise sur le tabagisme des élèves du secondaire. Collection Santé et Bien-Être. Québec, Les Publications du Québec.

Par ailleurs, d'une décennie à l'autre, la situation évolue considérablement. Ainsi, Marcil-Gratton et Le Bourdais (1999) rapportent que pour les enfants nés au début des années 1960, il faut attendre l'âge de 20 ans pour obtenir un taux de prévalence de 25 % de jeunes issus de familles séparées[1] alors que pour les enfants nés 10 ans plus tard, cette même proportion est atteinte à l'âge de 15 ans et pour ceux nés 20 ans plus tard, elle est atteinte dès l'âge de 10 ans. Les auteures estiment que cette tendance ne se résorbera pas dans un proche avenir, compte tenu notamment de l'accroissement des unions libres et du risque plus élevé de séparation qui y est associé.

Pour l'enfant, la séparation des parents n'est pas un événement isolé, mais l'amorce d'une nouvelle trajectoire vraisemblablement marquée d'une série de réorganisations possibles de sa famille. Si la longévité d'une famille monoparentale est très variable, Marcil-Gratton (2000) rappelle que, deux à trois ans après la rupture, 45 % des enfants suivis dans l'Enquête longitudinale nationale sur les jeunes ont vu leur père ou leur mère former une nouvelle union ; cette proportion atteint 85 % 10 ans après la séparation.

Devant les tendances relevées précédemment, la nécessité d'inscrire l'étude des transitions familiales dans une perspective temporelle ne fait plus de doute. Mais quelles sont donc les conséquences connues des réorganisations familiales sur l'adaptation des enfants et des adolescents qui se développent ?

LE RISQUE D'APPAUVRISSEMENT DU SYSTÈME FAMILIAL

Pour la grande majorité des familles, la séparation des parents provoquera une crise en raison du stress dont elle est porteuse pour les membres. Cette transition remet en question les liens d'attachement les plus importants et les rôles les plus significatifs pour les membres. Au-delà de la rupture conjugale, c'est tout le système familial qui est ébranlé dans ses bases relationnelles, économiques et sociales. La transition vient remettre en question des relations parentales (entre parents et enfants), fraternelles (entre frères et sœurs) et coparentales (relation de collaboration entre les parents dans leurs tâches parentales auprès de leurs enfants communs ; Cloutier, 1998 ; Drapeau *et al.*, 2000).

Après une période d'environ deux ans, les membres s'adapteront à la vie en famille monoparentale dans la mesure où les facteurs de stress auront diminué (Hetherington, Stanley-Hagan et Anderson, 1989). Une petite proportion de familles vivront cette transition de façon relativemet harmonieuse, mais ce n'est certainement pas le lot de la majorité (Amato, 1999 ; Amato et Keith, 1991 ; Emery, 1999). La séparation de la cellule familiale

1. Ce sous-groupe inclut les jeunes nés de mère seule.

entraîne généralement un appauvrissement du système sur le plan économique puisque, avec les mêmes revenus, il faut maintenant assumer aux dépenses reliées à deux foyers différents ; l'appauvrissement se fait aussi sentir sur les plans relationnel et social. Sur le plan relationnel, les conflits entourant la rupture n'affectent pas seulement la relation conjugale, mais aussi tout le climat familial. De plus, le stress vécu par les parents diminue leur capacité de bien exercer leurs rôles parentaux et augmente la tension dans les rapports avec les enfants (Avenevoli, Sessa et Steinberg, 1999 ; Lemieux et Cloutier, 1994). Sur le plan social, la séparation favorise l'isolement de la cellule familiale et, avec le départ d'un parent, typiquement le père, c'est tout un pan du réseau social familial qui s'en va. Si l'appauvrissement (matériel, relationnel et social) constitue un premier danger pour la famille qui se sépare, les conflits en constituent un autre. En effet, si bien souvent la rupture conjugale représente une solution adoptée pour mettre un terme à une union devenue insoutenable, cette rupture ne met pas nécessairement fin aux conflits auxquels on voulait échapper. Ainsi, les déchirements peuvent demeurer actifs pendant la transition et longtemps après. Pour l'enfant, une des conséquences directes des conflits entourant la séparation de ses parents est la détérioration du climat de son premier milieu de vie et un appauvrissement supplémentaire de sa famille puisque les ressources que ses parents sacrifient pour se battre ne peuvent servir à répondre à ses besoins. C'est en raison de leur puissant impact potentiel que ces deux facteurs de risque majeurs (appauvrissement et conflits) sont souvent la cible des interventions destinées à protéger l'enfant dont la famille se sépare (Emery, Kitzmann et Waldon, 1999 ; Lemieux et Cloutier, 1995).

LES CONSÉQUENCES TYPIQUES DE LA SÉPARATION SUR L'ADAPTATION DES ENFANTS[2]

L'impact systémique des changements familiaux sur l'enfant variera de façon considérable parce qu'une foule de variables interagissent pour en moduler la force. Plus loin, lors de notre examen des facteurs associés à l'adaptation psychosociale, la complexité des interactions en jeu apparaîtra de façon plus explicite. Auparavant, nous brosserons un tableau de certains des effets les mieux documentés de la séparation parentale sur la trajectoire de l'enfant.

Peu importe la structure familiale dans laquelle vit un jeune, on remarque que, dans l'ensemble de la population, une certaine proportion des enfants et des adolescents présentent des problèmes d'adaptation. Par exemple, Cloutier *et al.* (1994) observent qu'environ 15 % des élèves du

2. Comme la transition associée à la recomposition familiale comporte une dynamique particulière, elle sera traitée de manière distincte.

secondaire vivent des difficultés significatives et que 3 % ont des problèmes très sérieux à l'adolescence. Les observations concordent sur le fait que les enfants de familles séparées affichent significativement plus de problèmes d'adaptation que leurs pairs issus de familles biparentales intactes mais il y a des divergences sur l'ampleur des effets. Hetherington, Bridge et Insabella (1998) parlent d'un risque deux fois plus élevé, c'est-à-dire que de 20 à 25 % des enfants de familles séparées vivraient des difficultés comparativement à environ 10 % chez ceux de familles biparentales intactes. Il importe de souligner ici que trois enfants sur quatre ayant vécu la séparation de leurs parents n'éprouveront aucun problème d'adaptation. Par ailleurs, dans la comparaison de l'adaptation de ces deux groupes d'enfants, il faut noter que les jeunes dont les parents vont éventuellement se séparer affichaient, avant la séparation, une plus faible adaptation que leurs pairs dont la famille n'évoluera pas vers la séparation. De plus, la qualité moindre du fonctionnement des familles qui se sépareront affecte l'enfant avant même que la séparation ne se produise (Amato et Booth, 1996). Donc, le risque deux fois plus élevé d'inadaptation ne serait pas entièrement attribuable à la transition comme telle.

Au cours des années 1980-1990, bon nombre de travaux ont observé que les garçons réagissent de façon extériorisée à la séparation de leurs parents (impulsivité, agressivité, hyperactivité, etc.) tandis que les filles manifesteraient leurs difficultés de manièr intériorisée (perte d'estime de soi, anxiété, dépression, etc.). Cependant, on a observé plus récemment que cet effet de genre est moins prononcé qu'on ne l'avait cru auparavant (Clarke-Stewart et Hayward, 1996 ; Hetherington *et al.*, 1998). L'évolution des pratiques en matière de garde et de coparentalité y serait peut-être pour quelque chose, notamment en ce qui a trait à un engagement plus actif du père, ce à quoi les garçons seraient sensibles.

L'âge de l'enfant au moment de la séparation est considéré comme un facteur pouvant moduler de manière importante l'impact de cette transition. Hetherington (1989) suggère que les plus jeunes seraient moins en mesure de comprendre la transition familiale, de départager les causes et les responsabilités de chacun, de contrôler leur anxiété et de mobiliser des ressources extrafamiliales pour s'adapter. Les plus jeunes ont tendance à se sentir responsables de la séparation et ils ont peur d'être abandonnés : « Si mes parents peuvent se quitter, ils peuvent me quitter aussi... »

La personnalité et le tempérament de l'enfant jouent aussi un rôle sur les effets de la séparation en contribuant à en estomper ou à en aggraver les séquelles : un enfant avec un tempérament facile, qui est mature et autonome pour son âge, sera en bien meilleure posture pour faire face au stress familial que celui qui a un tempérament difficile et des problèmes de comportement. Non seulement ce dernier irritera-t-il ses parents déjà stressés, mais il aura plus de mal que les autres à se mobiliser pour relever ses défis et à obtenir du soutien de son réseau social (Elder, Caspi et Van Nguyen, 1992).

Les caractéristiques de l'enfant entrent donc en interaction avec celles du milieu familial ; il s'agit en fait de variables modératrices de l'effet de la transition familiale. D'autres variables peuvent jouer un rôle médiateur. Il en est ainsi, par exemple, pour les changements comportementaux des parents qui constituent un facteur intermédiaire (c'est-à-dire médiateur) entre la séparation et ce qui arrive à l'enfant dans ce contexte. Avenevoli *et al.* (1999) rapportent de leur examen des écrits sur la question que les chefs de familles monoparentales affirment moins activement leur autorité sur leur adolescent et qu'ils sont plus permissifs et plus négligents, de sorte que leur rôle de supervision parentale est diminué, surtout en ce qui a trait au contrôle parental du jeune. Le fait d'avoir des soucis conjugaux et matériels, d'être constamment en charge de la maisonnée et d'avoir à répondre seul(e) aux besoins qui s'y présentent restreint la capacité d'assurer la supervision du jeune (Cloutier, Drolet et Dubé, 1992). Ce désengagement parental a pour conséquence d'augmenter la probabilité que le jeune réussisse moins bien à l'école, qu'il s'implique dans un groupe déviant et commette des délits, qu'il ait une faible estime de lui-même et vive de la détresse psychologique. Même si la majorité d'entre eux témoignent d'une bonne adaptation, les jeunes issus de familles réorganisées courent deux fois plus de risques de se trouver parmi ceux et celles qui abandonnent l'école, vivent une grossesse adolescente, fuguent, consomment de la drogue, affichent des problèmes de comportement sérieux, ou sont sans emploi (Cloutier *et al.*, 1994a ; 1994b ; Hetherington, 1999 ; McLanahan, 1999)[3]. Ces problèmes sont reliés à l'affaiblissement des rôles parentaux : les jeunes sont plus laissés à eux-mêmes et la fonction protectrice des parents se manifeste moins activement que dans les familles biparentales intactes. Évidemment, l'absence du père et de son soutien affectif, économique, social et instrumental n'est pas étrangère à cela, notamment pour les garçons vivant avec leur mère (McLanahan, 1999). Lorsque les cas où les parents réussissent à protéger la qualité de leur supervision et de leur soutien, le risque d'inadaptation du jeune diminue parce que la compétence parentale protège des risques associés à la séparation.

Amato (1999) s'est employé à évaluer dans quelle mesure les effets de la séparation sont durables. Sa recherche indique que les conséquences à

3. Certaines de ces observations sont basées sur des études transversales qui ne permettent pas de contrôler les conditions prévalant avant la séparation. D'autres s'appuient sur des devis longitudinaux permettant de contrôler ces conditions. Notons, toutefois, qu'il ne s'agit pas toujours de contrôler les caractéristiques des individus, mais parfois celles de leur environnement. Par exemple, dans le cas de l'abandon scolaire, la chercheuse a contrôlé les variables couramment associées à ce problème, comme le niveau de scolarité des parents (McLanahan, 1999).

long terme des transitions sont complexes, que la plupart des enfants concernés réussissent bien leur vie adulte et que les effets des transitions sont modestes même s'ils sont constants et significatifs. La distribution globale des scores d'adaptation des jeunes issus de familles réorganisées est en fort chevauchement avec celle des jeunes issus de familles intactes : il faut signaler que l'appartenance à ce dernier groupe ne garantit pas l'adaptation, de même que l'appartenance au premier groupe ne conduit pas nécessairement à l'inadaptation.

Cela étant dit, la recherche démontre que, comparativement aux jeunes de familles biparentales intactes, ceux qui sont issus de familles réorganisées[4] arrivent dans la vie adulte avec une scolarité moindre, gagnent moins d'argent, possèdent moins de biens personnels, sont plus sujets à se séparer, ressentent moins d'affection pour leurs parents (spécialement leur père), ont moins d'échanges de services avec leur père et ont un sentiment de bien-être personnel moindre (Amato, 1999). Ces observations démontrent clairement que la séparation des parents n'est pas un événement stressant isolé auquel doit faire face l'enfant, mais plutôt une trajectoire durable comportant des risques plus élevés d'inadaptation et au cours de laquelle tout facteur de protection peut changer bien des choses.

IMPACT DE LA RECOMPOSITION FAMILIALE SUR L'ADAPTATION DES ENFANTS ET DES ADOLESCENTS

Bien qu'il existe une certaine controverse concernant l'impact de la recomposition familiale sur l'adaptation des jeunes (Acock et Demo, 1994 ; Noller et Callan, 1991 ; Silitsky, 1996 ; Amato et Keith, 1991 ; Haurin, 1992 ; Zill et Schoenborn, 1990), les résultats obtenus ces dernières années convergent de plus en plus. Il est ainsi permis d'avancer que, si la majorité des jeunes de familles recomposées fonctionnent normalement, leur adaptation est généralement plus faible que celle des jeunes de familles biparentales intactes (Bray, 1988 ; Ganong et Coleman, 1993 ; Jeynes, 1999 ; Sokol-Katz, Dunham et Zimmerman, 1997), sans pour autant pouvoir être qualifié de problématique ou de pathologique (Bray, 1999 ; Saint-Jacques, 2000). Il n'en demeure pas moins qu'environ 20 % des enfants vivant en famille recomposée éprouvent des problèmes de comportement à un niveau clinique comparativement à 10 % des enfants de familles intactes (Bray, 1999). Afin de comprendre le risque dont la recomposition semble porteuse, de nombreux chercheurs ont d'abord adopté une perspective comparative, inscrivant ainsi leurs travaux dans la tradition du *family*

---

4. Le concept de « familles réorganisées » renvoie ici aux différents arrangements familiaux qui peuvent prendre place après la séparation des parents, soit, la vie au sein d'une famille monoparentale ou recomposée.

deficit model (Marotz-Baden *et al.*, 1979). Devant le peu de variance que permettait généralement d'expliquer, à elle seule, la variable structure familiale, plusieurs chercheurs se sont intéressés aux processus familiaux permettant d'expliquer ces différences (Acock et Demo, 1994 ; Henry et Lovelace, 1995 ; McFarlane, Bellissimo et Norman, 1995 ; Steinberg *et al.*, 1991).

Par ailleurs, un examen des modes de fonctionnement des familles recomposées permet de constater que la recomposition n'est pas une réalité homogène (Martin, 1997 ; Saint-Jacques, 2000). Par exemple, certains jeunes n'ont aucun contact avec leur parent non gardien, alors que d'autres circulent entre les maisonnées de leurs parents d'origine presque sans contraintes. Certains beaux-parents jouent un rôle de parent auprès du jeune alors que d'autres s'en tiennent à leur statut de conjoint. Dans certaines familles recomposées, le jeune appréciera les soins et l'attention que lui fournit le beau-parent, alors que dans d'autres il sera tout à fait rebelle ou réfractaire à l'égard de ce type de comportement. Pour certains jeunes, le beau-père est la première figure paternelle de leur vie, alors que d'autres ont connu de multiples recompositions. Ces exemples laissent entrevoir toute la diversité de la vie en famille recomposée, conséquence probable de son institutionnalisation plus faible (argument présenté pour la première fois par Cherlin, en 1978, et repris dans une majorité d'articles traitant de la recomposition familiale depuis ce temps) se traduisant par une absence de normes et de modèles bien définis en ce qui concerne les rôles et les relations des membres de ces familles. Enfin, avant de traiter spécifiquement des impacts de la recomposition familiale sur l'adaptation des enfants et des adolescents, il importe de rappeler que cette transition familiale ne vient pas effacer celles qui l'ont précédée, notamment la séparation des parents.

Un premier facteur associé à l'adaptation des enfants à une situation de recomposition est l'impact du temps écoulé depuis le début de la recomposition. Bien qu'a priori on soit porté à penser que le temps arrange les choses, les résultats disponibles sur cette question obligent à nuancer cette prémisse. Il ressort de certaines études que le temps écoulé n'a pas le même impact sur l'adaptation des jeunes selon le sexe de l'enfant ou du beau-parent (Clingempeel et Segal, 1986 ; Hetherington, 1990), alors que d'autres études n'observent aucune relation (Acock et Demo, 1994). Des travaux plus récents (Bray, 1999 ; Saint-Jacques, 2000) démontrent que ce n'est pas nécessairement au début de la recomposition que se manifestent le plus les difficultés d'adaptation, appuyant en cela une observation faite il y a plusieurs années par Hetherington *et al.* (1982), au sujet d'une réaction latente (*sleeper effect*) des jeunes vivant une recomposition familiale. Toutes ces données mises en commun permettent de formuler l'hypothèse que ce n'est pas nécessairement le temps écoulé qui a un impact sur l'adaptation mais plutôt le fait que les problèmes surgissent au moment où le jeune parvient à l'adolescence. Par ailleurs, d'autres travaux font ressortir que l'instabilité conjugale et la discontinuité dont sont porteuses certaines transitions familiales constituent des facteurs de risque spécifiques à la recomposition familiale (Anderson *et al.*, 1999 ; Cloutier *et al.*, 1997 ; Saint-Jacques, 2000).

Sur le plan personnel, le sexe et l'âge de l'enfant ont aussi fait l'objet d'investigations. En ce qui concerne le sexe des enfants, un certain nombre d'études viennent démontrer que les garçons ont moins de difficultés d'adaptation à une situation de recomposition que les filles (Amato et Keith, 1991 ; Bray, 1988 ; Hetherington, 1990 ; Hetherington, Cox et Cox, 1985 ; Mitchell, 1983 ; Zimiles et Lee, 1991). Cependant, d'autres études viennent contredire cette affirmation en signalant, notamment, que les garçons n'éprouvent pas moins de difficultés, mais qu'ils éprouvent des difficultés différentes (Baydar, 1988). Une récente étude de Mott, Kowaleski-Jones et Managhan (1997) permet de conclure que la présence d'un beau-père a un effet presque similaire sur l'adaptation des garçons et des filles, mais que cet effet est peut-être légèrement plus négatif pour les filles. Quant à l'âge des enfants, de nombreuses études font état de difficultés plus grandes éprouvées par les familles recomposées impliquant des adolescents (Amato et Keith, 1991 ; Bray, 1990 ; Clingempeel, Brand et Ievoli, 1987 ; Ganong et Coleman, 1994 ; Hobart, 1988 ; Kasen *et al.*, 1996 ; Saint-Jacques, 1995). Reste cependant à évaluer avec plus de certitude si ces difficultés sont ressenties par le jeune lui-même ou par les personnes qui l'entourent, si elles sont de l'ordre de la perception ou si elles se traduisent en difficultés d'adaptation observables et si elles sont attribuables à l'adolescence ou à la recomposition. Hines (1997) a réalisé une importante analyse des travaux portant sur les effets des transitions qui font suite au divorce des parents chez les adolescents. Elle remarque que les adolescents vivent différemment des plus jeunes cette transition. Par ailleurs, les adolescents qui profitent généralement d'une relation positive et saine avec les adultes, la fratrie et les pairs voient leur adaptation particulièrement affectée, positivement ou négativement, par la qualité des relations avec leurs parents tout comme avec leur beau-parent. Il apparaît que la vie en famille recomposée comporte une certaine quantité d'éléments potentiellement stressants auxquels s'ajoutent ceux typiquement associés à l'adolescence (Bray et Harvey, 1995 ; Collins, Newman et Mattenry, 1995), ce qui explique que les adolescents de familles recomposées vivent cette étape développementale avec plus de difficultés que les jeunes de familles biparentales intactes (Bray, 1999).

L'incertitude entourant la question de l'impact du temps, du genre et de l'âge sur l'adaptation des jeunes et le peu de variance que permet généralement d'expliquer, à elle seule, la variable structure familiale (Anderson *et al.*, 1999) a incité plusieurs chercheurs (Acock et Demo, 1994 ; Henry et

Lovelace, 1995 ; McFarlane *et al.*, 1995 ; Steinberg *et al.*, 1991) à mener leurs recherches du côté des processus familiaux, dont celui de la qualité des relations (qui s'améliorent ou se détériorent avec le temps) et des processus développementaux, particulièrement ceux associés à l'adolescence. Plusieurs travaux ont ainsi mis en lumière l'importance de certains éléments propres à la dynamique familiale dans l'adaptation des enfants à une situation de recomposition familiale. À cet effet, la cohésion familiale, l'engagement émotif (Bray, 1988 ; Pasley et Healow, 1988), la qualité de la communication avec le parent (Collins *et al.*, 1995), la qualité des rôles (fonctionnels ou dysfonctionnels), les pratiques parentales (Deater-Deckard et Dunn, 1999) et la gestion des conflits (Brown, Green et Druckman, 1990) seraient d'une grande importance. Ces deux derniers facteurs influent davantage sur les problèmes émotifs et comportementaux des enfants que les relations dysfonctionnelles pouvant exister avec la famille du parent non gardien, particulièrement lorsque la recomposition commence à dater (Bray, 1999). Aux facteurs associés à la dynamique familiale, il faut ajouter la qualité des relations dans la famille (Clingempeel et Segal, 1986). Cette qualité de relation serait elle-même influencée par le temps écoulé depuis le début de la recomposition (Clingempeel et Segal, 1986), par le sexe du beau-parent (Zill, 1988), par l'âge de l'enfant (Anderson, Hetherington et Clingempeel, 1989 ; Clingempeel *et al.*, 1984 ; Ganong et Coleman, 1987 ; Pink et Wampler, 1985), par le type de familles recomposées (Collins *et al.*, 1995) et par la qualité de la relation conjugale (Brand et Clingempeel, 1987). Il faut toutefois noter que si pour les garçons une relation conjugale positive entre leur parent et leur beau-parent a un impact positif sur leur adaptation, il n'en va pas de même pour les filles (Brand et Clingempeel, 1987 ; Hetherington, 1987).

Lors d'une recomposition familiale, les chercheurs constatent que la fréquence des contacts avec le parent non gardien a tendance à diminuer (Buehler et Ryan, 1994 ; Stewart, 1999). Par ailleurs, il est généralement admis que l'adaptation des enfants après le divorce des parents est liée à la qualité de la relation avec le parent non gardien (Hetherington et Stanley-Hagan, 1999) même si des recherches récentes indiquent que les jeunes qui ont eu moins ou pas de contacts avec leur parent non gardien n'ont pas plus de problèmes d'adaptation que ceux qui ont entretenu ces contacts (Amato et Booth, 1997 ; Spruijt et Iedema, 1998). Des chercheurs ont donc voulu connaître l'impact de cette relation sur l'adaptation psychologique des enfants lors d'une recomposition familiale (Bray et Berger, 1990 ; 1993). Leurs résultats montrent que la qualité de la relation entre les enfants et le père non gardien ne diffère pas selon la fréquence de leurs contacts. Ces résultats restent les mêmes jusqu'à sept ans après le remariage de la mère. Toutefois, les auteurs trouvent certaines associations intéressantes entre l'adaptation des enfants, la fréquence des contacts et les relations avec le père. Après six mois de remariage, plus de contacts et une meilleure relation entre les garçons et leur père non gardien sont liés significativement à moins de problèmes comportementaux mais à une plus pauvre estime de soi de ces jeunes. Après deux ans et demi de remariage, les filles qui ont plus de contacts et une meilleure relation avec leur père non gardien ont significativement moins de problèmes de comportement. Il n'y a cependant pas de relation entre la fréquence des contacts, la qualité des relations avec le père et l'estime de soi des filles. Après cinq et sept ans de remariage, les auteurs ne retrouvent pas de relations significatives entre les contacts, la relation avec le père non gardien et l'adaptation des enfants (garçons ou filles). Les résultats continuent néanmoins à montrer qu'il subsiste une tendance à ce que les garçons aient une moins bonne estime d'eux-mêmes et plus de problèmes de comportement lorsqu'il y a plus de contacts et une meilleure relation avec le père non gardien après deux ans et demi, cinq ans et sept ans de remariage. Selon Bray et Berger (1993), ces résultats soulignent l'importance de la relation qui existe entre les enfants et les parents non gardiens de même sexe.

Ces études, bien qu'elles soient parfois basées sur des devis longitudinaux, ne comportent pas de mesure de l'adaptation des jeunes avant la séparation de leurs parents. Ainsi, une partie des résultats observés après la transition s'explique probablement par les caractéristiques antérieures des jeunes. Il s'agit là d'une limite que les études du domaine devront tenter de surmonter afin de raffiner la compréhension des facteurs contribuant à l'adaptation des jeunes qui vivent des transitions familiales.

Toujours au chapitre des processus, plusieurs études mettent en lumière l'impact des conflits familiaux sur l'adaptation des jeunes (Anderson *et al.*, 1999 ; Bray, 1999 ; Kurdek et Sinclair, 1988 ; Nelson *et al.*, 1993). Plus une personne vit dans un milieu conflictuel, plus elle éprouve des difficultés d'adaptation (Nelson *et al.*, 1993), et ce, sans égard à la structure familiale. Par contre, les jeunes de familles recomposées sont considérés plus à risque d'être exposés aux conflits conjugaux puisqu'ils peuvent être témoins des conflits survenant entre le parent et le beau-parent de même qu'entre leurs parents biologiques (Hanson, McLanahan et Thomson, 1996). Anderson *et al.* (1999) ont tenu compte de nombreuses variables associées à l'adaptation des adolescents pour tenter d'expliquer les différences d'adaptation entre les jeunes de familles biparentales intactes et ceux de familles recomposées. Parmi ces facteurs mentionnons, entre autres, les événements stressants, la qualité des relations parents-enfant, les pratiques parentales, la qualité des relations conjugales et avec l'ex-conjoint, et la qualité des relations de fratrie, la négativité et le conflit dans la famille. L'ensemble de ces variables ont permis d'expliquer 53 % de la variance dans le niveau initial de problèmes de comportement extériorisés et 33 % de la variance dans le changement (étude longitudinale de 26 mois). La considération de toutes ces variables n'a pas suffi cependant à expliquer les différences persistantes que l'on observe entre les niveaux de comportements extériorisés des jeunes de familles biparentales intactes et recomposées. La clé semble être apparue au moment où les chercheurs ont choisi de distinguer les jeunes de familles recomposées qui ont vécu la séparation de leurs parents des autres (recomposition à la suite d'un veuvage ou lorsqu'un jeune est né dans une famille monoparentale). Le fait de contrôler cet aspect a éliminé dans les analyses toutes les différences qui subsistaient entre les niveaux de problèmes de comportement extériorisés des jeunes de familles recomposées et de familles biparentales intactes. Ces résultats supposent qu'une autre partie du risque se façonne durant la rupture conjugale, là où le jeune, exposé aux conflits conjugaux, réalise un surapprentissage de comportements négatifs et de mécanismes aversifs pour faire face au conflit.

Du côté des processus développementaux, on commence à poser l'hypothèse que les processus d'individuation et d'autonomie propres à l'adolescence contribuent aux difficultés d'adaptation supérieures que l'on observe chez les jeunes de familles recomposées (Bray, 1999). En effet, les processus d'individuation et d'autonomie transitent, entre autres, par les interactions que le jeune a avec ses parents. Au quotidien, les adolescents de familles recomposées ne peuvent être en relation avec leurs deux parents d'origine et il n'est pas rare que des jeunes n'aient que peu de contacts avec leur parent non gardien. Toutefois, le besoin d'interaction se manifestant, certains adolescents pourront choisir de transférer ce rapport sur le beau-parent pendant que d'autres rechercheront davantage la présence du parent non gardien.

Il va sans dire que l'adaptation à une situation familiale dépend aussi des perceptions et, plus largement, des représentations que l'on s'en fait. Par exemple, Fine, Donnelly et Voydanoff (1991) trouvent que la perception qu'ont les adolescents de leur vie familiale (perception de la qualité des relations avec leur mère et leur beau-père, perception du degré d'exercice des comportements punitifs, perception d'un consensus dans le couple au sujet de l'éducation des enfants, etc.) est associée à leur adaptation. Les travaux de Brown *et al.* (1990) ont par ailleurs démontré l'incidence plus grande des perceptions de l'enfant sur le fonctionnement de la famille, par rapport aux faits objectifs. Les auteurs en arrivent à la conclusion que le comportement initié par le beau-parent est moins important dans le fonctionnement de la famille que la réceptivité de l'enfant à ce comportement. Une étude de Grych, Seid et Fincham (1992) va aussi en ce sens en démontrant que l'adaptation des jeunes est plus fortement corrélée avec la perception qu'ils ont du conflit qui sévit entre leurs parents qu'avec celle qu'en ont leurs parents.

FACTEURS DE RISQUE, FACTEURS DE PROTECTION ET RÉSILIENCE

Si la grande diversité des réactions des enfants aux transitions familiales est difficile à expliquer, elle constitue néanmoins une preuve de la complexité du phénomène. Une étude poussée de l'ensemble des combinaisons entre les facteurs de risque et les facteurs de protection dépasse le cadre du présent chapitre et seule une illustration des interactions est visée ici. La notion de facteur de risque renvoie aux facteurs personnels ou environnementaux reliés à une probabilité plus élevée d'inadaptation psychosociale. Au contraire, la notion de facteur de protection renvoie aux facteurs personnels ou environnementaux reliés à une probabilité moins élevée d'inadaptation psychosociale chez les jeunes exposés à un facteur de risque ou de vulnérabilité. La notion de résilience, quant à elle, renvoie au maintien de compétences malgré un contexte de risques (Masten et Coatsworth, 1998). Il est en effet maintenant reconnu que les enfants résilients ne sont pas invulnérables au sens où ils ne seraient pas du tout atteints par l'adversité (Garmezy, 1993 ; Masten et Coatsworth, 1998). De plus, dans plusieurs recherches récentes, l'évaluation de diverses sphères de compétence a permis de constater la nature multidimensionnelle du concept. Une proportion relativement faible des enfants sont résilients dans toutes les sphères (Luthar, 1997).

Le tableau 2, basé sur une étude menée en Angleterre auprès d'un échantillon de 14 000 mères d'enfants de moins de 5 ans, fournit des exemples de facteurs associés à l'adaptation psychosociale de l'enfant en contexte de transition familiale (Deater-Deckard et Dunn, 1999). Chaque facteur ayant un effet positif voit son contraire définir un facteur ayant un effet négatif, mais il n'en est pas toujours ainsi et ces exemples sont loin d'épuiser toutes les possibilités. Si l'on tient compte du fait que le tableau 2 ne donne que quelques exemples de facteurs d'influence, que ceux-ci peuvent se combiner entre eux et se déployer de façon variable au cours de la vie de l'enfant, il devient apparent que la croissance des possibilités d'interactions est exponentielle. Deater-Deckard et Dunn (1999) observent que certains facteurs identifiés au tableau 2 diminuent les chances d'inadaptation des enfants en famille monoparentale et en famille recomposée. Toutefois, ces facteurs ayant aussi un impact positif sur l'inadaptation psychosociale des enfants de familles biparentales intactes (qui, à première vue, ne sont pas exposés à un risque), il est plus difficile de concevoir que ces variables sont des facteurs de protection comme l'affirment ces chercheurs. En effet, un facteur de protection ne peut, par définition, se manifester qu'en présence d'un risque. En dehors de ce contexte, on parlera plutôt d'un facteur ayant un effet principal significatif s'il exerce un effet bénéfique pour tout le monde sans avoir d'interaction avec un facteur de risque. D'autres études sur le positionnement de ces variables par rapport à l'adaptation psychosociale seront nécessaires avant de conclure qu'elles modèrent ou accentuent l'effet du risque que constituent les transitions familiales dans la trajectoire d'un jeune.

Tableau 2
EXEMPLES DE FACTEURS PROPRES À L'ENFANT, À SES PARENTS ET À LA COMMUNAUTÉ ASSOCIÉS À L'ADAPTATION PSYCHOSOCIALE DES JEUNES VIVANT DES TRANSITIONS FAMILIALES*

Facteurs négatifs	Facteurs positifs
Facteurs associés à l'enfant	
• Genre masculin	• Genre féminin
• Tempérament difficile	• Tempérament facile
• Intelligence faible	• Intelligence élevée
• Problèmes de comportement	• Comportement bien contrôlé
• Santé physique fragile	• Bonne santé physique
Facteurs associés aux parents	
• Attitude négative face à l'enfant	• Attitude positive face à l'enfant
• Dépression	• Absence de symptômes dépressifs
• Recours aux châtiments physiques	• Pas de châtiments physiques
• Faible estime de soi	• Estime de soi élevée
• Situation de stress psychologique	• Pas de stress psychologique
Facteurs associés à l'environnement communautaire	
• Milieu défavorisé	• Milieu favorisé
• Relations difficiles avec les voisins	• Bonnes relations avec le voisinage
• Peu de ressources communautaires	• Ressources communautaires disponibles
• Milieu scolaire de faible qualité	• Milieu scolaire de bonne qualité
• Quartier violent et peu sécuritaire	• Taux de violence faible dans le quartier et environnement sécuritaire

* Ce tableau est inspiré de Deater-Deckard et Dunn (1999), tableau 3.1, page 54.

Dans la troisième et dernière partie de ce chapitre, il sera question des programmes de prévention s'adressant aux enfants et aux adolescents qui vivent des transitions familiales ; l'accent sera mis sur les programmes de prévention relatifs à la séparation parentale, puisqu'il s'agit d'un domaine où les programmes sont nombreux et dont les effets ont été évalués. Ensuite, nous examinerons, plus rapidement, les programmes destinés aux jeunes de familles recomposées, champ où tout reste à faire.

INTERVENTION PRÉVENTIVE AUPRÈS DES ENFANTS DE FAMILLES SÉPARÉES OU RECOMPOSÉES

Les interventions auprès des enfants et des adolescents de parents séparés prennent généralement la forme de programmes de prévention ciblés de nature sélective ; ils s'adressent en effet aux jeunes ayant vécu une transition familiale durant les dernières années, mais n'affichant pas nécessairement de problèmes importants d'adaptation. La perspective cognitivo-comportementale sert habituellement d'assise à ces interventions. En ce sens, une grande attention est accordée à la compréhension des causes de la rupture (p. ex., l'enfant qui s'attribue le blâme de la séparation) ainsi qu'aux réactions et émotions qui découlent du processus de transition familiale. L'acquisition d'habiletés cognitives et comportementales permettant de mieux vivre la transition est également au cœur de ces programmes.

La volonté de normaliser l'expérience des enfants et de briser leur isolement a amené les auteurs à privilégier des interventions en petit groupe, misant ainsi sur le soutien entre les pairs ayant vécu une expérience similaire (Emery, Kitzmann et Waldron, 1999 ; Kalter, 1998 ; Pedro-Carroll, 1997 ; Stolberg et Cullen, 1983). Ces interventions se déroulent durant un nombre limité de sessions (6 à 16 environ) et habituellement en milieu scolaire, contexte naturel pour l'enfant. Les actions ciblent des groupes d'âge assez homogène. En revanche, les caractéristiques du contexte familial des enfants sont variées (temps écoulé depuis la rupture, conflits entre les ex-conjoints, modalités de garde, recomposition familiale, etc.).

La recension de la documentation montre la diversité des interventions préventives s'adressant aux jeunes de parents séparés. Cependant, trois programmes sont plus connus et ont fait l'objet de plusieurs évaluations. Il s'agit du Children Support Group Model (Stolberg et Garrison, 1985), du Child of Divorce Intervention Program (Pedro-Carroll et Cowen, 1985) ou sa version québécoise Entramis (Drapeau, Mireault, Cloutier, Champoux et Samson, 1993) et du Children of Divorce Developmental Facilitation Group (Kalter, Pickar et Lesowitz, 1984). Les objectifs, la clientèle, la structure et le contenu de ces programmes seront d'abord brièvement décrits. Par la suite, les résultats des études ayant permis d'évaluer leur efficacité respective seront présentés.

CHILDREN SUPPORT GROUP MODEL (CSG)

Le programme Children Support Group Model s'adresse aux enfants âgés de 7 à 13 ans (Stolberg et Garrison, 1985) ; il s'inscrit dans une programmation multimodale incluant une intervention de groupe pour les parents se déroulant parallèlement à celle destinée aux enfants. Le CSG comprend

12 rencontres de groupe et vise la normalisation de l'expérience du divorce ; il s'agit d'un programme psychoéducatif, implanté en milieu scolaire, qui met l'accent sur les émotions associées à la transition familiale, sur le développement de stratégies d'adaptation et sur la communication parent-enfant. Chaque rencontre est divisée en deux parties. La première propose des discussions autour de sujets reliés à la séparation (De qui est-ce la faute ? J'aimerais que mes parents reviennent ensemble), tandis que la seconde partie est axée sur l'apprentissage et la pratique d'habiletés spécifiques, telles que la résolution de problème, l'expression de la colère, la communication et la relaxation.

Une première étude évaluative quasi expérimentale de ce programme a été réalisée par Stolberg et Garrison en 1985. Quatre-vingt-deux enfants âgés de 7 à 13 ans, dont les parents étaient séparés depuis moins de trois ans y ont participé. Cette évaluation visait à comparer trois modalités d'intervention, soit une intervention auprès des enfants seulement, une intervention auprès des parents uniquement et une intervention simultanée auprès des enfants et des parents. Un groupe de comparaison ne recevant pas de traitement a également été constitué. Les mesures ont été prises avant et après le traitement, ainsi que cinq mois plus tard. Les résultats révèlent que l'intervention ne s'adressant qu'aux enfants produit des résultats supérieurs aux autres modalités. En effet, comparés à ceux des autres groupes, les jeunes du groupe « enfants seulement » se sont améliorés sur le plan de l'estime de soi. De plus, lors du suivi, on a observé chez les enfants de ce même groupe une augmentation des compétences sociales. Pour leur part, les participants du groupe « parents seulement » ont amélioré leur adaptation, mais cet effet du programme ne semble pas avoir eu de répercussions observables sur les interactions familiales ou l'adaptation de l'enfant. On peut s'étonner de la supériorité des effets observés chez le groupe « enfants seulement » par rapport au groupe « intervention simultanée ». Toutefois, un biais de sélection pourrait, du moins en partie, être à l'origine de ce résultat. En effet, les enfants du groupe « intervention simultanée » avaient déjà, avant l'intervention, une plus haute estime d'eux-mêmes. En outre, comparées aux autres groupes, les mères de ce groupe se situaient plus souvent dans les catégories d'emploi cols bleus ou mère au foyer et ont rapporté moins de contacts entre l'enfant et son père. De plus, la non-assignation au hasard à l'un ou l'autre des groupes oblige à considérer ces résultats avec prudence.

Plus récemment, Stolberg et Mahler (1994) ont évalué leur programme en s'attardant à la dimension d'entraide entre les pairs et en y ajoutant des activités de transfert vers la famille. Leur étude visait à mesurer les effets respectifs des composantes du CGS modifié. Quatre-vingts enfants âgés de 8 à 12 ans, dont près de la moitié manifestaient des symptômes cliniques, ont été répartis en trois groupes offrant un programme distinct. Un premier était constitué d'enfants participant à un groupe de soutien uniquement (8 rencontres), un deuxième groupe était composé d'enfants participant aux sessions de soutien ainsi qu'à des ateliers portant sur le développement d'habiletés (16 sessions) et, finalement, un dernier groupe recevait en plus la composante transfert vers la famille. Celle-ci comprend des cahiers d'exercices destinés aux parents et à l'enfant ainsi qu'à quatre sessions de groupe pour les parents. Chaque école s'est vue assigner un programme de manière aléatoire ; les enfants d'une même école ont reçu le même programme. Les mesures ont été prises avant et immédiatement après la fin des ateliers. Notons que cette étude comportait un suivi réalisé un an après la fin du programme, ce qui permettait d'évaluer les effets et le maintien des acquis à plus long terme. Les résultats ont montré que ce sont les enfants ayant bénéficié conjointement du soutien et du développement des habiletés chez qui les gains à court terme, sur le plan comportemental, sont les plus marqués. Les enfants ayant bénéficié, en plus, des activités de transfert ont vu leur niveau d'anxiété diminuer au post-test, mais les gains comportementaux ne sont apparus que lors du suivi. Finalement, on a observé chez les enfants ayant participé uniquement au groupe de soutien une diminution de la symptomatologie au suivi, notamment chez ceux présentant des difficultés élevées avant l'intervention. Les auteurs concluent que les composantes soutien social et développement d'habiletés sont toutes deux essentielles à l'efficacité des programmes s'adressant aux enfants de parents séparés. Toutefois, ils croient qu'en ce qui concerne la composante transfert il faut affiner notre compréhension des processus par lesquels cet élément contribue au succès des interventions.

Child of Divorce Intervention Program (CODIP) ou Entramis

Le Child of Divorce Intervention Program (Pedro-Carrol et Cowen, 1985) est une adaptation du programme CSG original. Il est, de loin, le programme le plus connu et celui ayant obtenu les meilleurs résultats lors des évaluations (Grych et Finchman, 1992 ; Lee, Picard et Blain, 1994). Pedro-Carroll et son équipe proposent un programme comportant, en plus des activités visant le développement des habiletés, une forte composante de soutien émotionnel entre les enfants. Les auteurs ont développé quatre versions de ce programme, l'une s'adressant aux enfants de 4 et 5 ans, la seconde aux enfants de 6 et 7 ans, la troisième aux enfants de 9 à 12 ans et la dernière aux jeunes adolescents (12 à 14 ans). La version s'adressant aux enfants de 9 à 12 ans, première à voir le jour, a été adaptée et évaluée au Québec. Ce programme, répandu dans les écoles primaires de la province, est appelé Entramis (Drapeau, Mireault, Fafard et Cloutier, 1993 ; Drapeau, Mireault, Cloutier, Champoux et Samson, 1993).

Les ateliers, au nombre de 12 à 16, sont coanimés et se déroulent à l'école primaire. Ils sont constitués d'activités structurées faisant appel à des techniques d'animation, telles que le jeu, la discussion, le visionnement de vidéos, le jeu de rôle, etc. Les formules d'animation, les contenus plus spécifiques qui sont abordés et les modalités d'implantation (grandeur du groupe, durée des sessions) tiennent compte de l'âge des participants.

L'objectif général du programme est de prévenir les difficultés d'ordre émotionnel, comportemental ou scolaire associées à la séparation des parents. Plus précisément, quatre objectifs sont poursuivis, soit 1) permettre aux enfants de cerner et de partager leurs émotions face au divorce et de clarifier certaines conceptions erronées sur ce qu'ils vivent (p. ex., la responsabilité de l'enfant dans la séparation), 2) acquérir des habiletés de résolution de problèmes et d'expression de la colère qui les aideront à s'adapter aux diverses situations pouvant survenir après le divorce, 3) réduire leur sentiment d'isolement et 4) améliorer leur estime de soi. Les thèmes couverts sont les sentiments reliés à la séparation, l'impact de la séparation sur l'enfant et le parent, l'acquisition d'habiletés de résolution de problèmes interpersonnels, l'expression et le contrôle de la colère, les différents scénarios de réorganisation familiale et la valorisation des qualités des enfants.

Le programme développé par Pedro-Carroll et son équipe ne prévoit qu'une implication minimale des parents : ces derniers sont invités à une soirée d'information sur le contenu du programme. Cependant, dans l'adaptation québécoise, le programme Entramis, on prévoit une plus grande implication des parents dans l'intervention. Dans cette perspective, outre la première rencontre d'information, les parents reçoivent périodiquement de l'information écrite sur les différents thèmes abordés. Un contact téléphonique régulier est également planifié. Précisons que ces contacts ne servent pas à divulguer les propos des enfants, mais bien à informer les parents du déroulement des activités et à les soutenir dans leur rôle auprès de l'enfant.

Mentionnons aussi qu'un autre programme québécois, « Les enfants de la rupture », poursuit sensiblement les mêmes objectifs que le programme Entramis (Côté, 1988 ; 1994). Ce programme est implanté dans les CLSC, notamment le CLSC des Hautes-Marées[5] où il a vu le jour, plutôt que dans les écoles primaires. Il s'adresse à une population de familles en demande de services et la dimension éducative y est moins importante que dans le programme Entramis. Il s'agit d'une intervention clinique visant à prévenir l'aggravation des difficultés. Notons que ce programme comporte une composante parentale, revêtant la forme d'un groupe de soutien qui se réunit parallèlement à l'intervention auprès des enfants.

5. Ce programme n'est plus offert dans son intégralité, mais plutôt à l'intérieur d'un programme jugé prioritaire s'adressant aux enfants exposés à la violence conjugale.

Une première évaluation du CODIP a été réalisée auprès de 72 enfants âgés de 9 à 12 ans qui ont été assignés de façon aléatoire au groupe expérimental et au groupe de contrôle (Pedro-Carrol et Cowen, 1985). Les résultats ont révélé une amélioration significative des compétences et des problèmes de comportement des enfants du groupe expérimental, tels qu'ils étaient perçus par les parents et les professeurs. Les mesures prises auprès des enfants ont également permis d'observer une baisse du niveau d'anxiété chez ceux qui avaient participé au programme. D'autres études évaluatives confirment ces premiers résultats et montrent que l'adaptation des jeunes de parents séparés participant à ce programme se rapproche de celle des jeunes de familles biparentales intactes (Pedro-Carroll, Cowen, Hightower et Guare, 1986 ; Pedro-Carroll, Alpert-Gillis et Cowen, 1992). Des résultats similaires ont été obtenus lors des évaluations portant sur les versions s'adressant aux enfants de 4 et 5 ans, de 6 et 7 ans et de 12 à 14 ans (Alpert-Gillis, Pedro-Carroll et Cowen, 1989 ; Pedro-Carroll, 1997 ; Pedro-Carroll et Alpert-Gillis, 1997 ; Pedro-Carroll, Sutton et Wyman, 1999).

Au Québec, le programme Entramis a fait l'objet de deux évaluations. La première (Drapeau, Mireault, Fafard et Cloutier, 1993) a été réalisée à l'aide d'un devis quasi expérimental comportant un suivi quatre mois plus tard. Le groupe de contrôle était composé d'enfants sur une liste d'attente. Outre les commentaires très positifs recueillis auprès des enfants et des parents, les résultats mettent en lumière une amélioration des compétences des enfants ayant pris part aux ateliers. Dans une deuxième étude évaluative (Drapeau, Mireault, Cloutier, Champoux et Samson, 1993), ne comportant pas de groupe de contrôle cette fois, des mesures se rapprochant davantage des objectifs du programme ont été ajoutées en complément aux instruments standardisés portant plus globalement sur l'adaptation des enfants. Huit écoles ont participé à ce projet, démontrant la pertinence et les possibilités de généralisation d'un tel programme au Québec. En outre, après avoir participé aux ateliers, les enfants connaissent plus de stratégies pour faire face aux changements qui surviennent lors de la transition familiale ; leur représentation de la séparation a également changé. Les instruments quantitatifs ont globalement permis de confirmer les résultats obtenus dans les recherches portant sur le programme américain, soit une diminution des problèmes comportementaux et une augmentation des compétences des enfants. Toutefois, quelques différences entre le prétest et le post-test soulèvent la possibilité que ce programme puisse avoir des répercussions moins positives. En effet, les enfants étaient plus anxieux lors du suivi. De plus, les parents et les professeurs ont observé une augmentation de l'agressivité et de la délinquance des enfants après le programme. L'absence de groupe de contrôle rend toutefois difficile l'interprétation de ces résultats. Afin d'identifier les participants les plus susceptibles de bénéficier d'une telle intervention, des analyses comparant les enfants s'étant ou non améliorés après les ateliers ont été réalisées. Les résultats montrent que ces groupes ne se distinguent pas au regard des variables sociodémographiques (âge et sexe de l'enfant, revenu familial, niveau de conflit entre les ex-conjoints, stress vécu par l'enfant). Les auteurs concluent que le programme permet à tous les enfants d'y trouver leur compte.

Children of Divorce Developmental Facilitation Group (DFG)

Le Children of Divorce Developmental Facilitation Group (Kalter, Pickar et Lesowitz, 1984) est une intervention de groupe comprenant 8 à 12 rencontres se déroulant en milieu scolaire. Cinq buts sont poursuivis, soit normaliser le vécu de l'enfant, clarifier certains enjeux reliés à la séparation, procurer un endroit sécuritaire pour exprimer et comprendre les réactions émotionnelles, promouvoir le développement d'habiletés d'adaptation et, finalement, encourager la communication entre les parents et les enfants (Kalter, 1998).

Le DFG est proposé en trois versions correspondant à trois groupes d'âge (6 à 8 ans, 9 à 11 ans et 12 à 14 ans). Les groupes sont coanimés et composés d'enfants présentant une diversité d'expériences familiales. Les techniques d'animation sont variées et adaptées au stade de développement des enfants. Comparativement aux deux programmes présentés précédemment, le DFG recourt davantage aux méthodes indirectes de communication (dessins, histoires, poupées, jeux de rôle) et se centre plus sur les problématiques reliées à la séparation conjugale (Kalter, 1998). Les thèmes couverts dans les ateliers sont notamment les disputes entre les parents, l'annonce de la séparation, les modalités de garde, les visites du parent non gardien, les fréquentations amoureuses des parents, le remariage et le fonctionnement des familles recomposées.

Ce programme comporte, par ailleurs, une composante parentale qui consiste en deux rencontres de groupe avec les parents, l'une avant les ateliers, l'autre après (Kalter et Schreier, 1993). La première rencontre a pour but d'informer les parents sur le programme et de connaître leurs préoccupations. La deuxième permet aux animateurs de transmettre aux parents les inquiétudes et les questions des enfants et de donner des suggestions sur les façons de leur répondre. Elle vise également à obtenir du feedback sur les réactions des enfants ayant participé aux ateliers. Ces deux rencontres sont aussi une occasion d'échanges entre les parents.

Le DFG a fait l'objet de quelques études évaluatives. Une première, menée en 1984, n'a pas été très concluante (Kalter, Pickar et Lesowitz). En effet, cette étude préexpérimentale portant sur 30 enfants n'a mis en lumière aucune différence entre le prétest et le post-test au chapitre des mesures de compétences personnelles ou des difficultés en contexte scolaire. En revanche, les auteurs mentionnent que les croyances des enfants à propos du divorce sont plus positives après avoir pris part au programme. Une seconde étude menée auprès de 81 enfants comportait un groupe de contrôle composé d'enfants sur une liste d'attente (Kalter, Schaefer, Lesowitz, Alpern et Pickar, 1988). Le post-test a eu lieu six mois après la fin du programme. Les résultats indiquent une diminution des comportements extériorisés chez les garçons ayant participé au programme. Curieusement, on a observé une diminution de l'hyperactivité, de l'agression et de la cruauté chez les filles du groupe de contrôle mais non chez celles du groupe expérimental. Les auteurs soulèvent l'hypothèse que le programme amène les filles, qui, on le sait, réagissent souvent de façon intériorisée après une séparation, à être plus affirmatives et à exprimer plus ouvertement leurs émotions. Cela dit, les résultats montrent également que les garçons comme les filles se sentent moins tristes et souffrent moins d'insécurité après avoir participé aux ateliers. Plus récemment, une étude réalisée quatre ans après la fin des ateliers a permis de mettre en lumière l'impact positif à long terme de l'intervention (Rubin, 1990, cité par Kalter, 1998). Rubin souligne notamment que le recours aux services de santé mentale est beaucoup moins élevé chez les enfants ayant participé à l'intervention que chez ceux du groupe de contrôle (54 % contre 14 %). Finalement, Garvin, Leber et Kalter (1991) ont réalisé une recherche dont le but premier était la nature différentielle du programme en fonction des caractéristiques des participants. Les résultats révèlent que les enfants ayant le plus de problèmes d'adaptation sont ceux qui se sont le plus améliorés. Cependant, les résultats prétest/post-test ne diffèrent pas selon les caractéristiques sociodémographiques (sexe et âge) ou le contexte familial de l'enfant (temps écoulé depuis la séparation, statut marital des ex-conjoints et modalités de garde).

L'INTERVENTION PRÉVENTIVE AUPRÈS DES JEUNES DE FAMILLES RECOMPOSÉES

Si les programmes destinés aux jeunes qui ont vécu la séparation de leurs parents foisonnent, force est de reconnaître que l'intervention auprès des jeunes de familles recomposées constitue le parent pauvre dans l'étude des transitions familiales. En effet, bien qu'il existe plusieurs ouvrages fourmillant de recommandations au sujet de l'intervention auprès de ces jeunes (Bray, 1995 ; Pasley et Dollahite, 1995 ; Visher et Visher, 1996), peu de ces contenus ont été organisés en programmes structurés ; et encore moins ont été soumis à une évaluation systématique. En effet, à part les expériences très singulières qui ont pu être tentées dans différents lieux offrant des services à la famille (CLSC, organisme communautaire, école) ou les groupes destinés aux enfants de parents séparés qui abordent à l'intérieur de leur programmation le thème de la recomposition familiale, on peut affirmer qu'aucun écrit ne permet à l'heure actuelle de prendre connaissance de programmes d'intervention québécois destinés à des enfants ou à des adolescents vivant en famille recomposée. La situation n'est guère différente lorsqu'on élargit les frontières à l'Amérique du Nord. En effet, une analyse bibliographique des programmes destinés à cette clientèle a permis de relever sept programmes d'intervention. Notons qu'un seul de ces programmes, le *Behavioral Family Intervention for Stepfamilies* (Nicholson et Sanders, 1999) a fait l'objet d'une évaluation. En revanche, s'il vise précisément la situation des enfants de familles recomposées, il n'est pas offert aux jeunes mais bien aux couples recomposés. De plus, il ne peut être qualifié de programme de prévention puisqu'il a pour principal objectif de traiter des problèmes de comportement extériorisés et des conduites d'opposition atteignant un seuil clinique.

Faute d'évaluation systématique, il devient hasardeux de présenter ces programmes en détail. Cependant, compte tenu du sous-développement que connaît ce domaine d'intervention, nous nous permettons d'en faire une brève description.

Quatre de ces programmes sont familiaux, c'est-à-dire qu'ils sont offerts aux couples recomposés et à leurs enfants (Borup, Campbell et Wise, 1989[6] ; Bosch, Gebeke, Meske, 1992[6] ; Duncan et Brown, 1992 ; Mandell et Birenzweig, 1990). Parmi eux, toutefois, seuls les programmes de Duncan et Brown (1992) et de Mandell et Birenzweig (1990) ont fait l'objet d'une publication. Il s'agit, dans les deux cas, de programmes de prévention de nature sélective. Le programme de Mandell et Birenzweig (1990) est une intervention de groupe multimodale puisqu'il comprend un volet parent et un volet enfant, ce dernier volet pouvant se subdiviser en deux selon l'âge des enfants présents. Le programme comprend d'abord cinq rencontres d'une durée d'une heure et demie chacune pour les enfants et de deux heures pour les adultes. Une sixième rencontre réunit adultes et enfants et dure deux heures et demie. Le programme prend la forme d'un groupe d'éducation qui met toutefois l'accent sur l'établissement de buts propres à chaque participant. Dans l'ensemble, le programme cherche à normaliser la vie au sein d'une famille recomposée, à améliorer la compréhension des sentiments et préoccupations des enfants, à clarifier les ambiguïtés concernant les rôles de chacun et à outiller ces familles sur le plan de la résolution de problèmes. Bien que le projet n'ait pas été évalué, les auteurs notent, à partir des comptes rendus des parents, de cinq enfants ayant participé au projet pilote et des observations des animateurs, que chaque famille a vécu, à la suite de sa participation au programme, des changements positifs. Tous sont passés d'un sentiment d'accablement, d'immobilisme et de découragement à l'adoption d'une attitude d'espoir face aux difficultés auxquelles ils se heurtaient.

---

6. Les auteurs ne précisent pas en effet si ce programme s'adresse aux familles ayant des enfants et/ou des adolescents, laissant supposer qu'il s'adresse aux jeunes de tous âges.

Le programme de Duncan et Brown (1992) semble[7] conçu pour les familles comprenant des enfants et adolescents de tous âges. Il s'agit d'un programme multimodal s'adressant aux familles recomposées et pouvant être offert sous forme d'auto-apprentissage ou avec le soutien d'un intervenant. Il est destiné à des familles n'éprouvant pas de problèmes graves et se réalise sur une période de trois mois. L'originalité de ce programme est qu'il est axé sur les forces plutôt que sur les difficultés de la vie en famille recomposée ; chaque famille choisit « la force » qu'elle souhaite particulièrement travailler. Les choix proposés portent sur « le comment prendre soin des autres dans la famille », « la communication dans la famille », « la fierté familiale », « l'harmonie familiale » et « la communauté et les liens familiaux ». Le programme prend la forme de six livrets, un premier introduisant le programme et les cinq autres abordant chacune des forces précitées. Chaque livret comprend une partie théorique, une application du thème à la spécificité de la vie en famille recomposée et des activités d'intégration. Au début de leur participation au programme, les adultes et les enfants de 8 ans et plus remplissent un instrument, le *Family Strengths Questionnaire* (Duncan, cité dans Duncan et Brown, 1992) dont les résultats sont analysés par un évaluateur externe. Après compilation des résultats, les membres de la famille peuvent comparer leurs perceptions et décider des zones qu'ils souhaitent travailler en premier. À la fin du programme, les membres de la famille remplissent à nouveau le questionnaire ; cela permet à la famille de mesurer le chemin parcouru et aux chercheurs d'évaluer, à l'aide de cette mesure prétest et post-test l'efficacité du programme. Seule une évaluation préliminaire de ce programme a été réalisée (Duncan et Brown, 1992) ; elle révèle que les participants ont une appréciation positive du programme et de sa forme. Notamment, ils considèrent que la communication dans leur famille est plus ouverte et jugent que le programme les a incités à passer plus de temps ensemble. Les trois familles ayant participé à l'évaluation préliminaire ont obtenu un score de forces familiales plus élevé au post-test qu'au prétest.

Enfin, dans ce contexte, notons que Wolchik, West *et al.* (1993) ont développé un programme destiné uniquement aux parents. Afin de contrer les effets négatifs du divorce, leur programme vise à améliorer la relation parent-enfant, encourage l'utilisation de stratégies disciplinaires claires et cohérentes en dépit de l'instabilité de la situation familiale et fournit aux parents des moyens pour gérer leurs conflits. Les parents du groupe expérimental rapportent moins de problèmes d'adaptation chez leur enfant que ceux du groupe de contrôle. Les auteurs montrent que cet effet est en bonne partie médiatisé par l'impact positif du programme sur la relation parent-enfant. D'autres sources de données auraient été souhaitables dans cette étude afin de corroborer le rapport des parents qui sont fortement engagés dans le programme.

Les deux derniers programmes de prévention recensés sont offerts en milieu scolaire à l'intérieur des cours réguliers. Ils poursuivent donc davantage des objectifs de prévention universelle relativement à la vie au sein d'une famille recomposée (Crosbie-Burnett et Pulvino, 1990 ; Geis-Rockwood, 1990, cité dans Hughes et Schroeder, 1997). Seul le programme de Crosbie-Burnett et Pulvino (1990) a fait l'objet d'une publication. Notons toutefois que le programme de Geis-Rockwood a été largement utilisé puisqu'il aurait été offert à plus de 2000 élèves (Hughes et Schroeder, 1997).

Le programme de Crosbie-Burnett et Pulvino (1990) vise les enfants et les adolescents âgés entre 9 et 13 ans ; toutefois, les auteurs considèrent qu'il peut aussi être utilisé auprès d'élèves âgés entre 7 et 15 ans. Étant offert à tous les élèves, il vise d'abord à donner de l'information au sujet des familles monoparentales et recomposées et à promouvoir des attitudes positives à l'endroit des familles qui se distinguent de la famille biparentale intacte. En insistant sur la présence du professeur lors de ces rencontres, le programme poursuit aussi le but d'informer les élèves que leur professeur et l'intervenant scolaire comprennent ce qu'est la vie au sein de ces familles. Finalement, ce programme cherche à enseigner des habiletés de prise de décisions et des statégies d'adaptation permettant de faire face aux problèmes familiaux. Parmi les thèmes abordés on retrouve les suivants : les relations avec le parent gardien et le parent non gardien, les fréquentations amoureuses du parent, les relations avec le beau-parent, la demi-fratrie et la quasi-fratrie, les ajustements qu'amènent ces transitions familiales et les émotions qu'elles font vivre. La présentation de ces thèmes nécessite un minimum de quatre rencontres variant entre 45 et 60 minutes. Chaque rencontre comprend une brève présentation magistrale, suivie d'une discussion avec les élèves et, enfin, d'activités de groupe et de jeux de rôles. Ce programme n'a pas été évalué.

CONCLUSIONS ET PISTES D'ACTION

Globalement, les résultats obtenus dans les études recensées permettent de croire en l'efficacité des programmes de prévention s'adressant aux enfants et aux adolescents de parents séparés. Cela étant dit, les études évaluatives réalisées sur ces programmes comportent bien sûr certaines limites. Ainsi, très peu d'entre elles s'appuient sur un devis expérimental et les groupes témoins sont très souvent constitués d'enfants en attente d'intervention, ce qui restreint les possibilités d'explorer les effets à plus long terme des programmes ainsi que le maintien des acquis observés. De plus, les personnes qui évaluent les enfants sont informées de leur participation aux ateliers, ce qui peut évidemment introduire un biais important. Malgré ces limites incitant à la prudence, la relative convergence des résultats obtenus dans ces études leur confère une certaine fiabilité et permet d'établir les éléments paraissant essentiels à l'efficacité de ces interventions. À cet égard, soulignons particulièrement la dimension d'entraide entre les enfants et l'importance des activités visant l'acquisition d'habiletés spécifiques.

Les attentes à l'égard des programmes de ce type doivent toutefois demeurer réalistes. De fait, Grych et Fincham (1992), à partir de leur méta-analyse de la documentation sur ces programmes, évaluent à 0,27 l'amplitude des effets observés. Ces auteurs concluent à l'utilité de ces programmes, mais à leur portée limitée. La multitude et la complexité des facteurs entrant en jeu dans la compréhension de l'adaptation de l'enfant à la séparation parentale expliquent certainement cette efficacité relative des interventions (Emery, 1999 ; Emery, Kitzman et Waldron, 1999 ; Kalter, 1998). C'est pourquoi, une intervention multimodale est souvent préconisée (Emery, 1999 ; Richardson et Rosen, 1999 ; Shaw et Ingoldsby, 1999).

À ce propos, une question importante se pose : doit-on nécessairement impliquer les parents dans l'intervention ? Dans le domaine de l'intervention auprès des jeunes, il est généralement reconnu que les actions impliquant les parents sont plus susceptibles de produire des effets durables chez les enfants (voir le chapitre de Normandin, Vitaro et Charlebois dans cet ouvrage). De plus, la recherche dans le domaine de la séparation conjugale montre clairement le rôle primordial des parents dans l'adaptation des enfants à cette transition. Cependant, pour le moment, les études évaluatives sur les programmes s'adressant aux enfants de parents séparés apportent peu d'appuis dans cette direction. Seule l'équipe de Stolberg a tenté d'évaluer la contribution propre de la composante parentale dans l'intervention et, comme nous l'avons vu, leurs résultats sont peu concluants. Notons aussi que le programme CODIP, prévoyant une implication parentale minimale, a reçu de nombreux appuis empiriques. Tout cela milite en faveur d'une action ayant pour cible les enfants. Il reste que le transfert des habiletés et le maintien des acquis sont un des enjeux importants des programmes de prévention et, dans cette perspective, l'implication parentale est habituellement reconnue comme primordiale. À notre avis, des efforts supplémentaires doivent être consacrés à cette composante de l'intervention auprès de l'enfant de parents séparés.

Par ailleurs, les interventions s'adressent à des enfants présentant des caractéristiques personnelles et familiales diversifiées. Les études ayant exploré le lien entre ces caractéristiques et les effets des programmes laissent croire que les interventions peuvent être utiles à tous. Néanmoins, ces programmes répondent-ils vraiment aux besoins particuliers de tous les enfants ? Qu'en est-il des enfants aux prises avec la violence conjugale ou encore de ceux qui vivent en famille recomposée ? Des programmes mieux ciblés sont probablement nécessaires et la recherche évaluative devrait permettre d'approfondir cette question.

Faute de programmes publiés et évalués, il est difficile de cerner des pistes d'intervention précises visant les jeunes de familles recomposées. À l'instar d'Hughes et Schroeder (1997), il nous faut constater que le champ de l'intervention auprès des jeunes de familles recomposées demeure sous-développé et qu'en ce domaine le virage prévention est loin d'être amorcé. Par rapport aux programmes examinés ici, il est tout de même permis de formuler certaines réflexions.

Premièrement, alors qu'il se dégage très clairement des résultats des recherches que les familles recomposées comprenant des adolescents sont les plus susceptibles de vivre des difficultés (Amato et Keith, 1991 ; Bray, 1990 ; Clingempeel *et al.*, 1987 ; Ganong et Coleman, 1994 ; Hobart, 1988 ; Kasen *et al.*, 1996 ; Saint-Jacques, 1995), ce groupe d'âge ne semble pas avoir été priorisé dans l'élaboration des programmes.

Par ailleurs, certains chercheurs (Crosbie-Burnett et Pulvino, 1990 ; Pasley et Ihinger-Tallman ; 1997) favorisent les programmes de prévention offerts en milieu scolaire. Cette option apparaît d'autant plus souhaitable qu'il est très difficile de mobiliser des adolescents à participer à des programmes de groupe. Cette difficulté est peut-être moindre si ces derniers sont offerts dans un milieu familier aux jeunes comme l'école. En revanche, il est permis de faire l'hypothèse que la portée des programmes de prévention universelle sur l'adaptation des jeunes qui vivent une recomposition familiale est très limitée. En effet, ces programmes sont fondés sur le principe qu'il est nécessaire de normaliser la vie au sein d'une famille recomposée, notamment en raison des nombreux stéréotypes entretenus à l'égard de ces familles. Si l'existence de ces stéréotypes négatifs a été démontrée empiriquement par plusieurs chercheurs (Ganong et Coleman, 1990 ; Lefaucheur, 1987 ; Noy, 1991 ; Wald, 1981), une récente étude (Saint-Jacques, 2000) a révélé que les jeunes qui vivent au sein de ces familles ne partagent pas nécessairement cette vision de la recomposition familiale. Cela ne remet pas en question l'importance de sensibiliser les milieux que fréquentent ces jeunes aux différentes formes que peut prendre la vie familiale d'aujourd'hui. On ne pourrait toutefois limiter l'action à cette cible d'intervention et passer à côté des besoins des jeunes les plus directement concernés.

Finalement, en corollaire du caractère sous-développé de ce domaine s'ajoute l'absence d'évaluations consistantes des résultats de ces interventions préventives permettant d'établir précisément les éléments d'interventions capables de soutenir l'adaptation des jeunes qui vivent ce type de réorganisation familiale.

Bibliographie

ACOCK, A.C. et DEMO, D. (1994). *Family diversity and well-being.* Thousand Oaks : Sage Publications.

ALPERT-GILLIS, L.J., PEDRO-CARROLL, J.L. et COWEN, E.L. (1989). The children of divorce intervention program : Development, implementation, and evaluation of a program for young urban children. *Journal of Consulting and Clinical Psychology, 57*(5), 583-589.

AMATO, P.R. (1999). Children of divorced parents as young adults. Dans E.M. Hetherington (dir.), *Coping with divorce, single parenting, and remarriage* (p. 147-163). Mahwah, New Jersey : Lawrence Erlbaum Associates.

AMATO, P.R. et BOOTH, A. (1997). A prospective study of divorce and parent-child relationships. *Journal of Marriage and the Family, 58,* 356-365.

AMATO, P.R. et KEITH, B. (1991). Consequences of parental divorce for children's well being : A meta-analysis. *Psychological Bulletin, 110,* 26-46.

ANDERSON, E., GREENE, S.M., HETHERINGTON, E.M. et CLINGEMPEEL, W.G. (1999). Dynamics of parental remarriage : Adolescent, parent, and sibling influences. Dans E.M. Hetherington (dir.), *Coping with Divorce, Single Parenting and Remarriage – A Risk and Resiliency Perspective* (p. 295-319). Mahwah, New Jersey : Lawrence Erlbaum Associates.

ANDERSON, E.R., HETHERINGTON, E.M. et CLINGEMPEEL, W.G. (1989). Transformations in family relations at Puberty : Effects of family context. *Journal of Early Adolescence, 9*(3), 310-334.

AVENEVOLI, S., SESSA, F.M. et STEINBERG, L. (1999). Family structure, parenting practices, and adolescent adjustment : An ecological examination. Dans E.M. Hetherington (dir.), *Coping with divorce, single parenting, and remarriage* (p. 65-90). Mahwah, New Jersey : Lawrence Erlbaum Associates.

BAYDAR, N. (1988). Effects of parental separation and reentry into union on the emotional well-being of children. *Journal of Marriage and the Family, 50*(4), 967-981.

BEAUDOIN, S., BEAUDRY, M., CARRIER, G., CLOUTIER, R., DUQUETTE, M.-T., SAINT-JACQUES, M.-C., SIMARD, M. et VACHON, J. (1997). Réflexions critiques autour du concept de transition familiale. *Cahiers Internationaux de Psychologie Sociale, 35,* 49-67.

BELSKY, J. (1981). Early human experience : A family perspective. *Developmental Psychology, 17,* 2-23.

BORUP, J.H., CAMPBELL, S.C. et WISE, G.M. (1989). *Blended family workshop guide.* Ogden, VT : Jerry H. Jorup.

BRAND, E. et CLINGEMPEEL, W.G. (1987). Interdependencies of marital and stepparent-stepchild relationships and children's psychological adjustment : Research findings and clinical implications. *Family Relations, 36*(2), 140-145.

BRAY, J.H. (1988). Children's development during early remarriage. Dans E.M. Hetherington et J.D. Arasteh (dir.), *Impact of divorce, single parenting and stepparenting on children* (p. 279-298). Mahwah, New Jersey : Lawrence Erlbaum Associates.

BRAY, J.H. (1999). From marriage to remarriage and beyond : Findings from the developmental issues in stepfamilies research project. Dans E.M. Hetherington (dir.), *Coping with divorce, single parenting and remarriage – A Risk and resiliency perspective* (p. 253-271). Mahwah, New Jersey : Lawrence Erlbaum Associates.

BRAY, J.H. et HARVEY, D.M. (1995). Adolescents in stepfamilies : Developmental family interventions. *Psychotherapy, 32*(1), 119-130.

BRAY, J.H. et BERGER, S.H. (1990). Noncustodial father and paternal grandparent relationships in stepfamilies. *Family Relations, 39*, 414-419.

BRAY, J.H. et BERGER, S.H. (1993). Nonresidential parent-child relationships following divorce and remarriage. Dans C.E. Depner et J.H. Bray (dir.), *Nonresidential parenting. New vistas in family living* (p. 156-182). California : Sage Publications.

BRONFENBRENNER, U. (1979). Contexts of child rearing : Problems and prospects. *American Psychologist, 34*, 844-850.

BROWN CHALFANT, A., GREEN, R.-J. et DRUCKMAN, J. (1990). A Comparison of stepfamilies with and without child-focused problems. *American Journal of Orthopsychiatry, 60*(4), 556-566.

BUEHLER, C. et RYAN, C. (1994). Former-spouse relations and noncustodial father involvement during marital and family transitions : A closer look at remarriage following divorce. Dans K. Pasley et M. Ihinger-Tallman (dir.), *Stepparenting : Issues in theory, research, and practice* (p. 127-151). Wesport : Greenwood press.

CHERLIN, A. (1978). Remarriage as an incomplete institution. *American Journal of Sociology, 84*(3), 634-650.

CLAES, M. (1999). L'adolescence, une période de crise pour les parents et pour le couple. *Prisme, 29*, 100-109.

CLARKE-STEWART, K.A. et HAYWARD, C. (1996). Advantages of father custody and contact for the psychological well-being of school-age children. *Journal of Applied Developmental Psychology, 17*, 239-270.

CLINGEMPEEL, G.W. et SEGAL, S. (1986). Stepparent-stepchild relationships and the psychological adjustment of children in stepmother and stepfather families. *Child Development, 57*(2), 474-484.

CLINGEMPEEL, G.W., BRAND, E. et IEVOLI, R. (1984). Stepparent-stepchild relationships in stepmothers and stepfathers families : A multimethod study. *Family Relations, 33*(3), 465-473.

CLINGEMPEEL, G.W., BRAND, E. et IEVOLI, R. (1987). A multilevel-multivariable-development Perspective for future research on stepfamilies. Dans K. Pasley et M. Ihinger-Tallman (dir.), *Remarriage et Stepparenting – Current research et Theory* (p. 65-93). New York : Guilford Press.

CLOUTIER, R. (1985). L'expérience de l'enfant dans sa famille et son adaptation future. *Apprentissage et socialisation, 8*, 87-100.

CLOUTIER, R. (1998). Transitions familiales et développement de l'enfant : les enjeux pour l'intervention. *Revue de Droit, 28*, 19-39.

CLOUTIER, R., BEAUDRY, M., DRAPEAU, S., SAMSON, C., MIREAULT, G., SIMARD, M. et VACHON, J. (1997). Changements familiaux et continuité : une approche théorique de l'adaptation aux transformations familiales. Dans G.M. Tarabulsy et R. Tessier (dir.), *Enfance et Famille – Contextes et développement* (p. 29-56). Sainte-Foy : Presses de l'Université du Québec.

CLOUTIER, R., CHAMPOUX, L., JACQUES, C. et LANCOP, C. (1994a). *Ados, familles et milieux de vie.* Rapport de l'enquête menée dans le cadre de l'Année internationale de la famille. Québec : Centre de recherche sur les services communautaires, Université Laval.

CLOUTIER, R., CHAMPOUX, L., JACQUES, C. et LANCOP, C. (1994b). *Nos ados et les autres.* Étude comparative des adolescents en difficulté et des élèves du secondaire au Québec. Québec : Centre de recherche sur les services communautaires, Université Laval.

CLOUTIER, R., DROLet, J. et DUBÉ, N. (1992). *La santé mentale des parents de familles réorganisées au Québec.* Québec : Gouvernement du Québec, Ministère de la Santé et des Services sociaux, Direction des communications.

CLOUTIER, R. et RENAUD, A. (1990). *Psychologie de l'enfant.* Boucherville : Gaëtan Morin Éditeur.

COLLINS, W.E., NEWMAN, B.M. et MCKENRY, P. (1995). Intrapsychic and interpersonal factors related to adolescent psychological well-being in stepmother and stepfather families. *Journal of Family Psychology, 9*(4), 433-445.

CONSEIL DE LA FAMILLE et DE L'ENFANCE et COLLABORATEURS (1999). *Un portrait statistique des familles et des enfants au Québec.* Québec : Gouvernement du Québec.

CÔTÉ, I. (1988). Intervention de groupe auprès d'enfants de parents divorcés. *Service Social, 37*(1/2), 214-223.

CÔTÉ, I. (1994). *Les effets du programme Les enfants de la rupture sur l'estime de soi et les croyances des enfants de 8 à 11 ans dont les parents sont séparés depuis moins d'un an.* Mémoire de maîtrise présenté à l'École de service social, Faculté des sciences sociales de l'Université Laval, Sainte-Foy.

CROSBIE-BURNETT, M. et PULVINO, C.J. (1990). Children in nontraditional families : A classroom guidance program. *The School Counselor, 37*, 286-293.

DEATER-DECKARD, K. et DUNN, J. (1999). Multiple risks and adjustment in young children growing up in different family settings. Dans E.M. Hetherington (dir.), *Coping with divorce, single parenting, and remarriage* (p. 47-64). Mahwah, New Jersey : Lawrence Erlbaum Associates.

DRAPEAU, S., MIREAULT, G., CLOUTIER, R., CHAMPOUX, L. et SAMSON, C. (1993). *Évaluation d'un programme d'intervention préventive s'adressant aux enfants de parents séparés : le programme Entramis.* Québec : Centre de recherche sur les services communautaires, Université Laval.

DRAPEAU, S., MIREAULT, G., FAFARD, A. et CLOUTIER, R. (1993). Évaluation d'un programme d'intervention offert aux enfants de parents séparés : le programme Entramis. *Apprentissage et socialisation, 16*(1/2), 65-78.

DRAPEAU, S., SIMARD, M., BEAUDRY, M. et CHARBONNEAU, C. (2000). Siblings in family transitions. *Family Relations, 49*(1), 77-85.

DUNCAN, S.F. et BROWN, G. (1992). RENEW : A program for building remarried family strengths. *Families in Society, 73*(3), 149-158.

DUVAL, E.M. (1957). *Family development.* Philadelphie : Lippincott.

ELDER, G., CASPI, A. et VAN NGUYEN, R. (1992). Resourceful and vulnerable children : Family influences in stressful times. Dans R.K. Silbereisen et K. Eygerth (dir.), *Development in context : Integrative perspectives on youth development.* New York : Springer.

EMERY, R.E. (1999). *Marriage, divorce, and children's adjustment* (2e éd.). Thousand Oaks : Sage Publications.

EMERY, R.E., KITZMANN, K.M. et WALDRON, M. (1999). Psychological interventions for separated and divorces families. Dans E.M. Hetherington (dir.), *Coping with divorce, single parenting and remarriage* (p. 323-344). Mahwah, New Jersey : Lawrence Erlbaum Associates.

FINE, M.A., DONNELLY, B.W. et VOYDANOFF, P. (1991). The relation between adolescents' perceptions of their family lives and their adjustment in stepfather families. *Journal of Adolescent Research, 6*(4), 423-436.

GARMEZY, N. (1993). Children in poverty : resilience despite risk. *Psychiatry, 56*, 127-136.

GANONG, L.H. et COLEMAN, M. (1987). Stepchildren's perceptions of their parents. *Journal of Genetic Psychology, 148*(1), 5-17.

GANONG, L.H. et COLEMAN, M. (1990). A meta-analytic review of family structure stereotypes. *Journal of Marriage and the Family, 52*(2), 287-297.

GANONG, L.H. et COLEMAN, M. (1993). A meta-analytic comparison of the self-esteem and behavior problems of stepchildren to children in other family structures. *Journal of Divorce and Remarriage, 19*(3/4), 143-163.

GANONG, L.H. et COLEMAN, M. (1994). Adolescent stepchild-stepparent relationships : changes over time. Dans K. Pasley et M. Ihinger-Tallman (dir.), *Stepparenting – issues in theory, research, and practice* (p. 87-104). Westport : Greenwood Press.

GARVIN, V., LEBER, D. et KALTER, N. (1991). Children of divorce : Predictors of change following preventive intervention. *American Journal of Orthopsychiatry, 61*(3), 438-447.

GRYCH, J.H. et FINCHMAN, F.D. (1992). Interventions for children of divorce : toward greater integrations of research and action. *Psychological Bulletin, 111*(3), 434-454.

GRYCH, J.H., SEID, M. et FINCHAM, F.D. (1992). Assessing marital conflict from the child's perspective : The children's perception of interparental conflict scale. *Child Development, 63*, 558-572.

HANSON, T.L., MCLANAHAN, S.S. et THOMSON, E. (1996). Double jeopardy : Parental conflict and stepfamily outcomes for children. *Journal of Marriage and the Family, 58*(1), 141-154.

HAURIN, R.J. (1992). Patterns of childhood residence and the relationship to young adult outcomes. *Journal of Marriage and the Family, 54*, 846-860.

HENRY, C.S. et LOVELACE, S.G. (1995). Family resources and adolescent family life satisfaction in remarried family households. *Journal of Family Issues, 16*(6), 765-786.

HETHERINGTON, E.M. (1987). Family relations six years after divorce. Dans K. Pasley et M. Ihinger-Tallman (dir.), *Remarriage et stepparenting – current research and theory* (p. 185-205). New York : Guilford Press.

HETHERINGTON, E.M. (1989). Coping with family transitions : Winners, loosers and survivors. *Child Development, 60*, 1-14.

HETHERINGTON, E.M. (1990). Coping with family transitions : Winners, losers, and survivors. Dans S. Chess et M.E. Hertzig (dir.), *Annual Progress in Child Psychiatry and Child Development* (p. 221-241). New York : Brunner/Mazel.

HETHERINGTON, E.M. (1999). Should we stay together for the sake of the children ? Dans E.M. Hetherington (dir.), *Coping with divorce, single parenting, and remarriage* (p. 93-116). Mahwah, New Jersey : Lawrence Erlbaum Associates.

HETHERINGTON, E.M. et STANLEY-HAGAN, M. (1999). The adjustment of children with divorced parents : A risk and resiliency perspective. *Journal of Child Psychology and Psychiatry, 40*(1), 129-140.

HETHERINGTON, E.M., BRIDGES, M. et INSABELLA, G.M. (1998). What matters ? What does not ? Five perspectives on the association between marital transitions and children adjustment. *American Psychologist, 53*, 167-184.

HETHERINGTON, E.M., COX, M. et COX, R. (1985). Long-term effects of divorce and remarriage on the adjustment of children. *Journal of the American Academy of Child Psychiatry, 24*(5), 518-530.

HETHERINGTON, E.M., STANLEY-HAGAN, M. et ANDERSON, E.R. (1989). Marital transitions : A child's perspective. *American Psychologist, 44*, 303-312.

HINES, A.M. (1997). Divorce-related transitions, adolescent development, and the role of the parent-child relationship : A Review of the literature. *Journal of Marriage and the Family, 59*(2), 375-388.

HOBART, C.W. (1988). Perception of parent-child relationships in first married and remarried families. *Family Relations, 37*(2), 175-182.

HUGHES, R. et SCHROEDER, J.D. (1997). Family life education programs for stepfamilies. *Marriage and Family Review, 26*(3/4), 281-300.

INSTITUT DE LA STATISTIQUE DU QUÉBEC (1998). *Enquête québécoise sur le tabagisme des élèves du secondaire.* Les Publications du Québec : Collection Santé et Bien-Être. Québec.

JEYNES, W.H. (1999). Effects of remarriage following divorce on the academic achievement of children. *Journal of Youth and Adolescence, 28*(3), 385-393.

KALTER, N. (1998). Group interventions for children of divorce. Dans K.C. Stoiber et T.R. Kratochwill (dir.), *Handbook of group intervention for children and families* (p. 120-140). Boston : Allyn and Bacon.

KALTER, N. et SCHREIER, S. (1993). School-based support groups for children of divorce. *Special Services in the Schools, 8*(1), 39-66.

KALTER, N., PICKAR, J. et LESOWITZ, M. (1984). School-based developmental facilitation groups for children of divorce : A preventive intervention. *American Journal of Orthopsychiatry, 54*(4), 613-623.

KALTER, N., SCHAEFER, M., LESOWITZ, M., ALPERN, D. et PICKAR, J. (1988). School-based support groups for children of divorce : A model of brief intervention. Dans B.H. Gottlieb (dir.), *Marshalling social support* (p. 165-185). Newbury Park, CA : Sage Publications.

KASEN, S., COHEN, P., BROOK, J.S. et HARTMARK, C. (1996). A multiple-risk interaction model : Effects of temperament and divorce on psychiatric disorders in children. *Journal of Abnormal Child Psychology, 24*(2), 121-150.

KURDEK, L.A. et SINCLAIR, R.J. (1988). Adjustment of young adolescents in two-parent nuclear, stepfather, and mother-custody families. *Journal of Consulting and Clinical Psychology, 56*(1), 91-96.

LEE, C., PICARD, M. et BLAIN, M.D. (1994). A methodological and substantive review of intervention outcome studies for families underwoing divorce. *Journal of Family Psychology, 8*(1), 3-15.

LEFAUCHEUR, N. (1987). Quand leur situation était inférieure à celle de l'orphelin ou le psychiatre, la marâtre et le délinquant juvénile. *Dialogue,* (97), 104-120.

LEMIEUX, N. et CLOUTIER, R. (1994). L'adaptation de l'enfant suite à la séparation : étude exploratoire d'un programme portant sur les relations interparentale et parent-enfant. *Service Social, 43,* 31-46.

LEMIEUX, N. et CLOUTIER, R. (1995). Le programme Entreparents : fournir aux parents des moyens de favoriser l'adaptation de l'enfant à la suite de leur séparation. *Santé Mentale au Québec,* XX, 221-248.

LUTHAR, S.S. (1997). Sociodemographic disadvantage and psychosocial adjustment : perspectives from developmental psychopathology. Dans S.S. Luthar, J.A. Burack, D. Cicchetti et J.R. Weisz (dir.), *Developmental Psychopathology, Perspectives on Adjustment, Risk, and Disorder* (p. 459-485). New York : Cambridge University Press.

MANDELL, D. et BIRENZWEIG, E. (1992). Stepfamilies : A model for group work with remarried couples and their children. *Journal of Divorce and the Remarriage, 14*(1), 29-41.

MARCIL-GRATTON, N. (2000). La famille éclatée. *Interface, 21*(1), 42-45.

MARCIL-GRATTON, N. et LE BOURDAIS, C. (1999). *Garde des enfants, droits de visite et pension alimentaire : résultats tirés de l'Enquête longitudinale nationale sur les enfants et les jeunes.* Ottawa : Ministère de la Justice du Canada.

MAROTZ-BADEN, R., ADAMS, G.R., BUECHE, N., MUNRO, B. et MUNRO, G. (1979). Family form or family process ? Reconsidering the deficit family model approach. *The Family Coordinator, 28*(1), 5-14.

MARTIN, C. (1997). *L'après-divorce – Lien familial et vulnérabilité.* Sainte-Foy, Québec : Les Presses de l'Université Laval.

MASTEN, A.S. et COATSWORTH, J.D. (1998). The development of competence in favorable and unfavorable environments Lessons from research on successful children. *American Psychologist, 53*(2), 205-220.

MCFARLANE, A.H., BELLISSIMO, A. et NORMAN, G.R. (1995). Family structure, family functioning and adolescent well-being : The transcendent influence of parental style. *Journal of Child Psychology and Psychiatry and Allied Disciplines, 36*(5), 847-864.

MCLANAHAN, S. (1999). Father absence and the welfare of children. Dans E.M. Hetherington (dir.), *Coping with divorce, single parenting, and remarriage* (p. 117-145). Mahwah, New Jersey : Lawrence Erlbaum associates.

MITCHELL, K. (1983). The price tag of responsibility : A comparison of divorced and remarried mothers. *Journal of Divorce, 6*(3), 33-42.

MOTT, F.L., KOWALESKI-JONES, L. et MENAGHAN, E.G. (1997). Paternal absence and child behavior : does a child's gender make a difference ? *Journal of Marriage and the Family, 59*(1), 103-118.

NELSON, W.L., HUGHES, H.M., HANDAL, P.L., KATZ, B. et SEARIGHT, H.R. (1993). The relationship of family structure and family conflict to adjustment in young adult college students. *Adolescence, 28*(109), 29-40.

NICHOLSON, J.M. et SANDERS, M.R. (1999). Randomized controlled trial of behavioral family intervention for the treatment of child behavior problems in stepfamilies. *Journal of Divorce et Remarriage, 30*(3/4), 1-23.

NOLLER, P. et CALLAN, V. (1991). *The adolescent in the family.* Londres : Routledge.

NOY, D. (1991). Wicked stepmothers in roman society and imagination. *Journal of Family History, 16*(4), 345-361.

PASLEY, B.K. et DOLLAHITE, D.C. (1995). The nine years of stepparenting Adolescents : research-based recommendations for clinicians. Dans D.K. Huntler (dir.), *Understanding Stepfamilies : Implications for Assessment and Treatment* (p. 87-98). Alexandria : American Counseling Association.

PASLEY, B.K. et HEALOW, C.L. (1988). Adolescent self-esteem : A focus on children in stepfamilies. Dans E.M. Hetherington et J.D. Arasteh (dir.), *Impact of Divorce, Single Parenting and Stepparenting on Children* (p. 263-278). New Jersey : Lawrence Erlbaum Associates.

PASLEY, K. et IHINGER-TALLMAN, M. (1997). Stepfamilies : Continuing challenges for the Schools. Dans T. Fairchild (dir.), *Crisis intervention strategies for school-based helpers* (p. 60-100). Springfield, Illinois : Charles C. Thomas.

PEDRO-CARROLL, J.L, ALPERT-GILLIS, L.J. et COWEN, E.L. (1992). An evaluation of the efficacy of a preventive intervention for 4th-6th grade urban children of divorce. *Journal of Primary Prevention, 13*(2), 115-130.

PEDRO-CARROLL, J.L. (1997). The children of divorce intervention program : Fostering resilient outcomes for school-aged children. Dans G.W. Albee et T.P Gullotta (dir.), *Primary Prevention Works* (p. 213-238). Thousand Oaks, CA : Sage Publications.

PEDRO-CARROLL, J.L. et ALPERT-GILLIS, L.J. (1997). Preventive interventions for children of divorce : A developmental model for 5- and 6-year-old children. *Journal of Primary Prevention, 18*(1), 5-23.

PEDRO-CARROLL, J.L. et COWEN, E.L. (1985). The children of divorce intervention program : An investigation of the efficacy of a school-based prevention program. *Journal of Consulting and Clinical Psychology, 53*(5), 603-611.

PEDRO-CARROLL, J.L., COWEN, E.L., HIGHTOWER, A.D et GUARE, J.C. (1986). Preventive intervention with latency-aged children of divorce : A replication study. *American Journal of Community Psychology, 14*(3), 277-290.

PEDRO-CARROLL, J.L., SUTTON, S.E. et WYMAN, P.A. (1999). A two-year follow-up of a preventive intervention for young children of divorce. *School Psychology Review, 28*(3), 467-476.

PINK, J.E.T. et WAMPLER, K.S. (1985). Problem areas in stepfamilies : Cohesion, adaptability, and the stepfather-adolescent relationship. *Family Relations, 34*(3), 327-335.

RICHARDSON, C.D. et ROSEN, L.A. (1999). School-based interventions for children of divorce. *Professional School Counseling, 3*(1), 21-26.

SAINT-JACQUES, M.-C. (1995). Role strain prediction in stepfamilies. *Journal of Divorce and Remarriage, 24*(1/2), 51-72.

SAINT-JACQUES, M.-C. (2000). *L'ajustement des adolescents et des adolescentes dans les familles recomposées : Étude des processus familiaux et des représentations des jeunes*. Québec : Centre de recherche sur les services communautaires, Université Laval.

SHAW, D.S. et INGOLDSBY, E.M. (1999). Children of divorce. Dans R.T. Ammerman, M. Hersen et C.G. Last (dir.), *Handbook of prescriptive treatments for children and adolescents* (2e éd.) (p. 346-363). Boston : Allyn and Bacon.

SILITSKY, D. (1996). Correlates of psychological adjustment in adolescents from divorced families. *Journal of Divorce et Remarriage, 26*(1/2), 151-169.

SOKOL-KATZ, J., DUNHAM, R. et ZIMMERMAN, R. (1997). Family structure versus parental attachment in controlling adolescent deviant behavior : A social control model. *Adolescence, 32*(125),199-215.

SPRUIJT, E. et IEDEMA, J. (1998). Well-being of youngsters of divorce without contact with nonresident parents in the Netherlands. *Journal of Comparative Family Studies, 29*(3), 517-527.

STEINBERG, L., MOUNTS, N.S., LAMBORN, S.D. et DORNBUSCH, S.M. (1991). Authoritative parenting and adolescent adjustment across varied ecological niches. *Journal of Research on Adolescence, 1*(1), 19-36.

STEWART, S.D. (1999). Disneyland dads, disneyland moms ? How nonresident parents spend time with absent children. *Journal of Family Issues, 20*(4), 539-556.

STOLBERG, A.L. et CULLEN, P.M. (1983). Preventive interventions for families of divorce : The divorce adjustment project. *New Directions for Child Development, 19*, 71-81.

STOLBERG, A.L. et GARRISON, K.M. (1985). Evaluating a primary prevention program for children of divorce. *American Journal of Community Psychology, 13*(92), 111-124.

STOLBERG, A.L. et MAHLER, J. (1994). Enhancing treatment gains in a school-based intervention for children of divorce through skill training, parental involvement and transfer procedures. *Journal of Consulting and Clinical Psychology, 62*(1), 147-156.

VISHER, E.B. et VISHER, J.S. (1996). *Therapy with stepfamilies*. New York : Brunner/Mazel.

WALD, E. (1981). *The remarried family – Challenge and promise*. New York : Family Service Association of America.

WOLCHIK, S.A., WEST, S.G., WESTOVER, S., SANDLER, I.N., MARTIN, A., LUSBIG, J., TEIN, J. et FISHER, J. (1993). The children of divorce preventing intervention : Outcome evaluation of an empirically based program. *American Journal of Community Psychology, 21*, 293-331.

ZILL, N. (1988). Behavior, achievement, and health problems among children in stepfamilies : Findings from a national survey of child health. Dans E.M. Hetherington et J.D. Arasteh (dir.), *Impact of Divorce, Single Parenting and Stepparenting on Children* (p. 325-368). New Jersey : Lawrence Erlbaum Associates.

ZILL, N. et SCHOENBORN, C.A. (1991). Health of our nation's children : Developmental, learning, and emotional problems. *Advance Data From Vital and Health Statistics, 190*, 1-18.

ZIMILES, H. et LEE, V.E. (1991). Adolescent family structure and educational progress. *Developmental Psychology, 27*(2), 314-320.

CHAPITRE 10

LA PRÉVENTION DE LA NÉGLIGENCE ET DE LA VIOLENCE ENVERS LES ENFANTS

LOUISE S. ÉTHIER
Université du Québec à Trois-Rivières
CARL LACHARITÉ
Université du Québec à Trois-Rivières

Résumé

Ce chapitre fait la recension de la documentation, publiée depuis 20 ans, sur les programmes de prévention des mauvais traitements auprès des enfants. Il est découpé en trois sections qui présentent les programmes de prévention universelle, sélective et indiquée de la négligence et des abus physiques. La conclusion met l'accent sur le caractère complexe et multidimensionnel de la négligence et des abus physiques des jeunes enfants. Elle souligne que les programmes recensés rapportent en général des effets positifs, mais que de nombreux problèmes méthodologiques rendent difficile l'interprétation des résultats concernant l'efficacité des interventions préventives. De plus, peu de programmes semblent tenir compte des facteurs parentaux associés à la négligence et aux abus physiques (toxicomanie, dépression, traumatismes affectifs, déficience intellectuelle, etc.) et leur durée semble nettement insuffisante.

Du point de vue des intervenants, des décideurs ou des chercheurs, la prévention est considérée comme le seul moyen efficace pour contrer les situations de mauvais traitements envers les enfants (Aber,1992 ; Garbarino et Collins,1999 ; Schellenbach, Whitman et Borkowski, 1992). La prévention de la négligence et de la violence demeure également une priorité en recherche (Finkelhor, 1988 ; Trocmé *et al.*, 1999). Cependant, il semble que les actions préventives et curatives progressent lentement en raison des nombreux facteurs de risque impliqués dans ces situations, de la complexité des modèles étiologiques, de la difficulté à mesurer adéquatement les résultats d'intervention. Cette situation est d'autant plus alarmante que l'abus et la négligence envers les enfants est d'ampleur considérable et demeure l'un des phénomènes les plus nuisibles au développement des enfants.

Daro (1996) rapporte une estimation de trois millions d'enfants américains subissant des mauvais traitements de leurs parents selon des statistiques datant de 1992, soit un nombre 300 % plus élevé qu'en 1976. De ce nombre, 51 % concerne la négligence, 25 % l'abus physique, 16 % l'abus sexuel, et 8 % les autres formes de mauvais traitements (Erickson et Egeland, 1996). Au Canada, plus de 180 000 enquêtes sont menées chaque année en vue de protéger un enfant d'abus et de négligence (Trocmé *et al.*, 1999).

Parmi les enfants reconnus officiellement comme maltraités, les cas de négligence semblent plus fréquents. En France, Gabel, Kuperming, Padieu et Sanchez (1997) indiquent que les cas de négligence grave accompagnés de violences psychologiques s'évalueraient à 7 500 cas, en 1995, et 7 000, en 1996. Au Québec, sur les 17 617 enfants pris en charge annuellement par les services de protection, nous retrouvons une majorité, soit plus de 80 % d'entre eux qui concernent la négligence (ACJQ, 1999). Bien qu'il n'y ait pas consensus sur le type de mauvais traitements et le nombre d'enfants maltraités dans les pays occidentaux (compte tenu des problèmes de définition ou de recrutement des données), nous pouvons constater que le phénomène est extrêmement répandu. Nous devons aussi retenir que ces statistiques, aussi alarmantes soient-elles, ne sont pas des indices réels du taux de prévalence parce que seuls les cas retenus par les services de protection sont comptabilisés. Un nombre plus élevé de cas est signalé par année, parmi ceux-ci plusieurs sont non retenus par les services de protection, faute de preuves suffisantes. De plus, certaines situations de mauvais traitements ne sont que rarement signalées, telle la négligence émotionnelle.

DÉFINITIONS DE LA VIOLENCE ET DE LA NÉGLIGENCE

Il est difficile de prévenir ce que nous n'arrivons pas à définir clairement. Dans la pratique, les conduites mixtes de violence et de négligence envers l'enfant sont fréquentes ; il est toutefois évident que les deux formes de mauvais traitements se distinguent sur le plan conceptuel et que la *violence* n'est pas un phénomène équivalent à celui de la *négligence*. Malheureusement, peu de recherches font une distinction entre la violence, la négligence et les conduites mixtes. Plusieurs intègrent sous le vocable de maltraitance, un ensemble de conduites hétérogènes telles que la violence psychologique ou les abus sexuels. Zuravin (1999) mentionne avoir trouvé deux articles seulement portant sur une définition standardisée de la négligence, les autres se contentant de parler de mauvais traitements selon les classements des agences de protection. Ces dernières reposant davantage sur des catégories légales que sur des diagnostics cliniques.

La *violence physique* se situe sur un continuum allant de la fessée aux coups mettant en danger la santé ou la vie de l'enfant ; elle est souvent accompagnée de *violence psychologique*. Les enfants sont victimes de menaces qui laissent présumer qu'ils seront agressés. Ils sont également victimes d'humiliations, de critiques, de railleries ou d'insultes et témoins de violence intrafamiliale ou conjugale (Jaffe, Wolfe et Wilson, 1990). Bien que la violence psychologique accompagne souvent d'autres formes de mauvais traitements, il est nécessaire d'en faire ressortir la particularité. Dans nos sociétés, les enfants plus jeunes sont plus victimes de violence physique tandis que les enfants plus âgés font l'objet de violence psychologique ou de violence physique mineure de la part de leur parent (Laferrière, 1997 ; Straus et Gelles, 1987).

La *négligence parentale* fait référence, par définition, à une absence de gestes appropriés ; elle est souvent repérée par l'observation de ses conséquences sur l'enfant. Certaines formes de négligence sont plus visibles que d'autres, surtout lorsqu'elles s'accompagnent d'extrême pauvreté. Par exemple, l'enfant mal nourri, mal vêtu, sale et laissé sans surveillance est un cas de négligence physique facilement identifiable. Néanmoins, une forme de négligence est souvent accompagnée d'une autre forme. Ainsi, la négligence émotionnelle sous-tend souvent d'autres formes de négligence ; elle est en revanche plus insidieuse et cachée : elle ne laisse pas de marques physiques évidentes, mais elle est tout aussi dévastatrice sur le plan du développement. La négligence peut être d'ordre physique, médical, éducationnel ou émotionnel.

Dans le cas de la famille violente sans conduite négligente, nous observons plus de ressources matérielles et personnelles chez les parents, une meilleure organisation de la vie au quotidien, bien que celle-ci soit ponctuée de moments de crise entre les membres de la famille. La famille typiquement violente a un réseau social plus développé que la famille négligente ; les relations sociales sont cependant de courte durée en raison des fréquents conflits qui surgissent entre les différents membres de la famille et leur entourage (Éthier, 1999).

Les parents négligents sont souvent plus démunis sur le plan matériel et personnel. Le quotidien est désorganisé, les relations sociales sont pauvres et se caractérisent plus par de la dépendance que par de la réciprocité. Une forte proportion de parents négligents présentent des difficultés cognitives (Polansky, Gaudin et Kilpatrick, 1992 ; Crittenden, 1988). L'observation des enfants négligés indique qu'ils présentent plusieurs retards de développement notamment sur le plan du langage. Parmi les enfants maltraités, les enfants négligés présentent les plus importants retards cognitifs (Trickett et McBride-Chang,1995).

LES MODÈLES THÉORIQUES

Le phénomène des mauvais traitements infligés aux enfants résulterait d'un ensemble de variables causales d'ordre individuel, environnemental et culturel. La contribution théorique de Bronfenbrenner (1979) fut à cet égard importante et mit en évidence l'idée des multiples déterminants selon trois niveaux d'analyse : les caractéristiques individuelles et le système de la famille (le microsystème), les caractéristiques de l'environnement familial et de la communauté (l'exosystème), les facteurs culturels (le macrosystème). Dans une perspective similaire, Belsky (1993) propose un modèle où les mauvais traitements envers l'enfant résulteraient d'un déséquilibre entre le niveau de stress du parent et les sources de soutien que lui procure son entourage. De leur côté, Cicchetti et Lynch (1993) proposent un modèle transactionnel où l'on retrouve les facteurs potentiels, qui augmentent la probabilité du risque des mauvais traitements, et les facteurs compensatoires, qui en diminuent la probabilité. Le modèle comprend quatre catégories : 1) les facteurs de vulnérabilité permanente, 2) les facteurs de vulnérabilité transitoire, 3) les facteurs de protection permanente et 4) les facteurs de protection transitoire.

La prédisposition du parent à être négligent ou violent à l'endroit de son enfant résulterait d'un processus développemental concernant divers niveaux d'organisation du système social. Dans un milieu familial caractérisé par exemple par la pauvreté, l'isolement social, la dépression du parent ou l'histoire d'abus, le risque serait accru que des mauvais traitements soient infligés aux enfants.

PRÉVENIR LA NÉGLIGENCE ET LA VIOLENCE ENVERS LES ENFANTS

Toute action préventive repose avant tout sur une bonne connaissance des sources du phénomène, une bonne connaissance des différents facteurs qui, directement ou indirectement, contribuent au phénomène. Cette notion issue de l'épidémiologie vise à identifier les facteurs qui rendent un individu vulnérable. Un *facteur de risque* est en ce sens une caractéristique associée à une probabilité plus élevée ou plus faible d'apparition d'un problème. L'action préventive vise à éliminer les facteurs de risque reliés à un phénomène ou à diminuer les effets de l'exposition à un ou plusieurs facteurs de risque ; elle vise aussi à augmenter les facteurs de protection qui peuvent contrer les effets des facteurs de risque.

Dans le domaine des mauvais traitements envers les enfants, il existe de nombreux facteurs de risque qui ont été identifiés comme favorisant la négligence et la violence ; le jeune âge de la mère à la naissance du premier enfant et les familles nombreuses (Connelly et Straus, 1992), la pauvreté et les facteurs reliés tels que le faible niveau de scolarité et le non-emploi (Gelles, 1989), l'isolement social (Polansky, Ammons et Gaudin, 1985), les caractéristiques de l'enfant à la naissance (Whipple et Webster-Stratton, 1991), l'histoire d'abus du parent (Egeland, Jacobvitz et Sroufe, 1988) et la dépression et le niveau de stress élevé du parent (Éthier, Lacharité et Couture, 1995 ; Gordon, 1983). Outre ces facteurs généralement admis comme contribuant aux mauvais traitements envers les enfants, nous retrouvons sous le vocable de la négligence et de la violence, des réalités distinctes, telles que la toxicomanie, la déficience intellectuelle, les problèmes de santé mentale, qui chacune, regroupe d'autres facteurs de risque spécifiques.

Les problèmes médicaux ou de santé peuvent accroître le risque pour un enfant d'être l'objet de mauvais traitements. Par exemple, les maladies chroniques de l'enfant augmentent le stress et la responsabilité des parents, de même que le fardeau des tâches quotidiennes ; elles haussent les coûts d'éducation et dans certains cas où la santé de l'enfant exige des hospitalisations prolongées, relâchent les liens entre parents et enfants. Selon Belsky et Vondra (1989), les principaux facteurs de risque physique reliés à l'abus sont les complications à la naissance, les handicaps physiques et la déficience intellectuelle.

Le tempérament difficile de l'enfant (impulsivité, cris et pleurs fréquents, haut niveau d'activité) contribuerait, selon certains auteurs, à abaisser le seuil de tolérance du parent et augmenterait le risque de violence (Herrenkohl, Herrenkohl et Egolf, 1983). Cependant, le tempérament de l'enfant n'est pas jugé par d'autres comme une explication suffisante pour justifier l'abus parental (Ammerman, 1991 ; Pianta, Egeland et Erickson, 1989). Conformément à une approche systémique et écologique, des caractéristiques de l'enfant peuvent augmenter la difficulté parentale, mais elles doivent s'insérer dans un environnement également à risque pour qu'il y ait abus.

Prévenir la négligence et la violence envers les enfants signifie mettre sur pied un ensemble de conditions visant à contrer l'apparition de conduites parentales nocives pour l'enfant ou mettre sur pied un ensemble d'actions ayant pour objectif de diminuer ou d'empêcher l'apparition de séquelles chez la personne exposée à une quantité de risque. Dans le premier cas, il s'agit de *prévention primaire ou universelle* (Olds *et al.*,1997) qui concerne les diverses actions entreprises avant que les mauvais traitements surviennent. Des actions qui touchent l'ensemble de la population ou des territoires qui auront, dans le meilleur cas, l'effet de réduire le taux d'incidence de cas de maltraitance dans la population générale. Par exemple, les programmes visant à hausser la qualité de vie des familles ayant de jeunes enfants correspondent à de la *prévention universelle.*

Dans le cas où les actions visent à contrer ou atténuer les effets de risques sur une population déjà identifiée comme étant vulnérable, il s'agit de *prévention secondaire ou prévention sélective.* Ce type de prévention permet de diminuer les taux de prévalence de mauvais traitements envers les enfants dans la population. Les actions visant à hausser les habiletés parentales de parents à risque ou les lignes téléphoniques comme Tél-Écoute pour parents en difficulté sont des exemples de prévention sélective.

La *prévention tertiaire ou indiquée* s'adresse aux individus présentant diverses problématiques. Dans le cas qui nous préoccupe, il s'agirait de parents qui ont été identifiés comme ayant des conduites de violence et de négligence envers leurs enfants ; le risque n'est donc plus à démontrer : il s'agit de cas. La *prévention indiquée,* bien qu'elle se rapproche de la notion de traitement, vise une diminution ou une disparition des conduites problématiques et des séquelles et la prévention des récidives. Les actions posées par les services de protection de l'enfance sont de la prévention indiquée ; ces mesures ont pour effet d'enrayer les conduites abusives des parents à court et à long terme et de prévenir les séquelles chez les enfants.

Dans certains cas, les *actions* peuvent être *mixtes,* par exemple, un programme de prévention qui vise une clientèle à *haut risque* d'abus est à la fois une *intervention de nature sélective et indiquée.* Dans ce chapitre, nous utiliserons les appellations, universelle, sélective et indiquée.

UNE RECENSION CRITIQUE DES ÉCRITS

Les programmes de prévention décrits dans ce texte ont été sélectionnés depuis 1980 en fonction des critères suivants. Ils doivent avoir fait l'objet d'une évaluation systématique et viser la violence ou la négligence, envers les jeunes enfants ou les adolescents. Les programmes s'adressant à des parents qui négligent ou violentent leur enfant en raison principalement de problèmes de toxicomanie ou de déficience intellectuelle ne sont pas inclus[1].

1. Les programmes de prévention de la consommation abusive de psychotropes font l'objet d'un chapitre dans cet ouvrage. En ce qui concerne les rares études sur la déficience intellectuelle et la parentalité, nous référons le lecteur à l'article suivant : Éthier, Biron, Boutet et Rivest (1999). Parentalité et déficience intellectuelle. *Revue Francophone en déficience intellectuelle.* Vol. 10, n° 2, 109-123.

L'objectif de ce chapitre est de relever les programmes de prévention existants depuis les 20 dernières années et de cibler les études qui semblent les plus efficaces pour contrer la violence ou la négligence envers les enfants. Les programmes que nous avons répertoriés sont issus de publications dans les revues francophones et anglophones, issues des banques Psyclit, Current Contents, Medline depuis les 20 dernières années[2]. Les articles sélectionnés devaient faire l'objet d'une évaluation empirique. Dans le cas des programmes sélectifs ou indiqués, les études retenues ont utilisé des instruments visant à mesurer la diminution de cas de mauvais traitements. Une attention particulière a été accordée aux revues spécialisées dans ces problématiques : *Child Abuse and Neglect, Journal of Family Violence, Child Abuse Review, Child Welfare, Journal of Interpersonal Violence, Child Maltreatment.*

Les méthodologies de recherche peuvent varier, mais nous avons éliminé les études de cas portant sur un très petit nombre de sujets (moins de trois personnes), ce type de méthodologie ne permettant pas de généraliser les résultats d'un programme de prévention. Enfin, nous avons exclu de notre recension les études dont les lacunes méthodologiques étaient trop importantes, telles que l'absence d'un devis comparatif ou de mesures validées.

Nous devons reconnaître qu'il existe un bon nombre de programmes de prévention ayant suscité des initiatives des milieux de la recherche ou de la pratique. Cependant, la plupart de ces programmes n'ont fait l'objet d'aucune évaluation systématique. Par exemple, des programmes au Québec tels que Naître égaux et Grandir en santé (Boyer et Parisien, 1998), 1,2,3 Go ! (Bouchard, 2000) sont actuellement en cours et feront l'objet de publications ultérieures. D'autres programmes québécois tels que Apprenti-Sage (Piché, Roy et Couture,1995) ou De la Visite (Durand, Massé et Ouellet, 1989) ont fait l'objet d'évaluations rapportées dans des documents internes de recherche qui ne sont pas répertoriés dans ce chapitre.

PROGRAMMES DE *PRÉVENTION DE TYPE UNIVERSEL VISANT À DIMINUER LA VIOLENCE ET LA NÉGLIGENCE ENVERS LES ENFANTS*

Les stratégies d'intervention utilisées en prévention universelle des abus physiques et de la négligence envers les enfants se basent sur la promotion des compétences des parents et des enfants, ainsi que sur l'amélioration des conditions de vie de l'ensemble des familles d'une collectivité ; elles visent l'augmentation des facteurs de protection et la diminution des effets

2. Les principaux programmes existants avant les années 1980 ont été évalués notamment par Gambrill (1983), Fink et McCloskey (1990), Olds et Kitzman (1993).

des facteurs de risque. Ces stratégies ne ciblent pas des individus, mais *plutôt des groupes ou des collectivités entières*. À ce jour, peu d'efforts ont été entrepris pour vraiment élaborer, implanter et évaluer l'impact de telles initiatives. Depuis que la maltraitance des enfants est reconnue comme faisant formellement partie du domaine public (par la promulgation de lois visant à protéger les enfants), les efforts ont principalement consisté à « réagir » aux situations signalées ou à éviter que certaines situations extrêmement problématiques ne dégénèrent en mauvais traitements.

La prévention universelle des mauvais traitements d'enfants requiert que l'on adopte une approche proactive. L'objectif ici n'est pas de mettre en place des stratégies pour protéger l'enfant, mais plutôt de proposer des initiatives pour promouvoir le développement optimal et le bien-être de tous les enfants. Au Québec, le programme *1,2,3 Go ! Pour un bon départ dans la vie* (Bouchard, sous presse) est un excellent exemple de ce type d'initiative. Ce programme est de l'intervention communautaire dont le but ultime est de contribuer au développement des enfants de 0-3 ans de communautés défavorisées. L'initiative 1,2,3 Go ! poursuit trois objectifs complémentaires : 1) promouvoir le développement physique cognitif, social et affectif des tout-petits (0-3 ans) ; 2) promouvoir le soutien aux parents des communautés visées ; 3) soutenir les efforts de la communauté en vue d'offrir aux enfants et à leurs parents un environnement stimulant et chaleureux. Mise sur pied en 1993 dans six communautés de la région montréalaise, on retrouve de 350 à 650 enfants par communauté vivant dans la pauvreté. Chaque communauté a été invitée à identifier leurs priorités et à formuler un plan d'action respectueux des principes directeurs suivants : 1) mobilisation du plus grand nombre possible d'acteurs dans la communauté tout au long de la démarche ; 2) concertation entre les services et les organismes ; 3) implication des familles et des enfants par le biais d'activités telles que des groupes d'entraide pour les parents, amélioration des conditions de logement, amélioration de la sécurité du quartier, services et espaces récréatifs mieux adaptés aux besoins des tout-petits.

Les études disponibles sur ce type d'initiatives sont peu nombreuses et présentent souvent de graves lacunes. Par exemple, certains programmes sont qualifiés de prévention universelle alors qu'en réalité ils s'adressent à des parents à haut risque psychosocial (Huxley et Warner, 1993) ou même à une clientèle manifestant déjà des problèmes d'abus et de négligence (Barth, 1991). D'autres études (Earls, McGuire et Shay, 1994 ; Atkins, 1986 ; Showers, 1992) indiquent qu'un programme est évalué, mais les données recueillies se limitent à une évaluation descriptive de la clientèle en post-test.

LES STRATÉGIES DE PRÉVENTION UNIVERSELLE EN MALTRAITANCE PEUVENT ÊTRE REGROUPÉES EN CINQ CATÉGORIES :

1. Les interventions éducatives qui visent à informer et à préparer les parents (habituellement lors de la période prénatale) aux défis qui les attendent, par exemple, en abordant les compétences du bébé de manière à ce que les parents puissent avoir des attentes réalistes (Belsky, 1985) ou en abordant l'attitude à avoir à l'égard des pleurs du bébé (Showers, 1992).

2. Les programmes qui visent à renforcer la relation précoce parent-enfant tout de suite après l'accouchement en adaptant les soins obstétricaux et postnataux de manière : 1) à éviter que ces soins interfèrent avec l'établissement de cette relation et 2) à mettre en place des conditions qui favorisent l'établissement de cette relation – par exemple, la cohabitation avec le bébé – (O'Connor, Vietze, Sherrod, Sandler et Altemeier, 1980 ; Seigel, Bauman, Schaefer, Saunders et Ingram, 1980).

3. Les programmes de visites à domicile (par des professionnels ou non professionnels) qui sont offertes à l'ensemble (ou à certaines) des familles d'un territoire, habituellement tout de suite après la naissance d'un enfant (Olds, 1997 ; Olds, Henderson, Kitzman, Eckenrode, Cole et Tatelbaum, 1998 ; Taylor et Beauchamp, 1988).

4. L'amélioration des conditions sociales, économiques ou culturelles qui permettent aux parents : 1) de disposer des ressources nécessaires pour remplir leur fonction parentale, 2) de réduire les stresseurs qui entravent l'exercice des compétences parentales ou 3) de faire des choix de vie (valeurs éducatives) qui favorisent le bien-être des enfants (Durrant, 1999 ; Earls, McGuire et Shay, 1994).

5. Les programmes d'éducation qui s'adressent directement aux enfants et qui visent à outiller ces derniers pour qu'ils puissent réagir aux menaces d'abus (Finkelhor, Asdigian et Dziuba-Leatherman, 1995).

Concernant les deux premières catégories d'interventions préventives, il faut noter que les résultats sont contradictoires, présentent des lacunes méthodologiques importantes ou ne font pas état de l'impact sur les mauvais traitements (ou des aspects associés). Cela ne signifie pas que ce type d'initiative soit inefficace, mais des travaux plus systématiques devraient être entrepris pour en évaluer l'efficacité. Nous avons retenu pour chacune des trois autres catégories une étude qui nous apparaît robuste et qui représente un prototype des stratégies préventives énumérées. Ce sont ces études (Durrant, 1999 ; Finkelhor *et al.*, 1995 ; Olds *et al.*, 1997) qui sont décrites dans le tableau 1.

Le programme de visites à domicile de Olds (1997) s'appuie sur le modèle de l'écologie humaine (Bronfenbrenner, 1979), la théorie de l'attachement (Bowlby, 1969) et la théorie de l'efficacité personnelle (Bandura, 1982). Les visites sont effectuées par des infirmières auprès de femmes enceintes (avant la 30e semaine de gestation) vivant en situation de risque (faible revenu, monoparentalité, adolescentes, etc.). Ces visites ont comme objectif d'améliorer trois aspects du fonctionnement de la mère et de l'enfant : 1) le déroulement de la grossesse et de l'accouchement, 2) la qualité des soins parentaux et de la conduite parentale (incluant la réduction des problèmes de santé et de développement de l'enfant) et 3) le développement personnel de la mère (retour à l'école ou sur le marché du travail, planification des futures grossesses). Les mères reçoivent en moyenne 9 visites prénatales et 23 visites postnatales jusqu'à ce que l'enfant ait 2 ans, habituellement par la même infirmière.

Les résultats de l'évaluation indiquent que, lors de la grossesse, les mères visitées ont amélioré la qualité de leur alimentation et, pour celles qui fumaient, ont réduit de 25 % leur consommation de cigarettes en comparaison du prétest. Elles ont eu moins d'infections urinaires, plus de soutien de leur réseau social informel et ont fait une meilleure utilisation des services communautaires. Il y a eu 75 % moins de naissances prématurées et les bébés pesaient 400 grammes de plus dans le groupe visité. Au moment où l'enfant a eu 2 ans, 4 % des enfants du groupe visité avaient été signalés pour mauvais traitements comparé à 19 % pour le groupe de contrôle. Au moment où l'enfant a eu 4 ans, les mères visitées avaient un taux de grossesse subséquente de 42 % moindre que les mères du groupe de contrôle. Elles ont passé 83 % moins de temps à être inoccupées (en raison de retour à l'école ou sur le marché du travail).

Au Québec, le programme Naître égaux – Grandir en santé (Boyer et Parisien, 1998) a été inspiré des travaux de Olds *et al.* (1997) et vise à soutenir les femmes enceintes qui vivent en situation d'extrême pauvreté jusqu'à ce que leur enfant ait 2 ans. Actuellement, ce programme est implanté dans la plupart des territoires de CLSC du Québec et est dirigé par une équipe multidisciplinaire d'intervenants (infirmières, diététistes, travailleurs sociaux, psycho-éducateurs) ; ce programme est actuellement en phase d'évaluation.

La promulgation de lois visant à protéger les enfants contre les abus et la négligence est un type d'initiative universelle dont l'objectif est de transformer les valeurs et les attitudes des adultes d'une société. Durrant (1999) décrit les résultats de ce type de mesure en Suède. Dans les années 1970, le gouvernement suédois en est venu à la conclusion que les balises juridiques s'adressant aux parents et aux autres figures d'autorité sous les soins desquels les enfants peuvent se retrouver n'étaient pas suffisamment claires en ce qui concerne l'utilisation de la punition corporelle. Il a ainsi proposé l'ajout d'un paragraphe à l'intérieur du Code des parents énonçant explicitement que cette pratique n'est pas permise. Tous les partis politiques et 98 % des parlementaires ont voté, en 1979, en faveur de cet ajout : « Les enfants ont droit à des soins, à la sécurité et à une bonne éducation. Les enfants doivent être traités avec respect dans leur personne et leur individualité et ne doivent pas être soumis à une punition physique ou d'autres traitements douloureux ou humiliants. » Cette loi a été inscrite dans le Code des parents plutôt que dans le Code criminel puisque l'intention n'était pas de criminaliser les parents fautifs, mais plutôt d'éduquer la population.

La promulgation de cette loi a été accompagnée d'une campagne d'information nationale dont les principaux éléments ont été : 1) une brochure de 16 pages distribuée dans tous les foyers suédois et traduite dans les langues des principaux groupes ethniques et 2) des informations sur cette loi ont été imprimées sur les cartons de lait pendant une période de deux mois afin qu'elle puisse être consultée et discutée en famille lors des repas.

Les objectifs de cette loi étaient les suivants : 1) de modifier les attitudes envers l'utilisation de la force physique avec les enfants comme première étape dans l'élimination de son utilisation en créant une pression sociale qui ferait qu'un parent n'utilisant pas de punition corporelle serait considéré comme un bon parent, 2) d'établir une balise claire pour les parents et les professionnels, cette balise permettant d'identifier précocement les parents à risque et de signaler promptement les situations d'abus physique et 3) de faire en sorte que cette identification précoce donne lieu à des mesures de soutien plutôt qu'à des mesures coercitives.

L'étude de Durrant (1999) évalue, en se basant sur des enquêtes nationales, les changements sociaux qu'a occasionnés la promulgation de cette loi (jusqu'en 1994). Elle montre que la proportion d'adultes qui sont favorables à la punition physique des enfants est passée de 26 % à 11 % durant une période d'environ 15 ans. Les adultes âgés de moins de 35 ans sont trois fois moins nombreux (6 %) à endosser cette pratique que les adultes âgés de 54 ans ou plus (18 %). En 1994, 50 % des personnes âgées de 18 ans ou plus (qui, par conséquent, ont vécu leur enfance avant la promulgation de la loi) rapportent avoir reçu des punitions physiques de leur mère ou de leur père au cours de leur enfance (avant 10 ans) ; par contre, seulement le tiers des enfants âgés entre 10 et 13 ans en 1994 (qui, par conséquent, ont vécu leur enfance après la promulgation de la loi) rapporte ce type d'expérience. Entre 1971 et 1975, cinq enfants sont décédés des suites d'abus physiques de la part d'un parent qui n'avait pas l'intention de le tuer, mais plutôt de le discipliner ; entre 1976 et 1990, aucun enfant n'est décédé à la suite d'une situation d'abus physique ; entre 1990 et 1996, quatre enfants sont décédés à la suite d'une situation d'abus physique, mais un seul de ces cas impliquait un parent. Entre 1981 et 1996, le taux (par 1 000) de signalements d'agression physique contre un enfant de moins de 15 ans (tous types d'agresseurs confondus) est passé de 0,6 à 3,1, une augmentation de 500 %. En Suède, les assauts sont classés en trois catégories : assauts graves passibles de peines d'emprisonnement allant de 1 à 10 ans, assauts communs passibles de peines d'emprisonnement de moins de 2 ans et assauts mineurs passibles d'amendes ; 92 % des assauts contre des enfants entre 1981 et 1996 étaient mineurs et aucune augmentation des assauts majeurs n'a été observée durant cette période. Durrant (1999) souligne que, même si les Suédois sont devenus plus sensibles aux abus physiques des enfants et ont plus tendance à en signaler l'occurrence, la loi interdisant la punition corporelle n'a pas provoqué une augmentation de la criminalisation des parents et d'autres figures d'autorité. De plus, la proportion de suspects d'agression âgés entre 20 et 29 ans (qui, par conséquent, ont été les plus exposés à la loi dans leur enfance) est passée de 27 % à 15 % comparée à la proportion de suspects âgés entre 30 et 39 ans, qui est passée de 27 % à 47 %, ou à celle des suspects âgés entre 40 et 49 ans, qui est passée de 13 % à 25 %. Depuis 1982, les interventions auprès des familles sont devenues de plus en plus préventives, volontaires et soutenantes. Les placements d'enfants ont diminué du tiers, tandis que les interventions de soutien aux parents ont doublé.

Dans le système scolaire, il existe de multiples programmes qui visent à apprendre aux enfants à éviter et à dévoiler des situations où ils sont victimes de divers crimes. Ce type d'initiative met habituellement l'accent sur les abus sexuels, mais comporte suffisamment d'éléments se rapportant à d'autres formes de victimisation pour que nous l'abordions dans le cadre de ce chapitre. Finkelhor *et al.* (1995) ont évalué l'impact sur les enfants de l'exposition à ce type de programme. Ces programmes ont comme objectifs 1) d'informer et de sensibiliser les jeunes aux diverses situations d'abus dont ils peuvent être victimes, 2) de favoriser l'adoption de stratégies comportementales leur permettant d'éviter ces situations et de se protéger et de se défendre contre celles-ci, 3) de leur faire comprendre que l'abus n'est jamais de leur faute et 4) d'informer les parents du contenu du programme à travers des rencontres spéciales.

Les résultats de Finkelhor *et al.* (1995) s'appuient sur une enquête auprès d'un vaste échantillon représentatif des enfants américains âgés entre 10 et 16 ans. Ils montrent que 67 % des enfants rapportent avoir déjà été exposés à ce type de programme dans leur milieu scolaire et 37 % y ont été exposés dans les derniers 12 mois. Les enfants (et, en particulier, ceux âgés de 10-11 ans) exposés de manière plus étendue à ce type de programme ont de meilleures connaissances concernant la problématique de la victimisation sexuelle que ceux qui y ont été exposés de façon minimale ou que ceux qui n'y ont pas été exposés du tout. Ces enfants rapportent également faire usage des quatre stratégies de défense suivantes lorsqu'ils se sentent menacés : 1) demander qu'on les laisse tranquille, 2) crier, 3) menacer de raconter ce qui se passe et 4) raconter ce qui s'est passé à une tierce personne. Ces enfants rapportent également se sentir plus efficaces à composer avec diverses formes de victimisation. Ainsi, ce qu'ils ont réussi à faire leur a permis de se sentir en sécurité, d'éviter de se faire blesser ou d'éviter que la situation ne se détériore. Enfin, ces enfants, lorsqu'ils se sentent menacés ou lorsqu'ils sont victimes d'abus ont plus tendance à dévoiler l'épisode d'abus à une tierce personne.

En résumé, beaucoup d'efforts restent à faire afin de développer les mesures de prévention universelle des mauvais traitements en tenant compte de chacune des cinq catégories d'intervention énumérées plus haut (éducation parentale, soutien précoce de la relation parent-enfant, soutien à domicile, amélioration des conditions de vie, éducation des enfants). De plus, les contextes d'intervention préventive universelle ont intérêt à être variés, soit le domicile familial, le centre hospitalier, l'école, le lieu de travail, etc.

Recommandations découlant des résultats des études sur la prévention universelle

- La prévention universelle des mauvais traitements a intérêt à commencer le plus tôt possible dans le cycle de vie parentale. La période prénatale et celle entourant la naissance de l'enfant constituent un moment charnière dans l'implantation de mesures préventives universelles.
- Elle devrait fournir aux mères et aux pères un soutien suffisamment intense, régulier et à long terme en fonction des besoins et des difficultés ressentis par ces parents.
- Comme une proportion considérable de cas de mauvais traitements débute à l'âge scolaire ou même à l'adolescence (Cicchetti et Lynch, 1995), elle devrait viser à étendre le soutien aux familles au-delà de la petite enfance et de la période préscolaire.
- L'amélioration des conditions de vie des familles passe par une prise de conscience collective de la promotion du bien-être des enfants (Gagnier, Lacharité, Éthier et Pinard, sous presse). Cette prise de conscience nécessite non seulement que la population dans son ensemble soit informée des enjeux liés à la bientraitance et à la maltraitance des enfants, mais également qu'elle se sente concernée par ces enjeux et sente que chacun peut contribuer à améliorer le sort des enfants d'une collectivité. La prévention universelle des mauvais traitements passe donc par la responsabilisation sociale à l'égard de la question du bien-être des enfants (Lacharité, 1999).

- L'éducation des enfants relativement aux thématiques de la violence, de la victimisation, du rejet, etc., semble avoir des répercussions à long terme comme le démontre l'étude suédoise de Durrant (1999). L'école, et non seulement la famille, devrait être un contexte d'intervention à exploiter. Le milieu scolaire constitue un contexte central de socialisation des jeunes, en raison de la présence non seulement de nombreux éducateurs, mais surtout de pairs. À notre connaissance, il n'y a encore aucun programme qui a tenté d'utiliser ce vecteur de socialisation pour promouvoir l'adoption 1) d'attitudes favorisant la protection personnelle dans des situations de victimisation et 2) de croyances favorisant le développement ultérieur d'attitudes parentales sensibles.

PROGRAMMES DE *PRÉVENTION SÉLECTIVE*

Depuis 1980, en tenant compte des critères mentionnés plus haut, nous avons répertorié 15 programmes de prévention sélective visant à contrer les conduites de violence et de négligence envers les enfants. Ces projets de prévention visent une population à risque d'abus. Quatre projets ciblent des mères avec leurs enfants (Armstrong, 1981 ; Éthier *et al.*, 2000 ; Willett et Ayoub, 1991 ; Wolfe *et al.*, 1988). Neuf projets s'adressent à des femmes ou adolescentes enceintes (Barth, Hacking et Ash, 1988 ; Barth, 1989 ; Barth, 1991 ; Brayden *et al.*, 1993 ; Britner et Reppuccil, 1997 ; Dawson *et al.*, 1990 ; Flynn, 1999 ; Hardy *et al.*, 1989 ; Olds *et al.*, 1986). Deux projets visent spécifiquement les mères adolescentes (Fuscaldo *et al.*, 1998 ; Schinke *et al.*, 1986). Aucun projet ne rapporte des données sur les pères ou les conjoints (voir les tableaux 2, 3 et 4).

Les devis de recherche les plus communs sont la comparaison de groupes d'intervention avec un groupe de contrôle incluant un prétest et un post-test. Deux études ont comparé leurs résultats avec des données nationales ou des données issues d'une autre recherche. Le tiers seulement des études ont un échantillon tiré au hasard. Enfin, la majorité des études ont une durée limitée variant de 6 à 24 mois. Deux projets de prévention se démarquent par leur suivi plus long. Le projet de Willet, Ayoub et Robinson (1991) avec 172 familles a une durée de 29 mois, tandis que le projet de Britner et Reppuci (1997) avec 535 familles de départ, réparties en deux groupes, intervention et témoin, s'étend sur cinq années.

Les mesures utilisées sont principalement 1) des questionnaires aux parents portant sur le potentiel d'abus, la dépression, le stress, l'anxiété, le soutien social, les difficultés dans la famille, et 2) les données recueillies par les mères visiteuses, ou celles provenant des dossiers des professionnels, mettant l'accent sur les relations parents-enfants. Deux études rapportent des observations directes du parent avec son enfant (Dawson *et al.*,1990 et Wolfe *et al.*, 1988), quatre études ont évalué le développement des enfants et les autres portaient uniquement sur le comportement des mères. Seules les recherches de Wolfe *et al.* (1988) et de Barth (1991) ont une mesure de satisfaction des participants.

Tous les projets de prévention rapportent des résultats positifs ; même les études qui n'ont pas trouvé de différence significative entre le groupe d'intervention et le groupe de contrôle, indiquent que l'ensemble de leurs participants ont progressé sur certaines dimensions. Il semble donc que l'intervention procurerait un certain soutien bénéfique au parent. Néanmoins, ce qui n'est pas démontré, c'est la supériorité d'un programme sur un autre et le maintien des effets positifs chez les participants. Ce qui n'est pas démontré clairement, c'est le lien entre les résultats obtenus, par exemple la hausse de l'estime de soi pour la mère et l'occurrence des conduites de mauvais traitements, ce qui sème le doute sur la pertinence de certains objectifs proximaux au regard de la variable distale, soit le comportement d'abus ou de négligence. Les résultats obtenus portent fréquemment sur des indicateurs indirects aux mauvais traitements (mères moins punitives, humeur plus positive chez le bébé, sentiment de compétence sociale, estime de soi, satisfaction à l'égard du programme). La diminution du potentiel d'abus a été relevée par seulement 8 études sur 15.

Onze programmes de prévention comprenaient des visites à domicile. Tous les programmes étaient multidimensionnels (soutien social, visites à domicile, classes pour adolescentes, garderie pour enfants, soutien communautaire, habiletés parentales, groupe de soutien). Il semble que le principe de répondre à divers besoins de la famille soit acquis. Toutefois, il n'est pas certain que les programmes couvrent les besoins les plus importants, par exemple la violence du conjoint, les problèmes de santé mentale et de toxicomanie, les conditions de vie matérielle, sur une période suffisamment longue pour avoir un impact sur les conduites de mauvais traitements.

PROGRAMMES DE *PRÉVENTION INDIQUÉE OU MIXTE*

Cinq programmes de prévention indiquée ont été répertoriés (voir les tableaux 5 et 6). Tous les programmes s'adressent à une population abusive, voire à très haut risque de violence et de négligence envers l'enfant. Trois projets ont été réalisés avec des mères seulement et deux autres s'adressaient à tous les membres de la famille. Sur les cinq études répertoriées, une seule indique une diminution des abus en comparaison du groupe de contrôle (Lutzker *et al.*, 1987). Les autres études montrent des améliorations au regard du soutien social, de l'accès aux services, de l'environnement familial et une réduction des conduites délinquantes. L'étude de Lutzker *et al.*, 1987) a été réalisée auprès de familles ayant reçu le programme écosystémique Project 12 Ways de l'État de l'Illinois.

Recommandations pour les programmes de prévention sélective ou indiquée

Le point de vue méthodologique

- Le nombre de familles participantes aux programmes de prévention doit être haussé, car le nombre restreint de participants empêche la généralisation des résultats obtenus dans les études.
- Les programmes répertoriés s'adressent aux mères seules ou avec leur(s) enfant(s) ; les pères et la fratrie ne sont pas considérés. Il est probable que le fait d'intervenir auprès d'un seul parent, sans tenir compte par exemple de la violence du père envers les enfants et sa conjointe limite considérablement les résultats de l'intervention. Bien que plusieurs auteurs soulignent l'importance de travailler de manière systémique avec l'ensemble des membres de la famille, et en tenant compte de la diversité de leurs besoins, nous constatons qu'il existe peu de programmes de ce type.
- Sous la catégorie *population à risque*, on retrouve un large éventail de personnes ; la différence entre *à risque* ou à *haut risque* demeure imprécise. Le type de risque n'est pas précisé ou la durée d'exposition au risque n'est pas considérée.
- La définition des facteurs de risque est imprécise ou non spécifique à la violence et à la négligence. À titre d'exemple, l'étude de Barth *et al.* (1988) considère comme facteurs de risque de violence envers l'enfant la sous-utilisation des services dans la communauté, le dossier criminel d'un parent, les problèmes de santé mentale, les difficultés intellectuelles, la grossesse non désirée, la mauvaise santé physique de la mère. Cette situation peut conduire à identifier des parents comme *à risque,* bien qu'ils ne le soient pas (non valides positifs) ou identifier des parents qui sont à risque de problèmes autres que celui de l'abus. Les facteurs de risque reliés à la violence et encore plus ceux reliés à la négligence sont non spécifiques. Lyons, Doueck et Wodarski (1996) indiquent que les services de protection ont des taux de 13 % à 26 % de cas positifs non valides (identifier des familles à risque lorsqu'elles ne le sont pas) et des cas négatifs non valides (identifier des parents maltraitants comme non à risque) entre 14 % et 63 %. Les études portant sur des populations de jeunes parents censés être à risque d'abus obtiennent des taux de positifs non valides allant de 48 % à 89 % (Altemeier,1979 ; Lealman *et al.*,1983 ; Murphy *et al.*,1985 ; cités dans Gutterman, 1999).

- Trop peu de recherches indiquent le nombre de sujets qui ont refusé le programme. L'étude de Wolfe *et al.* (1988) est en ce sens indicative : les mères qui refusent de participer à l'un ou l'autre des programmes présentent plus de détresse au Child Abuse Potential Inventory (Milner, 1980), ce qui laisse supposer que les familles les plus en besoin ne sont pas évaluées. Gutterman (1999) rapporte que les études préventives, qu'elles soient de type universel ou ciblé, ont un taux approximatif de 76 % de réussite à intégrer les familles ciblées dans leur étude. Le taux de rétention des familles après un premier suivi est de 80 % pour les études de type universel et de 83,25 % pour les études sélectives ou indiquées.

- Il semble également important de mieux cibler les clientèles selon le type de mauvais traitements, selon l'intensité ou la durée des conduites abusives. Une définition vague ou générale des conduites parentales ne permet pas de formuler des objectifs d'intervention bien ciblés (Zuravin, 1999 ; Gaudin,1999). Dawson *et al.* (1990) notent des résultats différents selon les profils comportementaux des mères participantes. Des interventions seraient plus efficaces avec certains types de parents et moins avec d'autres (Gutterman, 1999). Il est fort probable que des variables, autres que celles comprises dans l'étude, modèrent les effets de l'intervention.

- Les mesures sont trop souvent limitées à une seule dimension de la parentalité sans tenir compte du système familial en relation avec son environnement. Nous recommandons non seulement une batterie de mesures pour établir des comparaisons à des temps donnés, sur des variables précisés, mais aussi des mesures de processus du changement, des mesures qui peuvent tester les effets médiateurs des variables.

- Les mesures utilisées dans les études présentent plusieurs faiblesses ; outre le fait que les mesures choisies ne sont pas toujours reliées directement aux objectifs de diminution des abus (p. ex., le *Home* de Bradley et Caldwell, 1984), un bon nombre de mesures posent un problème de validité externe en n'ayant pas été développées auprès de populations pauvres, voire présentant des problèmes de lecture et de compréhension. Les études portant sur des populations multiethniques ne sont pas validées auprès des minorités culturelles. Enfin, les mesures adoptées dans les recherches en abus et négligence mettent beaucoup plus l'accent sur les déficits des parents que sur leurs ressources, voire sur leur capacité d'adaptation. Trop peu d'études mesurent le développement des enfants ou l'effet du programme sur l'enfant.

- Très peu d'études adoptent un devis de recherche qui permet de mesurer l'effet de différents types d'actions du programme, par exemple, un premier groupe, visites à domicile, un deuxième, visites à domicile et groupes de parents, et un troisième groupe de contrôle sur une liste d'attente. Les différents types d'actions inclus dans un programme devraient faire écho à des objectifs d'intervention distincts de manière à en différencier les effets. Par exemple, il arrive que les *groupes de parents* et les *visites à domicile* aient les mêmes visées, soit le soutien du parent dans son quotidien avec l'enfant.

Le contenu et les conditions d'application des programmes

- Pour diminuer les conduites de violence et de négligence, il est essentiel qu'un programme s'adresse non seulement à la qualité du lien parent-enfant, mais aussi aux conditions de vie de cette famille. Les programmes devraient inclure divers services correspondant aux besoins particuliers des familles. Les services à domicile, notamment les familles visiteuses, sur une base régulière et fréquente, effectués par un personnel qualifié et supervisé seraient efficaces pour de nombreuses familles (Olds et Kitzman, 1993).

- Les programmes s'adressant à une clientèle à haut risque d'abus devraient s'échelonner sur une période minimale de 24 mois. L'intervention à long terme, sur plusieurs années, nous paraît optimale.

- Peu d'études nous informent de l'expérience des intervenants, du type ou de la qualité de la supervision reçue en cours de programme. Or la réussite d'un programme repose en premier lieu sur les actions posées par l'intervenant. Aucune étude répertoriée ne fait mention de la mise en œuvre et de l'intégrité des programmes en cours d'intervention, de la qualité de la coordination des actions tout au long de la durée du programme.

- Dans une perspective de gestion, il y aurait lieu d'indiquer les coûts et les bénéfices du programme de même que les conditions nécessaires d'application.

- Exceptionnellement, les études rapportent des indices de satisfaction de la clientèle tout au long du programme ; ce qui est fort intéressant, car la satisfaction de la clientèle est reliée à la qualité de sa participation au programme et demeure un indice de réussite non négligeable.

CONCLUSION

La violence et la négligence sont des problèmes majeurs, qui affectent dramatiquement le développement des enfants et touchent un grand nombre de familles aux prises avec différents problèmes d'ordre économique, psychologique et social. Les mauvais traitements envers les enfants demeurent également un problème économique. Au Canada seulement, les services de protection des enfants coûteraient plus de 1,5 milliard de dollars par année (Trocmé *et al.*, 1999). En couvrant 20 ans de recherche en prévention de la négligence et de la violence, nous constatons, d'une part, qu'il existe un nombre restreint de programmes ayant fait l'objet d'évaluations systématiques et rigoureuses portant spécifiquement sur les mauvais traitements infligés aux enfants et, d'autre part, que les résultats de ces programmes sont limités et ne nous permettent pas de conclure à l'efficacité réelle des actions préventives. Après avoir réalisé une méta-analyse, Gutterman (1999) rapporte que les études préventives de type universel affichent de meilleurs résultats que celles portant sur des populations à risque ou à haut risque. Toutefois, ces résultats peuvent s'expliquer par le type de clientèle. En effet, les programmes de prévention universels s'adressent à une large population incluant des familles à difficultés variées, ce qui n'est pas le cas pour les programmes sélectifs ou indiqués qui visent des familles à risque ou à haut risque d'abus. Les familles abusives ont été exposées à de nombreux risques depuis de longues années, voire depuis des générations ; la clientèle est difficile à aider, les cas les plus extrêmes étant souvent non volontaires.

Au cours des années, la qualité des recherches en prévention a progressé : utilisation de groupe de contrôle, répartition au hasard des participants, plus grande utilisation de mesures standardisées pour définir le potentiel d'abus, programmes multidimensionnels incluant des visites à domicile, des groupes d'entraide et activités de coordination de services offerts aux familles. Cependant, il existe encore de nombreux problèmes méthodologiques qui nuisent considérablement à l'interprétation des résultats et à l'efficacité même des actions préventives. Ainsi, le fait que les programmes de prévention s'adressent, de la même manière, à des clientèles hétérogènes dont les besoins sont variés en nature et en intensité obscurcit les résultats. Sous le vocable de violence ou de négligence, nous retrouvons des réalités fort différentes, telles que des problèmes de santé mentale, de toxicomanie ou des traumas vécus à répétition. Qu'elle soit préventive ou curative, l'aide apportée doit tenir compte des besoins particuliers des familles.

La durée des programmes de prévention que nous avons répertoriés paraît nettement insuffisante. Il est peu réaliste de penser modifier des conduites aussi complexes que celles menant à l'abus et à la négligence en six mois, un an ou même deux ans. Les besoins des familles en grande difficulté sont multiples et exigent du temps pour être comblés, tout comme les besoins des familles se transforment, au fur et à mesure que les enfants grandissent. Des programmes de soutien à long terme, avec suivi longitudinal, permettraient sans doute d'arriver à des résultats plus concluants et plus durables.

Les actions préventives progressent lentement en raison des nombreux facteurs de risque impliqués dans ces situations, de la complexité des modèles étiologiques, de la difficulté à mesurer correctement les résultats d'intervention mais, surtout, parce qu'il n'existe pas de structures d'interface permettant de coordonner le travail des chercheurs, des gestionnaires, des praticiens et des décideurs politiques. Ce type d'organisation faciliterait la mise sur pied de programmes qui visent les causes, les conséquences et les traitements des effets des diverses conduites d'abus et de négligence.

BIBLIOGRAPHIE

ABER, J.L. (1992). Comments on a model of adolescent parenting. *Human Development, 35*, 100-107.

ASSOCIATION DES CENTRES JEUNESSE DU QUÉBEC (1999). Les familles en protection. Document interne. Montréal – ACJQ.

AMMERMAN, R.T. (1991). The role of the child in physical abuse : a reappraisal. *Violence and victims, 6*, 87-101.

ARMSTRONG, K.A. (1981). A treatment and education program for parents and children who are at-risk of abuse and neglect. *International Journal of Child Abuse and Neglect, 5*, 167-175.

ATKINS, M. (1986). The Welcome Baby program : A community-based volunteer prevention model of caring, sharing, and support for new parents. *Infant Mental Health Journal, 7*, 156-167.

BANDURA, A. (1982). Self-efficacy mechanism in human agency. *American Journal of Psychology, 37*, 122-147.

BARTH, R.P., HACKING, S. et ASH, J. (1988). Preventing Child Abuse : An Experimental Evaluation of the Child Parent Enrichment Project. *Journal of Primary Prevention, 8*(4), 201-217.

BARTH, R.P. (1989). Evaluation of a task-centered child abuse prevention program. *Children and Youth Services Review, 11*, 117-131.

BARTH, R.P. (1991). An experimental evaluation of in-home child abuse prevention services. *Child Abuse and Neglect, 15*, 363-375.

BELSKY, J. (1985). Experimenting with the family in the newborn period. *Child Development, 56*, 407-414.

BELSKY, J. (1993). Etiology of child maltreatment : A development-ecological analysis. *Psychological Bulletin, 114*(3), 413-434.

BELSKY, J. (1995). Expanding the ecology of human development : An evolutionary perspective. Dans P. Moen, G.H. Elder Jr. et K. Luscher (dir.), *Examining Lives in Context : Perspectives on the Ecology of Human Development*. Washington, D.C. : American Psychological Association, 545-561.

BELSKY, J. et VONDRA, J. (1989). Lessons from child abuse : The determinants of parenting. Dans D. Cicchetti, V. Carlson (dir.). *Child maltreatment : Theory and research on the causes and consequences of child abuse and neglect*. New York : Cambridge University Press, 153-202.

BOUCHARD, C. (sous presse). L'initiative *1,2,3 GO !* Une approche écologique, communautaire, appropriative et promotionnelle du développement des enfants et une expérience en métissage des expertises. Dans J.P. Gagnier et C. Chamberland (dir.), *Enfance et milieux de vie. Initiatives communautaires novatrices*. Sainte-Foy : Presses de l'Université du Québec.

BOYER, G. et PARISIEN, D. (1998). *Naître égaux-Grandir en santé* : évaluation participative des priorités régionales. Montréal : Régie régionale de la santé et des services sociaux de Montréal-Centre, Direction de la santé publique.

BOWLBY, J. (1969). *Attachment and Loss : Vol. 1. Attachment*. New York : Basic Books.

BRADLEY, R.H. et CALDWELL, N.M. (1984). The Home Inventory and Family demographics. *Developmental psychology*, *20*(2), 315-320.

BRONFENBRENNER, U. (1979). *The Ecology of Human Development : Experiment by nature and design*. Cambridge, MA : Harvard University Press.

BRAYDEN, R.M, ALTEMEIER, W.A., DIETRICH, M., TUCKER, D., CHRISTENSEN, M., MCLAUGHLIN, J. et SHERROD, K. (1993). A prospective study of secondary prevention of child maltreatment. *The Journal of Pediatrics*, avril, 511-517.

BRITNER, P.A et REPPUCCI, N.D. (1997). Prevention of child maltreatment : Evaluation of a parent education program for teen mothers. *Journal of Child and Family Studies*, *6*(2), 165-175.

BRONFENBRENNER, U. (1979). *The ecology of human development experiments by nature and design*. Cambridge, Mass. : Harvard University Press.

BROWN, K. et SAGI, S. (1988). Approaches to screening for child abuse and neglect. Dans K. Browne, C. Davies, P. Stratton (dir.), *Early Prediction and Prevention of Child Abuse*. Rochester : John Wiley & Sons.

CICCHETTI, D. et LYNCH, M. (1993). Toward an Ecological Transactional Model of Community Violence and Child Maltreatment : Consequences for Children's development. *Psychiatry*, *56*, 96-118.

CICCHETTI, D. et LYNCH, M. (1995a). Failures in the expectable environment and their impact on individual development : The case of child maltreatment. Dans D. Cicchetti et D.J. Cohen (dir.), *Developmental Psychopathology, Vol. 2. Risk, Disorder, and Adaptation*. New York : Wiley.

CONNELY, C.D. et STRAUS, M.A. (1992). Mother's age and risk for physical abuse. *Child Abuse and Neglect, 16*, 709-718.

CRITTENDEN, P.M. (1988). Family and dyadic patterns of functioning in maltreating families. Dans K. Browne, C. Davies et P. Stratton (dir.), *Early prediction and prevention of child abuse*. Londres : Wiley, 161-189.

DARO, D. (1996). Prevention of Child Abuse and Neglect. Dans The APSAC *Handbook, on Child maltreatment*. John Brière, Lucy Berliner, Josephine Bulkley, Carole Jenny, Theresa Reid (dir.). Londres : Sage.

DAWSON, B., ARMAS, A., MCGRATH, M. et KELLY, J. (1986). Cognitive Problem-Solving Training to Improve the Child-Care Judgment of Child Neglectful Parents. *Journal of Family Violence, 1*(3), 209-221.

DAWSON, P.M., ROBINSON, J.L., BUTTERFIELD, P.M., VAN DOORNINCK, W.J., GAENSBAUER,T.J. et HARMAN, R.J. (1990). Supporting new parents through home visits : Effects on mother-infant interaction. *Topics in Early Childhood Special Education, 10*(4), 29-44.

DURAND, D., MASSÉ, R. et OUELLET, F. (1989). *De la Visite*. Rapport synthèse, ISBN 2921072-10-6.

DURRANT, J.E. (1999). Evaluating the success of Sweden's corporal punishment ban. *Child Abuse and Neglect, 23*, 435-448.

EARLS, F., MCGUIRE, J. et SHAY, S. (1994). Evaluating a community intervention to reduce the risk of child abuse : Methodological strategies in conducting neighborhood surveys. *Child Abuse and Neglect, 18*, 473-485.

EGELAND, B., JACOVITZ, D. et SROUFE, L.A. (1988). Breaking the cycle of abuse. *Child Development, 59*, 1080-1088.

ERICKSON, M. et EGELAND, B. (1996). Child neglect. The APSAC *Handbook, on Child maltreatment*. John Brière, Lucy Berliner, Josephine Bulkley, Carole Jenny, Theresa Reid. Londres : Sage.

ÉTHIER, L.S., LACHARITÉ, C. GAGNIER, J.P. et COUTURE, G. (1995). Childhood adversity, parental shers and depression of negligent mothers. *Child Abuse and Neglect*, vol. *19*(5), 619-632.

ÉTHIER, L.S., LACHARITÉ, C. GAGNIER, J.P. et COUTURE, G. (1995). Évaluation de l'impact à court terme d'un programme écosystémique pour familles à risque de négligence. *Rapport de recherche présenté au Conseil québecois de recherche sociale.*

ÉTHIER, L.S. (1999). La négligence et la violence envers les enfants. Dans *Manuel de psychopathologie de l'enfant et de l'adolescent*, Emmanuel Habimana, Louise S. Éthier, Djaouda Petot, Michel Tousignant (dir.), Gaëtan Morin, Éditeur. Montréal. Paris.

ÉTHIER, L.S., BIRON, C., BOUTET, M. et RIVEST, C. (1999). Parentalité et déficience intellectuelle. *Revue Francophone en déficience intellectuelle, 10*(2), 109-123.

ÉTHIER, L.S., COUTURE, G., LACHARITÉ, C. et GAGNIER, J.P. (2000). Impact of a multidimensional Intervention Program Applied to Families At-risk for Child Neglect. *Child Abuse Review, 9*, 19-36.

FINK, A. et MCCLOSKEY, L. (1990). Moving child abuse and neglect prevention programs forward : improving program evaluation. *Child Abuse and Neglect, 14*, 187-206.

FINKELHOR, D. (1988). *Stopping family violence*. Newbury Park, Ca : Sage Publications.

FINKELHOR, D., ASDIGIAN, N. et DZIUBA-LEATHERMAN, J. (1995). The effectiveness of victimization prevention instructions : An evaluation of children's responses to actual threats and assaults. *Child Abuse and Neglect, 19*, 141-153.

FLYNN, L. (1999). The Adolescent Parenting Program : Improving Outcomes Through Mentorship. *Public Health Nursing, 16*(3), 182-189.

FUSCALDO, D., KAYE, J.W. et PHILIBER, S. (1998). Evaluation of a Program for Parenting. Families in Society : *The journal of Contemporary Human Services*. Janvier-février, p. 52-68.

GABEL, M., KUPERMING, J., PADIEU, C. et SANCHEZ, J.-L. (1997). *L'enfance en danger : signalements et réponses en 1996*. Cahiers de Paris : l'Odas.

GAGNIER, J.P., LACHARITÉ, C., ÉTHIER, L. et PINARD, P. (sous presse). Engagement collectif et négligence : Indices de réussite. Dans M. Gabel, F. Jésu et M. Manciaux (dir.), *Maltraitances : Mieux traiter familles et professionnels*. Paris : Fleurus.

GAMBRILL, E.D. (1983). Behavioral Intervention with Child Abuse and Neglect. *Process in Behavior Modification, 15*.

GARBARINO, J. et COLLINS, (1999). Child neglect : The family with a hole in the middle. Dans *Neglected Children : Research, Practice and Policy*. Howard Dubowitz (dir.). Londres : Sage.

GAUDEN, J.M. (1999). Child neglect : Short Term and Long Term Outcomes. Dans Howard Dabowitz (dir.). *Neglect Children*, Research, Practice and Policy, 89-109.

GELLES, R.J. (1989). Child abuse and violence in single parent families : Parent absence and economic deprivation. *American Journal of Orthopsychiatry, 59*, 492-501.

GORDON, R. (1983). *An operational definition of prevention*. Public Health Reports, *98*, 107-109.

GUTTERMAN, N.B. (1999). Enrollment strategies in early home visitation to prevent physical child abuse and neglect and the universal versus targeted debate : A meta-analysis of population-based and screening-based programs. *Child Abuse and Neglect, 23*(9), 853-890.

HARDY, J.B. et STREET, R. (1989). Family support and parenting education in the home : An effective extension of clinic-based preventive health care services for poor children. *Journal of Pediatrics, 15*(6), 927-931.

HERRENKOHL, R.C., HERRENKOHL, E.C. et EGOLF, B.P. (1983). Circumstances surrounding the occurrence of child maltreatment. *Journal of Consulting and Clinical Psychology, 51*(3), 424-431.

HUXLEY, P. et WARNER, R. (1993). Primary prevention of parenting dysfunction in high-risk cases. *American Journal of Orthopsychiatry, 63*, 582-586.

JAFFE, P., WOLFE, D. et WILSON, D. (1990). *Chidren of Battered Women*. Newbury Park.

LACHARITÉ, C. (1999). Requirements for the construction of a social solidarity concerning the prevention of child maltreatment. *Conférence sur invitation présentée au Congrès international « Famille et Violence »*, Florianopolis, Brésil.

LAFERRIÈRE, S. (1997). Comparaison de modèles prédicteurs de deux formes de conduites parentales à caractère violent. La violence physique mineure et l'agression verbale symbolique. *Thèse de doctorat inédite*. Montréal : Université du Québec à Montréal.

LOVELL, M.L. et HAWKINS, J.D. (1988). An Evaluation of a Group Intervention to Increase the Personal Social Networks of Abusive Mothers. *Children and Youth Services Review, 10*, 175-188.

LYONS, P., DOUECK, H.J. et WODARSKI, J.S. (1996). Risk assessment for child protective services. A review of the empirical literature on instrument performance. *Social Work Research, 20*, 143-155.

LUTZKER, J.R. et RICE, J.M. (1987). Using Recidivism. Data to Evaluate Project 12 Ways : An Ecobehavioral Approach to the Treatment and Prevention of Child Abuse and Neglect. *Journal of Family Violence, 2*(4), 283-290.

MARCENKO, M.O. et SPENCE, M. (1994). Home visitation Services for at-risk pregnant and postpartum women : a randomized Trial. *American Orthopsychiatric, 64*(3), juillet, 468-478.

MILNER, J.S. (1980). *The Child Abuse Potential Inventory Manual*, Webster. NC : Psytec.

MOORE, E., ARMSDEN, G. et GOGERTY, P. (1998). A twelve-year follow-up study of maltreated and at-risk children who received early therapeutic child care. *Child Maltreatment, 3*(1), février, 3-16.

O'CONNOR, S., VIETZE, P.M., SHERROD, K.B., SANDLER, H.M. et ALTEMEIER, W.A. (1980). Reduced incidence of parenting inadequacy following rooming-in. *Pediatrics, 66*, 176-182.

OLDS, D.L., HENDERSON, C.R., CHAMBERLIN, R. et TATELBAUM, R. (1986). Preventing Child Abuse and Neglect : A Randomized Trial of Nurse Home Visitation. *Pediatrics, 78*(1), juillet, 65-78.

OLDS, D. et KITZMAN, H. (1993). Review of research on home visiting for pregnant women and parents of young children. *The future of Children, 3*(3), hiver, 53-92.

OLDS, D. (1997). The prenatal early infancy project : Preventing child abuse and neglect in the context of promoting maternal and child health. Dans G.W. Albee et T.P. Gullota (dir.), *Primary prevention works*. Thousand Oaks, CA : Sage.

OLDS, D.L., ECKENRODE, J., HENDERSON, C.R., KITZMAND, H., POWERS, J., COLE, R., SIDORA, K., MORRIS, P., PETTIT, L.M. et LUCKEY, D. (1997). Long term effects of home visitations on maternal life course and child abuse and neglect. *Journal of the American Medical Association, 278*, 637-643.

OLDS, D., HENDERSEN, C.R., KITZMAN, H., ECKENRODE, J., COLE, R. et TATELBAUM, R. (1998). The promise of home visitation : Results of two randomized trials. *Journal of Community Psychology, 26*, 5-21.

PIANTA, R., EGELAND, B. et ERIKSON, M.F. (1989). The antecedents of maltreatment : Results of the mother-child interactions research project. Dans D. Cicchetti et V. Carlson (dir.), *Child maltreatment : Theory and research on the causes and consequences of child abuse and neglect*. New York : Cambridge University Press, 203-253.

PICHÉ, C., ROY, B. et COUTURE, G. (1995). Étude d'impact d'un programme d'intervention précoce appliqué à des enfants identifiés à hauts risques : apprentissage, Rapport présenté au CORS & EA – 298091.

POLANSKY, N.A., AMMONS, P.W. et GAUDIN, J.M. (1985). Loneliness and isolation in child neglect. *Social Casework, 66*(1), 38-47.

POLANSKY, N.A., GAUDIN, J.M. et KILPATRICK, A.C. (1992). Family radicals. *Children and Youth Services Review, 14*, 19-26.

SCHELLENBACH, C.J., WHITMAN, T.L. et BORKOWSKYI, J.G. (1992). Toward an integrative model of adolescent parenting, *Human Development, 35*, 81-99.

SCHINKE, S.P., SCHILLING, R.F., BARTH, R.P., GILCHRIST, L.D. et MAXELL, J.S. (1986). Stress-management intervention to prevent family violence. *Journal of Family Violence, 1*(1), 13-27.

SEIGEL, E., BAUMAN, K., SCHAEFER, E., SAUNDERS, M. et INGRAM, D. (1980). Hospital and home support during infancy : Impact on maternal attachment, child abuse and neglect, and health care utilization. *Pediatrics, 66*, 183-190.

SHOWERS, J. (1992). Don't shake the baby : The effectiveness of a prevention program. *Child Abuse and Neglect, 16*, 11-18.

STRAUSS, M.A. et GELLES, R. (1987). Societal change in family violence from 1975 to 1985 as revealed by two national surveys. *Journal of Marriage and Family, 48*, 465-479.

TAYLOR, D.K. et BEAUCHAMP, C. (1988). Hospital-based primary prevention strategy in child abuse : A multi-level needs addressment. *Child Abuse and Neglect, 12*, 343-354.

TRICKETT, P.K. et MCBRIDE-CHANG, C. (1995). The developmental impact of different forms of child abuse and neglect. *Developmental-Review, 15*(3), 311-337.

TROCMÉ, N., STEINHAUER, P., CHAMBERLAND, C., DUDDING, P., PERLMAN, N. et ROOTMAN, I. (1999). Canadian Child Welfare Centre of Excellence. Document de recherche inédit.

WHIPPLE, E.E. et WEBSTER-STRATTON, C. (1991). The role of parental stress in physically abusive families. *Child Abuse and Neglect, 15*, 279-291.

WILLETT, J.B., AYOUB, C. et ROBINSON, D. (1991). Using Growth Modeling to Examine Systematic Differences in Growth : An Example of Change in the Functioning of Families at Risk of Maladative Parenting, Child Abuse or Neglect. *Journal of Consulting and Clinical Psychology, 59*(1), 38-47.

WOLFE, D.A., EDWARDS, B., MANION, E. et KOVEROLA, C. (1988). Early intervention for parents at risk of child abuse and neglect : A preliminary investigation. *Journal of Consulting and Clinical Psychology, 56*(1), 40-47.

ZURAVIN, S. (1999). Child Neglect. A review of Definitions and Measurement Resesarch. Dans Howard Dubowitz (dir.), *Neglected Children. Research, Practice, and Policy*. Londres : Sage.

ANNEXE

TABLEAUX-SYNTHÈSE

Tableau 1
PRÉVENTION UNIVERSELLE

Auteurs	Type et nombre de participants	Âge au prétest	Type de protocole	Instruments principaux	Description de l'intervention	Contexte de l'intervention	Durée de l'intervention (attrition)	Formation intervenants	Principaux résultats
Durrant (1999)	Non indiqué, mais l'échantillon est basé sur les données de recensements et d'enquêtes nationales.	Non indiqué : regroupe l'ensemble de la population suédoise âgée de 15 ans ou plus.	Longitudinale et transversale. Évolution de cohortes.	Indicateurs sociaux concernant l'attitude face à la punition corporelle. Signalements et cas d'assauts et d'abus physiques.	Promulgation d'une loi. Campagne de promotion à l'échelle nationale : brochure distribuée à tous les foyers, information imprimée sur les cartons de lait, autres mesures non précisées.	Droit de la famille. Contexte juridique.	En fonction depuis 1979.	Ne s'applique pas.	Réduction de 26 % à 11 % de la proportion d'adultes qui sont favorables à la punition corporelle. Augmentation des signalements pour assaut et abus physique indiquant une plus grande sensibilité publique. Les interventions psychosociales sont devenues de plus en plus préventives, volontaires et centrées sur le soutien aux familles.
Finkelhor *et al.* (1995)	1042 garçons, 958 filles. 34 % = intervention étendue 33 % = intervention minimale ; 33 % = pas d'intervention.	Entre 10 et 16 ans.	Enquête sur un échantillon national représentatif (étude transversale).	Entrevue téléphonique auprès de l'enfant.	Programmes scolaires montrant aux enfants à éviter ou à rapporter les abus sexuels ou d'autres formes de victimisation (dans la famille, à l'école, etc.)	École	Variable, non précisée.	Non précisée.	Meilleures connaissances sur la victimisation sexuelle. Plus tendance à appliquer les stratégies d'autodéfense recommandées. Meilleures perceptions d'efficacité à se protéger. Plus tendance à dévoiler les épisodes de victimisation à une tierce personne.

Olds (1997)	Femmes enceintes à haut risque (pauvres, jeunes, etc.) I = 200 ; T = 200	Non indiqué.	Répartition au hasard, suivi longitudinal (jusqu'à 48 mois après la naissance).	Conduite maternelle, maladies, soutien social, caractère de l'enfant, signalements.	Visites à domicile par des infirmières lors de la période périnatale (jusqu'à 2 ans après la naissance). En moyenne, 9 visites prénatales et 23 visites postnatales.	Famille	2,5 ans	Non précisée.	Moins d'infection lors de la grossesse, plus de soutien social, poids du bébé à la naissance (< 400 g). Moins de signalements (4 % contre 19 %). Réduction de 42 % des grossesses subséquentes.

I = Intervention T = Témoin

Tableau 2
PRÉVENTION SÉLECTIVE – FAMILLES

Auteurs	Type et nombre de participants	Âge au prétest	Type de protocole	Instruments principaux	Description de l'intervention	Contexte de l'intervention	Durée de l'intervention (attrition)	Formation intervenants	Principaux résultats
Amstrong (1981)	I = 46 familles 74 enfants (37 garçons, 37 filles) T = 49 enfants (recherche de Hunter, 1979)	Âge moyen des enfants : 26 mois (0-56 mois). L'âge moyen des mères : 27 ans.	Comparaison entre groupe d'intervention et groupe tiré de la recherche de Hunter, 1979. Pré- et post-test	Dossiers pour abus. Observations des interactions familiales. (Home/CII) Bayley Scale, McCarthy Scale Stress FSC.	Pour les familles : interventions à domicile ; école pour familles (20 parents par groupe, 2 jours/ semaine pour 14 semaines). Groupe d'appui par des personnes du voisinage (chaque famille est pairée avec une autre famille). Pour les enfants : stimulation du développement et application du programme HICOMP (Forsberg *et al.*, 1977).	Familles à haut risque selon l'échelle de stress FSC. En moyenne, les familles (groupe intervention) cumulent 7 situations de stress.	10 mois.	Travailleur social ou infirmière, bénévoles.	En comparaison avec le groupe de Hunter (1979), le groupe intervention, diminution significative des abus à la fin du programme (Chi = 5,18), (0,05). En post-test, le stress est réduit (Z = 4,96) (0,01), les relations familiales se seraient améliorées.
Willett, Ayoub et Robinson, (1991)	I : 172 familles	36 % adolescents, 75 % < 25 (14-40).	Suivi longitudinal « multi-waves ».	Family Functions (Ayoub et Jacewitz, 1982). Family problems checklist (Ayoub et Jacewitz, 1982).	Projet Good Start (amélioration habiletés parentales ; réseau soutien, liens dans la famille).	Familles à risque.	29 mois (3-29). Moyenne 9,3.	Travailleurs sociaux.	Amélioration du fonctionnement des familles après 2 ans.

Wolfe, Edwards, Manion, Koverola, 1988	I : 16 mères et enfants T : 14 mères et enfants	21 ans F. 24 mois E.	Prétest/ Post-test 3 mois 1 an (assignés au hasard) Comparaison : intervention/ témoin.	DDST (Frankensburg et Modds, 1968). CAPI (Milner, 1980). BDI (Beck *et al.*, 1961). Observations (Robinson et Eyberg, 1981). HOME (Caldwell et Bradley, 1985). BRS (Cowen *et al.*, 1970). Parent's Consumer Satisfaction Quest. (Firehand et McMahon, 1981).	*Groupe intervention* : Entraînement aux habiletés parentales (Reid, 1985 ; Wolfe, 1987). Séances de groupes. Visionnement d'enregistrement vidéo sur le comportement du parent. *Groupe de contrôle* : programme de l'agence de protection. Groupe de parents 2 heures/sem. Activités sociales (Kempe et Helfer, 1972).	Haut risque violence/ négligence (Capi). Services de protection.	90 min/sem. + Groupe/9 sessions environ. Entraînement (5-14). 20 sessions environ. Groupe (2-44).	Infirmière/ étudiants diplômés en psychologie supervisés par Th. expérience.	Groupe intervention diminue davantage les risques d'abus et problèmes chez enfants. Les groupes I et T améliorent environnement et comportements d'adaptation à l'enfant de la mère.
Éthier, Couture et Lacharité (2000).	39 familles (39 mères, 6 pères, 60 enfants).	Moyenne 29,06 ans / mères. 32,2 mois pour les enfants (PAPFC) 39,4 mois (CLSC).	Comparaison entre groupe intervention et témoin, prétest post-test (6 mois après la fin du programme).	CAPI (Milner, 1980) Stress parental (Abidin, 1983) Soutien social (Éthier *et al.*, 1985) Évaluation du comportement de l'enfant (Achenback, 1980. Échelle de dépression (Beck *et al.*, 1961). Dossier du praticien. Notes des intervenants. Entrevue avec le parent.	Programme d'intervention écosystémique (PAPFC). Visites à domicile, services communautaires, groupe de parents, famille suivi par une équipe clinique aux 2 semaines, suivi individuel des parents par le travailleur social. Activités de développement de l'enfant, une fois par semaine, plus les activités de la famille visiteuse. Programme pour le groupe de contrôle : Services du CLSC ; suivi individuel par le travailleur social, références à des services pour la mère et l'enfant.	Familles à haut risque de mauvais traitements, moyenne de 7,6 risque (Brown et Sagi, 1988).	24 mois	Familles soutiens, familles bénévoles supervisées par psychologue, 1 fois/semaine, plus groupe de familles soutiens, 1 fois/mois. Psychologue d'expérience pour groupe de parent. Suivi individuel par travailleur social. Équipe clinique ; psychologues, travailleur social.	Les deux formes de programmes baissent, le potentiel d'abus (0,01), le stress du parent (0,05) et la dépression (0,01). Cependant, parents demeurent entre le 65e et 75e percentile pour le stress et la dépression. Amélioration des relations parents-enfants. En comparaison, le programme PAPFC augmente davantage le réseau social de la mère, améliore les relations conjugales et la situation de vie personnelle de la mère.

Tableau 3

PRÉVENTION SÉLECTIVE – FEMMES OU ADOLESCENTES ENCEINTES

Auteurs	Type et nombre de participants	Âge au prétest	Type de protocole	Instruments principaux	Description de l'intervention	Contexte de l'intervention	Durée de l'intervention (attrition)	Formation intervenants	Principaux résultats
Barth, Hacking et Ash (1988)	I : N = 24 T : N = 26	21,75 23,04 Moyenne : 5 mois de grossesse.	Échantillon hasard. Pré- et post-test. Intervention/ témoin.	CAPI (Milner, 1980). Depression (Radloff, 1977). Anxiety (Speelberger *et al*, 1970). Soutien social (Barrera, 1981). Child Temperament Quest (Carey, 1970).	Child Parent Enrichment Project (CPEP). Intervention : visites à domicile (6 mois). Services communauté 2 visites/ mois (moyenne 1,93). Témoin : services habituels dans la communauté.	À risque d'abus (facteurs de risque minimum sur 9)	6 mois	Para-professionnelle Mères (100 heures de formation). 20 heures de travail par consultant pour 10 familles.	Pas de différence significative entre les groupes par rapport aux abus et soutien social. Le CPEP est relié à plus d'indicateurs de bien-être mère/enfant.
Barth (1989)	Femmes enceintes (N = 97)	Moyenne : 22 ans (14-38).	Prétest/ post-test (6 mois).	CAPI (Milner *et al.*, 1986). Goal Attainment Scales (Garwick et Garwick, 1975).	Child Parent Enrichment Project (CPEP), Barth *et al.*, 1983 Soutien social – visites à domicile. Habiletés parentales.	À risque	6 mois	Para-professionnels N = 9. Formation 32 heures (CPEP).	Diminution du potentiel d'abus (CAPI ; 0,01).

Barth (1991)	191 femmes enceintes	23 ans	Répartition au hasard, prétest et post-test.	CAPI (Milner *et al.*, 1986). Depression scale (Radloff, 1977). Anxiety Inventory (Spielberger *et al.*, 1970). Social support (Barrera, 1981). Infant Temperament Quest (Carey, 1970). Dossiers de la protection (signalements, placements).	Child Parent Enrichment Project. Projet (CPEP). Barth *et al.*, 1983. Soutien social, visites à domicile et habiletés parentales.	Familles à haut risque ≤ 4 facteurs de risque.	20 semaines sur 6 mois, prénatal et postnatal.	100 heures de formation.	Aucune différence entre les groupes. Les femmes ayant participé au programme rapportent un fort degré de satisfaction. Le programme semble plus efficace avec les femmes moins en détresse.
Brayten, Altemeir, Dutrich, Tucker, Christensen, McLaughlin, Sherrod (1993)	*Haut risque* : I= 160 mères T= 154 mères *Faible risque :* T = 295 mères	22,21ans 21,2 ans	Traitement et témoin. Suivi 36 mois après naissance.	Rapport des agences de protection afin d'identifier les abus jusqu'à 36 mois après la naissance.	Programme prénatal et pédiatrique *Groupe de contrôle* : Programme de suivi médical habituel. *Groupe intervention* : Équipe multidisciplinaire (soutien pour mère, éducation pour habiletés parentales). 1 fois/mois ou plus. Groupe de soutien 1 rencontre aux 2 semaines.	Mères à haut risque de maltraitance ou mère à faible risque (déterminé par une entrevue).	Suivi prénatal jusqu'à 2 ans (âge bébé) pour groupe intervention.	Équipe multidisciplinaire (infirmière, éducateur, psychologue) dans un hôpital.	Abus physique 9,2 % pour le groupe intervention comparé à 6,6 pour le groupe de contrôle. 10,6 % de négligence groupe intervention comparé à 4,1 % pour le groupe de contrôle.
Britner et Reppuci, (1997)	I : 125 mères adolescentes. T : 410 mères adolescentes.	Moyenne : 15 ans (11-20)	Longitudinal 5 ans	Adult-Adolescent Parenting Inventory (AAPI) Bavolek, 1984. Questionnaire téléphonique.	Soutien social. Visites à domicile. Services communautaires. Classes pour mères adolescentes (N = 10 par classe) incluant apprentissage d'habiletés parentales.	Risque de mauvais traitements (AAPI). Mères du groupe I plus à risque que mères du groupe T.	12 sessions/ 3 fois/année par 5 ans. Sujets après 5 ans I : M = 80 T : M = 40		Mères du groupe I : terminent davantage leur secondaire. (0,10) Moins de secondes grossesses < 21 ans. (113). Mères du groupe I ont été signalées pour abus (0,05).

Tableau 3 (*suite*)

PRÉVENTION SÉLECTIVE – FEMMES OU ADOLESCENTES ENCEINTES

Auteurs	Type et nombre de participants	Âge au prétest	Type de protocole	Instruments principaux	Description de l'intervention	Contexte de l'intervention	Durée de l'intervention (attrition)	Formation intervenants	Principaux résultats
Dawson, Robinson, Butter-field, Van Doornick, Gaens-bauer, Harman (1991)	I_1 : N = 42 I_2 : N = 50 T : N = 80	Moyenne 20,6 (mères enceintes)	Traitement : Contrôle Échantillon au hasard	Observation à la maison *1 à 4 mois* : Mothering Interaction Style (SMIS) (Dawson *et al.*, 1990). *4 mois* : (Barnard *et al.*, 1989). *12 mois* : Family Index (Loevinger, 1962). Situation étrangère (Ainsworth *et al.*, 1978).	*Intervention (1)* : Routine médicale et pédiatrique et visites à la maison 1 fois/semaine. *Intervention (2)* : Routine médicale et pédiatrique et visites à la maison 1 fois/semaine et groupe parent 1 fois/semaine. Groupe 6-8 mères avec bébés du même âge. *Témoin* : Routine pédiatrique et médicale. Coût : 1,224 $US par famille/année pour visites à domicile.	Mères à risque enceintes (20-26 semaines)	30e semaine de grossesse à 14 mois (bébé). Attrition : 17 % : 4 mois, 35 % : 12 mois, 45 % : témoin, 27 % : intervention.	Mères bénévoles (12e année), rémunérées, 30 heures de formation, supervisées par infirmière professionnelle en groupe 3 heures/semaine. Travailleur social (groupe parent).	Aucune différence significative entre I_1 et I_2. Interaction mère-enfant plus positive pour groupe intervention lorsque les bébés ont 4 mois. Aucune différence à 1 an ; aucune différence pour l'attachement. Profils de mères passives ou intrusives, obtient de moins bons résultats comparé aux mères positives, irritables et anxieuses.
Flynn (1999)	I : 137 adolescentes enceintes	16,89 (1,12)	Prétest/Post-test et comparaison données nationales	FSC (Daro, 1994) CAPI (Milner, 1994)	« Healty Families America Model » Visites à domicile, soutien social.	À risque FSC (Daro, 1994/ Agence sociale	2 ans/(44)	Infirmières Para-professionnels	4,6 % bébés de petits poids/ 13,5 % données nationales (DN). 0 % mortalité/1,5 DN. Diminution du potentiel d'abus sur 19 sujets.

Hardy et Street (1989)	Femmes enceintes de race noire I : N = 131 T : N = 132	18 ans et plus.	Comparaison I et T.	Dossiers médicaux. Données recueillies par mères visiteuses. Entrevues téléphoniques.	Visites à la maison 7 à 10 jours après la naissance (informations, soutien à la mère).	À risque (pauvreté).	I : 23,4 mois T : 22,9 mois	Femmes d'âge mur, éduquées, race noire, (formation brève). Supervisées par travailleur social.	1,5 % cas d'abus (groupe intervention) comparé à 9,8 % (groupe de contrôle).
Olds, Henderson, Chamberlin, Tatelbaum (1986)	Femmes enceintes < 30 semaines N = 400 T_1 : N = 90 T_2 : N = 94 I_1 : N = 100 I_2 : N = 116	< 19 ans	Clinique Comparaison groupe. Intervention/ témoin. Échantillon au hasard.	Dossiers radicaux. Dossier des services de protection. Bayley Scale (12 mois). Cattell Scales (24 mois). Home (Caldwell). Temperament (Pedersen, 1976).	I_1 : Visites à domicile l fois/2 sem. et visites à la clinique locale durant grossesse. I_2 : Visites à domicile jusqu'à 2 ans. T_1 : Aucun suivi grossesse et dépistage de problèmes de développement/ références à des spécialistes au besoin. T_2 : visites prénatales à la clinique locale.	Haut risque et à risque (adolescentes, sans conjoint ou pauvres).	24 mois Attrition 15-21 %. I_1 : Grossesse 9 visites en moyenne 75 min./visite I_2 : Grossesse 9 visites : Bébé 6 sem. (1 visite/ sem.) Bébé 6 sem. – 4 mois 1 visite/2 sem. Bébé 4-14 mois 1 visite/ 3 sem. Bébé 14-20 mois 1 visite/ 4 sem. Bébé 20-24 mois 1 visite/ 6 sem.	Infirmières	Groupes intervention 1 et 2, moins de cas d'abus 4 % comparé à 19 T (gr. témoin) (0,07). Mères moins punitives. Environnement plus stimulant à la maison. Enfants présentent moins d'accidents ou cas empoisonnement (0,05). Mères visitées par infirmières rapportent avoir des bébés de meilleure humeur (0,04). Bébés ont quotient développé plus élevé (0,6).

I = Intervention T = Témoin

Tableau 4
PRÉVENTION SÉLECTIVE – MÈRES ADOLESCENTES

Auteurs	Type et nombre de participants	Âge au prétest	Type de protocole	Instruments principaux	Description de l'intervention	Contexte de l'intervention	Durée de l'intervention (attrition)	Formation intervenants	Principaux résultats
Fascaldo, Kaye et Philiber, (1998)	I : 29 mères adolescentes T : 17 mères adolescentes	16,43 ans 17,46 ans	Comparaison groupes (2)	Derogatis et Spencer (1982). Coopersmith (1981). Bavolek (1984). Abidin (1990). NCATS, Barnard (1978) Interview	Plainfield Teen Parenting Program (PTPP). École pour mères. Garderie, enfants (transport, 2 repas, collations). Visites infirmière ; visites médecin 1/mois. Groupe soutien parental (I heure/sem.).	Risque NSE faible/école.	2 ans (2)	Professeurs et bénévoles.	Amélioration de l'estime de soi (0,001). Diminution des symptômes globaux (0,056). Gr. I termine plus le secondaire (0,05) et emploi postgradué (0,05)
Schinke, Schilling, Barth *et al.*, (1986)	I : 33 T : 37 mères adolescentes	16,5 ans	Prétest/Post-test après 3 mois	Rosenberg(1965) Beck (1979) Soutien social Barth (1983) Compétence parentale Gibaud *et al.* (1978) Jeux de rôle (contrôle stress)	Rencontres de groupe (N = 12). Résolution problèmes, relaxation, soutien social, communication interpersonnelle, « *modeling* ». Applications à la maison/école.	À risque.	12 semaines	Non indiquée	Amélioration du soutien social P ≤0,005, habiletés de communication (0,01), sentiment de compétence parentale (0,05), estime de soi (0,01).

I = Intervention T = Témoin

Tableau 5
PRÉVENTION INDIQUÉE – MÈRES ADULTES

Auteurs	Type et nombre de participants	Âge au prétest	Type de protocole	Instruments principaux	Description de l'intervention	Contexte de l'intervention	Durée de l'intervention (attrition)	Formation intervenants	Principaux résultats
Dawson, Armas, McGrath et Kelly, (1986)	I : 3 mères	25 ans	Étude de cas prétest, post-test.	Système de codification, Shure et Spivak (1972). Système d'évaluation des solutions, Goldfried et O'Zurrill (1974). Évaluation systématique du travailleur social.	15 vignettes de résolution de problèmes (Shure et Spivak, 1972).	Mères négligentes	9 sessions 90 minutes/ semaine	Étudiants dipômés en psychologie	Augmentation de la performance à résoudre les problèmes.
Lowell et Hawkins, (1988)	I = 11 mères	28,2 ans	1 groupe prétest-post-test (6 mois).	Hawkins et Fraser (1985).	Groupe de mères ; contrôle du stress ; contrôle de la violence ; estime de soi ; résolution de problèmes.	Mères violentes/ négligents/ services de protection	½ journée/ semaine pendant 26 semaines	Non indiquée	Augmentation du réseau social composé de professionnels.

I = Intervention T = Témoin

Tableau 5 (*suite*)

PRÉVENTION INDIQUÉE – MÈRES ADULTES

Auteurs	Type et nombre de participants	Âge au prétest	Type de protocole	Instruments principaux	Description de l'intervention	Contexte de l'intervention	Durée de l'intervention (attrition)	Formation intervenants	Principaux résultats
Marcenko et Spence (1994)	Femmes enceintes I=125 T= 100	Moyenne : 23 ans.	Répartition au hasard. Groupe intervention et témoin.	Histoire de maltraitement du parent. Addiction Severity Index (McLellan *et al.*, 1980). Home (Bradley et Cadwell, 1984). Soutien social (Norbeck *et al.*, 1981). Symptom Inventory (Derogatis, 1992). Self-esteem (Rosenberg, 1965).	Groupe intervention : suivi médical et visites à domicile (modèle de Olds *et al.*, 1986). Suivi individuel par le travailleur social. Suivi médical par une infirmière. Groupe de contrôle : services médicaux normalement offerts par la clinique d'obstétrique.	Mères à très haut risque : toxicomanie, itinérance, violence, problèmes de santé mentale, prison, HIV, peu de soutien social. (Marcenko, 92).	Moyenne de 10 mois (1re visite prénatale au 1er anniversaire du bébé. 8 % refusent les visites à domicile (ont été exclues). Suivi : présence de 187 mères (83 %).	Mères visiteuses issues de la même communauté que la mère cible (un mois de formation). Professionnels.	Le groupe intervention augmente significativement plus le soutien social, plus d'accès aux services et diminution de la détresse de la mère.

I = Intervention T = Témoin

Tableau 6

PRÉVENTION INDIQUÉE – FAMILLES

Auteurs	Type et nombre de participants	Âge au prétest	Type de protocole	Instruments principaux	Description de l'intervention	Contexte de l'intervention	Durée de l'intervention (attrition)	Formation intervenants	Principaux résultats
Lutzker, Rice (1987)	Groupe I = 352 familles Groupe T = 358 familles	Non indiqué	Suivi des familles 1 an. Répétition de l'étude en 1980, 1982, 1985.	Dossiers de la protection de la jeunesse (Illinois).	Intervention : Programme écosystémique « Project 12 Ways » de l'État de l'Illinois. Réduction du stress parental ; contrôle de soi ; soutien à l'emploi ; contrôle du budget (aide ou) conseiller pour le loisir ; soutien social ; traitement de l'alcoolisme, visites à la maison, entraînement à la propreté de la maison. Contrôle : services habituels de protection.	Familles abusives ou à très haut risque.	5 ans	Non précisée	*1980* : 12 % de récidive pour groupe I par rapport à 26 % pour le groupe témoin (0,05). *1982* : 21,6 pour groupe intervention contre 31,4 pour groupe témoin (0,05). *1985* : 35,3 pour groupe intervention contre 41,3 pour groupe témoin (0,05).

I = Intervention T = Témoin

Tableau 6 (*suite*)

PRÉVENTION INDIQUÉE – FAMILLES

Auteurs	Type et nombre de participants	Âge au prétest	Type de protocole	Instruments principaux	Description de l'intervention	Contexte de l'intervention	Durée de l'intervention (attrition)	Formation intervenants	Principaux résultats
Moore, Armsden et Gogerty 1998	I : N = 32 familles T : N = 29 familles	Prétest : 1 à 24 mois. Post-test : 13 ans.	Longitudinal/ Prétest. Post-test (1 an). Post-test (2) 12 ans.	Home (Caldwell *et al.*, 1978). CBCL Achenbach (1991). Youth Self Reports (Achenbach, 1991). RESQ (Winters, 1992). P.B.S. (Mason *et al.*, 1995). Self Perception People (Harter, 1985). Dossiers scolaires et judiciaires.	Groupe I : Child Haven Therapeutic Child-Care Program. Ecosystemic Program (Gogerty et Durkin, 1981). Groupe T : GRI : services standard de l'État.	Enfants violentés et négligés et leur famille.	24 mois (6-41) Post-test 1 : N = 61 Post-test 2 : N = 35	Non précisée	Groupe intervention : amélioration significative de l'environnement familial et des relations parents-enfants (0,05). Moins de problèmes de délinquance graves (0,05) et d'agressivité (0,05). Moins de problèmes d'internalisation (0,05).

I = Intervention T = Témoin

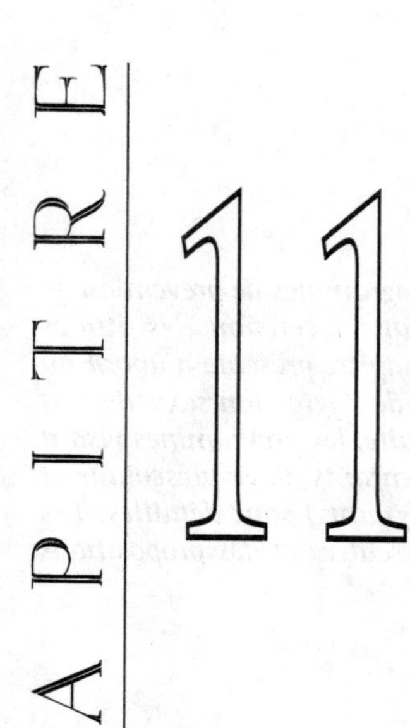

LA PRÉVENTION DE L'AGRESSION SEXUELLE À L'ÉGARD DES ENFANTS

MARTINE HÉBERT
Université du Québec à Montréal
CAROLINE TREMBLAY
Université Laval

Résumé

Le chapitre propose une description des principaux programmes de prévention de l'agression sexuelle commise sur les enfants et une recension des études évaluatives menées à ce jour dans le domaine. Le chapitre présente d'abord un bref résumé des données d'incidence et de prévalence de l'agression sexuelle, des facteurs de risque et des modèles explicatifs. Par la suite, les programmes visant les enfants du primaire, les interventions visant les enfants d'âge préscolaire et les programmes visant les adultes (parents et enseignants) sont détaillés. Les limites des études actuelles dans le domaine sont discutées et des propositions pour les recherches futures sont énoncées.

Au cours des dernières années, la problématique de l'agression sexuelle envers les jeunes a attiré l'attention des chercheurs et des intervenants œuvrant auprès des clientèles d'enfants. Dans ce chapitre, nous nous proposons d'examiner les différentes interventions visant à prévenir l'agression sexuelle commise sur les enfants. Le chapitre comprend huit sections. D'abord, un bref résumé des données liées à la prévalence et à l'incidence de l'agression sexuelle et un aperçu des principaux facteurs de risque seront présentés. Ensuite une discussion des modèles explicatifs et une brève synthèse des conséquences de l'agression sexuelle seront exposées. La section suivante offrira une description des principaux programmes visant à prévenir l'agression sexuelle envers les enfants et une recension des études évaluatives ayant été menées à ce jour. Finalement, les limites des études actuelles et les perspectives de recherches futures seront présentées, suivies d'une conclusion et de recommandations quant à l'avenir des programmes de prévention en matière d'agression sexuelle à l'égard des enfants.

Avant d'examiner plus en détail la prévention des agressions sexuelles commises sur les enfants, il est nécessaire de définir clairement le terme d'agression sexuelle. La majorité des auteurs s'accordent pour dire qu'une agression sexuelle renvoie à l'implication d'un enfant dans des activités sexuelles non appropriées à son âge et à son niveau de développement. Plus précisément, l'abus fait référence à « [...] un acte ou à un jeu sexuel, de nature hétéro ou homosexuelle, entre un enfant et une ou des personnes en situation de pouvoir, dans le but de procurer un plaisir sexuel à l'enfant ou aux adultes impliqués » (Bouchard, 1991). Les Directeurs de la protection de la jeunesse du Québec (1991) proposent une définition plus élaborée permettant de décrire aussi bien les agressions sexuelles intrafamiliales que les agressions perpétrées par des personnes non liées par le sang ou les liens familiaux. Selon cette définition, l'agression sexuelle est :

> [...] un geste posé par une personne donnant ou recherchant une stimulation sexuelle non appropriée quant à l'âge et au niveau de développement de l'enfant ou de l'adolescent-e, portant ainsi atteinte à son intégrité corporelle ou psychique, alors que l'agresseur a un lien de consanguinité avec la victime ou qu'il est en position de responsabilité, d'autorité ou de domination avec elle (p. 3).

Le type de contact entre l'agresseur et la victime est parfois considéré dans les définitions proposées par les chercheurs. Par exemple, selon Russell (1988), le geste posé par l'agresseur peut être fait de façon tactile, c'est-à-dire impliquer soit des attouchements et des tentatives ou des pénétrations orales, vaginales ou anales, ou ne pas comporter de contact physique direct (par exemple, exhibitionnisme ou prise de photos de l'enfant nu) ; les deux niveaux sont perçus comme abusifs et non appropriés. Russell (1988) propose également de classer les agressions sexuelles selon trois niveaux de sévérité. Les caresses sur les fesses, les cuisses ou toute autre partie du corps et les attouchements sur les organes génitaux recouverts de vêtements représentent des agressions sexuelles de niveau « moins sévère ». Les caresses en dessous des vêtements, un rapport sexuel simulé et une pénétration digitale sont considérés comme de niveau « sévère ». Enfin, les tentatives de pénétration ou les pénétrations orales, vaginales ou anales constituent des agressions sexuelles « très sévères ».

Certains chercheurs proposent aussi de tenir compte de la différence d'âge entre l'agresseur et la victime pour définir une agression sexuelle (par exemple, l'agresseur doit avoir au moins cinq ans de plus que l'enfant), évitant ainsi de considérer les relations sexualisées entre des enfants du même groupe d'âge. Cependant, cette restriction en termes d'âge peut masquer certaines situations d'agressions sexuelles réelles, surtout chez les adolescents.

PRÉVALENCE ET INCIDENCE DE L'AGRESSION SEXUELLE COMMISE SUR LES ENFANTS

La prévalence et l'incidence exactes des agressions sexuelles sont difficiles à cerner en raison des différentes définitions utilisées dans les études (Haugaard et Emery, 1989), des multiples méthodes d'échantillonnage, de la variété des procédures de collecte de données et de l'hésitation possible des répondants à dévoiler une situation abusive (Gorey et Leslie, 1997 ; Wynkoop, Capps et Priest, 1995). Toutefois, les données montrent que le phénomène des agressions sexuelles est d'importance tant aux États-Unis qu'au Canada. Par exemple, Peters, Wyatt et Finkelhor (1986) rapportent qu'entre 3 % et 30 % des hommes et entre 8 % et 62 % des femmes auraient été victimes d'une agression sexuelle selon les études américaines. Plus récemment, un sondage réalisé auprès d'un échantillon de 2 626 adultes américains révèle que 27 % des femmes et 16 % des hommes ont déclaré avoir été victimes d'agressions sexuelles pendant leur enfance ou leur adolescence (Finkelhor, Hotaling, Lewis et Smith, 1990). Une méta-analyse réalisée par Rind, Tromovitch et Bauserman (1998), comportant 59 études effectuées auprès de populations universitaires, révèle des taux de prévalence similaires. Les données indiquent que 27 % des 21 999 femmes interrogées dans le cadre des différentes recherches répertoriées mentionnent avoir été victimes d'agressions sexuelles durent leur enfance, alors que 14 % des 13 704 hommes participant à ces études déclarent avoir été agressés sexuellement. Le rapport Badgley (1984) fournit des données révélatrices quant à l'ampleur du phénomène dans la population canadienne. Les résultats du sondage effectué auprès de 2 008 adultes montrent qu'environ une femme sur deux et un homme sur trois ont été victimes d'actes sexuels non désirés à un moment de leur vie. Entre 7 et 28 % de ces actes sexuels non désirés ont été perpétrés alors que les victimes avaient moins de 12 ans. Lors d'une étude plus récente menée en Ontario auprès de 9 953 personnes âgées de 15 ans et plus, MacMillan et ses collègues (MacMillan, Fleming, Trocmé, Boyle, Wong, Racine, Beardslee et Offord, 1997) rapportent que 13 % des femmes et 4 % des hommes déclarent avoir été victimes d'une agression sexuelle durant leur enfance ou leur adolescence. En somme, Finkelhor (1994) avance que les taux de prévalence sont comparables dans différents pays dont l'Europe, l'Afrique du Sud, l'Australie, la Nouvelle-Zélande, les États-Unis et le Canada ; ces taux tournent autour de 20 % pour les femmes et de 3 % à 11 % pour les hommes.

En ce qui concerne l'incidence des agressions sexuelles, définie comme le nombre de situations d'agressions sexuelles rapportées chaque année, une étude de Wiese et Daro (1995) a permis de répertorier plus de 114 000 cas d'agressions sexuelles signalés aux autorités américaines vouées à la protection de l'enfance. Au Québec, Wright, Friedrich, Cyr, Thériault, Perron, Lussier et Sabourin (1998) rapportent un taux variant entre 0,87 et 1,38 par 1000 enfants pour la période 1990-1996 chez une population de jeunes ayant nécessité des services de protection en raison d'une allégation d'agression sexuelle. Rappelons que les données d'incidence ne sont que la pointe de l'iceberg puisqu'elles se fondent uniquement sur les cas qui parviennent aux autorités ; plusieurs études ont établi que la majorité des victimes ne dévoilent pas l'agression.

FACTEURS DE RISQUE

Les résultats des études empiriques indiquent donc que l'incidence et la prévalence des agressions sexuelles sont élevées dans plusieurs pays occidentaux (Badgley *et al.*, 1984 ; Finkelhor, 1994 ; Gorey et Leslie, 1997 ; MacMillan *et al.*, 1997 ; Rind *et al.*, 1998). L'omniprésence des agressions sexuelles envers les jeunes a mené des chercheurs à tenter d'identifier les facteurs de risque associés aux agressions sexuelles. L'identification de ces facteurs est réalisée en vue de développer des interventions préventives pour l'ensemble des populations infantiles ainsi que pour des groupes d'enfants considérés plus vulnérables. Bien que les résultats soient nuancés, les données disponibles révèlent des caractéristiques personnelles et des composantes de l'environnement familial qui semblent rendre l'enfant plus susceptible de vivre une situation d'agression sexuelle.

D'abord, les études sont unanimes à conclure que la majorité des enfants victimes d'une agression sexuelle par une personne en situation de pouvoir sont de sexe féminin (Finkelhor, 1994 ; Hébert, 1992). Les recherches montrent qu'entre 75 % et 85 % des agressions sexuelles commises envers les enfants impliquent des jeunes filles (Brown, Cohen, Johnson et Salzinger, 1998 ; Finkelhor, 1993 ; Fisher et McDonald, 1998 ; Hébert, 1992). Certains auteurs ont avancé que l'agression sexuelle sur les garçons est fréquente, mais qu'ils sont plus réticents à dévoiler l'abus en raison, d'une part, des attentes sociales face au rôle masculin et, d'autre part, du caractère souvent homosexuel de l'agression sexuelle (Finkelhor, 1993 ; Wurtele et Miller-Perrin, 1992). Quant à l'âge des enfants au moment de l'abus, les études menées en milieu hospitalier dénotent une fréquence moins élevée de cas impliquant de très jeunes enfants (moins de 5 ans). Selon ces données, les enfants âgés de 6 à 12 ans seraient les plus vulnérables à l'agression sexuelle (Dubé et Hébert, 1993).

Parmi les caractéristiques de l'environnement familial, il semble que le manque de supervision parentale soit associé à une plus grande vulnérabilité de l'enfant à être victime d'agression sexuelle (Fergusson, Linskey et Horwood, 1996 ; Finkelhor, 1986). Des absences prolongées de l'un des parents biologiques (Finkelhor et Baron, 1986), une maladie chronique chez l'un des parents (Finkelhor, 1984) ou la mort d'un parent (Brown *et al.*, 1998) constituent des exemples de situations associées à une supervision parentale moins soutenue. Deblinder, Hathaway, Lippman et Steer (1993) infirment, cependant, l'idée que l'absence des mères et le manque de supervision créent un environnement favorable à l'inceste.

Le fait de grandir dans une famille reconstituée a aussi été considéré comme un facteur de risque important dans les cas d'agressions sexuelles (Fergusson *et al.*, 1996 ; Finkelhor, 1993 ; Finkelhor *et al.*, 1990). Selon Finkelhor (1979), les filles vivant avec un beau-père sont 150 % plus à risque d'être victimisées que les filles vivant avec leur père naturel. Russell (1984) observe que seulement 2,3 % des filles qui grandissent avec leur père biologique sont sexuellement victimisées comparativement à 17 % des filles grandissant avec un beau-père. Le fait que le beau-père entre dans la vie de sa belle-fille à un moment particulier, qu'il n'a pas suivi le développement de l'enfant à partir du début, et qu'il se sente moins lié par le tabou de l'inceste peut expliquer cette plus grande vulnérabilité. De plus, la présence d'amis et de connaissances du beau-père percevant ce manque d'attachement peut accroître le risque que l'enfant soit agressé par des individus à l'extérieur de la famille.

La présence d'un environnement familial conflictuel représenterait un autre facteur de risque lié à l'agression sexuelle. Il semble que les jeunes vivant dans des familles où les conflits maritaux sont importants (Fergusson *et al.*, 1996 ; Finkelhor, Asdigian et Dziuba-Leatherman, 1995a, 1995b) et où les relations parents-enfants sont pauvres et instables (Fergusson *et al.*, 1996 ; Finkelhor et Baron, 1986 ; Long et Jackson, 1993) sont plus sujets à être victimes d'une agression sexuelle. Finkelhor *et al.* (1995) émettent l'hypothèse que ces enfants sont plus négligés émotionnellement et qu'ils recherchent de l'affection auprès d'autres adultes, devenant par le fait même des proies faciles pour les agresseurs (Becker, 1994). De pair avec un climat familial malsain, l'isolement social observé chez certains enfants peut aussi expliquer leur plus grande vulnérabilité à une agression sexuelle. Finkelhor (1984) rapporte que les femmes qui avaient deux amis ou moins à l'âge de 12 ans avaient été abusées sexuellement plus fréquemment. Peters, Wyatt et Finkelhor (1986) trouvent un pourcentage plus élevé d'agressions sexuelles parmi les femmes qui ont évoqué soit un manque de proximité avec les pairs, soit une absence de lien avec la fratrie. Il faut cependant garder à l'esprit que l'isolement social de l'enfant peut être aussi bien une conséquence de l'agression sexuelle qu'un facteur de risque. Les liens entre l'isolement social et la vulnérabilité de l'enfant ne sont pas clairement définis. Ainsi, il se peut qu'un enfant qui se sent honteux et stigmatisé à la suite d'une agression sexuelle induise chez les autres enfants de tels sentiments ou s'isole lui-même des autres enfants de son entourage (Finkelhor, 1986).

Bergner, Delgado et Graybill (1994), dans une étude sur les facteurs de risque menée auprès de 411 jeunes adultes, révèlent qu'un faible niveau socioéconomique constitue le seul prédicteur des agressions sexuelles chez cette population. En revanche, Finkelhor (1993) et Fergusson *et al.* (1996) soutiennent qu'il n'y a apparemment pas de différence significative en termes de proportions d'enfants abusés sexuellement selon qu'ils proviennent d'un milieu socioéconomique défavorisé ou non. Le nombre de cas rapportés aux autorités est toutefois différent selon le milieu socioéconomique d'origine.

Bien qu'aucun des facteurs précédemment cités ne permette de prédire avec exactitude qu'un enfant sera ou non victime d'une agression sexuelle, Brown *et al.* (1998) mentionnent que les risques d'être victimisé augmentent avec la présence de plus d'un facteur de risque. Par exemple, les proportions passent de 1 % lorsqu'il n'y a pas de facteur de risque identifiable à 33 % s'il y a présence de quatre ou cinq facteurs.

MODÈLE EXPLICATIF

Le comportement des agresseurs sexuels de même que les motifs qui les poussent à abuser sexuellement des enfants ont fait l'objet de plusieurs travaux empiriques au cours des 20 dernières années. L'analyse des caractéristiques des agresseurs a favorisé la mise sur pied de programmes de prévention des agressions sexuelles en permettant d'inclure des notions essentielles à la sécurité des enfants. Tout d'abord, les résultats empiriques mettent en évidence que la majorité des agresseurs sexuels sont des hommes âgés entre 15 et 45 ans, avec une proportion importante parmi le groupe des 18 à 25 ans (Fergusson et Mullen, 1999). Il existe également un certain nombre d'agresseurs féminins retrouvés surtout dans les cas d'agressions sexuelles impliquant les garçons. Fergusson et Mullen (1999) rapportent qu'environ 97,5 % des filles et 78,7 % des garçons sont agressés par des hommes, ce qui signifie qu'environ 21,3 % des agressions sexuelles envers les garçons seraient commises par des femmes. Contrairement à la croyance populaire, la grande majorité des agresseurs sexuels ne sont pas des inconnus. Dans la majorité des cas, les victimes connaissent leurs agresseurs puisqu'ils font partie de leur réseau immédiat (amis de la famille, membres de la famille élargie, voisins, entraîneurs, etc.). Comme nous l'avons mentionné auparavant, la présence d'un beau-père dans la famille semble associée à une augmentation du risque d'une agression sexuelle.

Finkelhor (1984) propose un modèle comportant quatre conditions qui expliquent comment les agresseurs sexuels parviennent à abuser des enfants. Différentes théories explicatives du comportement des agresseurs sexuels, incluant les théories psychanalytique, systémique et féministe, sont regroupées à l'intérieur des quatre conditions : 1) les motivations pour abuser sexuellement d'un enfant, 2) le dépassement des inhibitions internes, 3) la capacité de surmonter les inhibiteurs externes et 4) le dépassement de la résistance de l'enfant. Selon Finkelhor (1984), ces quatre conditions doivent être réunies afin qu'une agression sexuelle se produise ; la présence d'une seule condition ne peut expliquer à elle seule qu'un enfant soit agressé sexuellement.

Finkelhor (1984) soutient d'abord qu'un agresseur potentiel doit posséder suffisamment de motivation ou d'intérêt sexuel pour les enfants pour passer à l'acte. Parmi les sources de motivation, il considère trois éléments : 1) la congruence émotionnelle (correspondance entre les caractéristiques d'un enfant et les besoins émotionnels d'un agresseur), 2) la stimulation sexuelle procurée par l'enfant (liée à des expériences sexuelles infantiles précoces traumatisantes ou non et un plus grand attrait pour ce genre de stimulation) et 3) les blocages (les agresseurs sexuels éprouveraient des difficultés à satisfaire leurs besoins émotionnels et sexuels avec des individus du même groupe d'âge ou ont vécu des expériences sexuelles décevantes ou traumatisantes avec des adultes). Ces trois facteurs sont perçus comme complémentaires, c'est-à-dire qu'un ou plusieurs facteurs peuvent être en cause dans un passage à l'acte d'un agresseur sexuel, sans toutefois que les trois soient nécessaires.

Une fois que l'agresseur sexuel potentiel possède suffisamment de motivation pour abuser sexuellement d'un enfant, il doit surmonter ses inhibitions internes souvent régies par les normes et les tabous sociaux (deuxième condition). Finkelhor (1984) et Araji et Finkelhor (1986) avancent que les individus qui surmontent leurs inhibitions internes et qui agressent sexuellement des enfants n'ont pas ou peu de contrôle sur leurs impulsions, abusent de l'alcool ou de la drogue, ou bien sont psychotiques. Les auteurs mentionnent toutefois que ces conditions ne constituent pas des excuses, mais représentent plutôt des facteurs contribuant au passage à l'acte. Les auteurs englobent également l'absence d'une relation affective entre un père et sa fille ou la présence d'un beau-père comme facteur de désinhibition. Enfin, selon les théories féministes, ce sont la structure de la société patriarcale et la présence d'une autorité parentale excessive qui expliqueraient le manque d'inhibitions sociales.

La troisième condition du modèle, le dépassement des inhibiteurs ou des obstacles externes, est par la suite nécessaire afin qu'une agression sexuelle se produise. Jusqu'à maintenant, les deux premières conditions permettent surtout d'expliquer les comportements des agresseurs, la troisième condition vise, quant à elle, les composantes de l'environnement qui ne sont attribuables ni à l'agresseur ni à la victime. Selon Finkelhor (1984), le plus important de ces obstacles externes est la supervision que reçoit l'enfant des autres personnes de son entourage. Le manque de supervision parentale, plus particulièrement de la mère, a souvent été mis en cause dans les situations d'abus sexuel. Bien que l'objectif ne soit pas de blâmer les mères, il apparaît que certaines situations pouvant accroître l'absence parentale, telles qu'un divorce, une séparation, un deuil, des problèmes psychiatriques ou une relation conjugale violente, puissent rendre l'enfant plus « vulnérable » à un agresseur potentiel. L'absence de relation significative avec d'autres personnes de l'entourage, y compris la famille élargie, les professeurs, les voisins et les pairs, peut aussi être en cause dans une situation abusive. Dans une grande proportion des cas d'agressions sexuelles, les victimes n'arrivent pas à se confier à qui que ce soit, devenant par le fait même des victimes « idéales ». Enfin, Finkelhor (1984) rapporte que les situations de promiscuité ou de trop grande accessibilité physique à l'enfant (p. ex., dormir dans le même lit) peuvent aussi être perçues comme une absence d'inhibiteur externe.

Enfin, la quatrième condition du modèle fait principalement référence aux capacités des enfants à résister à une agression sexuelle. Selon l'auteur, même si un agresseur possède suffisamment de motivation, surmonte ses inhibitions internes et ne se heurte à aucun obstacle externe, l'agression sexuelle n'a pas nécessairement lieu. Certains enfants ne seront jamais « choisis » en raison de leurs actions, de leurs attitudes et de leur confiance en eux ; en revanche, d'autres enfants constituent des cibles plus faciles parce qu'ils donnent l'impression d'être plus insécures ou qu'ils ont un plus grand besoin d'affection et de protection. Elliott, Browne et Kilcoyne (1995) rapportent que la moitié des agresseurs mentionnent avoir été attirés par des enfants qui avaient peu confiance en eux ou présentaient une faible estime d'eux-mêmes. Certains enfants peuvent aussi apparaître plus vulnérables parce qu'ils ont moins d'information concernant les agressions sexuelles pour se protéger ou bien parce qu'ils ont une trop grande confiance envers des adultes qui peuvent les agresser. Dans des situations particulières, l'emploi de la force ou de la coercition pour vaincre la résistance possible d'un enfant est utilisé par l'agresseur et constitue une classe à part.

Pour Finkelhor (1984), trois scénarios sont possibles lorsqu'un agresseur potentiel est arrivé à satisfaire aux trois premières conditions et qu'il fait face à la résistance de l'enfant, soit 1) l'enfant résiste et il n'y a pas d'abus, 2) la résistance de l'enfant est insuffisante et il y a agression sexuelle et 3) l'enfant tente de résister, mais l'agresseur utilise la force ou des menaces et peut, par conséquent, agresser l'enfant.

CONSÉQUENCES DE L'AGRESSION SEXUELLE

La prolifération d'études portant sur l'agression sexuelle commise sur les enfants au cours des dernières années a permis d'inventorier les difficultés d'adaptation chez les victimes. La recherche empirique étant relativement récente, cette première vague d'études est souvent athéorique et empreinte de limites conceptuelles et méthodologiques (Briere, 1992 ; Trickett et Putnam, 1998). La recension des écrits permet néanmoins de dresser un portrait des difficultés d'adaptation des jeunes ayant vécu une situation d'agression sexuelle. Kendall-Tackett, Williams et Finkelhor (1993) rapportent que les enfants victimes d'agression sexuelle présentent plus de problèmes d'agressivité, d'anxiété, de dépression et de retrait social que des enfants témoins. L'apparition de comportements sexualisés non appropriés à leur l'âge et des symptômes de stress post-traumatique représentent aussi des répercussions fréquemment relevées (Beitchman, Zucker, Hood, DaCosta et Akman, 1991 ; Wolfe et Birt, 1995). Effectivement, les données empiriques montrent que les comportements sexualisés (par exemple, les jeux sexualisés avec les pairs, l'insertion d'objets dans l'anus ou le vagin) permettent de différencier les enfants victimes d'abus des enfants des groupes de comparaison clinique et non clinique (Friedrich, Beilke et Urquiza, 1987 ; Gomes-Schwartz, Horowitz et Cardarelli, 1990 ; Hébert, 1992).

Parallèlement, d'autres chercheurs ont observé que la fréquence des symptômes de stress post-traumatique était particulièrement élevée chez les enfants abusés sexuellement (Boney-McCoy et Finkelhor, 1996 ; McLeer, Callaghan, Henry et Wallen, 1994 ; Wolfe, Gentile et Wolfe, 1989 ; Wolfe, Sas et Werkele, 1994). McLeer, Deblinger, Henry et Orvaschel (1992) rapportent que 43,9 % des enfants abusés par leur père naturel, par une connaissance ou par un étranger répondent aux critères du stress post-traumatique selon le DSM-III-R. Tremblay, Hébert et Piché (sous presse) ont observé plus de symptômes de stress post-traumatique chez les victimes d'abus sexuels (dérivés à partir d'une mesure globale d'adaptation complétée par la mère) que chez les enfants ayant subi une intervention médicale ou les enfants de la population générale, et ce, aux deux temps de mesure (peu de temps après le dévoilement de l'abus et six mois plus tard).

Plusieurs études révèlent en outre que certaines difficultés d'adaptation notées chez les victimes persistent à long terme (Briere et Elliot, 1994 ; Kuyken, 1995). Ainsi, les victimes d'une agression sexuelle pendant l'enfance seraient plus susceptibles d'être victimisées de nouveau à l'adolescence et à l'âge adulte, de vivre des relations conjugales violentes, d'éprouver des problèmes d'abus d'alcool et de drogues et seraient davantage à risque pour un éventail de difficultés émotives telles que la dépression et l'anxiété (Finkelhor, 1997 ; Gidycz, Coble, Latham et Layman, 1993 ; Hébert, Lavoie et Tremblay, 1999 ; Polusny et Follette, 1995 ; Romans, Martin et Mullen, 1997).

Bien que les séquelles des agressions sexuelles soient nombreuses et variées, il ne semble pas exister de syndrome particulier applicable aux enfants ayant été victimes d'une agression sexuelle ; les études témoignent d'une variabilité importante au plan des difficultés répertoriées. En outre, une proportion importante des enfants ne présenteraient aucun symptôme au moment de l'évaluation. Plusieurs facteurs tels que le soutien des parents, les relations avec la fratrie et les stratégies d'adaptation (« *coping* ») pourraient influencer l'ampleur des difficultés des enfants ayant dévoilé une situation d'agression sexuelle (Hébert, Piché, Parent et Tremblay, 1999 ; Tremblay, Hébert et Piché, 1999).

LES PROGRAMMES DE PRÉVENTION DE L'AGRESSION SEXUELLE À L'ÉGARD DES ENFANTS

La prévalence élevée du phénomène, le fait que l'agression sexuelle peut survenir lorsque l'enfant est jeune, ainsi que les difficultés d'adaptation subséquentes éprouvées par les victimes sont quelques-uns des facteurs qui ont motivé la conception d'interventions éducatives destinées à rendre les jeunes enfants aptes à se protéger contre d'éventuelles agressions et à sensibiliser les adultes de leur entourage à ce phénomène. Toute la démarche préventive s'inspire des données fournies par les recherches auprès des victimes et la logique de la prévention s'appuie sur un certain nombre de réalités concernant l'agression sexuelle. Les principales approches se sont inspirées du fait que peu de parents informent leurs enfants de la réalité de l'agression sexuelle. À cet égard, soulignons qu'une étude révèle que les parents abordent moins le sujet de la violence sexuelle avec leurs enfants que le thème de la violence verbale ou physique (Fecteau, Hébert et Piché, 1995). Le fait que plusieurs enfants ne dévoilent pas la situation abusive (Oxman-Martinez et Rowe, 1997) et que de nombreux adultes agressés dans leur enfance affirment que l'abus sexuel leur aurait été épargné s'ils avaient eu des connaissances relatives à ce phénomène et aux moyens de le prévenir (Wurtele et Miller-Perrin, 1992) sont des éléments qui ont suscité la création de programmes de prévention.

Bien que les programmes destinés aux enfants ne soient qu'une option parmi les stratégies préventives disponibles (voir, par exemple, Tourigny, 1991 ; Tutty, 1991), ils représentent l'approche la plus populaire. Aux États-Unis, 67 % des enfants auraient été exposés à au moins un programme (Finkelhor et Dziuba-Leatherman, 1995). Les stratégies de prévention des agressions sexuelles se distinguent nettement des stratégies utilisées pour se prémunir contrer d'autres formes de violence et d'abus. Alors que la stratégie préconisée pour prévenir les situations de maltraitance physique ou de négligence consiste principalement à identifier les situations à risque (par exemple, la pauvreté), que les interventions ciblent les agresseurs eux-mêmes (parents) et que l'intervention vise à favoriser le développement des compétences parentales, les efforts déployés dans la prévention de l'agression sexuelle ciblent les victimes potentielles et adoptent une approche universelle et principalement éducative (Finkelhor et Daro, 1997 ; Wurtele, 1998). Ainsi, jusqu'à présent, les initiatives de prévention des agressions sexuelles à l'endroit des jeunes ont eu comme objectif premier d'augmenter la sécurité personnelle des enfants en leur proposant des règles de sécurité à suivre, en leur montrant ce qu'il faut faire dans une situation potentiellement à risque et en leur transmettant de l'information sur l'agression sexuelle (Dubé, Heger, Johnson et Hébert, 1988 ; Tutty, 1990). Ce consensus sur l'objectif à atteindre provient du fait que la plupart des stratégies préventives s'appuient sur l'appropriation (*empowerment*) pour définir leur cadre conceptuel (Wurtele et Miller-Perrin, 1992). La logique sous-jacente est qu'en donnant aux enfants l'information appropriée et en les sensibilisant aux ressources disponibles dans leur milieu, ils seront mieux outillés pour faire face aux situations d'exploitation sexuelle. En ce sens, la grande majorité des interventions préventives élaborées se centrent uniquement sur la quatrième condition du modèle de Finkelhor (1984).

Parmi le choix d'activités de prévention primaire réalisées avec des enfants, les ateliers de prévention présentés en milieu scolaire sont de loin les plus utilisés. Considérant le jeune âge d'un grand nombre de victimes, l'école primaire semble être effectivement le lieu privilégié pour rejoindre un maximum d'enfants. Une recension des programmes et des ressources de prévention visant à contrer les agressions sexuelles envers les enfants en vigueur au Canada a permis d'identifier certaines constantes (Dubé *et al.*, 1988). Malgré des particularités dans le format de présentation, les objectifs des différents programmes sont sensiblement les mêmes : diminuer la vulnérabilité des enfants en leur permettant d'avoir une meilleure connaissance du problème (comment reconnaître une situation potentiellement abusive), une modification des attitudes (développer le sens de ses droits et augmenter l'estime de soi) et le développement d'un comportement d'affirmation (savoir dire « non », le dévoiler à quelqu'un). La presque totalité des programmes de prévention des agressions sexuelles proposent des contenus similaires, tentant de détruire les mythes voulant que les inconnus soient les seuls agresseurs potentiels et que les garçons ne risquent pas d'être agressés. De plus, la majorité des interventions préventives soulignent que l'enfant n'est pas responsable et ne doit pas se blâmer s'il est victime d'une agression sexuelle (Finkelhor et Dziuba-Leatherman, 1995). Finalement, toujours en ce qui concerne les similitudes entre les différents programmes, il est possible de constater qu'ils inscrivent souvent la problématique de l'agression sexuelle dans un cadre plus large de sécurité personnelle en évitant de faire référence à la sexualité, et ce, afin de répondre aux demandes sociales (Charest, Shilder et Vitaro, 1987 ; Krivacska, 1992). Les programmes éducatifs destinés aux élèves adoptent une approche de prévention primaire en visant à empêcher l'abus ; ils peuvent toutefois agir au niveau du dépistage et de l'intervention en permettant d'identifier certaines victimes et en donnant des moyens de trouver l'aide et les ressources dont elles ont besoin, diminuant ainsi les conséquences à long terme.

Même si les programmes se ressemblent sur le plan des objectifs et des stratégies éducatives, les diverses interventions préventives diffèrent passablement au regard de leur durée, allant de 30 à 60 minutes, jusqu'à plus d'une trentaine d'heures, en sessions uniques ou multiples (Charest *et al.*, 1987). Les programmes de prévention se différencient également au regard des personnes responsables de l'animation des ateliers (Wurtele, 1990). Ainsi, des professionnels spécialisés dans le domaine des abus peuvent agir à titre d'intervenants ; ces derniers assurent une certaine qualité et homogénéité au contenu de ce qui est enseigné. Des bénévoles, des policiers, des intervenants en santé mentale ou des professeurs peuvent aussi être sollicités pour offrir des programmes de prévention aux enfants (Randolph et Gold, 1994 ; Tutty, 1993 ; Wurtele, Kast et Melzer, 1992). Finalement, plusieurs formes de présentation existent (Dubé *et al.*, 1988 ; Moody, 1994 ; Wurtele, 1987) : films et matériel audiovisuel (Byers, 1986 ; Müller, Shaw et Towner, 1987), pièces de théâtre (Borkin et Frank, 1986 ; Peraino, 1990), matériel didactique (Miltenberg et Thiesse-Duffy, 1988), discussions en groupe (Binder et McNiel, 1987 ; Madak et Berg, 1992) et des techniques d'apprentissage comportemental, tels que les jeux de rôles, le modelage et le renforcement (Binder et McNiel, 1987 ; Wurtele, 1990). De plus, certains auteurs combinent plusieurs de ces éléments dans un même programme (Hazzard, Webb, Kleemeier, Angert et Pohl, 1991).

Les interventions préventives varient aussi quant au degré d'implication des adultes proches de l'enfant. Seulement une minorité des programmes de prévention présentent, outre les sessions de formation ciblant les enfants, des ateliers de sensibilisation et de formation destinés aux parents et aux membres du personnel scolaire (Daro, 1996 ; Kolko, 1988 ; Olsen et Widom, 1993). Ces programmes visent à aider les adultes à répondre de façon adéquate lorsqu'on leur dévoile une situation d'exploitation sexuelle afin d'en atténuer les conséquences (Wurtele, 1998). Bien que l'implication des parents soit considérée essentielle par plusieurs auteurs, le taux de participation associé à ces ateliers est relativement faible (Berrick, 1988 ; Tremblay, Fortin et Bégin, 1997 ; Tutty, 1993). Cependant, les raisons invoquées pour expliquer ce faible taux de participation sont plus liées au manque de temps et aux conflits d'horaire plutôt qu'à une opinion négative des parents à l'égard des ateliers de prévention contre l'agression sexuelle (Hébert, Piché, Fecteau et Poitras, 1997).

RECENSION DES ÉTUDES ÉVALUATIVES

LES EFFETS DES PROGRAMMES VISANT LES ENFANTS DU PRIMAIRE

Malgré la prolifération au cours des dernières années de programmes visant à prévenir les agressions sexuelles commises sur les enfants, peu d'efforts ont été déployés pour évaluer systématiquement ce que les jeunes apprennent et vérifier si les connaissances et les habiletés acquises sont maintenues après de telles interventions (Finkelhor et Strapko, 1992 ; Groupe de travail sur les agressions à caractère sexuel, 1995). En effet, bien que les auteurs s'accordent pour souligner l'importance d'évaluer les stratégies préventives afin d'en certifier l'efficacité, seulement un faible pourcentage des programmes sont soumis à une évaluation formelle (Durlak, 1997 ; Olsen et Widom, 1993).

L'objectif immédiat d'un programme de prévention des abus étant l'apprentissage de concepts et d'habiletés préventives, la vérification des acquis devient l'une des premières étapes pour s'assurer de l'efficacité potentielle du programme. Néanmoins, l'objectif distal de toute démarche préventive demeure l'utilisation des acquis par les enfants qui font face à une situation d'agression sexuelle (Wurtele et Miller-Perrin, 1992). La vérification de cet objectif est cependant beaucoup plus difficile à effectuer et peu de recherches à ce jour ont été menées en ce sens, considérant les problèmes méthodologiques et éthiques impliqués (O'Donohue, Geer et Elliott, 1992). En matière de recherches évaluatives, la majorité des études se centrent donc sur l'objectif proximal en termes d'acquis des enfants participant à un programme de prévention (Wurtele et Miller-Perrin, 1992). Les effets des interventions préventives sont donc évalués par l'acquisition de concepts véhiculés lors de l'atelier et par la généralisation des habiletés enseignées (dire non, s'affirmer, le dévoiler) à des situations non discutées lors de l'atelier de prévention.

La recension des écrits permet d'identifier trois vagues de recherches évaluatives dans le domaine de la prévention des agressions sexuelles envers les enfants[1]. Dans la première vague d'études, les chercheurs ont surtout

1. Les études recensées sont présentées dans le tableau-synthèse en annexe.

vérifié si les enfants participant à un programme de prévention avaient amélioré leurs connaissances. Par exemple, dans l'étude menée par Sigurdson, Strang et Doig (1987), un questionnaire de 29 items permet d'évaluer les connaissances d'un groupe de 136 élèves de 4e à 6e année participant au programme Feeling Yes/Feeling No. Les résultats révèlent que bien que la majorité des élèves ait apprécié le programme, un gain est obtenu pour seulement 8 des 29 questions. De la même façon, Garbarino (1987) examine les effets d'avoir lu une édition spéciale de la bande dessinée « *Spiderman* » qui abordait le thème de l'agression sexuelle. Après avoir lu la bande dessinée, les élèves de 2e, 4e et 6e année sont en mesure de répondre correctement à la majorité des six questions posées. Cependant, ces études et d'autres (Binder et McNiel, 1987 ; Borkin et Frank, 1986 ; Pohl et Hazzard, 1990 ; Madak et Berg, 1992) de la première vague de recherche présentent des limites méthodologiques importantes notamment l'utilisation d'instruments dont les qualités métriques sont incertaines, le recours à des mesures de connaissances uniquement et l'absence de groupe de contrôle. Ces lacunes empêchent de conclure définitivement quant à l'efficacité des programmes évalués.

Une deuxième série d'études évaluatives a tenté de répondre aux limites méthodologiques des études précédentes. Certains auteurs ont examiné l'impact des programmes de prévention en utilisant un devis avec groupe de comparaison. Wolfe, MacPherson, Blount et Wolfe (1986) ont évalué un programme en utilisant des pièces et des discussions en classe sur les abus sexuels et physiques et en administrant un questionnaire au post-test seulement aux élèves âgés de 9 à 12 ans ; le groupe de comparaison était constitué d'élèves placés sur une liste d'attente pour recevoir le programme. Les résultats révèlent que les élèves ayant participé obtiennent en moyenne des résultats supérieurs (75 %) à ceux des élèves du groupe de contrôle (67 %).

Kolko, Moser, Litz et Hughes (1987) et Kolko, Moser et Hugues (1989) ont évalué les retombées du programme Red Flag/Green Flag, destiné aux élèves du deuxième cycle du primaire. Le programme fait appel à du matériel écrit (un livre à colorier), audiovisuel (le film *Better safe than sorry II*) et à des discussions de groupe et est présenté en deux séances de 90 minutes en classe. La première session consiste en une discussion sur l'agression sexuelle et les principales stratégies de prévention. Les élèves se regroupent par la suite en petits groupes pour discuter des stratégies qui sont illustrées dans le livre d'activités (dire « non », s'enfuir, dévoiler la situation à une personne de confiance). Lors de la deuxième séance, le film, qui met en scène un professeur avec ses élèves et qui illustre quatre situations potentiellement abusives, est présenté. Par la suite, les élèves sont appelés à discuter des stratégies de prévention proposées.

Le programme comprend aussi une formation destinée au personnel scolaire et aux adultes bénévoles de la communauté. Cette formation, donnée par les intervenants des services à l'enfance de la région, utilise la présentation des différents concepts (caractéristiques de l'agression sexuelle, aspects légaux impliqués, services qui reçoivent les signalements, dévoilement d'une agression), des jeux de rôle et des discussions de groupe. Les parents des élèves sont par ailleurs invités à participer à une séance d'information sur le programme avant la tenue des ateliers en classe. Lors de la première évaluation, un groupe de 349 enfants de 3e et 4e année a été évalué à l'aide d'un devis prétest/post-test avec un groupe de contrôle en liste d'attente. Le post-test a eu lieu deux mois après la présentation du programme et la relance six mois plus tard. La deuxième évaluation du programme concerne un groupe de 296 enfants et 12 professeurs. Les élèves ayant participé au programme sont plus en mesure que les élèves du groupe de contrôle d'évaluer le caractère approprié ou non de la première situation présentée mais pas de la deuxième. Devant une situation potentiellement abusive, plus d'enfants du groupe expérimental (49 %) que du groupe de contrôle (22 %) mentionnent qu'ils diraient non ou tenteraient de s'enfuir et dévoileraient la situation à un adulte. En revanche, les enfants des conditions expérimentale et témoin sont aussi susceptibles d'avoir été l'objet de touchers non appropriés au cours des deux mois suivant la présentation du programme ; les résultats doivent donc être considérés avec prudence compte tenu des mesures utilisées.

Voulant obvier aux limites liées aux instruments de mesure utilisés lors des études évaluatives, Tutty (1992) a élaboré le *Children's Knowledge of Abuse Questionnaire* (CKAQ) ; il consiste en 40 questions posées oralement aux élèves. L'auteure rapporte des indices de consistance interne (0,90) et de stabilité (0,76) adéquats. Dans une analyse des retombées d'un programme de prévention des agressions sexuelles diffusé en Ontario, Tutty a utilisé un devis quasi expérimental faisant appel à quatre conditions afin d'évaluer les effets possibles de la passation des mesures. Le programme évalué, Touching, consiste en une pièce de théâtre d'une durée de 45 minutes présentée en milieu scolaire. Huit écoles sont assignées aléatoirement aux quatre conditions : 1) expérimentale avec prétest/post-test, 2) expérimentale post-test seulement, 3) témoin avec prétest/post-test, et 4) témoin post-test seulement. Les 400 élèves ayant participé à l'évaluation sont inscrits à la maternelle, en 1re, 3e ou 6e année. Les données révèlent d'abord qu'il n'y a pas d'effet de sensibilisation au questionnaire administré, ensuite, qu'il y a un gain significatif pour les élèves ayant participé au programme relativement aux enfants du groupe de contrôle ainsi qu'un maintien des acquis lors de la relance, effectuée cinq mois plus tard.

Certains chercheurs ont inclus des mesures visant à évaluer non seulement les connaissances, mais aussi les habiletés préventives des enfants prenant part aux divers programmes éducatifs. La mesure des habiletés préventives s'apparente le plus souvent à des mises en situation ou des vignettes. En ce sens, Wurtele et ses collègues (Saslawsy et Wurtele, 1986 ; Wurtele, Hughes et Owens, 1998) ont élaboré le *What If Situation Test* (WIST) qui consiste en différentes vignettes ou situations hypothétiques, dont certaines illustrent des circonstances d'abus sexuel et d'autres, des situations non abusives. Après la présentation de chaque vignette, l'enfant est appelé à répondre à une série de questions standardisées. Les réponses verbales de l'enfant sont par la suite codifiées suivant sa capacité à reconnaître une situation potentiellement abusive, à ses habiletés à s'affirmer, à s'esquiver de la situation présentée et à dévoiler les faits à une personne de confiance.

Saslawsky et Wurtele (1986) ont eu recours à cette mesure d'habiletés et à une mesure évaluant les connaissances (le *Personal Safety Questionnaire* ou PSQ) de 13 items lors de l'évaluation d'une intervention utilisant le film *Touch* suivi d'une discussion d'une quinzaine de minutes. Le film illustre différentes situations abusives et quatre stratégies préventives y sont présentées (dire « non », crier pour obtenir de l'aide, s'enfuir, dévoiler la situation à un adulte). Les participants sont 67 élèves de 5 à 7 ans et de 10 à 12 ans. Les auteures rapportent des indices de consistance interne satisfaisants pour les deux mesures passées (PSQ : 0,78 ; WIST : 0,77). Les élèves sont assignés aléatoirement au groupe expérimental ou au groupe de contrôle ; les enfants de ce dernier groupe participent à une discussion sur les perceptions de soi. Saslawsky et Wurtele (1986) rapportent des résultats positifs. Effectivement, les élèves du groupe expérimental obtiennent des cotes moyennes significativement plus élevées tant au questionnaire de connaissances qu'à la mesure des habiletés relativement aux élèves du groupe de contrôle. De plus, les acquis sont maintenus lors d'une relance menée trois mois plus tard. Une deuxième analyse (Wurtele, Saslawsky, Miller, Marrs et Britcher, 1986) a permis de comparer l'effet de cette même intervention à un programme faisant appel à l'apprentissage de comportements préventifs par le biais du modelage, de la pratique, de la rétroaction et du renforcement. Les données révèlent la supériorité du programme axé sur l'apprentissage de comportements lorsque la mesure de connaissances est utilisée comme critère. En revanche, les résultats obtenus au WIST n'ont pas permis de conclure à l'effet supérieur de l'approche comportementale.

Hazzard et ses collègues (Hazzard *et al.*, 1991) ont, eux aussi, passé une mesure de connaissances composée de 25 items vrai/faux (*What I Know About Touching*) et une mesure d'habiletés (*What would I do ?* – WWID) aux élèves participant à une adaptation du programme *Feeling Yes/Feeling No* (élaboré par l'Office national du film et connu en version française sous le titre *Mon corps, c'est mon corps)*. Le programme présenté à un groupe de 286 élèves de 3e et 4e année comprend la présentation d'un vidéofilm, l'utilisation d'une bande dessinée portant sur l'abus sexuel (*Spiderman*), des activités à faire à la maison, des jeux de rôle, des discussions de groupe et la présentation des concepts axée sur une approche comportementale. La présentation du programme, divisée en trois sessions d'une heure, est animée par une professionnelle spécialisée dans le domaine. Tous les parents sont invités à participer à une séance d'information sur le programme. Les écoles sont assignées aléatoirement à quatre conditions expérimentales. Ainsi, deux écoles sont assignées à la présentation du programme conjointement à une formation de six heures destinée aux professeurs, alors que deux écoles bénéficient du programme destiné aux élèves uniquement. Finalement, deux écoles reçoivent uniquement de la formation aux enseignants et deux écoles servent de groupe de comparaison.

Le WWID est présenté sous forme de vignettes vidéo illustrant quatre scènes potentiellement abusives et deux scènes non abusives. Après le visionnement de la scène, l'enfant est appelé à dire si la situation illustrée est sécuritaire ou pas et ce qu'il dirait et ferait dans une telle situation. Deux cotes sont dérivées, soit une cote reflétant la capacité de discriminer les situations abusives des situations non abusives et une cote reflétant les habiletés enseignées (dire « non », s'enfuir et dévoiler). Les résultats montrent que les élèves ayant participé au programme ont une meilleure connaissance et démontrent une plus grande habileté à discriminer les situations potentiellement abusives des situations non abusives relativement aux élèves du groupe de contrôle. Ces résultats sont apparents au post-test passé une semaine après la présentation du programme et à la relance six semaines plus tard. En revanche, aucune différence n'est relevée au chapitre des habiletés face aux situations potentiellement abusives présentées sur vidéos. Finalement, les données colligées ne permettent pas d'établir qu'il y a des gains supérieurs chez les élèves dont l'enseignant a participé à la formation. Les résultats de la deuxième relance, effectuée un an plus tard, permettent de constater que les gains des enfants ayant participé au programme sont maintenus.

En matière de prévention des agressions sexuelles à l'égard des enfants, les études actuelles de la troisième vague tentent de répondre aux interrogations soulevées au cours des premières analyses des effets des programmes. Plus précisément, les chercheurs désirent maintenant répondre aux questions suivantes : Les programmes de prévention ont-ils des effets sur des variables autres que les connaissances et les habiletés préventives ? Les programmes favorisent-ils le dévoilement de situations d'agression sexuelle ? Les programmes de prévention ont-ils des effets négatifs non anticipés ? Quels sont les programmes qui donnent les résultats escomptés pour des clientèles particulières ? Peu d'études permettent de répondre de façon définitive à ces questions, mais certaines études récentes y apportent des éléments de réponse pertinents.

Taal et Edelaar (1997), par exemple, ont voulu apporter une nuance importante quant aux effets des programmes de prévention en matière d'agression sexuelle, en examinant les retombées d'un programme de prévention auprès d'enfants âgés de 8 à 12 ans. Le programme évalué, Right to Security diffusé à Amsterdam, est une adaptation du programme Child Assault Prevention Program et du programme Feeling Yes/Feeling No. Le programme comprend une formation destinée aux enseignants des écoles participantes et une séance d'information pour les parents des élèves. Le programme pour les enfants comprend huit sessions de 30 ou 60 minutes chacune. Trois des sessions sont animées par des acteurs qui mettent en scène une série de situations conflictuelles impliquant des pairs ou des adultes. Les élèves sont appelés à préciser comment l'enfant devrait réagir devant la situation illustrée. Les intervenants mettent en scène les stratégies et les réactions possibles aux situations conflictuelles et certains élèves sont invités à participer et à mettre en pratique les stratégies proposées. Les autres sessions sont animées par le professeur qui sollicite les commentaires et les réactions des jeunes aux mises en situation présentées et qui discute des droits des enfants.

Lors de l'évaluation, 161 enfants participent aux activités offertes alors que 131 élèves provenant des écoles sur la liste d'attente servent de groupe de comparaison. Six mesures visent à évaluer l'impact du programme de prévention chez les participants. Les chercheurs évaluent ainsi le sentiment de contrôle (interne/externe) qu'a l'enfant dans des situations hypothétiques potentiellement abusives ainsi que sa perception d'efficacité personnelle au regard de sa capacité à éviter l'abus. Un questionnaire mesure les stratégies ou les habiletés proposées pour faire face aux différentes mises en situation proposées. Les stratégies répertoriées sont la résolution de problèmes, la dispute ou la tentative de combattre, l'évitement du conflit et l'acceptation de la situation abusive. Finalement, afin d'évaluer les effets potentiellement négatifs associés au programme, un questionnaire cherche à recenser les sentiments des enfants à l'égard des touchers et des contacts physiques non abusifs ainsi que les changements possibles dans leurs relations avec les pairs. L'instrument tente aussi d'évaluer leur niveau d'anxiété face aux diverses situations interpersonnelles. Les élèves du groupe expérimental complètent les mesures une semaine avant le programme, une semaine après et lors d'une relance six semaines plus tard alors que les élèves du groupe de contrôle participent au prétest et au post-test. Les effets escomptés sont obtenus pour seulement deux des quatre stratégies évaluées. Ainsi, les enfants ayant participé aux activités préventives sont plus susceptibles d'utiliser des stratégies leur permettant d'éviter les situations problématiques. Ils sont aussi, comme nous pouvions nous y attendre, moins portés à tenter de se disputer ou à lutter dans la situation proposée que les enfants du groupe de contrôle. Le sentiment d'efficacité à réagir à une situation potentiellement abusive se trouverait accru mais seulement chez les enfants les plus âgés. Aucun effet du programme n'est apparent sur le sentiment de contrôle des jeunes, ni sur le niveau d'anxiété. Les données laissent penser que les enfants plus jeunes (8 ans) sont susceptibles d'apprécier davantage les contacts physiques non abusifs après avoir participé au programme alors que les élèves plus âgés (12 ans) les apprécieraient moins. Les résultats obtenus doivent être considérés avec prudence, étant donné que plusieurs des mesures utilisées démontrent de faibles coefficients de stabilité.

Pour leur part, Olfield, Hays et Megel (1996) ont voulu connaître les effets du programme *Project Trust* en examinant non seulement les connaissances des élèves mais aussi les dévoilements de situations d'agression sexuelle. Le programme utilise la présentation de la pièce de théâtre *Touch* distribuée par le *Illusion Theater Company*. Des élèves du secondaire et les responsables du programme sont appelés à présenter la pièce qui dure une trentaine de minutes. Une période d'échanges et de questions avec les participants est prévue par la suite. Les classes ont été réparties aléatoirement au sein des conditions expérimentale et témoin. Les élèves du groupe expérimental ($n = 658$) et les élèves du groupe de contrôle ($n = 611$) ont participé à une mesure post-test deux jours après la présentation du programme. Outre un effet lié à l'âge des enfants, les résultats témoignent d'un effet de l'intervention, d'après le questionnaire de connaissances de 33 items (CKAQ). Les enfants du groupe expérimental obtiennent une moyenne de 81 % réponses correctes comparativement à 73 % pour deux du groupe de contrôle. Une partie des enfants du groupe expérimental ont participé à une mesure de relance effectuée trois mois après la présentation de la pièce de théâtre. Les données indiquent un accroissement significatif de la cote moyenne au CKAQ. En outre, la participation au programme n'apparaît pas être associée à des effets négatifs ; les données ne révèlent pas de différence entre les groupes au regard de l'anxiété. Les chercheurs mentionnent que cinq dévoilements ont été formulés dont quatre provenant des élèves du groupe expérimental. De ces dévoilements, deux concernent des situations d'agressions sexuelles qui avaient déjà été rapportées aux autorités, alors que deux autres visent des situations d'agressions physiques. Tous les dévoilements se sont révélés fondés par les autorités de protection de l'enfance.

Lors d'une évaluation récente du programme *Who Do You Tell*, Tutty (1997) compare les réponses des jeunes du primaire prenant part au programme à celles des enfants d'un groupe de contrôle à l'aide du *Children's Knowledge of Abuse Questionnaire – Revised*. Le CKAQ révisé comprend deux sous-échelles : Toucher approprié (9 items) et Toucher non approprié (24 items). Les enfants sont assignés aléatoirement à la condition expérimentale ($n = 117$) ou contrôle ($n = 114$). Le programme *Who Do You Tell* est offert selon la demande des directions d'école dans la région de Calgary. Le programme comprend deux sessions de 45-60 minutes chacune et utilise la présentation de vidéofilms, d'images, les jeux de rôle et les discussions pour véhiculer les messages préventifs. La forme de présentation est adaptée à l'âge des participants qui sont des élèves de la 1re à la 6e année du primaire dans le cadre de l'étude. Les parents sont invités à prendre part à une séance d'information et les enseignants reçoivent une formation avant la présentation du programme aux élèves. Les résultats révèlent des différences significatives liées à la participation à l'atelier de prévention. Les différences entre la performance moyenne des élèves du groupe expérimental au prétest (27 sur 33) et celle lors du post-test (29,6 sur 33) demeurent néanmoins faibles, reflétant l'acquisition d'une ou de deux notions préventives. Des résultats similaires sont rapportés dans l'étude de Dhooper et Schneider (1995) à la suite de l'évaluation du programme Kids on the Block qui utilise des marionnettes et des pièces auprès des élèves de la 3e à la 5e année. Effectivement, quoique les enfants ayant participé au programme (n = 413) obtiennent des résultats supérieurs à une échelle de connaissances de 12 items relativement à ceux des élèves du groupe de contrôle (n = 383), les gains sont faibles (prétest : 8,4 ; post-test : 10,3).

Dans une des études les plus ambitieuses réalisées à ce jour, MacIntyre et Carr (1999a) ont fait une évaluation du Stay Safe Programme auprès des enfants de 7 et de 10 ans en Irlande. Le programme offre des sessions de formation aux élèves et des ateliers de formation aux parents ainsi qu'aux enseignants avant de soumettre le programme aux élèves. La formation pour les enseignants consiste en deux sessions de quatre heures animées par un enseignant très familier avec le programme et un intervenant en santé mentale spécialisé en protection de l'enfance. Les enseignants reçoivent le manuel présentant les activités du programme. Les thèmes abordés font référence à la définition de l'agression sexuelle, la prévalence, les caractéristiques des victimes et des agresseurs, l'identification des victimes, les interventions à la suite d'un dévoilement ainsi que le système de référence aux organismes de services sociaux et légaux. Un atelier de trois heures est proposé aux parents et ils reçoivent un guide couvrant les mêmes notions.

Le programme proposé aux enfants fait appel à diverses activités et est donné par l'enseignant en sessions de 30-40 minutes chacune. Douze sessions, à raison de deux par semaine, impliquent les élèves de 2e année alors que dix sessions sont données aux élèves de 5e année. Bien que le programme soit plus centré sur l'agression sexuelle, il présente aussi certaines notions liées à l'intimidation ou *bullying*. Le programme comporte des activités précises planifiées pour chaque session et des documents audio et vidéo sont utilisés comme aides pédagogiques. L'enseignant amène les élèves à discuter des notions présentées, propose des stratégies de résolution de problèmes et utilise les jeux de rôle pour pratiquer les habiletés enseignées. Le programme propose aussi des activités sous forme de devoirs à compléter à la maison. Après chaque session, l'enseignant est disponible pour des rencontres individuelles avec les élèves qui le désirent.

L'évaluation du programme fait appel à un devis quasi expérimental auprès d'un groupe de 339 élèves, qui ont participé au programme, et un groupe de 388 enfants, qui a servi de groupe de contrôle (liste d'attente). Une relance, trois mois plus tard, a permis d'examiner le maintien des acquisitions des élèves ayant participé au programme. Les retombées des ateliers de formation auxquels ont participé les parents et les enseignants ont aussi été examinées. Les données recueillies soulignent l'impact positif du programme. En effet, les élèves ayant participé ont des résultats plus élevés au questionnaire de 18 items visant les connaissances et les habiletés (adapté du *Children's Safety Knowledge and Skills Questionnaire*) et les gains se maintiennent à la relance trois mois plus tard. Les élèves plus jeunes (2e année) ont affiché des gains plus importants que les élèves plus âgés. En fait, leurs résultats au prétest étaient moins élevés que ceux des élèves plus vieux alors qu'au post-test il n'y avait pas de différence entre les deux groupes. Le programme aurait aussi des retombées positives au plan de l'estime de soi, bien que cet effet soit manifeste seulement chez les enfants de 2e année. Les ateliers de formation offerts aux adultes donneraient aussi des résultats probants. En effet, des gains sont notés au regard des connaissances et des attitudes des parents et des professeurs ayant participé. Une relance effectuée uniquement auprès des enseignants révèle, de plus, que les gains se sont maintenus cinq mois plus tard.

Le programme Stay Safe fait maintenant partie du programme scolaire national des écoles en Irlande. Dans une étude complémentaire, MacIntyre et Carr (1999b) ont judicieusement voulu profiter du fait que la très grande majorité des écoles ont récemment adopté le programme. Les auteurs ont ainsi procédé à l'analyse des dossiers des dernières années d'une clinique spécialisée du centre hospitalier pédiatrique de Dublin, qui reçoit environ 300 cas d'allégations d'agression sexuelle annuellement. Les dévoilements de 443 enfants qui n'avaient pas participé au programme ont été comparés aux dévoilements des 145 enfants qui avaient participé au programme Stay Safe. Les résultats indiquent que bien que la majorité (65 %) des enfants aient dévoilé la situation abusive à leurs parents, un nombre plus élevé d'enfants ayant participé au programme l'ont dévoilée aux professeurs (7,5 % contre 1,7 %). Le nombre de dévoilements parmi les participants est plus grand que chez les jeunes n'ayant pas pris part aux activités du programme Stay Safe, et ce, surtout pour les élèves plus âgés et les filles. De plus, le nombre d'allégations qui se sont révélées fondées est plus élevé parmi les participants au programme (71,7 %) que parmi les enfants n'ayant pas bénéficié du programme (54,9 %), et ce, malgré le fait que les caractéristiques des agressions sont similaires (relation avec l'agresseur, type d'activités impliquées, etc.). Les données semblent indiquer, contrairement aux craintes de certains parents et intervenants, que la participation à un programme de prévention ne crée pas une vague de faux dévoilements ou de fausses accusations.

La conclusion générale des études évaluatives menées à ce jour est que les élèves du primaire qui participent à des interventions préventives en milieu scolaire augmentent leurs connaissances et leurs habiletés préventives (Araji, Fenton et Straugh, 1995 ; Berrick et Barth, 1992 ; Daro, 1994 ; Tutty, 1992 ; Wurtele et Miller-Perrin, 1992). Rispens, Aleman et Goudena (1997) ont effectué une méta-analyse de 16 études évaluatives dans le domaine tout en considérant l'influence de certaines variables modératrices liées aux caractéristiques de la clientèle (âge, sexe de l'enfant, niveau socioéconomique), de l'intervention (étant axée sur l'acquisition des connaissances vs. sur la pratique de comportements préventifs, durée de l'intervention) et des qualités des études menées (nombre de participants, fidélité des mesures utilisées et qualité du devis de recherche). Douze des seize études évaluées avaient colligé des données sur le maintien des gains. Les conclusions de Rispens *et al.* (1997) permettent d'estimer l'ampleur de l'effet des interventions préventives à 0,71, comme évalué au post-test et à 0,62 pour la relance. La valeur obtenue s'approche du seuil de 0,80 qui correspond à un effet d'intervention élevé (Cohen, 1988). De plus, Rispens *et al.* (1997) rapportent que les enfants plus jeunes sont susceptibles de bénéficier davantage des programmes que les élèves plus âgés (lors du post-test). La différence relevée quant à l'effet des programmes selon l'âge des enfants tend par contre à disparaître à la relance. Les résultats soulignent que les caractéristiques des interventions recensées représentent les variables dont l'effet modérateur est le plus important eu égard aux mesures dépendantes. Les programmes de plus longue durée ainsi que ceux axés sur une formation explicite seraient susceptibles d'entraîner de meilleurs effets. Ce dernier résultat corrobore les analyses comparatives de modes de présentation des interventions, indiquant que les programmes qui permettent aux enfants de mettre en pratique les stratégies apprises et de participer à des jeux de rôles donnent des résultats plus probants que les approches plus passives (Wurtele *et al.*, 1986 ; Wurtele, Marrs et Miller-Perrin, 1987 ; Finkelhor et Dziuba-Leatherman, 1995).

LES EFFETS DES PROGRAMMES VISANT LES ENFANTS DU PRÉSCOLAIRE

Plusieurs auteurs ont exploré les retombées des programmes de prévention des agressions sexuelles destinés aux enfants d'âge préscolaire. Les données révèlent que les jeunes enfants sont aussi susceptibles d'être victimes d'une agression sexuelle. En effet, près de 33 % à 50 % des victimes d'abus sexuels seraient d'âge préscolaire (Faller, 1989 ; Nemerofsky, Carran et Rosenberg, 1994 ; Tutty, 1994). Les programmes s'adressant aux enfants d'âge préscolaire comportent, en plus des limites inhérentes aux programmes de prévention en général, des difficultés qui leur sont propres et plusieurs critiques leur ont été adressées (Berrick et Gilbert, 1991 ; Grober et Bogat, 1994 ; Liang, Bogat et McGrath, 1993 ; Nemerofsky *et al.*, 1994). Les conclusions au sujet de l'impact des interventions réalisées auprès des clientèles préscolaires sont en effet beaucoup plus nuancées (Croteau, Hébert et Lavoie, 1998 ; Hazzard, 1990).

Conte, Rosen, Saperstein et Shermack (1985) mentionnent que les enfants d'âge préscolaire intègrent mal les concepts enseignés d'une façon trop abstraite et les notions telles que la sécurité, la liberté, les secrets, l'intuition et les droits ainsi que les motifs qui peuvent pousser des abuseurs à agresser (surtout une personne familière). Gilbert, Berrick, Le Prohn et Nyman (1989) ont comparé des groupes d'enfants d'âge préscolaire qui avaient participé à sept programmes de prévention différents. Les enfants devaient préciser la manière dont un lapin devrait réagir dans différentes situations illustrées à l'aide de dessins. Malgré une augmentation des connaissances des concepts préventifs, les changements rapportés étaient faibles. Ainsi, une proportion importante des participants n'affiche pas les comportements permettant d'éviter les situations à risque après avoir participé à un atelier de prévention. Gilbert *et al.* (1989) soulignent aussi que les jeunes d'âge préscolaire éprouvent des sentiments négatifs à l'égard des contacts physiques à la suite de leur participation aux programmes. Ainsi, après avoir participé à un programme, les jeunes enfants ont davantage identifé des sentiments de tristesse aux acteurs des situations illustrées (prendre un bain, se faire chatouiller). Les résultats de cette étude ont toutefois été fortement critiqués (Nibert, Cooper et Ford, 1989 ; Wurtele et Miller-Perrin, 1992). Effectivement, différents programmes non équivalents ont été comparés et les propriétés métriques des mesures utilisées n'ont pas été vérifiées. Berrick et Gilbert (1991) ont effectué une étude de grande envergure auprès de 334 élèves du préscolaire, de première et de troisième année ayant participé à huit programmes de prévention différents ; ils ont utilisé un instrument de mesure qu'ils ont conçu : le *What would you do ? A safety game*. Ces auteurs rapportent, globalement, qu'une amélioration est observable quant aux connaissances acquises. Par ailleurs, ils soumettent l'idée qu'un questionnaire illustré, composé de questions fermées qui proposent des choix de réponses, constitue un choix plus adapté aux enfants d'âge préscolaire que les questions ouvertes.

Ratto et Bogat (1990) ont utilisé une mesure de connaissances, le PSQ, et une mesure des habiletés (WIST) auprès d'un échantillon d'enfants du préscolaire appelés à participer aux activités du Grossmont College Child Sexual Abuse Prevention Program. La présentation du programme échelonné sur cinq jours utilise un livre, des marionnettes, des jeux de rôle et des discussions. Les résultats montrent une différence significative entre les enfants du groupe expérimental et ceux du groupe de contrôle au PSQ (connaissances), mais aucune différence en termes d'habiletés suivant les mesures du WIST (habiletés). Lors d'une évaluation récente du même programme, Gibson et Bogat (1993) ont considéré l'effet possible lié à la passation des questionnaires à l'aide d'un devis Solomon. Ainsi, 121 enfants âgés en moyenne de 52 mois ont été assignés aléatoirement aux quatre conditions expérimentales (expérimental prétest/post-test ; expérimental post-test seulement ; contrôle prétest/post-test ; contrôle post-test seulement). Les résultats indiquent un effet de sensibilisation à la mesure pour deux des six habiletés évaluées mais contraire aux attentes : les enfants ayant participé au prétest obtiennent des résultats inférieurs lors du post-test. Les données illustrent en outre un effet significatif lié à l'intervention montrant que les élèves ayant participé aux activités obtiennent des résultats plus élevés que les élèves du groupe de contrôle pour cinq des six habiletés évaluées.

Les travaux de Wurtele ont donné lieu à des résultats positifs et ont permis de cerner les interventions susceptibles de favoriser les apprentissages chez les enfants d'âge préscolaire. Ainsi, Wurtele, Kast, Miller-Perrin et Kondrick (1989) ont examiné les réponses de 100 enfants d'âge préscolaire à deux types de programmes de prévention, soit un programme dans lequel les enfants sont appelés à se fier à leurs sentiments ou leurs intuitions pour déterminer si un toucher est approprié ou pas, et un programme axé sur une approche comportementale. Les deux approches donnent lieu à des résultats positifs, mais les enfants ayant participé à l'approche basée sur les sentiments ont plus de difficulté à discriminer les situations illustrant des touchers appropriés ou non appropriés. Wurtele, Gillispie, Currier et Franklin (1992) confirment que les jeunes enfants participant à un programme donné par les professeurs et/ou par les parents témoignent de gains au plan des connaissances et des habiletés relativement à des enfants du groupe de contrôle et maintiennent leurs acquis cinq mois plus tard. Wurtele, Currier, Gillipsie et Franklin (1991) sont, entre autres, d'avis qu'un programme donné par les parents à la maison peut aussi mener à des résultats probants.

Plus récemment, Nemerofsky *et al.* (1994) ont évalué les effets du Children's Primary Prevention Training Program, un programme enseigné par l'intervenant de garderie auprès d'un groupe d'enfants âgés de trois à six ans. Les intervenants participent au préalable à une formation de 18 heures et le programme donné fait appel à cinq livres d'histoires. Chacune des cinq sessions animées permet d'enseigner des règles et des stratégies comportementales visant à esquiver une situation potentiellement abusive. À l'aide d'un devis quasi expérimental prétest/post-test avec groupe de comparaison, les chercheurs ont relevé des retombées positives au regard des habiletés préventives (évaluées par le WIST) des enfants. Ainsi, la moyenne des réponses correctes des enfants ayant participé au programme a augmenté (34 % à 74 %) alors que les réponses du groupe de contrôle sont restées stables (à 27 %).

Les études auprès des clientèles préscolaires démontrent que si l'approche privilégiée est basée sur des notions concrètes, favorise la participation active, s'échelonne sur plusieurs sessions et implique les parents et les éducateurs, les jeunes élèves du préscolaire peuvent bénéficier des programmes (Nemerofsky *et al.*, 1994 ; Sarno et Wurtele, 1997 ; Wurtele, 1990 ; Wurtele *et al.*, 1987 ; Wurtele *et al.*, 1992). Dans une recension de 13 études, Berrick et Barth (1992) calculent la grandeur de l'effet des programmes de prévention auprès de clientèles préscolaires à 0,86 alors que l'effet pour les programmes destinés aux élèves du primaire se situe à 0,98. Il est clair que les jeunes enfants ont besoin d'un programme adapté à leurs besoins. Les programmes de prévention les plus bénéfiques pour eux seraient donc ceux qui sont courts et remplis de répétitions ainsi que d'indices visuels (Rispens *et al.*, 1997 ; Sivan, 1991 ; Tutty, 1992). L'introduction graduelle des concepts et leur exposition régulière dans le temps serait préférable (Berrick et Gilbert, 1991). L'apprentissage serait aussi favorisé par l'exploration, les techniques expressives (jeux de rôle, dessins, discussions, etc.) et le renforcement (Wurtele, 1990).

Les études évaluatives des programmes de prévention diffusés au Québec

Certaines études récentes ont examiné les effets des programmes de prévention de l'agression sexuelle diffusés au Québec. Le programme ESPACE, par exemple, propose des ateliers s'adressant aux jeunes de 3 à 12 ans. Contrairement aux autres programmes de prévention qui se consacrent uniquement à l'agression sexuelle, le programme ESPACE aborde aussi les notions de violence verbale et physique. Le programme ESPACE privilégie aussi l'implication des adultes en offrant des ateliers pour les parents et les membres du personnel scolaire et des garderies.

Le programme ESPACE a été originellement conçu en 1978 par le groupe Women Against Rape de Columbus, Ohio, où il est connu sous le nom de *Child Assault Prevention Project* ou CAP (Cooper, 1991). En 1985, il a été adapté à la réalité québécoise par le Regroupement québécois des Centres d'aide et de lutte contre les agressions à caractère sexuel (CALACS). En 1989, le Regroupement des organismes Espace du Québec (ROEQ) (connu sous le nom de Regroupement des équipes régionales ESPACE jusqu'en juillet 1999) est devenu responsable du développement et de la diffusion du programme ESPACE au Québec. Depuis, 11 organismes membres appliquent le programme dans leur communauté respective et on envisage d'implanter un nouvel organisme. Au 31 mars 1999, 167 096 enfants et 58 441 adultes avaient participé aux ateliers de prévention offerts au Québec par les organismes membres du ROEQ.

L'approche d'ESPACE est fondée sur une analyse féministe des facteurs de vulnérabilité des enfants à l'égard des abus et s'inspire du modèle de l'appropriation. Les abus sont considérés comme une expression de pouvoir et la vulnérabilité des enfants est liée à leur manque d'information, à leur dépendance à l'égard des adultes et à leur isolement social. L'approche vise à informer les enfants, à accroître leur confiance en soi, à leur enseigner qu'ils peuvent compter les uns sur les autres pour obtenir de l'aide et aussi avoir recours à des adultes de confiance. De plus, l'approche vise à faire connaître aux enfants et aux adultes de leur entourage, les ressources disponibles dans leur milieu (Centre Jeunesse, CLSC, organismes communautaires et bénévoles, etc.). Les ateliers destinés aux enfants existent en trois versions, soit la version préscolaire, la version premier cycle et la version deuxième cycle du primaire. Ils diffèrent sur l'utilisation du vocabulaire, sur les scénarios des mises en situation et sur l'information plus précise de certains concepts.

L'atelier présenté aux enfants permet d'enseigner des stratégies adaptées à leur développement afin qu'ils puissent prévenir les situations qui violent leurs droits. Les intervenants et intervenantes abordent la question des agressions par le biais de mises en situation présentées à deux reprises. Les élèves observent d'abord les intervenants jouer des scènes dans lesquelles l'enfant perd ses droits. Après une discussion, les mêmes scènes sont reprises en utilisant les stratégies proposées par les enfants et les intervenants : s'affirmer (dire « non »), demander de l'aide à un ami ou une amie, en parler à un adulte de confiance, et dans certaines circonstances, utiliser les techniques d'autodéfense (le cri ESPACE, se sauver, etc.). Lors de la reprise des scènes, les enfants sont appelés à participer, ainsi, ils peuvent mettre en pratique les stratégies présentées. Aussi, d'autres notions de prévention plus spécifiques sont ajoutées au contenu de l'atelier telles que le secret, les agresseurs connus, peu connus et inconnus de l'enfant, la responsabilité de l'agresseur, le chantage, la manipulation, etc.

Quatre scènes impliquant des situations d'abus physique, verbal et sexuel initiés par des pairs ou par des adultes connus ou proches de l'enfant sont présentées. Au premier cycle du primaire, par exemple, la première mise en situation présente un cas d'abus verbal commis par un pair : une enfant marche sur le trottoir et une autre enfant plus âgée arrive près d'elle et l'oblige, par son attitude et son ton, à lui donner les crayons qu'elle a gagnés dans sa classe. La deuxième mise en situation présente un abus potentiel commis par une personne connue de l'enfant : un voisin invite un enfant à entrer chez lui pour venir voir des chiots ; l'enfant est un peu hésitant et le voisin insiste subtilement et recourt à des tactiques verbales et physiques pour le faire entrer. La troisième mise en situation est une agression sexuelle commise par un proche : un oncle s'approche de sa nièce qui regarde la télé ; il lui caresse les cheveux, le dos, les bras et les cuisses et lui demande de l'embrasser sur la bouche et de lui faire des caresses ; il lui promet une faveur matérielle en retour et en terminant, il exige qu'elle garde cela secret. Une quatrième mise en situation présentée uniquement dans un forme positive illustre une situation de dévoilement à un adulte de confiance : un enfant vit une situation de violence physique à la maison et il veut en parler à son professeur, ce rôle étant habituellement tenu par l'enseignant ou l'enseignante.

Pour les enfants qui le désirent, l'atelier en groupe est suivi d'une période de rencontre individuelle avec l'animateur ou l'animatrice de leur choix. Les animateurs et animatrices reçoivent les commentaires des enfants après l'atelier ou encore leurs confidences. Dans ce dernier cas, la situation et les solutions possibles sont évaluées avec l'enfant qui, ensuite, est référé à la ressource la plus adéquate pour lui venir en aide. Les animateurs à ce moment sont les intermédiaires entre l'enfant et les ressources disponibles dans le milieu (psychologue ou travailleur social à l'école, parents, intervenants des centres jeunesse, etc.). Une particularité de l'approche d'ESPACE est l'implication des adultes de la communauté. Les adultes sont en effet perçus comme des agents essentiels d'une prévention efficace. Lorsque sensibilisés et bien informés, ils sont en mesure de prendre la relève pour renforcer les stratégies de prévention apprises lors des ateliers. En effet, les ateliers destinés aux adultes contiennent des informations sur l'approche du programme, sur la réalité des abus commis envers les enfants et sur l'atelier des enfants. De plus, l'atelier aborde les indicateurs pouvant être associés à un abus et propose des techniques d'intervention en situation de dévoilement. Un document présentant, entre autres, les principales ressources du milieu et des suggestions d'activités pour assurer un suivi du programme leur est remis.

Les études évaluatives portant sur la version originale du programme CAP ont tenté d'évaluer les connaissances et les habiletés acquises par les élèves participant au programme et les effets secondaires négatifs rapportés par les parents. Ainsi Binder et McNiel (1987), par exemple, ont passé un questionnaire de 13 items à 88 enfants âgés de 5 à 12 ans, participant au programme. Les auteurs ont utilisé un devis prétest/post-test pour évaluer les effets de l'atelier de prévention. Les énoncés (« Si un enfant plus vieux essaie de voler ton argent à tous les jours à l'école, le dirais-tu à un adulte ? » ; « Si un inconnu t'offre de te reconduire en auto, accepterais-tu ? », etc.) proposés aux élèves, sont complétés à l'aide d'une échelle Likert à cinq points. Les résultats montrent un gain significatif entre les résultats obtenus lors du post-test relativement au niveau de base du prétest. En l'absence d'un groupe de contrôle, il demeure toutefois difficile d'interpréter ces résultats. Par ailleurs, l'hétérogénéité de l'échantillon, quant à l'âge des élèves et le nombre de sujets restreint pour chaque groupe d'âge, limite la portée des analyses développementales. Les parents complètent un questionnaire portant sur le niveau d'anxiété des enfants avant et après leur participation au programme. Aucune différence significative n'ayant été obtenue, les auteurs ont conclu que le programme n'a pas d'effets secondaires négatifs. Des conclusions similaires sont rapportées par Nibert *et al.* (1989) qui, pour leur part, ont évalué les réponses d'un groupe de 223 parents dont les enfants participaient à une version préscolaire du programme CAP.

L'atelier *ESPACE* du premier cycle du primaire a récemment fait l'objet d'une évaluation qui a donné lieu à des résultats probants (Hébert, Lavoie, Piché et Poitras, 1999 ; Hébert, Lavoie, Piché et Poitras, en révision). L'analyse a été effectuée à l'aide d'un devis Solomon impliquant 133 enfants de 1re et 3e année de la région de Québec. Une mesure de connaissances et une mesure visant à évaluer les différentes habiletés préventives (affirmation de soi, dévoilement à un adulte, entraide entre pairs et autodéfense) ont été élaborées pour les besoins de l'étude. De plus, l'adéquation des ateliers présentés par rapport au modèle prévu a été considérée. Les résultats indiquent que devant des mises en situation présentées sur vidéo illustrant différentes formes d'abus potentiel, les élèves ayant participé au programme ESPACE ont, relativement aux élèves du groupe de contrôle, été plus nombreux à trouver les réponses comportementales appropriées. De plus, les enfants ont démontré une meilleure connaissance des concepts véhiculés lors des activités réalisées en classe avec les intervenantes ESPACE. En outre, les données montrent que la meilleure performance des enfants n'est pas due à une sensibilisation aux instruments de mesure ; les résultats obtenus à la mesure des habiletés préventives, lors de la relance effectuée deux mois après l'atelier, demeurent significativement plus élevés que le niveau de base initial indiquant que les élèves maintiennent certains de leurs acquis. En revanche, l'analyse du maintien à court terme des effets initiaux du programme révèle aussi que les enfants ayant participé à l'atelier de prévention montrent une diminution significative de leurs acquisitions en ce qui concerne les habiletés, soulignant la nécessité de prévoir des moyens pour maximiser le maintien des acquis des élèves. Pour ce qui est des conséquences non anticipées du programme de prévention, près de la moitié des parents mentionnent une augmentation dans la fréquence des comportements suivants : l'enfant semble avoir confiance en lui ou elle, parle de ce qu'il ou elle aime et de ce qu'il ou elle n'aime pas, règle les situations de conflit, s'affirme et est autonome.

Parmi les autres programmes diffusés au Québec et ayant récemment fait l'objet d'une évaluation, mentionnons le programme Child Agression and Research Education (CARE). Ce programme est animé par l'enseignante qui a, au préalable, participé à une formation d'une demi-journée portant sur l'agression sexuelle et l'animation du programme auprès des élèves. Les parents sont invités à prendre part à la rencontre d'information sur le programme. Dans le cadre de l'étude de Perreault, Bégin et Tremblay (1998), le programme est présenté en sessions d'une vingtaine de minutes échelonnées sur une période d'un mois auprès d'un groupe d'élèves de maternelle de la région de Montréal. Le programme vise principalement à aider les enfants à reconnaître l'agression sexuelle et les différentes situations à risque, à les rendre aptes à s'affirmer dans des situations potentiellement abusives et à les encourager à dévoiler les situations d'agression. Le programme utilise des cartons illustrés, un livre (*Écoute ton cœur)*, une cassette audio, des marionnettes, des affiches et un guide de planification pour l'enseignante. Les cartons illustrés présentent aussi différentes activités pouvant être intégrées à l'animation du programme à l'intention de l'enseignant. Notons que certains éléments du programme original (par exemple, l'utilisation du livre, les affiches, etc.) n'ont pas été utilisés dans le cadre de l'expérimentation. L'évaluation a été réalisée auprès d'un groupe de 294 enfants inscrits en maternelle à l'aide d'un questionnaire qui démontre des qualités métriques adéquates (Tremblay, Bégin et Perreault, 1991). Le questionnaire illustré contient une vingtaine de questions à choix multiples et deux questions ouvertes. À titre exploratoire, les réponses de 19 enfants âgés de 4 ans et inscrits en prématernelle ont aussi été examinées.

Les résultats dénotent une augmentation significative au questionnaire d'évaluation chez les élèves participant au programme et le maintien des gains à la relance tenue trois mois après la présentation du programme. En outre, les données montrent que, peu importe le moment d'évaluation, les élèves issus d'écoles de niveau socioéconomique moyen obtiennent des résultats supérieurs relativement aux élèves de milieu favorisé ou défavorisé et que les garçons ont des cotes moyennes plus élevées que celles des filles. L'analyse des réponses aux énoncés du questionnaire amène les auteures à postuler que certaines des notions véhiculées (p. ex., ce qui constitue une raison valable pour justifier un toucher aux parties intimes) demeurent abstraites pour des enfants de la maternelle. L'analyse des réponses du groupe d'élèves de prématernelle indique, par ailleurs, qu'ils obtiennent des résultats inférieurs à leurs pairs de la maternelle à tous les moments d'évaluation. En revanche, les données ne permettent pas de conclure à un effet différentiel de l'intervention pour les deux groupes d'âge considérés.

Les effets des programmes visant les adultes

Bien que plusieurs études témoignent d'effets bénéfiques, certaines critiques ont été formulées à l'égard des programmes de prévention de l'agression sexuelle. La critique la plus fréquente concerne l'auditoire visé, plusieurs auteurs s'interrogeant sur la centration exclusive de la majorité des interventions sur les victimes potentielles (O'Donohue *et al.*, 1992 ; Krugman, 1985 ; Reppucci et Haugaard, 1993). Plusieurs auteurs en effet, ont souligné que la participation des adultes, notamment celle des parents, représente l'élément clé de la réussite des programmes de prévention (Reppucci et Hauggard, 1993 ; Tutty, 1993 ; Wurtele et Miller-Perrin, 1992).

De fait, les arguments en faveur de la participation des parents au programme visant à prévenir l'agression sexuelle sont nombreux. Alors que les programmes comprennent en général une seule rencontre avec les enfants en milieu scolaire, les parents, pour leur part, sont en mesure de présenter les notions préventives de façon continue, de renforcer les concepts véhiculés lors des ateliers dans le milieu familial (Tutty, 1993) ou de clarifier, s'il y a lieu, certaines notions dont a pris connaissance l'enfant dans les ateliers à l'école (Wurtele, Kvaternick et Franklin, 1992). Les parents occupent une position privilégiée et peuvent mieux tenir compe du niveau de connaissances préalables de l'enfant et adapter le contenu des messages préventifs donnés (Reppucci, Jones et Cook, 1994). De surcroît, les parents sont souvent les personnes à qui l'enfant dévoile une situation d'abus pour la première fois (Hébert, 1992). Des parents sensibilisés à la dynamique de l'abus sexuel sont susceptibles de faciliter le dévoilement d'une situation abusive et de prendre les mesures nécessaires pour protéger l'enfant contre d'éventuelles agressions (Reppucci et Haugaard, 1989). De plus, des parents informés sont potentiellement plus enclins à réagir en adoptant une attitude et des comportements de soutien à l'égard de l'enfant qui dévoile une situation d'agression sexuelle, ce qui favoriserait une meilleure adaptation chez l'enfant victime d'abus sexuel (Everson, Hunter, Runyon, Edelson et Coulter, 1989).

En outre, l'implication des parents dans la prévention des agressions sexuelles semble favoriser l'acquisition d'habiletés préventives chez les enfants. Ainsi, les données recueillies dans le cadre de l'évaluation du programme ESPACE indiquent que les habiletés préventives des enfants dont les parents ont conjointement participé au volet parental du programme sont supérieures à celles des enfants dont les parents n'ont pas participé (Hébert *et al.*, 1999). Soulignons que ces résultats doivent être considérés comme étant préliminaires en raison du faible taux de participation aux ateliers. Effectivement, seulement 26 % des parents invités ont pris part à l'atelier destiné aux adultes dans le cadre de cette expérimentation. Lors de l'analyse du programme CARE, Tremblay (1998) note aussi que certains sous-groupes d'enfants dont les mères ont en parallèle participé à un atelier de formation affichent de meilleures performances que les enfants dont les mères n'ont pas participé. En revanche, les gains notés ne sont pas constants et sont liés à des variables telles que le sexe et le milieu socioéconomique des participants. Cette question devra donc être examinée plus systématiquement lors d'études futures.

Bien que les arguments en faveur de l'implication et la participation des parents dans les efforts de prévention soient nombreux, seule une minorité des programmes existants offrent des ateliers ou des sessions d'information destinés aux parents (Reppucci et Haugaard, 1989 ; Finkelhor et Dziuba-Leatherman, 1995 ; Olsen et Widom, 1993). De plus, les quelques études ayant colligé des données sur la participation des adultes aux sessions d'information révèlent que, finalement, peu de parents prennent part aux ateliers offerts. Tutty (1993), par exemple, mentionne que seulement 24 % des 284 parents invités à la session d'un programme de prévention diffusé en Ontario se sont présentés à la formation. Cette situation n'est pas différente de celle qui prévaut pour des programmes de prévention visant d'autres problématiques, comme le signalent Normand, Vitaro et Charlebois dans ce volume.

Il y a plusieurs explications à ce faible taux de participation des parents aux ateliers de prévention. Il se peut que les parents se considèrent bien informés sur le phénomène des abus commis envers les enfants et ne voient pas la pertinence de participer à de telles sessions de formation, croyant n'en tirer aucun bénéfice. Le faible taux de participation peut aussi traduire un manque d'implication des parents en matière de prévention des abus, ces derniers préférant laisser la responsabilité d'éduquer les enfants aux enseignants ou à des intervenants spécialisés. Les parents peuvent éprouver certaines appréhensions à discuter de l'abus sexuel ou encore croire que leur enfant est à l'abri d'une telle éventualité. Les données colligées dans le cadre de l'étude de Finkelhor (1984) tendent à appuyer cette dernière possibilité. Lors d'un sondage auprès d'un groupe de 521 parents d'enfants âgés de 6 à 14 ans dans la région de Boston, l'auteur rapporte que seulement 29 % des répondants mentionnent avoir discuté de l'abus sexuel avec leur enfant. La majorité des parents (68 %) considèrent que l'abus sexuel est un thème difficile à aborder avec leur jeune et près de la moitié croient que parler d'abus sexuel peut effrayer l'enfant (44 %) et que, de toute manière, leur propre enfant risque peu d'être victime d'un abus sexuel (38 %).

Lors d'une analyse plus récente, Wurtele et ses collègues (Wurtele *et al.*, 1992) ont examiné les comportements en matière de prévention des agressions sexuelles ainsi que les attitudes et les croyances d'un groupe de 375 parents d'enfants de maternelle. Contrairement aux données rapportées par Finkelhor, l'étude révèle que plus de la moitié (59 %) des parents ont abordé le thème avec leur enfant. Dans cette même étude, une comparaison est effectuée entre les caractéristiques des parents qui ont discuté de l'agression sexuelle ($n = 217$) et ceux qui n'ont pas abordé le thème ($n = 150$). Les résultats indiquent que les parents qui parlent de l'agression sexuelle possèdent un niveau de scolarité plus élevé que les parents qui n'abordent pas ce sujet avec leur enfant. En outre, les mères sont plus portées à discuter de ce thème avec leur enfant que les pères. Les données recueillies montrent, entre autres, que les parents qui n'ont pas parlé d'agression entretiennent des croyances plus négatives à l'égard des programmes de prévention et sont moins portés à percevoir leur propre enfant comme étant exposé à vivre une telle situation.

En dépit des nombreux arguments en faveur de l'implication des parents, certains auteurs rapportent des résultats mitigés quant aux retombées des ateliers leur étant destinés. Par exemple, Kolko *et al.* (1987) ont effectué une analyse des réponses de 335 parents et 15 professeurs sur les connaissances en matière d'agression sexuelle et les actions à poser lors d'un dévoilement. L'ensemble des sujets répondent à ce questionnaire avant et après la présentation du programme Red Flag/Green Flag. Les résultats n'indiquent aucune différence significative entre les résultats obtenus au prétest et au post-test. Cependant, les parents déclarent toutefois communiquer davantage à la maison avec leurs enfants. Berrick (1988) souligne que non seulement une minorité (34 %) des parents invités à un atelier de sensibilisation offert conjointement avec l'atelier destiné aux enfants prennent part aux activités offertes, mais que ceux qui le font apprennent peu. En outre, Berrick (1988) rapporte que près des deux tiers des parents abordent le thème des abus à la maison à la suite de la présentation de l'atelier aux enfants, mais le fait de discuter avec l'enfant n'est pas relié à leur participation à la session destinée aux parents.

En revanche, la participation des parents à des ateliers d'information sur l'abus sexuel est liée, selon certaines études plus récentes, à des effets bénéfiques. McGee et Painter (1991) ont analysé les réponses d'un groupe de parents d'enfants d'âge préscolaire à une vignette représentant une situation d'agression sexuelle. Les auteures rapportent que les parents ayant assisté à une présentation et à une discussion de groupe sont plus en mesure d'identifier les actions appropriées et de démontrer des comportements soutenants que les parents du groupe de contrôle. Rappelons que l'étude de MacIntyre et Carr (1999a), décrite précédemment, a aussi conclu à des gains significatifs chez les parents qui participent à l'atelier de prévention. Une récente étude sur les effets du volet parental du programme ESPACE indique qu'après avoir pris part à la formation offerte, les parents mentionnent plus d'interventions visant à soutenir l'enfant qui dévoile une situation d'abus sexuel dans une situation hypothétique, illustrée par une vignette, que les parents n'y participant pas (Hébert, Piché, Poitras, Parent et Goulet, 1999). Ce résultat apparaît d'autant plus important que plusieurs intervenants soulignent que la réaction des parents qui reçoivent un dévoilement d'abus sexuel aura une influence considérable sur l'adaptation ultérieure de la victime (Thériault, Cyr et Wright, 1997). En outre, relativement aux parents ne participant pas, ceux qui ont assisté à l'atelier proposent un plus grand un nombre d'interventions visant à soutenir l'enfant dans le processus de résolution de problème (par exemple, encourager l'enfant à utiliser les stratégies de prévention enseignées dans le volet scolaire du programme ESPACE, outiller l'enfant pour qu'il empêche la répétition de l'abus et mettre en place un système de soutien dans l'entourage de l'enfant). De plus, les parents tendent plus à aller chercher de l'aide auprès d'un organisme compétent. Parmi les autres retombées du programme, notons que la grande majorité des parents considèrent que leur participation au volet parental les a aidés à communiquer avec leur enfant sur le thème des abus. Les données révèlent en effet une tendance chez les parents participant à l'atelier à communiquer plus fréquemment avec leur enfant, mais les résultats n'atteignent pas le seuil de signification. Mentionnons que seulement 19 % des parents, la grande majorité étant des mères, avaient accepté l'invitation offerte.

Un faible pourcentage de participation a aussi été trouvée par Tremblay, Fortin et Bégin (1997), lors d'un atelier destiné aux parents dont l'enfant participe au programme CARE. L'atelier comprend deux rencontres et porte sur la prévalence et les signes de l'agression sexuelle, le développement sexuel de l'enfant et les réactions au dévoilement d'agression sexuelle en plus de proposer des activités promouvant la discussion entre le parent et l'enfant. L'évaluation révèle que les mères ayant pris part à l'atelier sont susceptibles d'en tirer des bénéfices relativement aux mères dont seul l'enfant participe à l'atelier CARE ou aux mères dont les enfants ne participent pas au volet enfant du programme (Tremblay, 1998). Outre des gains au niveau des connaissances, les mères trouvent en effet plus facile d'aborder la prévention de l'agression sexuelle et la sexualité avec leur enfant et elles en parlent plus souvent.

Les professeurs sont aussi susceptibles de jouer un rôle important dans la prévention des agressions sexuelles ; ils sont en effet dans une position privilégiée pour offrir leur soutien aux élèves qui dévoilent une situation d'agression sexuelle. Certaines interventions ont été expérimentées et ont donné lieu à des résultats probants. Randolph et Gold (1994), par exemple, ont montré qu'une formation pouvait favoriser l'acquisition de connaissances chez les professeurs et que les gains sont maintenus lors de la relance trois mois plus tard. La participation à la formation amènerait aussi les enseignants à aborder le sujet en classe de même qu'avec leurs collègues et à rapporter plus de cas aux autorités compétentes. Dans le cadre de l'évaluation d'un atelier visant à sensibiliser les professeurs à la violence faite aux enfants, Hazzard (1984) note aussi des retombées positives. En effet, les 51 professeurs qui ont suivi la formation affichent un gain significatif au plan des connaissances relativement à leurs confrères du groupe de contrôle (n = 53). Des résultats similaires sont mentionnés par McGrath, Cappelli, Wiseman, Khalil et Allan (1987) qui ont proposé un atelier de deux jours sur l'abus et la violence dont sont l'objet les enfants à un groupe d'enseignants. Les gains répertoriés se traduisent par une augmentation des connaissances sur le sujet, des indicateurs de l'agression sexuelle et des aspects légaux impliqués. Finalement, lors d'une évaluation menée par Kleemeir, Webb, Hazzard et Pohl (1988), les enseignants participant à la formation offerte ont démontré des acquisitions au plan des connaissances liées à la problématique de l'agression sexuelle et sont plus en mesure, à l'aide de situations hypothétiques proposées, d'identifier les interventions adéquates.

Les effets secondaires négatifs des programmes de prévention

Peu d'études ont cherché à déceler la présence de conséquences non anticipées ou d'effets secondaires négatifs potentiellement liés à la participation à un programme de prévention des agressions sexuelles (Daro, 1994). Les quelques données disponibles dégagent des résultats contradictoires (Daro et McCurdy, 1994 ; Olsen et Widom, 1993 ; Reppucci, Land et Haugaard, 1998). Dans une étude largement citée, Garbarino (1987) rapporte que près de la moitié des élèves de 4e année sont plus anxieux et craintifs après avoir lu une bande dessinée de *Spiderman* discutant de l'agression sexuelle. Pour leur part, Hazzard *et al.* (1991), lors de l'évaluation du programme Feeling Yes/Feeling No, ne mentionnent aucune différence dans la fréquence des réactions comportementales (p. ex., avoir peur des inconnus, faire des cauchemars ou être désobéissant) rapportées par les parents des enfants ayant participé au programme et les parents des élèves du groupe de contrôle. De plus, aucune différence n'est apparente entre le niveau d'anxiété autorévélé des élèves ayant participé au programme et celui des élèves témoins. Olfield *et al.* (1996) concluent aussi que le programme de prévention n'entraîne pas d'effets néfastes chez les participants lorsqu'ils évaluent le niveau d'anxiété des élèves.

Lors de l'évaluation du programme Talking About Touching, la très grande majorité des parents et les enseignants des élèves du primaire ne rapportent pas d'effets négatifs (Madak et Berg, 1992). Des résultats similaires sont rapportés par Tutty (1997). Dans l'étude de MacIntyre et Carr (1999a), les professeurs mentionnent que certains enfants sont plus anxieux (16 %) et s'affirment face à des situations non appropriées (11 %) à la suite de leur participation au programme. De plus, selon les parents, 23 % des enfants deviennent plus méfiants à l'égard des touchers ou des inconnus (6 %). Malgré ces données, la très grande majorité des professeurs (27 sur 28) et des parents (401 sur 405) accepteraient que l'enfant participe à nouveau au programme. Lors de l'évaluation du programme ESPACE, la majorité des parents déclarent ne pas observer de réactions négatives à la suite de la participation de l'enfant à l'atelier de prévention. L'analyse des réactions comportementales relevées par les parents indique toutefois que certains enfants peuvent généraliser les stratégies abordées lors de l'atelier (p. ex., dire « non », s'affirmer) et les appliquer dans l'environnement familial. Ces comportements peuvent être perçus comme un refus d'obéir à leurs parents ou comme de l'agressivité exprimée envers la fratrie. Il apparaît important, dans le cadre de recherches futures, de vérifier si ces comportements se maintiennent dans le temps ou s'ils sont plus le fait d'une période d'adaptation pendant laquelle l'enfant met en pratique les comportements appris. Une étude récente de Casper (1999) a tenté d'explorer les caractéristiques des enfants susceptibles de manifester des craintes suivant leur participation à un programme de prévention. L'analyse discriminante menée montre que les filles ayant un locus de contrôle externe et présentant un niveau d'anxiété générale élevée avant le programme, sont plus susceptibles de dire que le programme les a effrayées.

Par ailleurs, certains auteurs ont soutenu que la présence de peurs ou d'anxiété suivant la participation à un atelier de prévention des agressions sexuelles ne devait pas nécessairement être interprétée comme un effet « négatif » du programme. Finkelhor et Dziuba-Leatherman (1995) soulignent en effet que les parents d'une minorité de jeunes ont noté que ces derniers sont plus craintifs à l'égard des adultes (16 %), plus anxieux en général (15 %) ou plus désobéissants (3 %) après avoir pris part à un atelier de prévention. Cependant, ces mêmes parents sont ceux qui font les commentaires les plus positifs sur l'impact de l'intervention préventive. De plus, les enfants ayant rapporté qu'ils ont été inquiets devant l'éventualité d'un abus ou craintifs à l'égard des adultes à la suite d'un programme de prévention, sont ceux qui disent avoir le plus utilisé les concepts et les habiletés enseignés, par la suite, dans certaines situations.

LIMITES DES ÉTUDES ACTUELLES ET PERSPECTIVES DE RECHERCHES FUTURES

Les résultats des études révèlent que les enfants participant au programme de prévention affichent plus de connaissances et d'habiletés préventives que les élèves n'y participant pas. Les mesures de l'impact des programmes utilisées sont néanmoins indirectes et, considérant cette limite, les résultats ne permettent pas d'affirmer que les enfants vont nécessairement généraliser les habiletés apprises à des situations réelles. En ce sens, la majorité des études évaluatives ne peuvent démontrer que le programme de prévention est efficace pour prévenir l'agression sexuelle. Afin d'évaluer l'impact d'un programme de prévention, un groupe de chercheurs (Fryer, Kraizer et Miyoski, 1987a, 1987b) a plutôt eu recours à des évaluations basées sur des simulations réelles pour vérifier si les élèves pouvaient traduire les connaissances et les habiletés apprises lors d'un programme en des réactions comportementales appropriées. Un assistant de recherche tenait le rôle d'un inconnu, rencontrait l'élève à l'école, lui demandait son aide et l'invitait à le suivre ; les réactions des enfants ont par la suite été codifiées. Cette méthodologie a, par contre, été fortement critiquée sur le plan éthique (Conte, 1987). D'une part, les simulations de ce type pourraient désensibiliser les élèves à l'égard des approches tentées par des personnes inconnues.

D'autre part, les situations « *in vivo* » sont limitées aux agressions potentielles impliquant des inconnus. Comme le soulignent plusieurs auteurs (Hazzard *et al.*, 1991 ; Plummer,1993 ; Reppucci *et al.*, 1998), il demeure en effet problématique d'utiliser de telles techniques de simulation pour démontrer qu'un programme de prévention aide l'enfant à dire « non » à un adulte avec lequel il est familier ou proche, ce qui représente dans la réalité, la situation d'agression sexuelle la plus fréquente.

Les travaux menés dans le cadre du *National Youth Victimization Prevention Study* ont permis d'obtenir des données sur l'impact des programmes de prévention. Un échantillon représentatif de 2 000 enfants américains âgés de 10 à 16 ans ont participé à une entrevue téléphonique portant sur leurs expériences de victimisation et leur participation antérieure à un programme de prévention. Finkelhor et Dziuba-Leatherman (1995) identifient les caractéristiques des programmes associées à des effets plus probants. Ainsi, les enfants qui ont participé à des programmes leur offrant la possibilité de pratiquer les stratégies de prévention, qui incluent des notions liées à l'intimidation (*bullying*), et qui ont bénéficié de discussions sur le sujet avec leurs parents sont plus susceptibles d'avoir utilisé les habiletés enseignées dans le contexte de situations réelles. Dans une analyse complémentaire, Finkelhor, Asdigian et Dziuba-Leatherman (1995a) comparent les enfants qui n'ont pas bénéficié d'un programme de prévention à ceux qui ont participé à un programme jugé moins détaillé et à ceux qui ont pris part à un programme plus complet. Les expériences de victimisations (agression ou tentatives d'agression physique et sexuelle de la part des membres de la famille ou des membres à l'extérieur de la famille) des enfants sont recensées. Les enfants ayant bénéficié d'un programme plus complet obtiennent des résultats supérieurs à l'épreuve de connaissances administrée (13,35 sur 16) que ceux qui ont participé à un programme moins vaste (12,75 sur 16) ou encore qui n'ont pas participé à un programme de prévention (12,8 sur 16). La moitié (51 %) des enfants ont rapporté des agressions ou tentatives d'agressions (dont 11 % d'agression sexuelle). Les enfants ayant participé à un programme plus complet sont, entre autres, plus susceptibles d'utiliser l'une des stratégies les plus courantes, soit menacer de dévoiler la situation abusive. De plus, ils disent s'être sentis plus efficaces pour faire face à la situation et dévoilent plus fréquemment la situation abusive. Toutefois, les données ne permettent pas d'affirmer que ces enfants ont vécu moins de victimisations complétées. Fait troublant, ces mêmes enfants risquent davantage de subir des blessures dans les situations d'agression ou de tentative d'agression sexuelle. Selon les dires des jeunes, 57 % des parents ont discuté de prévention avec eux. Les enfants qui ont bénéficié d'une discussion avec leurs parents démontrent de meilleures connaissances et sont plus portés à dévoiler les situations de victimisation. En outre, ces enfants subiraient moins de victimisations (toutes catégories confondues), mais pas moins d'agression sexuelle. Une étude subséquente (Finkelhor, Asjidian et Dziuba-Leatherman, 1995b) sollicitant une deuxième prise de mesure a confirmé que la participation à un programme de prévention n'est pas associée à une incidence moindre de victimisation ou de blessures infligées lors d'agressions, mais amènerait les victimes à se sentir plus efficaces et à moins se blâmer. Les auteurs concluent que les programmes de prévention sont efficaces pour encourager les jeunes à dévoiler mais non pour empêcher les agressions. L'étude comporte certaines limites liées à la méthodologie employée. Il demeure en effet difficile de généraliser les résultats obtenus à un programme de prévention en particulier puisque les enfants ont participé à divers programmes dont l'ampleur et les modalités peuvent avoir été très variées. En outre, les caractéristiques des programmes ont été inférées à partir du témoignage de l'enfant uniquement. Cette série d'études représente néanmoins un effort louable et les recherches futures devront tenter d'élaborer des méthodologies permettant de mieux qualifier l'impact des interventions préventives en matière d'agression sexuelle.

Par ailleurs, alors que les auteurs s'accordent pour souligner l'importance d'évaluer les caractéristiques individuelles des élèves afin de mieux identifier les sous-groupes d'enfants qui ne tirent pas de bénéfices d'une formation (Fergusson et Mendelson-Ages, 1988 ; O'Donohue *et al.*, 1992 ; Peraino, 1990 ; Wurtele et Miller-Perrin, 1992), peu d'études ont été menées jusqu'à ce jour en ce sens. Une exception est l'étude menée par Fryer, Kraizer et Miyoski (1987) qui a considéré trois caractéristiques individuelles pouvant être liées aux gains : le niveau de langage réceptif, l'estime de soi et les connaissances des notions de prévention. Ces indices, évalués avant le programme, ne permettent pas de prédire le comportement de l'enfant au cours de la première prise de mesure d'habiletés de prévention, également faite avant le programme. Par ailleurs, parmi les enfants réussissant la deuxième simulation (après le programme), ceux qui présentent un niveau d'estime de soi plus élevé avant le programme et plus de connaissances après le programme obtiennent de meilleurs résultats. Une recherche subséquente menée par Kraizer, White et Fryer (1989) montre que les enfants qui ont fait état d'une faible acquisition d'habiletés après avoir participé au programme de prévention obtiennent sur la mesure d'estime de soi les résultats les plus bas, laissant croire que ce sous-groupe d'élèves bénéficie moins de l'intervention. Cependant, lors de l'évaluation du programme ESPACE auprès des jeunes de 4e année, l'estime de soi et le locus de contrôle (interne/externe) ne sont pas associés aux gains démontrés par les participants (Dumont, Hébert et Lavoie, 1999). Le sentiment d'efficacité personnelle et le sexe contribuent toutefois significativement à l'explication du gain pour certaines habiletés préventives. Ainsi, les filles affichent plus de gains que les garçons en ce qui concerne les habiletés liées à l'affirmation de soi et au dévoilement à un adulte. Hazzard *et al.* (1991) soulignent aussi que les filles bénéficient davantage de l'intervention proposée.

Une étude récente de Casper (1999) a aussi tenté d'identifier les caractéristiques des enfants liées aux gains. Lors de l'analyse menée auprès d'un groupe de 542 enfants de la 2e à la 6e année, participant au programme TOUCH Continuum, les auteurs observent qu'un niveau d'anxiété moins élevé et une perception de contrôle interne avant la présentation du programme sont corrélés positivement avec des résultats plus élevés au test de connaissances après le programme. En revanche, lorsque les résultats sont soumis à une analyse de régression, seuls les résultats au prétest contribuent à la prédiction des résultats au post-test. Considérant ces résultats divergents, les analyses futures devront poursuivre l'examen des caractéristiques des enfants susceptibles de moins bénéficier des interventions proposées. De plus, il est nécessaire d'évaluer les programmes de prévention auprès de clientèles particulières. Certains programmes ont été adaptés ou élaborés spécialement pour des enfants ayant déjà été agressés (Harbeck, Peterson et Starr, 1992; Johnson, 1998) ou des clientèles présentant un retard intellectuel (Lee et Tang, 1998; Lumley et Miltenberger, 1997), mais peu ont été soumis à des évaluations. Finalement, la recension des écrits permet de constater que peu d'analyses ont tenu compte des modalités d'implantation des programmes offerts lors de l'évaluation des effets des interventions préventives. En outre, peu de recherches ont évalué l'effet de la préexposition à des notions de prévention formelles ou informelles sur les résultats obtenus; certains enfants peuvent avoir participé à un programme antérieur ou avoir été sensibilisés par les parents. Les recherches futures seront à même de considérer ces aspects.

CONCLUSIONS ET RECOMMANDATIONS

Force est de constater que la très grande majorité des interventions préventives se centrent uniquement sur les victimes potentielles. Les avantages de l'approche universelle préconisée en matière de prévention des agressions sexuelles à l'égard des enfants sont multiples: il s'agit de programmes peu coûteux, facilement applicables à grande échelle, qui permettent de rejoindre un maximum d'enfants et qui évitent de stigmatiser une population particulière (Finkelhor et Daro, 1997). Toutefois, cette approche est largement critiquée notamment parce qu'elle place la responsabilité de la prévention sur les enfants et parce qu'elle ne saurait constituer l'unique réponse à un problème social aussi complexe que celui des agressions sexuelles. Une approche multifactorielle, s'adressant à plusieurs groupes sociaux, constitue une avenue prometteuse pour tenter de résoudre cette problématique. En effet, comme le soulignent Wright, Bégin et Lagueux (1997), d'autres cibles doivent être considérées par quiconque désire prévenir les agressions sexuelles sur les jeunes. D'abord, sur un plan macrosystémique, les efforts de sensibilisation de la population à travers différents médias (radio, télévision, Internet) pourraient constituer une voie intéressante pour rejoindre un plus grand nombre d'individus. Les différentes campagnes proposées pour des problématiques diverses (tabagisme chez les jeunes, violence physique, violence dans les fréquentations chez les adolescents) représentent quelques exemples d'efforts préventifs macrosystémiques. En se basant sur ces modèles, il pourrait être possible de proposer un message comparable pour prévenir les agressions sexuelles à l'endroit des enfants et le diffuser plus largement par le biais des médias. Certaines données montrent d'ailleurs que la majorité des parents identifient les médias comme sources d'information et comme base de discussion avec leurs enfants en matière de prévention de l'agression sexuelle (Elrod et Rubin, 1993 ; Hébert *et al.*, 1997).

La participation des parents, des professeurs et des intervenants appelés à côtoyer les jeunes dans les efforts préventifs constitue une autre cible potentielle de prévention. Les données recueillies à ce jour tendent à démontrer que les programmes visant les professeurs donnent lieu à des résultats positifs et auraient avantage à être implantés plus systématiquement. Par ailleurs, l'implication des parents dans les programmes de prévention favorise l'acquisition de connaissances et d'habiletés préventives chez les enfants. Les parents se trouvent effectivement dans une position privilégiée pour renforcer les messages préventifs et peuvent, contrairement à des interventions souvent limitées à quelques heures, aborder de façon beaucoup plus constante et régulière les notions transmises. Dans l'éventualité d'une agression sexuelle, une plus grande ouverture et une meilleure communication de la part du parent aideraient l'enfant à dévoiler la situation et à se sentir soutenu par des membres de son entourage immédiat. D'ailleurs, le soutien social perçu semble avoir un effet indéniable sur l'adaptation des enfants qui ont été agressés sexuellement (Esparza, 1993 ; Tremblay *et al.*, 1999). Les données colligées dans le cadre des différentes études indiquent que seulement une minorité des parents sollicités prennent part aux ateliers qui leur sont offerts. Les informations recueillies indiquent cependant que le faible taux de participation est plus lié aux modalités d'implantation (par exemple, l'horaire, le lieu des rencontres, etc.) qu'à des lacunes perçues dans les thèmes abordés dans le programme ou à la croyance que leur enfant ne risque pas d'être victime d'une agression sexuelle (Hébert *et al.*, 1997). Il faudra donc innover dans la recherche de moyens permettant de mieux rejoindre les parents qui désirent s'impliquer. Une plus grande flexibilité et disponibilité des ateliers (plus d'un soir par semaine, un atelier durant la fin de semaine ou pendant le jour, en milieu de travail) pourraient favoriser la participation des parents. La diffusion de certains contenus des programmes de prévention grâce à des moyens pédagogiques (livres, vidéocassettes, etc.) pourraient constituer des options à considérer. Toutefois, ces différents moyens ne sauraient remplacer les activités réalisées dans le cadre des ateliers qui permettent d'échanger avec d'autres parents et de tirer profit de l'expérience des animateurs et animatrices spécialisés dans le domaine. À cet effet, soulignons que McGee et Painter (1991), dans le cadre d'une étude évaluant l'impact de divers moyens pédagogiques dans la transmission de messages de prévention en matière d'abus sexuel, concluent à la supériorité de la formule comportant des discussions de groupe menées par un intervenant spécialisé. Les auteurs notent ainsi que l'observation des comportements à adopter lors d'un dévoilement agrémentée d'échanges entre les participants et avec l'animateur donne des effets plus probants que le seul visionnement d'un vidéofilm dans lequel des experts ou des célébrités décrivent les comportements à adopter.

L'approche préventive préconisée jusqu'à ce jour s'adresse donc à l'ensemble des enfants dans les milieux scolaires et préscolaires, et parfois à leurs parents. Certes, cette approche présente a l'avantage d'atteindre un large bassin d'enfants et de ne pas stigmatiser certaines populations, mais les programmes de prévention devraient aussi cibler des clientèles plus à risque. Bien que les données empiriques ne permettent pas d'identifier avec certitude les populations vulnérables en fonction de facteurs de risque précis, il semble que certains enfants constitueraient des cibles « idéales » pour les agresseurs. En ce sens, toute intervention visant à favoriser le développement de l'affirmation de soi, de l'estime de soi, des relations sociales et d'une bonne communication entre les parents et l'enfant sont susceptibles d'avoir des retombées positives. Les résultats tendent à corroborer le fait que l'absence d'un des parents biologiques ou le manque de supervision parentale en raison de séparations, de divorces, de deuil et la présence d'un beau-père dans la famille créent des situations potentiellement plus à risque (Brown *et al.*, 1998 ; Fergusson *et al.*, 1996 ; Finkelhor *et al.*, 1990). Différentes actions préventives pourraient prendre place dans des contextes considérés comme problématiques ou pour les familles vivant des transitions. Par exemple, des informations sur les agressions sexuelles perpétrées dans des moments où l'enfant est plus vulnérable et nécessite plus de soutien en raison des conflits parentaux pourraient être fournies aux parents durant les sessions de médiation familiale. Les milieux paramédicaux qui interviennent régulièrement auprès des parents de familles, tels les CLSC, pourraient procurer de l'information préventive aux familles susceptibles d'être exposées à des risques élevés.

Il est indéniable que tout effort de prévention doit aussi viser les agresseurs. D'abord, les interventions leur étant destinées doivent être évaluées pour en connaître le réel impact au plan de la récidive (Martin, 1999). Les adolescents agresseurs semblent être une cible à prioriser. Les données empiriques révèlent en effet que les agresseurs commettent leur premier d'une longue série de délits tôt (Murphy et Smith, 1996) et qu'il s'agit d'agressions aussi graves que celles commises par des agresseurs adultes

(Hébert, 1992). Un certain pourcentage (environ 30 %) des agresseurs rapportent avoir vécu une agression sexuelle pendant l'enfance (Murphy et Smith, 1996), ce qui accentue l'importance d'offrir du soutien aux jeunes garçons qui dévoilent une agression sexuelle et d'agir dès l'apparition de ces difficultés d'adaptation afin de prévenir le développement de conduites cristallisées. Il apparaît de mise de favoriser la recherche sur le développement des comportements sexuels abusifs, les trajectoires de persistance des comportements malsains et le développement d'interventions aidant les jeunes à ne pas adopter de conduites abusives (Ryan, 2000a, 2000b).

Dans cet ordre d'idées, des chercheurs ont récemment proposé d'élargir les programmes de prévention des agressions sexuelles afin d'inclure des notions d'éducation sexuelle dans un sens beaucoup plus vaste (Finkelhor et Daro, 1997 ; Ryan, 2000a, 2000b). Des données récentes tendent à démontrer que les comportements sexualisés apparaissent tôt dans la vie des enfants et se poursuivent tout au long des phases du développement y compris au cours de la période dite de latence (Ryan, 2000a). Ryan (2000a) rapporte des données indiquant que les personnes qui côtoient régulièrement des enfants (professeurs, éducateurs, etc.) observent des conduites à connotation sexuelle de façon régulière tant chez des groupes d'enfants dits normaux que chez des populations à risque (soit enfants agressés sexuellement ou agresseurs adolescents), et ce, à tout âge. À la lumière de ces observations, un groupe d'intervenants du Kempe Center au Colorado ont conçu un programme visant à éduquer les adultes qui travaillent quotidiennement auprès des jeunes. Le but de ce programme est d'aider les adultes à répondre de façon appropriée aux dires et aux actions des enfants, ainsi que de leur procurer des connaissances de base sur le développement sexuel afin qu'ils puissent soit valider, soit corriger les comportements des enfants. Ce groupe a, par conséquent, proposé une liste de comportements sexualisés qui s'étendent entre des conduites dites normales et appropriées en fonction du développement, à des comportements qui nécessitent une réponse de l'adulte, à ceux qui requièrent une correction de l'adulte, ou finalement aux conduites qui sont perçues comme problématiques et qui exigent une intervention particulière. Ryan (2000b) insiste toutefois pour que l'analyse des comportements des enfants se fasse à partir de trois éléments qui semblent faire défaut chez la plupart des agresseurs sexuels : les problèmes de communication (les comportements non adaptés doivent viser à communiquer des besoins et des émotions de façon non appropriée), les difficultés d'empathie (les comportements sexualisés sont un signe de l'incapacité des agresseurs de lire et d'interpréter les indices provenant d'autrui), et les mauvaises attributions de la responsabilité (les comportements abusifs ont comme fonction de reporter la responsabilité sur l'autre). L'auteure va même plus loin en affirmant que ces habiletés (communication, empathie et attribution appropriée de la responsabilité) doivent être enseignées aux enfants dès leur jeune âge, et que la prévention primaire devrait, par conséquent, commencer beaucoup plus tôt auprès des parents de nouveau-nés et des très jeunes enfants.

Grober et Bogat (1994) abondent dans le même sens en soulignant que les différents programmes de prévention des agressions sexuelles comportent souvent un élément commun, soit l'apprentissage d'habiletés sociales et le développement de facteurs de protection qui visent d'une part à rendre l'enfant apte à se protéger d'une éventuelle agression sexuelle et, d'autre part, lui fournir des outils pour faire face à plus d'une situation problématique. Pour ces deux chercheures, les habiletés d'autoprotection enseignées dans les programmes de prévention des agressions sexuelles peuvent reposer sur les mêmes concepts que les habiletés générales de résolution de problèmes. Ainsi, les capacités de reconnaître un toucher approprié, de dire « non », de fuir, de trouver une personne de confiance et de lui dévoiler l'abus subi sont liées à l'acquisition d'habiletés plus générales telles que la capacité de trouver des solutions de remplacement, de prévoir des conséquences, de sélectionner des stratégies efficaces et d'utiliser la planification. Par conséquent, les programmes de prévention des agressions sexuelles devraient, selon Grober et Bogat (1994), inclure une période d'entraînement à la résolution de problèmes sociaux et de pratique de résolution de problèmes en étapes multiples afin de promouvoir les habiletés de planification et d'augmenter les capacités d'anticipation. En poursuivant un objectif beaucoup plus général comme celui proposé ici, il serait pertinent de concevoir la prévention dans un sens beaucoup plus large et d'entamer les actions préventives chez des populations plus jeunes. Les centres de petite enfance, par exemple, pourraient intégrer de telles notions dans leurs activités chez les enfants.

LA PRÉVENTION DE L'AGRESSION SEXUELLE SUR DES ENFANTS

Vignette clinique

Jenny est âgée de 8 ans. C'est une enfant enjouée aimant beaucoup l'école. Elle a plusieurs copains dans sa classe, dont sa meilleure amie Lisa, et semble être appréciée par ses professeurs. Jenny a un frère de 10 ans et une petite sœur de 6 ans. Les trois enfants vivaient seuls avec leur mère, Dorothée, depuis que leur père avait quitté la maison quatre ans plus tôt. L'année dernière, la mère de Jenny a rencontré Robert. Jenny a tout de suite apprécié Robert. C'est un homme qui aime beaucoup la compagnie des enfants ; il sait comment leur parler, joue avec eux, et a tendance à les gâter souvent. La mère de Jenny est très heureuse de voir que les enfants s'entendent bien avec son nouveau conjoint. Voilà maintenant déjà quatre mois, Dorothée et Robert ont pris la décision de vivre ensemble. Tout semblait bien se passer depuis le déménagement, mais un jour, le professeur de 3e année de Jenny téléphone à Dorothée : elle tenait à discuter avec Dorothée des changements qu'elle avait observés chez Jenny depuis quelque temps. Elle avait remarqué que les notes diminuaient, que Jenny ne portait plus autant attention en classe et était souvent dans la lune, qu'elle ne semblait plus aussi enjouée et, surtout, qu'elle avait commencé à se chamailler plus fréquemment avec ses camarades. Dorothée avait aussi noté certains changements chez sa fille : elle était plus entêtée et irritable, elle se disputait pour des riens avec son frère et sa sœur, et, surtout, elle ne voulait plus faire d'activités familiales lorsque Robert était avec eux. Au début, la mère de Jenny croyait que sa fille réagissait à la nouvelle situation familiale. Dorothée avait interrogé Jenny sur son comportement, mais sans obtenir de réponse satisfaisante. Un jour, Dorothée s'est souvenue que Jenny aimait écrire dans son journal intime. Elle savait bien qu'elle ne devait pas regarder dans le journal de sa fille, mais elle était de plus en plus inquiète depuis le téléphone du professeur. En feuilletant le journal, Dorothée a découvert que Robert avait eu des contacts sexuels avec Jenny ; il aimait lui caresser la poitrine, et il aimait se faire masturber par Jenny. À la suite de cette découverte, Dorothée a eu une longue conversation avec sa fille. Jenny finit par dévoiler à sa mère qu'elle n'aimait pas du tout ce que Robert lui faisait, mais qu'elle ne voulait pas lui faire de peine. À la suite de cette discussion, Dorothée voulut vérifier les faits auprès de Robert, ce dernier nia d'abord ces faits, mais finit par tout avouer.

Vignette clinique

Amélie vient d'apprendre une bonne nouvelle : son amie Véronique a décidé de s'inscrire au même cours de karaté qu'elle. Elles ont 13 ans et sont meilleures amies depuis les premières années du primaire. Amélie avait beaucoup entendu parler des cours de karaté. Apparemment, c'est un entraîneur très « *cool* » qui donne les cours. Quand Amélie et Véronique l'ont vu pour la première fois, elles ont été ravies et se sont dit qu'elles avaient bien fait de s'inscrire aux cours. La façon d'agir de l'instructeur intriguait toutefois un peu Amélie : il avait tendance à se coller contre les filles pour leur montrer les techniques. Amélie trouvait cela bizarre, mais n'en avait parlé à personne. Certes, cela la rendait mal à l'aise, mais elle pensait que c'était la meilleure façon de leur enseigner les bonnes techniques. Après les trois premiers cours, Véronique annonça à Amélie qu'elle ne voulait plus suivre les cours de karaté. Amélie fut surprise par cette nouvelle. Elle demanda des explications à Véronique qui se contenta lui répondre qu'elle n'aimait pas beaucoup l'entraîneur. Amélie réalisa soudainement qu'il était possible que les façons de faire de cet homme ne plaise pas à son amie non plus. Elle lui demanda si quelque chose de particulier s'était passé avec lui. Véronique lui parla des avances qu'il lui avait faites à plusieurs reprises et sa tendance à se frotter contre elle ; il avait même essayé de l'embrasser et de lui toucher les seins. Les deux filles décidèrent d'en parler à leurs parents ; ceux-ci contactèrent l'instructeur ainsi que la police. Apparemment, ce n'était pas la première fois que les policiers recevaient des plaintes à propos de cet homme.

En résumé, les programmes de prévention des agressions sexuelles envers les enfants en vigueur permettent aux jeunes qui y participent d'apprendre des notions et de mettre en pratique certaines habiletés susceptibles de les aider à prévenir les agressions sexuelles. Cependant, la recherche menée à ce jour ne permet pas d'établir clairement que les programmes diminuent l'incidence des agressions sexuelles. Une des tâches des chercheurs dans les années à venir est d'élaborer des protocoles de recherche plus sophistiqués et plus rigoureux afin d'évaluer les actions produites par les enfants dans les situations réelles et de vérifier si les programmes réduisent les taux d'incidence dans la population. Bien que les données jusqu'à ce jour tendent à démontrer l'efficacité de certains programmes de prévention des agressions sexuelles chez les jeunes, plusieurs questions demeurent : Quelles sont les retombées des programmes sur les enfants selon diverses caractéristiques (âge, genre, niveau socioéconomique, etc.) ? Quels sont les processus impliqués lorsqu'un enfant réussit à éviter une agression après avoir participé à un programme de prévention ? Est-ce que de tels programmes ont des effets positifs ou négatifs sur les attitudes des jeunes à l'égard de la sexualité ? Il semble également important de s'interroger sur l'efficacité d'une approche plus englobante qui intégrerait d'autres types d'habiletés (résolution de problèmes, habiletés sociales, résolution de conflit, communication parent-enfant, empathie, etc.) agissant comme facteurs de protection pour divers problèmes d'adaptation.

Si d'importants progrès ont été accomplis au cours des 20 dernières années en ce qui concerne notre compréhension du phénomène de l'agression sexuelle envers des enfants et au niveau des interventions visant à prévenir le phénomène, la recension des écrits met au jour le caractère embryonnaire des études empiriques sur le sujet. Il est à souhaiter que dans les prochaines année, des approches novatrices en matière de prévention de l'agression sexuelle envers les enfants soient élaborées et nous permettent d'assurer à tous les jeunes un enfance harmonieuse.

BIBLIOGRAPHIE

ARAJI, S.K., FENTON, R. et STRAUGH, T. (1995). Child sexual abuse : Description and evaluation of a K-6 prevention curriculum. *The Journal of Primary Prevention, 16*, 149-164.

ARAJI, S. et FINKELHOR, D. (1986). Abusers : A review of the research. Dans D. Finkelhor (dir.). *A sourcebook on child sexual abuse* (p. 89-118). Beverly Hills : Sage Publications.

BADGLEY, R.F., ALLARD, H.A., MCCORMICK, N., PROUDFOOT, P.M., FORTIN, D., OGILVIE, D., RAE-GRANT, Q., GÉLINAS, P.M., PÉPIN, L. et SUTHERLAND, S. (Comité sur les infractions sexuelles à l'égard des enfants et des jeunes) (1984). *Infractions sexuelles à l'égard des enfants – volume 1*. Ottawa : Centre d'édition du Gouvernement du Canada.

BECKER, J.V. (1994). Offenders : Characteristics and Treament. *The Future of Children 4*(2), 176-197.

BEITCHMAN, J.H., ZUCKER, K.J., HOOD, J.E., DACOSTA, G.A. et AKMAN, D. (1991). A review of the short-term effects of child sexual abuse. *Child Abuse and Neglect, 15*, 537-556.

BERGNER, R.M., DELGADO, L.K. et GRAYBILL, G. (1994). Finkelhor's risk factor checklist : A cross-validation study. *Child Abuse and Neglect, 18*, 331-340.

BERRICK, J.D. (1988). Parental involvement in child abuse prevention training : What do they learn ? *Child Abuse and Neglect, 12*, 543-553.

BERRICK, J.D. et BARTH, R.P. (1992). Child sexual abuse prevention : Research review and recommendations. *Social Work Research and Abstracts, 28*, 6-15.

BERRICK, J.D. et GILBERT, N. (1991). *With the best of intentions – The child sexual abuse prevention movement*. New York : The Guilford Press.

BINDER, R.L. et MCNIEL, D.E. (1987). Evaluation of a school-based sexual abuse prevention program : Cognitive and emotional effect. *Child Abuse and Neglect, 11*, 497-506.

BLUMBERG, E.J., CHADWICK, M.W., FOGARTY, L.A., SPETH, T.W. et CHADWICK, D.L. (1991). The touch discrimination component of sexual abuse prevention training : Unanticipated positive consequences. *Journal of Interpersonal Violence, 6*, 12-28.

BONEY-MCCOY, S. et FINKELHOR, D. (1996). Is youth victimization related to trauma symptoms and depression after controlling for prior symptoms and family relationships ? A longitudinal, prospective study. *Journal of Consulting and Clinical Psychology, 64*, 1406-1416.

BORKIN, J. et FRANK, L. (1986). Sexual abuse prevention for preschoolers : A pilot program, *Child Welfare, 65*, 75-81.

BOUCHARD, C., président (1991). *Un Québec fou de ses enfants – Rapport du groupe de travail pour les jeunes*. Québec : Gouvernement du Québec.

BRIERE, J. (1992). Methodological issues in the study of sexual abuse effects. *Journal of Consulting and Clinical Psychology, 60*, 196-203.

BRIERE, J. et ELLIOTT, D.M. (1994). Immediate and long-term impacts of child sexual abuse. *The Future of Children, 4*, 54-69.

BRIGGS, F. et HAWKINS, R.M.F. (1994). Follow-up study of children of 5-8 years using child protection programmes in Australian and New-Zealand. *Early Child Development and Care, 126*, 111-117.

BROWN, J., COHEN, P., JOHNSON, J.G. et SALZINGER, S. (1998). A longitudinal analysis of risk factors for child maltreatment : Findings of a 17 year prospective study of officially recorded and self-reported child abuse and neglect. *Child Abuse and Neglect, 22(11)*, 1065-1078.

BYERS, J. (1986). Films for child abuse prevention and treatment : A review. *Child Abuse and Neglect, 10*, 541-546.

CASPER, R. (1999). Characteristics of children who experience positive or negative reactions to a sexual abuse prevention program. *Journal of Child Sexual Abuse, 7*(4), 97-112.

CHAREST, J., SHILDER, S. et VITARO, F. (1987). Programmes de prévention des abus sexuels envers les enfants : Une analyse critique. *Revue québécoise de psychologie, 8*, 18-51.

CHRISTIAN, R., DWYER, S., SCHUMM, W.R. et COULSON, L.A. (1988). Prevention of sexual abuse for preschoolers : Evaluation of a pilot program. *Psychological Reports, 62*, 387-396.

COHEN, S. (1988). *Statistical power analysis for the behavioral sciences (2e édition)*. Hillsdale, N.J. : Lawrence Erlbaum Associates.

CONTE, J. (1987). Ethical issues in evaluation of prevention program. *Child Abuse and Neglect, 11*, 171-172.

CONTE, J.R., ROSEN, C., SAPERSTEIN, L. et SHERMARK, R. (1985). An evaluation of a program to prevent the sexual victimization of young children. *Child Abuse and Neglect, 9*, 319-328.

COOPER, S.J. (1991). *New strategies for free children : Child abuse prevention for elementary school children*. Columbus, Ohio : The National Assault Prevention Center.

CROTEAU, P., HÉBERT, M. et LAVOIE, F. (1998). L'évaluation des programmes de prévention des abus sexuels au préscolaire. *Revue sexologique, 6*(2), 9-32.

DARO, D.A. (1994). Prevention of child sexual abuse. *The Future of Children, 4*, 198-223.

DARO, D.A. (1996). Preventing child abuse and neglect. Dans J. Briere, L. Berliner, J.A. Bulkley, C. Jenny et T. Reid (dir.). *The APSAC Handbook on Child Maltreatment* (p. 343-358). California : Sage Publications.

DARO, D.A. et MCCURDY, K. (1994). Preventing child abuse and neglect : Programmatic interventions. *Child Welfare, 73*, 405-430.

DEBLINDER, E., HATHAWAY, C.R., LIPPMAN, J. et STERR, R. (1993). Psychosocial characteristics and correlates of symptom distress in nonoffending mothers of sexually abused children. *Journal of Interpersonal Violence, 8*, 155-168.

DHOOPER, S.S. et SCHNEIDER, P.L. (1995). Evaluation of a school-based child abuse prevention program. *Research on Social Work Practice, 5*(1), 36-46.

DIRECTEURS DE LA PROTECTION DE LA JEUNESSE (1991). *Définition de l'abus sexuel*. Québec : MSSS.

DUBÉ, R. et HÉBERT, M. (1993). Sexual abuse of children under 12 years of age : A review of 511 cases. Dans *United Air Force Surgeon General's Task Force on Child Sexual Abuse – Resource manual*. United States Air Force : Family Advocacy Program.

DUBÉ, R., HEGER, B., JOHNSON, E. et HÉBERT, M. (1988). *Prévention des abus sexuels à l'égard des enfants : Un guide des programmes et des ressources*. Montréal : Services des publications, Hôpital Sainte-Justine.

DUMONT, H., HÉBERT, M. et LAVOIE, F. (1999). La contribution des caractéristiques individuelles aux apprentissages des enfants du primaire participant à un atelier de prévention des abus. *Revue canadienne de santé mentale communautaire, 18(1)*, 39-56.

DURLAK, J.A. (1997). *Successful prevention programs for children and adolescents*. New York : Plenum Press.

ELLIOTT, M., BROWNE, K. et KILCOYNE, J. (1995). Child sexual abuse prevention : What offenders tell us. *Child Abuse and Neglect, 19*(5), 579-594.

ELROD, J.M. et RUBIN, R.H. (1993). Parental involvement in sexual abuse prevention education. *Child Abuse and Neglect, 17*, 527-538.

ESPARZA, F. (1993). Maternal support and stress response in sexually abused girls ages 6-12. *Issues in Mental Health Nursing, 14*, 85-107.

EVERSON, M.D., HUNTER, W.M., RUNYON, D.K., EDELSON, G.A. et COULTER, M.L. (1989). Maternal support following disclosure of incest. *American Journal of Orthopsychiatry, 59*, 197-207.

FALLER, K.C. (1989). Why sexual abuse ? An exploration of the intergenerational hypothesis. *Child Abuse and Neglect, 13*, 543-548.

FECTEAU, M.-F., HÉBERT, M. et PICHÉ, C. (1995, octobre). *Les connaissances, attitudes et croyances des parents envers la prévention*. Communication présentée au 18e Congrès de la Société québécoise pour la recherche en Psychologie, Ottawa, Canada.

FERGUSON, H.B. et MENDELSON-AGES, S. (1988). *Évaluation des programmes de prévention d'agressions sexuelles à l'égard des enfants*. Santé et Bien-être Canada.

FERGUSSON, D.M., LYNSKEY, M.T. et HORWOOD, L.J. (1996). Childhood sexual abuse and psychiatric disorder in young adulthood : I. Prevalence of sexual abuse and factors associated with sexual abuse. *Journal of the American Academy of Child and Adolescent Psychiatry, 34*(10), 1355-1364.

FERGUSSON, D.M. et MULLEN, P.E. (1999). *Childhood Sexual Abuse : An evidence based perspective*. Thousand Oaks : Sage Publications.

FINKELHOR, D. (1979). *Sexually victimized children*. New York : Free Press.

FINKELHOR, D. (1984). *Child sexual abuse : New theory and research*. New York : Free Press.

FINKELHOR, D. (1986). *A sourcebook on child sexual abuse*. Beverly Hills, California : Sage Publications.

FINKELHOR, D. (1993). Epidemiological factors in the clinical identification of child sexual abuse. *Child Abuse and Neglect, 17*, 67-70.

FINKELHOR, D. (1994). Current information on the scope and nature of child sexual abuse. *The Future of Children, 4*(2), 31-53.

FINKELHOR, D. (1997). The victimization of children – Developmental victimology. Dans R.C. Davis, A.J. Lurigio et W.G. Skogan (dir.), *Victims of Crime, 2e édition*, (p. 86-107). Thousand Oaks, CA : Sage Publications.

FINKELHOR, D. et ASDIGIAN, N.L. (1996). Risk factors for youth victimization: beyond a lifestyles/routine activities theory approach. *Violence and Victims, II (I)*, 3-20.

FINKELHOR, D., ASDIGIAN, N. et DZIUBA-LEATHERMAN, J. (1995a). The effectiveness of victimization prevention instruction : An evaluation of children's responses to actual threats and assaults. *Child Abuse and Neglect, 19*(2), 142-153.

FINKELHOR, D., ASDIGIAN, N. et DZIUBA-LEATHERMAN, J. (1995b). Victimization prevention programs for children : A follow-up. *American Journal of Public Health, 85*(12), 1684-1689.

FINKELHOR, D. et BARON, L. (1986). Risk factors for child sexual abuse. *Journal of Interpersonal Violence, 1*, 43-71.

FINKELHOR, D. et DARO, D. (1997). Prevention of child sexual abuse. Dans M.E. Helfer et R.S. Kempe (dir.), *The Battered Child*, 5e édition (p. 615-626). Chicago : The University of Chicago Press.

FINKELHOR, D. et DZIUBA-LEATHERMAN, J. (1995). Victimization prevention programs : A national survey of children's exposure and reactions. *Child Abuse and Neglect, 19*(2), 129-139.

FINKELHOR, D., HOTELING, G., LEWIS, I.A. et SMITH, C. (1990). Sexual abuse in a national survey of adult men and women : Prevalence, characteristics, and risk factors. *Child Abuse and Neglect, 14*, 18-28.

FINKELHOR, D. et STRAPKO, N. (1992). Sexual abuse prevention education : A review of evaluation studies. Dans D.J. Willis, E.W. Holder et M. Rosenberg (dir.), *Prevention of child maltreatment* (p. 150-167). New York : John Wiley and Sons.

FISHER, D.G. et MCDONALD, W.L. (1998). Characteristics of intrafamilial and extrafamilial child sexual abuse. *Child Abuse and Neglect, 22*(9), 915-930.

FRIEDRICH, W.N., BEILKE, R.L. et URQUIZA, A.J. (1987). Children from sexually abusive families – A behavioral comparison. *Journal of Interpersonal Violence, 2*(4), 391-402.

FRYER, G.E., KRAIZER, S. et MIYOSKI, T. (1987a). Measuring children's retention of skills to resist stranger abduction. Use of the simulation technique. *Child Abuse and Neglect, 11*, 181-185.

FRYER, G.E., KRAIZER, S. et MIYOSHI, T. (1987b). Measuring actual reduction of risk to child abuse : A new approach. *Child Abuse and Neglect, 11*, 143-148.

GARBARINO, U. (1987). Children's response to a sexual abuse prevention program : A study of the « Spiderman » comic. *Child Abuse and Neglect, 11*, 143-148.

GIBSON, G. et BOGAT, G.A. (1993). Pretesting effects in the evaluation of a sexual abuse education program for preschool children. *Journal of Child Sexual Abuse, 2*(3), 15-32.

GIDYCZ, C.A., COBLE, C.N., LATHAM, L. et LAYMAN, M.J. (1993). Sexual assault experience in adulthood and prior victimization experiences : A prospective analysis. *Psychology of Women Quarterly, 17*, 151-168.

GILBERT, N., BERRICK, J.D., LE PROHN, N. et NYMAN, N. (1989). *Protecting young children from sexual abuse : Does preschool training work ?* Lexington, MA : Lexington.

GOMES-SCHWARTZ, B., HOROWITZ, J.M. et CARDARELLI, A.P. (1990). *Child sexual abuse : The initial effects*. NewBury Park, California : Sage Publications.

GOREY, K.M. et LESLIE, D.R. (1997). The prevalence of child sexual abuse : Integrative review adjustment for potential response and measurement biases. *Child Abuse and Neglect, 21*(4), 391-398.

GROBER, J.S. et BOGAT, A.G. (1994). Social problem solving in unsafe situations : Implications for sexual abuse education programs. *American Journal of Community Psychology, 22*, 399-414.

GROUPE DE TRAVAIL SUR LES AGRESSIONS À CARACTÈRE SEXUEL (1995). *Les agressions sexuelles : STOP*. Québec : Gouvernement du Québec.

HARBECK, C., PETERSON, L. et STARR, L. (1992). Previously abused child victims' responses to a sexual abuse prevention program : A matter of measures. *Behavior Therapy, 23*, 375-387.

HARVEY, P., FOREHAND, R., BROWN, C. et HOLMES, T. (1988). The prevention of sexual abuse : Examination of the effectiveness of a program with kindergarten-age children. *Behavior Therapy, 19*, 429-435.

HAUGAARD, J.J. et EMERY, R.E. (1989). Methodological issues in child sexual abuse research. *Child Abuse and Neglect, 13*, 89-100.

HAZZARD, A. (1984). Training teachers to identify and intervene with abused children. *Journal of Clinical Child Psychology, 13*(3), 288-293.

HAZZARD, A.P. (1990). Prevention of child sexual abuse. Dans R.T. Ammerman et M. Hersen (dir.), *Treatment of family violence* (p. 354-384). New York : John Wiley & Sons.

HAZZARD, A., KLEEMEIR, C.P. et WEBB, C. (1990). Teacher versus expert presentations of sexual abuse prevention programs. *Journal of Interpersonal Violence, 5*, 23-36.

HAZZARD, A.P., WEBB, C., KLEEMEIER, C., ANGERT, L. et POHL, L. (1991). Child sexual abuse prevention : Evaluation and one-year follow-up. *Child Abuse and Neglect, 15*, 123-138.

HÉBERT, M. (1992). *L'abus sexuel envers les enfants : Étude descriptive des caractéristiques et étude comparative de l'impact à court terme*. Thèse de doctorat, Département de psychologie, Université de Montréal.

HÉBERT, M., LAVOIE, F., PICHÉ, C. et POITRAS, M. (1999). *Programme ESPACE : Évaluation des acquis des élèves*. Rapport final de recherche présenté au Conseil québécois de la recherche sociale (ISBN 2-9806300-0-4).

HÉBERT, M., LAVOIE, F., PICHÉ, C. et POITRAS, M. (en révision). Proximate effects of a sexual abuse prevention program in elementary school children. *Child Abuse and Neglect*.

HÉBERT, M., LAVOIE, F. et TREMBLAY, R. (1999, juillet). *Mental health impact of child sexual abuse and dating violence in female adolescents*. Communication présentée à la 6e conférence de l'International Family Violence Research, Durham, New Hampshire.

HÉBERT, M., PICHÉ, C., FECTEAU, M.-F. et POITRAS, M. (1997). Parents' participation in a child sexual abuse prevention program. *Journal of Child Centered Practice, 4*(1), 59-81.

HÉBERT, M., PICHÉ, C., PARENT, N. et TREMBLAY, C. (1999). *Abus sexuel, facteurs familiaux et ajustement de l'enfant*. Rapport final de recherche présenté au Conseil québécois de la recherche sociale (ISBN 2-9806300-1-2).

HÉBERT, M., PICHÉ, C., POITRAS, M., PARENT, N. et GOULET, L. (1999). *Évaluation du volet parental du programme ESPACE*. Rapport final de recherche – Programme de subvention en santé publique MSSS-RRSSS Chaudière-Appalaches (ISBN 2-9806300-2-0).

KENDALL-TACKETT, K.A., WILLIAMS, L.M. et FINKELHOR, D. (1993). Impact of sexual abuse on children : A review and synthesis of recent empirical studies. *Psychological Bulletin, 113*, 164-180.

KLEEMEIER, C., WEBB, C., HAZZARD, A. et POHL, J. (1988). Child sexual abuse prevention : Evaluation of a teacher training model. *Child Abuse and Neglect, 12*, 855-861.

KOLKO, D.J. (1988). Educational programs to promote awareness and prevention of child sexual victimization : A review and methodological critique. *Clinical Psychological Review, 8*, 195-209.

KOLKO, D.J., MOSER, J.T. et HUGHES, J. (1989). Classroom training in sexual victimization awareness and prevention skills : An extension of the Red Flag/Green Flag People Program. *Journal of Family Violence, 4*, 11-35.

KOLKO, D.J., MOSER, J.T., LITZ, J. et HUGHES, J. (1987). Promoting awareness and prevention of child sexual victimization using the Red Flag/Green Flag Program : An evaluation with follow-up. *Journal of Family Violence, 2*(1), 11-34.

KRAIZER, S., WHITE, S.S. et FRYER, G.E. (1989). Child sexual abuse prevention programs : What makes them effective in protecting children ? *Children Today, 18*, 23-28.

KRIVACSKA, J.J. (1992). Child sexual abuse prevention programs : The prevention of childhood sexuality ? *Journal of Child Sexual Abuse, 1*(4), 83-109.

KRUGMAN, R.D. (1985). Preventing sexual abuse of children in day care : Whose problem is it anyway ? *Pediatrics, 75*(6), 1150-1151.

KUYKEN, W. (1995). The psychological sequelae of child sexual abuse : A review of the literature and implications for treatment. *Clinical Psychology and Psychotherapy, 2*, 108-121.

LAVOIE, J. (1987). Évaluation du modèle de prévention « ESPACE » : Programmes de prévention des abus sexuels chez les enfants. Document inédit.

LEE, Y.K. et TANG, C.S. (1998). Evaluation of a sexual abuse prevention program for female Chinese adolescents with mild mental retardation. *American Journal of Mental Retardation, 103*(2), 105-116.

LIANG, B., BOGAT, A. et MCGRATH, M.P. (1993). Differential understanding of sexual abuse prevention concepts among preschoolers. *Child Abuse and Neglect, 17*, 641-650.

LONG, P.J. et JACKSON, J.L. (1993). Childhood coping strategies and the adult adjustment of female sexual abuse victims. *Journal of Child Sexual Abuse, 2*, 23-40.

LUMLEY, V.A et MILTENBERGER, R.G. (1997). Sexual abuse prevention for persons with mental retardation. *American Journal of Mental Retardation, 101*(5), 459-472.

MACINTYRE, D. et CARR, A. (1999a). Evaluation of the effectiveness of the Stay Safe Primary Prevention Programme for child sexual abuse. *Child Abuse and Neglect, 23*(12), 1307-1325.

MACINTYRE, D. et CARR, A. (1999b). Helping children to the other side of silence : A study of the impact of the Stay Safe Programme on Irish children's disclosures of sexual victimization. *Child Abuse and Neglect, 23*(12), 1327-1340.

MACMILLAN, H.L., FLEMING, J.E., TROCMÉ, N., BOYLE, M.H., WONG, M., RACINE, Y.A., BEARDSLEE, R. et OFFORD, D.R. (1997). Prevalence of child physical and sexual abuse in the community. Results from the Ontario Health Supplement. *Journal of the American Medical Association, 278*(2), 131-135.

MADAK, P.R. et BERG, D.H. (1992). The prevention of sexual abuse : An evaluation of « Talking About Touching ». *Canadian Journal of Counselling, 26*(1), 29-40.

MARTIN, I. (1999). Peut-on traiter les agresseurs sexuels ? *Psychologie Québec, 16*(5), 22-25.

MCGEE, R.A. et PAINTER, S.L. (1991). What if it happens in my family ? Parental reactions to a hypothetical disclosure of sexual abuse. *Canadian Journal of Behavioural Science, 23*, 228-240.

McGrath, P., Cappelli, M., Wiseman, D., Khalil, N. et Allan, B. (1987). Teacher awareness program on child abuse : A randomized controlled trial. *Child Abuse and Neglect, 11*, 125-132.

McLeer, S.V., Callaghan, M., Henry, D. et Wallen, J. (1994). Psychiatric disorders in sexually abused children. *Journal of the American Academy of Child and Adolescent Psychiatry, 33*(3), 313-319.

McLeer, S.V., Deblinger, E., Henry, D. et Orvaschel, H. (1992). Sexually abused children at high risk for post-traumatic stress disorder. *Journal of the American Academy of Child and Adolescent Psychiatry, 31*, 875-879.

Miltenberg, R.G. et Thiesse-Duffy, E. (1988). Evaluation of home-based programs for teaching personal safety skills to children. *Journal of Applied Behavior Analysis, 21*, 81-87.

Moody, E.E. (1994). Current trends and issues in childhood sexual abuse prevention programs. *Elementary School Guidance and Counseling, 28*, 251-256.

Müller, D.J., Shaw, D.F. et Towner, M. (1987). Preventing child abuse : An evaluation of two video programmes. *Health Visitor, 60*, 15-16.

Murphy, W.D. et Smith, T.A. (1996). Sex offenders against children – Empirical and clinical issues. Dans J. Briere, L. Berliner, J.A. Bulkley, C. Jenny et T. Reid (dir.). *The APSAC Handbook on Child Maltreatment* (p. 175-191). Thousand Oaks, California : Sage Publications.

Nemerofsky, A.G., Carran, D.I. et Rosenberg, L.A. (1994). Age variation in performance among preschool children in sexual abuse prevention program. *Journal of Child Sexual Abuse, 3*(1), 85-102.

Nibert, D., Cooper, S. et Ford, J. (1989). Parent's observations of the effects of a sexual abuse prevention program on preschool children. *Child Welfare, 68*, 539-546.

O'Donohue, W., Geer, J.H. et Elliott, A. (1992). The primary prevention of child sexual abuse. Dans W. O'Donohue et J.H. Geer (dir.), *The sexual abuse of children : Theory and research, volume 2* (p. 477-517). Hillsdale, New Jersey : Lawrence Erlbaum.

Olfield, D., Hays, B.J. et Megel, M.E. (1996). Evaluation of the effectiveness of Project Trust : An elementary school-based victimization prevention strategy. *Child Abuse and Neglect, 20*(9), 821-832.

Olsen, J.L. et Widom, C.S. (1993). Prevention of child abuse and neglect. *Applied and Preventive Psychology, 1*, 217-229.

Oxman-Martinez, J. et Rowe, W.S. (1997). La baisse de l'incidence et le dévoilement tardif dans les cas d'enfants victimes d'abus sexuels. *Revue québécoise de psychologie, 18*(3), 77-90.

Pelcovitz, D., Adler, N.A., Kaplan S., Packman, L. et Krieger, R. (1992). The failure of a school-based child sexual abuse prevention program. *Journal of the American Academy of Child and Adolescent Psychiatry, 31*(5), 887-892.

Peraino, N.D. (1990). Evaluation of a preschool antivictimization program. *Journal of Interpersonal Violence, 5*, 520-528.

PERREAULT, N., BÉGIN, H. et TREMBLAY, C. (1998). *Évaluation d'un programme de prévention des agressions sexuelles auprès d'enfants de maternelle.* Rapport final de recherche présenté au Conseil québécois de la recherche sociale. Montréal : Direction de la santé publique (ISBN 2-89494-144-7).

PETERS, S.D., WYATT, G.E. et FINKELHOR, D. (1986). Prevalence. Dans D. Finkelhor (dir.), *A Sourcebook on Child Sexual Abuse.* Berverly Hills, California : Sage Publications.

PLUMMER, C.A. (1993). Prevention if appropriate, prevention is successful. Dans R.J. Gelles et D.R. Loseke (dir.), *Current Controversies on Family Violence* (p. 288-305). Newbury Park : Sage Publications.

POHL, J.D. et HAZZARD, A. (1990). Reaction of children, parents and teachers to a child sexual abuse prevention program. *Education, 110*, 337-344.

POLUSNY, M.A. et FOLLETTE, V.M. (1995). Long-term correlates of child sexual abuse : Theory and review of the empirical literature. *Applied and Preventive Psychology, 4*, 143-166.

RANDOLPH, M.K. et GOLD, C.A. (1994). Child sexual abuse prevention : Evaluation of a teacher training program. *School Psychology Review, 23*(3), 485-495.

RATTO, R. et BOGAT, G.A. (1990). An evaluation of a preschool curriculum to educate children in the prevention of sexual abuse. *Journal of Community Psychology, 18*, 289-297.

REPPUCCI, N.D. et HAUGAARD, J.J. (1989). Prevention of child sexual abuse : Myth or reality. *American Psychologist, 444* ,1266-1275.

REPPUCCI, N.D. et HAUGAARD, J.J. (1993). Problems with child sexual abuse prevention programs. Dans R.J. Gelles et D.R. Loseke (dir.), *Current controversies on family violence* (p. 306-322). Newburry Park, California : Sage Publications.

REPPUCCI, N.D., JONES, L.M. et COOK, S.L. (1994). Involving parents in child sexual abuse prevention programs. *Journal of Child and Family Studies, 3*, 137-142.

REPPUCCI, N.D., LAND, D. et HAUGAARD, J. (1998). Child sexual abuse prevention programs that target young children. Dans P.K. Trickett et C.J. Schellenbach (dir.), *Violence Against Children in the Family and the Community* (p. 317-338). Washington, D.C. : American Psychological Association.

RIND, B., TROMOVITCH, P. et BAUSERMAN, R. (1998). A meta-analytic examination of assumed properties of child sexual abuse using college samples. *Psychological Bulletin, 124*(1), 22-53.

RISPENS, J., ALEMAN, A. et GOUDENA, P.P. (1997). Prevention of child sexual abuse victimization : A meta-analysis of school programs. *Child Abuse and Neglect, 21*(10), 975-987.

ROMANS, S., MARTIN, J. et MULLEN, P. (1997). Childhood sexual abuse and later psychological problems : Neither necessary, sufficient nor acting alone. *Criminal Behaviour and Mental Health, 7*, 327-338.

RUSSELL, D.E.H. (1984). The prevalence and seriousness of incestuous abuse: Stepfathers cs. biological fathers. *Child Abuse and Neglect, 8*(I), 15-22

RUSSELL, D.E.H. (1988). The incidence and prevalence of intrafamilial and extrafamilial sexual abuse of female children. Dans L.E. Walker (dir.), *Handbook on Sexual Abuse of Children – Assessment and Treatment Issues.* New York : Springer Publishing Compagny.

RYAN, G. (2000a). Childhood sexuality : A decade of study – Part I : Research and curriculum development. *Child Abuse and Neglect, 24*(1), 33-48.

RYAN, G. (2000b). Childhood sexuality : A decade of study – Part II : Dissemination and future directions. *Child Abuse and Neglect, 24*(1), 49-61.

SARNO, J.A. et WURTELE, S.K. (1997). Effects of personal safety program on preschooler's knowledge, skills and perceptions of child sexual abuse. *Child Maltreatment, 2*, 35-45.

SASLAWSKY, D.A. et WURTELE, S.K. (1986). Educating children about sexual abuse : Implications for pediatric intervention and possible prevention. *Journal of Pediatric Psychology, 11*, 235-245.

SIGURDSON, E., STRANG, M. et DOIG, T. (1987). What do children know about preventing sexual assault ? How can their awareness be increased ? *Canadian Journal of Psychiatry, 32*, 551-557.

SIVAN, A.B. (1991). Preschool child development : Implications for investigation of child abuse allegations. *Child Abuse and Neglect, 15*, 485-493.

STILLWELL, S.L., LUTZKER, J.R. et GREENE, B.F. (1988). Evaluation of a sexual abuse prevention program for preschoolers. *Journal of Family Violence, 3*, 269-281.

TAAL, M. et EDELAAR, M. (1997). Positive and negative effects of a child sexual abuse prevention program. *Child Abuse and Neglect, 21*(4), 399-410.

THÉRIAULT, C., CYR, M. et WRIGHT, J. (1997). Soutien maternel aux enfants victimes d'abus sexuel : Conceptualisation, effets et facteurs associés. *Revue québécoise de psychologie, 18*(3), 147-167.

TOURIGNY, M. (1991). *Incidence, facteurs de risque et programmes de prévention des agressions sexuelles envers les enfants*. Rapport présenté au Groupe de travail pour les jeunes. Québec : Ministère de la Santé et des Services sociaux.

TREMBLAY, C. (1998). *Évaluation de l'implication des parents dans la prévention des abus sexuels auprès des enfants*. Thèse de doctorat, Université de Montréal, Département de psychologie.

TREMBLAY, C., BÉGIN, H. et PERREAULT, N. (1991). *Élaboration d'une grille d'évaluation pour le programme de protection personnelle C.A.R.E.* Rapport de recherche. Montréal : Département de santé communautaire de l'Hôpital Général du Lakeshore.

TREMBLAY, C., FORTIN, M. et BÉGIN, H. (1997). Étude exploratoire sur la formation des parents au sujet de la prévention des abus sexuels. *Revue québécoise de psychologie, 18*(3), 59-75.

TREMBLAY, C., HÉBERT, M. et PICHÉ, C. (1999). Coping strategies and social support as mediators of consequences in child sexual abuse victims. *Child Abuse and Neglect, 23*(9), 929-945.

TREMBLAY, C., HÉBERT, M. et PICHÉ, C. (sous presse). Type I and II post-traumatic stress disorder in sexually abused children. *Journal of Child Sexual Abuse*.

TRICKETT, P.K. et PUTNAM, F.W. (1998). Developmental consequences of child sexual abuse. Dans P.K. Trickett et C.J. Schellenbach (dir.), *Violence Against Children in the Family and the Community*. Washington, D.C. : American Psychological Association.

TUTTY, L.M. (1990). Preventing child sexual abuse : A review of current research and theory. Dans M. Rothery et G. Cameron (dir.), *Child maltreatment : Expanding our concept of helping* (p. 259-275) ; Hillsdale, New Jersey : Lawrence Erlbaum Associates.

TUTTY, L.M. (1991). Child sexual abuse : A range of preventive options. *Journal of Child and Youth Care,* 23-41.

TUTTY, L.M. (1992). The ability of elementary school children to learn child sexual abuse prevention concepts. *Child Abuse and Neglect, 16,* 369-384.

TUTTY, L,M. (1993). Parent's perceptions of their child's knowledge of sexual abuse prevention concepts. *Journal of Child Sexual Abuse, 2,* 83-103.

TUTTY, L.M. (1994). Developmental issues in young children's learning of sexual abuse prevention concepts. *Child Abuse and Neglect, 18*(2), 179-192.

TUTTY, L.M. (1997). Child sexual abuse prevention programs : Evaluating Who Do You Tell. *Child Abuse and Neglect, 21*(9), 869-881.

WIESE, D. et DARO, D. (1995). *Current trends in child abuse reporting and fatalities : The results of the 1994 annual fifty State Survey.* Paper no. 808. Chicago : National Committee for the Prevention of Child Abuse.

WOLFE, D.A., MACPHERSON, T., BLOUNT, R. et WOLFE, V.V. (1986). Evaluation of a brief intervention for educating school children in awareness of physical and sexual abuse. *Child Abuse and Neglect, 10,* 5-92.

WOLFE, D., GENTILE, C. et WOLFE, V.V. (1989). The impact of sexual abuse on children : A PTSD formulation. *Behaviour Therapy, 20,* 215-228.

WOLFE, D., SAS, L. et WERKELE, C. (1994). Factors associated with the development of posttraumatic stress disorder among child victims of sexual abuse. *Child Abuse and Neglect, 18,* 37-49.

WOLFE, V.V. et BIRT, J.A. (1995). The psychological sequelae of child sexual abuse. Dans T.H. Ollendick et R.J. Prinz (dir.), *Advances in Clinical Child Psychology, 17,* (p. 233-263). New York : Plenum Press.

WRIGHT, J., BÉGIN, H. et LAGUEUX, F. (1997). La prévention de l'agression sexuelle à l'égard des enfants. *Revue québécoise de psychologie, 18*(3), 9-35.

WRIGHT, J., FRIEDRICH, W.N., CYR, M., THÉRIAULT, C., PERRON, A., LUSSIER, Y. et SABOURIN, S. (1998). The evaluation of Franco-Quebec victims of child abuse and their mothers : The implementation of a standard assessment protocol. *Child Abuse and Neglect, 22*(1), 9-23.

WURTELE, S.K. (1987). School-based sexual abuse prevention programs : A review. *Child Abuse and Neglect, 11,* 483-495.

WURTELE, S.K. (1990). Teaching personal safety skills to four-year-old children : A behavioral approach. *Behavior therapy, 21,* 25-32.

WURTELE, S.K. (1998). School-based child sexual abuse prevention programs – Questions, answers and more question. Dans J.R. Lutzker (dir.), *Handbook of Child Abuse Research and Treatment – Issues in Clinical Child Psychology* (p. 501-516). New York : Plenum Press.

WURTELE, S.K., CURRIER, L.L., GILLIPSIE, E.I. et FRANKLIN, C.F. (1991).The efficacy of a parent-implemented program for teaching preschoolers personal safety skills. *Behavior Therapy, 22,* 69-83.

WURTELE, S.K., GILLEPSIE, E.I., CURRIER, L.L. et FRANKLIN, C.F. (1992). A comparison of teachers vs. parents as instructors of a personal safety program for preschoolers. *Child Abuse and Neglect, 16*, 127-137.

WURTELE, S.K., HUGHES, J. et OWENS, J.S. (1998). An examination of the reliability of the « What if » situations test : A brief report. *Journal of Child Sexual Abuse, 7*(1), 41-52.

WURTELE, S.K., KAST, L.C. et MELZER, A.M. (1992). Sexual abuse prevention education for young children : A comparison of teachers and parents as instructors. *Child Abuse and Neglect, 16*, 865-876.

WURTELE, S.K., KAST, L.C., MILLER-PERRIN, C.L. et KONDRICK, P.A. (1989). Comparison of programs for teaching personal safety skills to preschoolers. *Journal of Consulting and Clinical Psychology, 57*(4), 505-511.

WURTELE, S.K., KVATERNICK, M. et FRANKLIN, C.F. (1992). Sexual abuse prevention for preschoolers : A survey of parents' behaviors, attitudes and beliefs. *Journal of Child Sexual Abuse, 1*, 113-128.

WURTELE, S.K., MARRS, S.R. et MILLER-PERRIN, C.L. (1987). Practice makes perfect ? The role of participant modeling in sexual abuse prevention programs. *Journal of Consulting and Clinical Psychology, 55*, 599-602.

WURTELE, S.K. et MILLER-PERRIN, C.L. (1992). *Preventing child sexual abuse – Sharing the responsibility*. Lincoln : University of Nebraska Press.

WURTELE, S.K., SASLAWSKY, D.A., MILLER, C.L., MARRS, S.R. et BRITCHER, J.C. (1986). Teaching personal safety skills for potential prevention of sexual abuse : A comparison of treatments. *Journal of Consulting and Clinical Psychology, 54*, 588-592.

WYNKOOP, T.F., CAPPS, S.C. et PRIEST, B.J. (1995). Incidence and prevalence of child sexual abuse : A critical review of data collection procedures. *Journal of Child Sexual Abuse, 4*, 49-66.

ANNEXE

TABLEAU-SYNTHÈSE

ÉVALUATIONS DES PROGRAMMES DE PRÉVENTION*

Auteurs	**Conte, Rosen, Saperstein et Shermack (1985)**	**Saslawsky et Wurtele (1986)**	**Wolfe, MacPherson, Blount et Wolfe (1986)**	**Wurtele, Saslawsky, Miller, Marrs et Britchner (1986)**	**Binder et McNiel (1987)**
Programme	*Child Sexual Abuse Prevention Program* Trois sessions d'une heure.	*Touch* Présentation d'un film suivi d'une discussion de groupe.	*School-based Prevention Program* Pièces et discussions de groupe.	*Touch et Behavioral Skills Training Program* Film et programme comportemental (modelage, renforcement)	*Child Assault Prevention Project* Ateliers pour les enfants, parents et professeurs incluant jeux de rôles et discussions.
Devis	Prétest et post-test avec groupe de contrôle.	Solomon 4 groupes.	Post-test seulement avec groupe de contrôle.	Prétest et post-test avec groupe de contrôle.	Prétest et post-test.
Participants	Groupe expérimental : 40 enfants âgés entre 4 et 10 ans. Groupe de contrôle : 20 enfants.	Groupe expérimental : 33 enfants âgés entre 5 et 7 ans et 10 et 12 ans. Groupe de contrôle : 34 enfants.	Groupe expérimental : 145 enfants âgés entre 9 et 12 ans. Groupe de contrôle : 145 enfants.	Groupe expérimental : 53 enfants de maternelle, 1e, 5e et 6e année. Groupe de contrôle : 18 enfants.	Groupe expérimental : 88 enfants âgés entre 5 et 12 ans.
Relance	Non	Oui, trois mois plus tard.	Non	Oui, trois mois plus tard.	Non
Intervenants qui animent le programme	Policiers	Professionnels de recherche	Professionnels de recherche	Étudiants gradués en psychologie	Professionnels de recherche
Variables évaluées	Connaissances : 13 questions semi-ouvertes et quatre questions à choix multiples.	Connaissances : PSQ. ** Habiletés : WIST.	Connaissances : 7 items vrai ou faux.	Connaissances : PSQ. Habiletés : WIST.	Connaissances : 13 items complétés par enfants et parents.
Effets secondaires évalués	Non	Non	Non	Non	Oui. État de détresse, anxiété et changement de comportement de l'enfant évalués par les parents et les professeurs.

Principaux résultats	• Les enfants qui participent au programme assimilent mieux les concepts que les sujets du groupe de contrôle (d = 0,66 et d = 1,06)***. • Meilleure intégration chez les enfants âgés entre 6 et 10 ans que chez ceux âgés entre 4 et 6 ans. • Seulement 50 % des notions enseignées semblent être retenues par les enfants. • Il est plus difficile pour les enfants d'assimiler les notions abstraites.	• Les participants au programme obtiennent des résultats plus élevés au PSQ que les enfants du groupe de contrôle (d = 0,62). • Les enfants plus vieux (5e et 6e) obtiennent des résultats plus élevés. • L'administration d'un prétest ne semble pas influencer les résultats. • Les résultats demeurent stables trois mois plus tard.	• Les enfants participant au programme semblent davantage savoir quoi faire dans une situation d'abus réelle ou potentielle (d = 0,41). • Les enfants ne sont toutefois pas convaincus qu'en cas d'abus leur version des faits sera acceptée.	• La présentation du film combinée aux techniques comportementales donne de meilleurs résultats au PSQ (d = 1,01, d = 0,39 et d = 0,51). • Les enfants plus âgés retiennent plus les concepts. • Les résultats au WIST indiquent un effet marginal, à savoir que les techniques comportementales sont efficaces pour le développement d'habiletés en matière de sécurité personnelle. • Les résultats se maintiennent à la relance.	• Gain au plan des connaissances des stratégies à adopter. • Les parents n'ont pas noté d'augmentation de la détresse ou de l'anxiété à la suite du programme. • Les professeurs n'observent aucun effet positif ou négatif du programme sur les comportements. • À la suite de ces ateliers, les enfants semblent plus à l'aise pour se confier à un adulte.

* Seules les études évaluatives visant les acquis des enfants sont répertoriées.

** PSQ : Personal Safety Questionnaire ; WIST : What If Situation Test ; CKAQ : Children Knowledge of Abuse Questionnaire ; CKAQ-R : Children Knowledge of Abuse Questionnaire – Revised version.

*** d = Effect size

ÉVALUATIONS DES PROGRAMMES DE PRÉVENTION* (*suite*)

Auteurs	**Fryer, Kraizer et Miyoshi (1987a)**	**Fryer, Kraizer et Miyoshi (1987b)**	**Kolko, Moser, Litz, et Hughes (1987)**	**Sigurdson, Strang et Christian, Doig (1987)**	**Dwyer, Schumm et Coulson (1988)**
Programme	*Children Need to Know Personal Safety Training Program* Présentation de règles de sécurité et jeux de rôle. Huit sessions de 20 minutes.	*Children Need to Know Personal Safety Training Program* Présentation de règles de sécurité et jeux de rôle. Huit sessions de 20 minutes.	*Red Flag/Green Flag* Cahier de coloriage et le film *Better Safe Than Sorry II* et discussions. Deux sessions d'une heure et demie et deux semaines consécutives.	*Feeling Yes – Feeling No* Présentation d'un film, d'un module d'éducation et de jeux de rôles (9 heures approximativement).	*The Sexual Abuse Prevention Program* Une session d'information pour les parents et trois sessions pour les enfants abordant les concepts de base.
Devis	Prétest et post-test avec groupe de contrôle.	Post-test seulement avec groupe de contrôle.	Prétest et post-test avec groupe de contrôle.	Prétest et post-test.	Prétest et post-test.
Participants	Groupe expérimental : 23 enfants de la maternelle, 1re et 2e année. Groupe de contrôle : 21 enfants.	Groupe expérimental : 15 enfants de la maternelle, 1re et 2e année. Groupe de contrôle : 14 enfants.	Groupe expérimental : 298 enfants de 3e et 4e année. Groupe de contrôle : 41 enfants.	Groupe expérimental : 137 enfants de 4e à 6e année.	Groupe expérimental : 131 enfants âgés en moyenne de 58,2 mois.
Relance	Non	Oui, six mois plus tard.	Oui, six mois plus tard.	Non	Non
Intervenants qui animent le programme	Professionnels de recherche	Professionnels de recherche	Volontaires formés et des professeurs	Professionnels de recherche	Parents
Variables évaluées	Vocabulaire : Peabody Picture Vocabulary Test. Estime de soi : Perceived Competence Scale for Children. Connaissances : Children Need to Know Knowledge Attitude Test. Habiletés : Simulation	Habiletés : Simulation de situations potentiellement dangereuses.	Connaissances : Knowledge and Opinions. Une question sur expérience passée et une sur action envisagée en cas d'abus.	Connaissances : PSQ	Connaissances : six questions à l'égard des touchers et des stratégies de protection.
Effets secondaires évalués	Non	Non	Non	Non	Non

Principaux résultats	• Différences significatives entre le groupe expérimental et le groupe de contrôle dans les habiletés à se protéger lors de situations dangereuses. • Différences entre le prétest et le post-test pour sujets expérimentaux. • Une estime de soi élevée est reliée à une plus grande confiance face aux situations présentées.	• Les enfants recevant le programme pour la première fois réussissent la mise en situation. • Ceux qui avaient déjà suivi le programme conservent leurs acquis à l'exception de deux enfants. • Après la première mise en situation, les résultats montrent que les enfants préservent les stratégies qu'ils ont acquises. • Pour les auteurs, il serait pertinent d'offrir des sessions de rappel afin d'augmenter la rétention des habiletés de protection.	• Au post-test, une différence significative entre les sujets expérimentaux et ceux du groupe de contrôle en ce qui a trait à la capacité des enfants de distinguer un bon toucher d'un mauvais toucher ($d = 1{,}09$ et $d = 1{,}27$). • Les enfants participants font plus de dévoilements (20 au temps 1 et 25 six mois plus tard). • Les enfants expérimentaux ont acquis des stratégies pour répondre efficacement aux situations dangereuses. • Les parents et les professeurs se disent plus à l'aise pour parler de l'abus sexuel avec les enfants.	• Les différences entre le prétest et le post-test révèlent que les enfants ont bien intégré les concepts. • Les filles obtiennent de meilleurs scores que les garçons. • Un certain nombre d'enfants n'ont pas tiré profit du programme de prévention. • 97 % des enfants ont apprécié l'expérience.	• Les auteurs rapportent une augmentation significative des connaissances en ce qui a trait aux touchers et aux aidants naturels. • Les enfants ne retiennent que la théorie en ce qui concerne les stratégies de protection. Ils savent quoi faire, mais ne le font pas. • Les auteurs ont souligné l'importance de la participation des parents dans un programme de prévention.

ÉVALUATIONS DES PROGRAMMES DE PRÉVENTION* (*suite*)

Auteurs	Harvey, Forehand, Brown et Holmes (1988)	Miltenberger et Thiesse-Duffy,(1988)	Stillwell, Lutzker, et Greene (1988)	Kolko, Moser et Hughes (1989)	Kraizer, White et Fryer (1989)
Programme	*Good Touch-Bad Touch* Utilisation de livres, d'un film, de jeux et de jeux de rôles.	*Red Flag/Green Flag* Utilisation d'un cahier à colorier, de poupées anatomiques et modelage avec chaque enfant.	*Sexual Abuse Prevention Program for Preschoolers* Histoires, discussions et entraînement comportemental.	*Red Flag/Green Flag* Cahier à colorier et présentation d'un film (*Better Safe Than Sorry II*) et discussions. Deux sessions d'une heure et demie.	*Safe Child Personal Safety Training Program* Utilisation d'un film, de jeux de rôles, d'activités et discussions de groupe.
Devis	Prétest et post-test avec groupe de contrôle.	Prétest et post-test.	Prétest et post-test.	Prétest et post-test avec groupe de contrôle.	Prétest et post-test avec groupe de contrôle.
Participants	Groupe expérimental : 36 enfants de 5 et 6 ans. Groupe de contrôle : 35 enfants.	Groupe expérimental : 24 enfants âgés de 4 à 7 ans.	Groupe expérimental : 4 enfants âgés de 3 et 4 ans.	Groupe expérimental : 296 enfants de 7 à 10 ans. Groupe de contrôle : 41 enfants.	Groupe expérimental : 495 enfants âgés de 3 à 10 ans. Groupe de contrôle : 175 enfants.
Relance	Oui, quatre semaines plus tard.	Oui, deux mois plus tard.	Oui, 2 et 4 semaines plus tard.	Oui, six mois plus tard.	Non
Intervenants qui animent le programme	Professionnels de recherche	Parents	Professionnels de recherche	Volontaires formés par des professionnels	Professionnels de recherche
Variables évaluées	Connaissances : Questions sur les touchers et connaissances de base. Habiletés : Une situation hypothétique.	Connaissances : Détection des touchers à l'aide d'images. Habiletés : scénarios et jeux de rôles dans des situations hypothétiques.	Connaissances : Questions vrai ou faux. Habiletés : Identification des touchers, des étapes pour dire non et pour rapporter un incident.	Connaissance : Questions concernant les touchers, les abus et quoi faire en cas d'abus. Habiletés : Mise en scène.	Connaissances : Questions sur les concepts de base. Habiletés : Mise en situation.
Effets secondaires évalués	Non	Oui. Réactions post-programme.	Non	Non	Oui. Évaluation de l'attribution de la responsabilité et des réactions postprogramme.

Principaux résultats	• L'analyse des données montre des différences significatives entre le groupe expérimental et le groupe de contrôle aux deux temps de mesure (d = 1,31). • Les enfants de la maternelle semblent aptes à voir la différence entre un bon et un mauvais toucher, à apprendre les règles de sécurité dans des situations hypothétiques (connaissances) et à les appliquer (habiletés). • Une variation des composantes du programme apparaît efficace pour capter l'attention des jeunes enfants.	• Les résultats montrent que le programme de prévention donné pour les enfants de 4 à 7 ans n'a entraîné aucun changement significatif en termes de connaissances ou d'habiletés. • Cependant, si les enfants pratiquent les stratégies apprises, ils répondent correctement aux mises en situation, et ces gains se maintiennent deux mois plus tard pour les enfants de 6-7 ans. • Les parents semblent satisfaits et n'ont pas rapporté de réactions problématiques à la suite du programme.	• Une différence significative pour les connaissances est observée entre le prétest et le post-test. • Les changements de comportements attendus n'ont pas été notés (habiletés). • Les connaissances semblent se maintenir à la relance. • Selon les auteurs, il est difficile pour ces enfants de transformer les connaissances acquises en actions lors de situations potentiellement dangereuses.	• Les sujets du groupe expérimental obtiennent des résultats plus élevés pour les connaissances (d = 0,51) et les habiletés que les sujets du groupe de contrôle. • Les enfants participant aux programmes rapportent plus de stratégies appropriées dans les mises en situation. • Ces résultats se maintiennent à la relance. • Des dévoilements de situations abusives ont été faits à la suite du programme.	• Les enfants acquièrent des connaissances et des habiletés de protection à la suite du programme (d = 1,54). • Les auteurs insistent sur la pertinence d'impliquer les enfants. • Les enfants plus jeunes obtiennent de meilleurs résultats que les enfants de 1e et 2e année. • 4,5 % des enfants ont rapporté avoir eu peur ou avoir été plus anxieux à la suite du programme. • Les auteurs soutiennent que l'acquisition d'habiletés est plus facile que l'apprentissage de concepts abstraits.

ÉVALUATIONS DES PROGRAMMES DE PRÉVENTION* (*suite*)

Auteurs	Wurtele, Kast, Miller-Perrin et Kondrick (1989)	Hazezard, Kleemeir et Webb, (1990)	Peraino (1990)	Pohl et Hazzard (1990)	Ratto et Bogat (1990)
Programme	*Behavioral Skills Training* et *Feelings-based program* Utilisation de bandes dessinées, de jeux de rôle et de discussions de groupe. Trois sessions de 30 minutes.	*Feeling Yes – Feeling No* Présentation d'un film, discussions de groupe et jeux de rôle. Trois sessions d'une heure chacune.	*WHO – We Help Ourselves* Spectacle de marionnettes. Une session d'information pour professeurs et parents.	*Feeling Yes – Feeling No* Présentation d'un film, bande dessinée, jeux de rôle, activités et discussions de groupe.	*Grossmont College Child Sexual Abuse Prevention Program* Spectacle de marionnettes, livre, discussions de groupe, activités et jeux de rôle.
Devis	Prétest et post-test avec groupe de contrôle.	Prétest et post-test.	Prétest et post-test avec groupe de contrôle.	Post-test seulement.	Prétest et post-test avec groupe de contrôle.
Participants	Groupe expérimental : 32 enfants (programme BST) et 37 enfants (programme FBP) âgés en moyenne de 5 ans. Groupe de contrôle : 31 enfants.	Groupe expérimental : 558 enfants de 3e et 4e année.	Groupe expérimental : 23 enfants âgés de 59,8 mois en moyenne. Groupe de contrôle : 23 enfants.	Groupe expérimental : 526 enfants de 3e et 4e année.	Groupe expérimental : 19 enfants âgés entre 37 et 62 mois. Groupe de contrôle : 20 enfants
Relance	Oui, un mois plus tard.	Non	Oui, 5 à 8 semaines plus tard.	Non	Oui, trois mois plus tard.
Intervenants qui animent le programme	Étudiant gradué	Enseignants et intervenants spécialisés	Volontaires formés par des professionnels avec professeurs.	Professionnels de recherche	Professionnels de recherche
Variables évaluées	Connaissances : PSQ. Habiletés : WIST.	Connaissances : What I know about touching. Habiletés : What I will do.	Connaissances : 11 items. Habiletés : Utilisation des marionnettes pour mises en situation.	Connaissances : Questions subjectives et semi-ouvertes.	Connaissances : PSQ. Habiletés : WIST.
Effets secondaires évalués	Oui. Évaluation des craintes de l'enfant à l'aide du Fear Assessment Thermometer Scale et questionnaire complété par le parent et l'enseignant.	Oui. Mesuré à partir du questionnaire How I Feel ?	Non	Oui. Réactions post-programme mesurées avec les enfants, les parents et les professeurs.	Oui. Évaluation de la peur.

Principaux résultats	• Les élèves impliqués dans l'un ou l'autre des programmes démontrent des gains au plan des connaissances relativement au groupe de contrôle. • Les élèves ayant participé au programme axé sur les comportements ont de meilleurs résultats au niveau des habiletés au regard des vignettes proposées. • Les enfants ayant participé au programme axé sur les sentiments montrent plus de confusion dans des situations potentiellement abusives. • Les parents ne notent pas de réactions négatives chez les élèves. Les enseignants notent par contre que certains élèves (surtout les garçons) sont plus désobéissants.	• De façon générale, tous les sujets obtiennent de meilleurs résultats au post-test. • Les auteurs n'ont trouvé aucune différence entre les professeurs et les experts. Les enfants obtenaient des scores semblables dans les deux groupes. • 70 % des enfants rapportent qu'ils ont apprécié le programme et 71 % disent qu'ils se sentent plus en sécurité. • 6 % des enfants disent qu'ils se sentent un peu inquiets et 5 %, très inquiets.	• Les enfants exposés au programme obtiennent de meilleurs résultats que les sujets du groupe de contrôle (d = 1,85). • Aucune différence significative n'est observée entre les cotes des garçons et ceux des filles. • La relance, réalisée entre 5 et 8 semaines après le programme, indique que les enfants semblent préserver les connaissances qu'ils ont acquises.	• Seulement 95 enfants des 526 sont interrogés à la suite du programme. • 90 % des enfants se sentent plus en sécurité et 91 % se sentent moins inquiets. • 69 % des parents mentionnent que le programme a eu un effet positif sur les réactions de leurs enfants. Quelques parents rapportent une peur des inconnus chez les enfants. • 89 % révèlent que les enfants ont exprimé des sentiments positifs à l'égard du programme. • Identification de certains cas d'abus à la suite du programme.	• Les résultats indiquent une différence significative entre les sujets expérimentaux et les sujets témoins en termes de connaissances apprises. Ces résultats se maintiennent à la relance. • Aucune différence entre les groupes au WIST (habiletés) et à l'échelle mesurant les peurs. • Les données concernant les réactions des enfants indiquent que ces derniers ne se sentent pas plus apeurés à la suite d'un programme de prévention sur les abus sexuels.

ÉVALUATIONS DES PROGRAMMES DE PRÉVENTION* (*suite*)

Auteurs	Berrick et Gilbert (1991)	Blumberg, Chadwick, Fogarty, Speth et Chadwick (1991)	Harbeck, Peterson et Starr (1992)	Hazzard, Webb, Kleemeier, Angert et Pohl (1991)	Madak et Berg (1992)
Programme	Différents programmes dont le *Children Learning Assertion Safety and Social Skills, Child Abuse-Recognize and Eliminate, Child Assault Prevention* et *Talking About Touching.*	*Role Play Program et Mutimedia Program* Jeux de rôle et présentation d'un film ou d'un spectacle de marionnettes.	*The TOUCH Continuum* Séance d'informations et discussion de groupe.	*Feeling Yes – Feeling No* Présentation d'un film, discussions de groupe et jeux de rôle. Trois sessions d'une heure chacune.	*Talking About Touching* Photos et vignettes discutées en groupe.
Devis	Prétest et post-test.	Prétest et post-test avec groupe de contrôle.	Prétest et post-test.	Prétest et post-test.	Prétest et post-test.
Participants	Groupe expérimental : 334 enfants âgés de 7 ans en moyenne.	Groupe expérimental : 264 enfants du primaire. Groupe de contrôle : 79 enfants.	Groupe expérimental : 20 enfants âgés entre 4 et 7 ans et entre 11 et 16 ans ayant déjà été agressés.	Groupe expérimental : 286 enfants de 3e et 4e année. Groupe de contrôle : 113 enfants.	Groupe expérimental : 1766 enfants de la maternelle à la 6e année.
Relance	Non	Non	Non	Oui, six semaines et un an après.	Non
Intervenants qui animent le programme	Professionnels de recherche	Volontaires formés par des professionnels	Psychothérapeute	Intervenants spécialisés	Professionnels de recherche
Variables évaluées	Connaissances : Questions papier-crayon. Habiletés : Une entrevue portant sur les stratégies utilisées dans des situations hypothétiques.	Connaissances : The Touch Discrimination Task (touchers et stratégies de protection).	Connaissances : Un questionnaire contenant 4 questions ouvertes et le PSQ. Habiletés : Behavioral Role-Plays	Connaissances : What I know about touching. Habiletés : What would I do.	Connaissances : Questionnaire de 25 items. Entrevue individuelle de 6 questions pour les plus jeunes enfants.
Effets secondaires évalués	Non	Oui. Évaluation de la peur, mais résultats non rapportés.	Oui. Évaluation de la peur avec le Fear Assessment Thermometer Scale, mais résultats non rapportés.	Oui. Évaluation de l'anxiété et autres réactions postprogramme.	Oui. Par le biais d'un questionnaire aux parents et aux enseignants.

Principaux résultats	• Les résultats montrent que les enfants obtiennent des résultats plus élevés au post-test. • Les auteurs rapportent aussi une différence entre les enfants de la 1re année et ceux de la 3e en ce qui a trait aux connaissances. Les plus jeunes croient que seul un inconnu peut les agresser alors que les plus vieux conçoivent qu'une personne connue peut aussi abuser d'eux. • 14 % des enfants croient qu'ils sont responsables au prétest et seulement 6 % conservaient cette croyance au post-test.	• Au prétest, les enfants plus vieux possèdent plus de connaissances que les plus jeunes. • Les enfants ayant participé au programme de jeux de rôle obtiennent de meilleurs résultats. • Le programme multimédia est trop complexe pour les enfants et présente trop de notions. Les enfants n'ont pas retenu les informations mentionnées dans le programme. • Les auteurs soutiennent que les programmes de prévention ont un potentiel d'enseignement, sans toutefois rendre les enfants plus peureux.	• Les résultats montrent qu'au prétest, les enfants connaissaient déjà assez bien les concepts de base de la prévention. • Les enfants plus jeunes éprouvent de la difficulté à nommer les concepts appris. • Les enfants éprouvent des difficultés à émettre les comportements préventifs. • Les différentes mesures utilisées donnent lieu à des résultats divergents quant à l'effet du programme.	• Les enfants ayant participé au programme ont de meilleures connaissances ($d = 0,62$) et possèdent des aptitudes à différencier les situations sans risque des situations dangereuses, et ce, par rapport au groupe de contrôle. • Aucune différence significative entre les groupes en ce qui a trait aux sentiments d'anxiété. • Les parents n'observent aucune modification du comportement. • La relance démontre que les enfants retiennent les connaissances acquises et les comportements préventifs.	• Les résultats indiquent que les enfants obtiennent de meilleurs résultats au post-test en ce qui a trait aux connaissances. Cependant, il est difficile de dire si cette augmentation des connaissances est liée à une augmentation des comportements jugés préventifs. • 72 % des parents et 94 % des professeurs trouvent nécessaire l'implantation d'un programme de prévention dans les écoles. • 32 % ont apprécié le programme présenté et l'ont évalué de très bonne qualité.

ÉVALUATIONS DES PROGRAMMES DE PRÉVENTION* (*suite*)

Auteurs	**Pelcovitz, Adler, Kaplan, Packman et Krieger (1992)**	**Tutty (1992)**	**Wurtele, Gillipsie, Currier et Franklin (1992)**	**Wurtele, Kast, et Melzer (1992)**	**Gibson et Bogat (1993)**
Programme	*Too smart for strangers* Programme faisait appel à la présentation d'un film.	*Touching* Pièce de théâtre.	*Behavioral Skills Training Program (BST)* Programme portant sur l'identification et les actions à poser lors d'un abus sexuel.	*Behavioral Skill Training Program* Jeux de rôle, instruction des règles de sécurité et discussion de groupe.	*Grossmont College Child Sexual Abuse Prevention Program* Utilisation de livres, marionnettes, jeux de rôle et discussions.
Devis	Post-test seulement.	Solomon 4 groupes.	Prétest et post-test avec groupe de contrôle.	Prétest et post-test avec groupe de contrôle.	Solomon 4 groupes.
Participants	Groupe expérimental : 22 enfants victimes d'abus sexuel extrafamilial âgés entre 6 et 10 ans.	Groupe expérimental : 200 enfants de la maternelle, de 1re, 3e et 6e année. Groupe de contrôle : 200 enfants.	Groupe expérimental : 39 enfants âgés en moyenne de 57 mois. Groupe de contrôle : 22 enfants.	Groupe expérimental : 172 enfants âgés en moyenne de 55,4 mois. Groupe de contrôle : 44 enfants.	Groupe expérimental : 59 enfants âgés entre 37 et 80 mois. Groupe de contrôle : 62 enfants.
Relance	Non	Oui, cinq mois plus tard.	Oui, deux mois plus tard.	Oui, cinq mois plus tard.	Non
Intervenants qui animent le programme	Présentation du film à l'école	Une troupe professionnelle de comédiens	Enseignants et parents	Parents ou enseignants	Professionnels de recherche
Variables évaluées	Entrevues structurées : visant à recueillir des informations concernant l'exposition au film sur la prévention de la violence, à quel âge ils ont été exposés, ce qu'ils se souviennent des concepts et s'ils pensent que le fait d'avoir été exposés les a aidés lors de l'abus.	Connaissances : CKAQ.	Connaissances : PSQ. Habiletés : WIST.	Connaissances : PSQ. Habiletés : WIST.	Habiletés : WIST.
Effets secondaires évalués.	Non	Non.	Oui. Appréciation par les enfants, les parents et les professeurs.	Oui. Évaluation des réactions postprogramme par les parents et les professeurs.	Non

Principaux résultats	• Aucun des enfants participant à l'étude n'a révélé de lui-même qu'il était abusé. • Neuf enfants ne se souvenaient pas d'avoir vu le film auparavant. • Parmi ceux qui se rappelaient l'avoir déjà visionné, peu pouvaient se remémorer des détails particuliers. • Les auteurs signalent que la courte durée du film, l'absence d'évaluation et l'absence de considération de l'âge des enfants peuvent expliquer l'inefficacité du film pour prévenir et faciliter le dévoilement de situation abusive.	• L'auteure observe un effet significatif entre les groupes expérimentaux et les groupes de contrôle. Les cotes de connaissances (d = 0,28) au CKAQ sont plus élevées au post-test pour les participants. • Les enfants qui ont répondu au prétest n'obtiennent pas des résultats significativement plus élevés au post-test. • Les enfants plus âgés (9 et 12 ans) intègrent davantage les concepts de prévention que les plus jeunes (5 et 7 ans). L'auteure suggère une répétition plus fréquente pour les plus jeunes. • Les résultats de la relance indiquent que les enfants retiennent les concepts.	• Les enfants qui ont participé au BST, donné soit par les parents ou les professeurs, augmentent leurs capacités à identifier correctement les touchers non appropriés, présentent de meilleures habiletés de prévention et obtiennent des résultats plus élevés à l'échelle de connaissances que les enfants du groupe de contrôle (d = 0,94 et d = 1,35). • Ces différences se maintiennent lors de la relance. • Cette étude démontre que les parents peuvent être des instructeurs compétents pour enseigner les concepts de prévention des abus sexuels. • Les parents et les professeurs ne rapportent aucun effet négatif du programme.	• Les enfants d'âge préscolaire augmentent de façon significative leurs habiletés à reconnaître des situations problématiques et à produire des comportements appropriés en comparaison des enfants du groupe de contrôle. • Les connaissances sont également meilleures au post-test et à la relance selon les résultats obtenus au PSQ (d = 1,11). • Les parents semblent aussi efficaces que les professeurs pour donner le programme. • Ni les professeurs, ni les parents n'ont remarqué une augmentation de la détresse. • Les auteurs soulignent l'importance de faire participer les parents.	• En utilisant un devis Solomon, les auteurs obtiennent un résultat surprenant : les enfants qui ne sont pas exposés au prétest obtiennent de meilleurs résultats à l'échelle mesurant le caractère non approprié d'un toucher. Ils expliquent que les enfants de cet échantillon apprennent ce qu'il faut faire en cas d'abus avant d'être capable d'identifier une situation potentiellement abusive. • Les résultats montrent que les enfants d'âge préscolaire peuvent acquérir les habiletés nécessaires pour réagir à une situation abusive en comparaison des enfants du groupe de contrôle.

ÉVALUATIONS DES PROGRAMMES DE PRÉVENTION* (*suite*)

Auteurs	Wurtele (1993)	Briggs et Hawkins (1994)	Nemerofsky, Carran, et Rosenberg (1994)	Dhooper et Schneider (1995)	Finkelhor, Asdigian et Dziuba-Leatherman (1995)
Programme	*Behavioral Skills Training Program (BST)* Programme portant sur l'identification et les actions à poser lors d'un abus sexuel.	*Protective Behaviours* Programme faisant appel à des mises en situation et *Keeping ourselves safe* – Programme basé sur des exercices, des mises en situation, des outils pédagogiques et des vidéofilms.	*Children's Primary Prevention Training Program (CPPTP)* Utilisation de livres pour enseigner des concepts et des habiletés. Implique cinq sessions.	*Kids on the block* Utilisation de marionnettes et période de questions suivant la présentation.	Évaluation d'enfants victimisés qui ont été exposés ou pas à divers programmes de prévention.
Devis	Prétest et post-test avec groupe de contrôle.	Relance seulement.	Prétest et post-test avec groupe de contrôle.	Prétest et post-test avec groupe de contrôle.	Deux prises de mesure.
Participants	Groupe expérimental : 67 enfants âgés en moyenne de 54,2 mois. Groupe de contrôle : 29 enfants.	Groupe expérimental : 126 enfants et 117 enfants âgés entre 5 et 8 ans.	Groupe expérimental : 1044 enfants âgés entre 3 et 6 ans. Groupe de contrôle : 295 enfants.	Groupe expérimental : 413 enfants de la 3e à la 5e année. Groupe de contrôle : 383 enfants.	Groupe expérimental : 1457 enfants âgés entre 10 et 16 ans. Données provenant de 414 enfants qui ont été abusés.
Relance	Non	Oui, un an plus tard.	Non.	Non	Oui, 15 mois plus tard.
Intervenants qui animent le programme	Parents	Enseignants	Enseignants	Professionnels	Divers intervenants
Variables évaluées	Connaissances : PSQ. Habiletés : WIST.	Entrevues visant à évaluer les habiletés de enfants.	Habiletés : WIST.	Connaissances : Un questionnaire maison comportant 12 items se répondant par oui, non ou je ne sais pas.	Connaissances à propos de l'abus (2 items), stratégies employées et perception d'efficacité.
Effets secondaires évalués.	Oui. Appréciation du programme par les enfants, les parents et les professeurs.	Non.	Non.	Non.	Non

Principaux résultats	• Les résultats du prétest indiquent la pertinence d'enseigner les concepts et les habiletés de prévention. • De plus, les données montrent que les enfants acquièrent de meilleures habiletés pour reconnaître et réagir à une situation abusive et possèdent de meilleures connaissances à la suite d'un programme de prévention en comparaison des enfants du groupe de contrôle. • Les parents semblent de bons instructeurs. • Les parents et les professeurs ne rapportent pas de réactions négatives importantes. • L'auteure souligne l'importance d'établir un contact téléphonique avec les parents afin qu'ils donnent le programme au complet.	• Un groupe d'enfants ayant reçu le programme Protective Behaviours ont été réévalués un an plus tard. Les résultats montrent qu'il n'y pas d'amélioration marquée et que seulement 30 % des enfants répondent correctement. • Après seulement l'exposition à un premier module du programme Keeping Ourselves Safe, 68 % des enfants possèdent les habiletés nécessaires pour se protéger. Ces résultats se maintiennent 12 mois plus tard. • Les enfants provenant de milieux plus défavorisés obtiennent des scores moins élevés. • L'implication des professeurs semble jouer un rôle important. • La présentation d'un programme adapté en fonction de l'âge et du niveau de développement semble plus appropriée.	• Les résultats de l'étude révèlent que les enfants d'âge préscolaire qui participent au programme de prévention ont de meilleures connaissances des règles et de meilleures habiletés de protection personnelle que les enfants du groupe de contrôle (d = 0,46 au prétest ; d = 2,71 au post-test). • Les enfants de 3 ans obtiennent des résultats moins élevés au post-test que les enfants âgés entre 4 et 6 ans. Les auteurs notent qu'ils ont peut-être besoin de plus qu'une seule exposition des concepts. • Les enfants de 6 ans sont ceux qui obtiennent les meilleurs résultats (en comparaison aux enfants de 4 ans).	• Les enfants qui participent au programme ont de meilleures connaissances de l'abus physique et sexuel que les enfants du groupe de contrôle (d = 0,77). Ils semblent avoir une meilleure compréhension de la violence, sont capables de discriminer entre un abus physique et de la discipline, de faire la distinction entre un bon et un mauvais toucher et de donner des réponses appropriées dans des situations potentiellement dangereuses. • Les enfants de la 5e année obtiennent de meilleurs résultats.	• Quatre cent quatorze enfants ont été abusé sexuellement entre les deux contacts téléphoniques, soit après une exposition à un programme de prévention. • Dans cette étude, l'éducation préventive contre les abus sexuels n'est pas associée à une réduction de l'incidence des cas d'abus. En revanche, elle est associée à une augmentation de la probabilité qu'un enfant abusé dévoile la situation, au sentiment d'avoir été capable de se protéger des conséquences plus graves, et à une diminution du sentiment de culpabilité. • Les enfants ayant participé à un programme de prévention à deux reprises (soit avant la première et avant la deuxième prise de mesure) ont de meilleures connaissances des abus sexuels, connaissent plus les stratégies pour se protéger et se jugent plus efficaces.

ÉVALUATIONS DES PROGRAMMES DE PRÉVENTION* (*suite*)

Auteurs	**Finkelhor, Asdigian et Dziuba-Leatherman (1995)**	**Finkelhor et Dziuba-Leatherman (1995)**	**Oldfield, Hays et Megel (1996)**	**Taal et Edelaar (1997)**	**Tutty (1997)**
Programme	Question qui demande aux enfants s'ils ont déjà été exposés à un programme de prévention.	Question qui demande aux enfants s'ils ont déjà été exposés à un programme de prévention.	*Projet TRUST* Programme utilisant une pièce de théâtre suivie d'une période de questions et d'échanges.	*Rigth to Security* Adaptation de *Feeling Yes, Feeling No* et du *Child Assault Prevention Project.* Huit sessions utilisant des mises en situation et des discussions.	*Who do you tell ?* Discussion de groupe, présentation d'images et de courts films vidéo et jeux de rôle.
Devis	Post-test seulement.	Post-test seulement.	Post-test seulement avec groupe de contrôle.	Prétest et post-test avec groupe de contrôle.	Prétest et post-test avec groupe de contrôle.
Participants	Groupe expérimental : 2000 enfants âgés entre 10 et 16 ans.	Groupe expérimental : 2000 enfants âgés entre 10 et 16 ans.	Groupe expérimental : 658 enfants de 1re à la 6e année. Groupe de contrôle : 611 enfants.	Groupe expérimental : 161 enfants de 8 à 12 ans. Groupe de contrôle : 131 enfants.	Groupe expérimental : 117 enfants de la maternelle à la 6e année. Groupe de contrôle : 114 enfants.
Relance	Non	Non	Oui, trois mois plus tard (111 enfants).	Oui, relance six mois plus tard.	Non
Intervenants qui animent le programme	Divers intervenants	Divers intervenants	Des élèves du secondaire formés pour donner la pièce et des intervenants spécialisés.	Acteurs et intervenants spécialisés.	Professionnels de recherche
Variables évaluées	Connaissances : 13 items sur les concepts de prévention. Stratégies employées et leur efficacité au regard de la victimisation.	Connaissances et utilisation des stratégies enseignées.	Connaissances : CKAQ.	Sentiment de contrôle. Sentiment d'efficacité. Habiletés : Choice of Safety Strategy Questionnaire.	Connaissances : CKAQ- R.
Effets secondaires évalués.	Non	Oui. Réactions négatives perçues par les enfants et les parents.	Oui, anxiété.	Oui. Réactions aux touchers, anxiété.	Oui. Un questionnaire est envoyé aux parents.

Principaux résultats	• Les enfants ayant assisté à des programmes de prévention plus « complets » obtiennent des scores plus élevés à l'échelle de connaissances que les enfants ayant reçu un programme moins complet. • Ces enfants exposés à un programme plus « complet » rapportent utiliser plus de stratégies jugées efficaces lors de tentatives d'agression ou lors d'agression. • Cependant, ils ne sont pas moins victimisés que les enfants exposés à des programmes « moins complets ». • 57 % des parents auraient parlé de prévention avec leurs enfants. Ces enfants ont de meilleures connaissances et disent utiliser des stratégies plus efficaces. • Les auteurs soulignent l'importance d'impliquer les parents dans les programmes de prévention.	• 67 % des enfants rapportent avoir été exposés à un programme de prévention (37 % dans la dernière année). • Les concepts les plus souvent discutés incluent le fait de dévoiler une situation abusive à un adulte, la notion de toucher, les abus sexuels commis par un membres de la famille, les stratégies pour faire cesser une situation abusive et l'idée que ce n'est jamais la faute de l'enfant. • 72 % des enfants ont décrit le programme comme étant aidant et plus de 95 % disent qu'ils le recommandent. • Les enfants mentionnent avoir utilisé les stratégies enseignées dans le programme. • Un certain pourcentage d'enfants et de parents rapportent des réactions d'inquiétude et de peur face à une éventuelle situation abusive.	• Les enfants qui assistent à la pièce *Touch* obtiennent significativement de meilleurs résultats que les enfants du groupe de contrôle (connaissances) ($d = 0{,}53$). • Les enfants retiennent les concepts appris trois mois plus tard. De plus, les enfants plus vieux semblent avoir de meilleures capacités pour apprendre et retenir les concepts enseignés. • Les auteurs ne rapportent aucune différence significative entre les deux groupes en ce qui concerne les sentiments d'anxiété. • Certains enfants ont fait un dévoilement de situations abusives à la suite du programme.	• Les données révèlent un changement dans deux des quatre habiletés évaluées. • Les jeunes enfants semblent apprécier davantage les touchers après le programme, alors que les élèves les plus âgés les apprécient moins. Mais, lors de la relance, les plus jeunes apprécient moins les touchers. • Les résultats de la relance semblent indiquer que les enfants croient plus faciles de refuser les touchers non appropriés que lors du post-test.	• Bien que les parents ne participent pas directement au programme, ils sont invités à une rencontre d'information. De façon consistante avec les autres recherches, peu de parents (22 %) se sont présentés à cette session. • Les parents rapportent très peu d'effets secondaires à la suite du programme. • Les résultats montrent que les connaissances des enfants sont meilleures au post-test. • Les enfants plus vieux obtiennent de meilleurs résultats.

ÉVALUATIONS DES PROGRAMMES DE PRÉVENTION* (*suite*)

Auteurs	**Perreault, Bégin et Tremblay (1998)**	**Casper (1999)**	**Dumont, Hébert et Lavoie (1999)**	**Hébert, Lavoie, Piché et Poitras (1999)**	**MacIntyre et Carr (1999)**
Programme	*Child Agression and Research Education (CARE)* Programme d'activités utilisant des cartons illustrant différentes situations, livre pour les enfants, matériel audio et marionnettes.	*Touch* Pièce de théâtre de 45 minutes, mises en situation et discussion.	*ESPACE* (version québécoise du *Child Assault Prevention Project CAP)* Ateliers utilisant des mises en situation, discussions de groupe et rencontres individuelles.	*ESPACE* (version québécoise du *Child Assault Prevention Project CAP)* Ateliers utilisant des mises en situation, discussions de groupe et rencontres individuelles.	*Stay Safe Programme* Dix ou douze sessions de 30-40 minutes. Programme faisant appel à divers outils pédagogiques, matériel audio et vidéo et des jeux de rôle.
Devis	Prétest et post-test avec groupe de contrôle.	Prétest et post-test.	Prétest et post-test.	Solomon 4 groupes.	Prétest et post-test avec groupe de contrôle.
Participants	Groupe expérimental : 148 enfants âgés de 4 et 5 ans. Groupe de contrôle : 146 enfants.	Groupe expérimental : 642 enfants de 2ᵉ à 6ᵉ année.	Groupe expérimental : 107 enfants de 4ᵉ année.	Groupe expérimental : 59 enfants de 1ʳᵉ et 3ᵉ année. Groupe de contrôle : 74 enfants.	Groupe expérimental : 339 enfants de 7 et 10 ans. Groupe de contrôle : 388 enfants.
Relance	Oui. Trois mois plus tard.	Non	Non	Oui. Deux mois plus tard.	Oui, 3 mois plus tard.
Intervenants qui animent le programme	Enseignants	Troupe de comédiens et intervenant spécialisé.	Intervenants spécialisés	Intervenants spécialisés	Enseignants
Variables évaluées	Connaissances et habiletés : Questionnaire comportant 23 items.	Connaissances : CKAQ-R, Lieu de contrôle : Nowicki-Strickland Locus of Control Scale.	Connaissances : « Qu'est-ce que je pense... » (version 12 items). Habiletés : « Questionnaire oral des habiletés ». Cinq mises en situation présentées sur vidéo et deux questions ouvertes.	Connaissances : « Qu'est-ce que je pense... » (version 11 items). Habiletés : « Questionnaire oral des habiletés ». Cinq mises en situation présentées sur vidéo et deux questions ouvertes.	Connaissances et habiletés : Questionnaire de 18 items (Children's Safety Knowledge and and Skills Questionnaire). Estime de soi (Battle Culture Free Self-Esteem Inventory).
Effets secondaires évalués.	Non	Oui. Anxiété évaluée à l'aide du Children's Manifest Anxiety Scale – Revised.	Non	Réactions suivant le programme observées par les parents.	Oui. Questionnaire complété par le parent et l'enseignant.

Principaux résultats	• Les enfants ayant été exposés au programme de prévention obtiennent des résultats plus élevés sur les connaissances au post-test. Ces résultats se maintiennent à la relance, et ce, relativement aux enfants du groupe de contrôle. • Les garçons obtiennent des cotes plus élevées au prétest, au post-test et à la relance que les filles. • Les élèves provenant de milieu socioéconomique moyen obtiennent des cotes plus élevées que les élèves de milieu socioéconomique faible ou favorisé. • Lorsque comparés aux enfants de la maternelle (5 ans), les enfants de la prématernelle (4 ans) semblent retenir certaines informations à la suite du programme, mais moins que les enfants plus vieux.	• Les élèves démontrent des gains au regard des connaissances après avoir participé au programme. Les gains sont apparents pour tous les groupes d'âge évalués sauf pour les élèves de 4e année. • Les élèves qui ont discuté avec leurs parents obtiennent des résultats supérieurs. • Certains des élèves interrogés disent que le programme les a apeurés.	• Les résultats montrent une amélioration au plan des connaissances et des habiletés. • L'analyse des habiletés spécifiques indique une augmentation au regard de l'affirmation de soi, du dévoilement et de l'entraide entre pairs. • Certaines variables, considérées individuellement, prédisent les gains.	• Les enfants qui ont participé au programme ESPACE obtiennent des résultats plus élevés à l'échelle des connaissances ($d = 0{,}41$) ainsi qu'à l'échelle mesurant les habiletés ($d = 0{,}75$) face à des situations potentiellement dangereuses. • Il n'y a aucune différence entre les groupes en ce qui a trait à la reconnaissance du caractère abusif ou non d'une situation. • Les enfants de la 3e année obtiennent de meilleurs résultats que les élèves de 1re année. • Les résultats se maintiennent à la relance deux mois plus tard à l'exception des cotes obtenues pour les habiletés préventives qui diminuent de façon significative, tout en demeurant plus élevées que lors du prétest. • Selon les parents, un sous-groupe de participants démontre des changements de comportement.	• Les élèves du groupe expérimental démontrent des gains significatifs par rapport aux élèves du groupe de contrôle ($d = 1{,}4$). • Les données obtenues lors de la relance indiquent que les acquis sont maintenus. • Les résultats révèlent que le programme amènent des changements dans l'estime de soi chez les participants surtout chez les élèves plus jeunes issus de milieux favorisés. • Une minorité de parents et d'enseignants rapportent des effets négatifs en termes de comportements (enfant plus anxieux, s'affirme dans des situations non appropriées, etc.).

LES AUTEURS

Richard Boyer détient une maîtrise en sociologie de l'Université du Québec à Montréal et un doctorat en santé publique de l'Université de Californie à Los Angeles. Il est chercheur agrégé au Département de psychiatrie de l'Université de Montréal, chercheur principal au Centre de recherche Fernand-Seguin de l'Hôpital Louis-H. Lafontaine et chercheur boursier du Fonds de recherche en santé du Québec. Son programme de recherche porte sur l'épidémiologie sociale des troubles mentaux et du suicide.

Jean-Jacques Breton est pédopsychiatre et professeur agrégé de clinique au Département de psychiatrie de l'Université de Montréal. Il détient un diplôme en psychiatrie de l'Université McGill et une maîtrise en santé communautaire de l'Université de Montréal. Il est chef du service de recherche de l'Hôpital Rivière-des-Prairies et exerce des activités cliniques à la clinique Pointe-aux Trembles/Montréal-est de cet hôpital. Il s'intéresse particulièrement à l'épidémiologie des troubles mentaux et du suicide ainsi qu'à l'organisation des services de santé mentale s'adressant aux jeunes.

Lucie Brousseau est détentrice d'une maîtrise en psychologie du développement. Elle a travaillé pendant plusieurs années dans le domaine de la santé publique, en prévention et en promotion de la santé mentale auprès d'enfants, d'adolescents et de familles. Elle est actuellement psychologue clinicienne et coordonnatrice de recherche au Centre de recherche Fernand-Seguin de l'Hôpital Louis-H. Lafontaine. Elle coordonne divers projets de recherche clinique et d'intervention précoce portant sur les troubles anxieux.

Pierre Charlebois, a complété un baccalauréat en éducation physique à l'Université d'Ottawa en 1965. Après 10 ans de travail clinique avec de jeunes inadaptés sociaux affectifs, il a complété une maîtrise en psychoéducation à l'Université de Montréal et un doctorat en psychologie du développement à l'Université de Lille en France. Professeur titulaire, à l'école de psychoéducation de l'Université de Montréal, il a réalisé plusieurs interventions préventives pour favoriser la réussite scolaire et l'adaptation sociale de jeunes garçons turbulents.

Richard Cloutier est psychologue du développement de l'enfant et de l'adolescent. Il est professeur titulaire à l'École de psychologie de l'Université Laval. Depuis une vingtaine d'années, il s'est principalement intéressé à la place de l'enfant dans son milieu de vie : sa famille, son école, sa communauté. Il est présentement directeur scientifique de l'Institut universitaire sur les jeunes en difficulté, le Centre jeunesse de Québec et chercheur au sein de l'équipe Jeunes et familles en transition (CQRS).

Sylvie Drapeau est professeure titulaire au Département des fondements et pratiques en éducation de l'Université Laval. Elle s'intéresse notamment aux ressources personnelles et sociales facilitant l'adaptation des enfants de parents séparés. Elle a aussi contribué à l'évaluation du programme Entramis s'adressant aux jeunes dont les parents se sont récemment séparés. Elle assume la direction scientifique de l'équipe Jeunes et familles en transition (CQRS).

Louise S. Éthier est psychologue clinicienne et professeure titulaire au Département de psychologie de l'Université du Québec à Trois-Rivières. Elle co-dirige le Groupe de recherche et d'intervention sur la négligence (GRIN) et est membre du Groupe de recherche en développement de l'enfant et de la famille (GREDEF). Elle concentre ses recherches sur les phénomènes de mauvais traitements, de chronicité de la négligence, de traumatismes affectifs et de dépression maternelle. Depuis quelques années, elle s'intéresse également aux liens entre la négligence et la déficience intellectuelle chez les parents.

Claude Gagnon, après avoir travaillé comme psychoéducateur à la rééducation de jeunes délinquants à Boscoville, a complété des études doctorales à l'Université de Londres en psychologie sociale. Sa thèse portait sur la réinsertion sociale de jeunes délinquants ayant fait un séjour dans des « *community homes* », centres résidentiels anglais pour adolescents présentant des problèmes sérieux d'inadaptation psychosociale. Professeur à l'École de psychoéducation de l'Université de Montréal depuis l'obtention de son doctorat, il a mené des recherches longitudinales sur le développement psychosocial de jeunes garçons à risque dès la fréquentation de l'école maternelle. Il s'intéresse particulièrement à l'étude du développement des troubles du comportement chez les jeunes et aux interventions préventives dans ce domaine. Il est directeur de l'École de psychoéducation depuis 1990.

Martine Hébert a complété un baccalauréat à l'Université McGill, une maîtrise en psychologie clinique à l'Université Concordia et un doctorat à l'Université de Montréal. Elle a occupé un poste de professeure au Département de mesure et évaluation à l'Université Laval et est maintenant professeure au Département de sexologie de l'UQAM. Ses travaux de recherche concernent l'évaluation des programmes de prévention de l'agression sexuelle et les conséquences de l'agression sexuelle sur l'adaptation des enfants. Elle s'intéresse aussi au lien entre les expériences de victimisation et l'adaptation psychosociale des adolescentes et des femmes.

Carl Lacharité est psychologue clinicien et professeur agrégé au Département de psychologie de l'Université du Québec à Trois-Rivières. Il dirige le Groupe de recherche en développement de l'enfant et de la famille (GREDEF) et co-dirige le Groupe de recherche et d'intervention sur la négligence (GRIN). Il concentre ses recherches sur les pratiques d'aides visant à promouvoir les compétences parentales dans les familles à risque. Il s'intéresse également à l'expérience des pères dans ces familles.

Marc Le Blanc est professeur titulaire à l'École de psychoéducation et à l'École de criminologie de l'Université de Montréal. Il est l'auteur de 11 livres et 155 articles scientifiques. Ses activités de recherche ont privilégié la recherche longitudinale auprès d'adolescents représentatifs de la population et des tribunaux pour mineurs sur trois décennies. Ses travaux ont conduit à l'élaboration d'une théorie de la régulation sociale et personnelle de l'activité marginale. Ses activités se déploient aussi dans le domaine appliqué et elles ont principalement porté sur l'évaluation des pratiques à l'égard des adolescents en difficulté. Ses travaux ont permis de mettre au point un instrument, le MASPAQ (mesures des l'adaptation sociale et personnelle pour les adolescents québécois) et de développer des interventions expérimentales auprès d'adolescents en difficulté.

Diane Marcotte détient un doctorat en psychologie clinique de l'Université d'Ottawa. Elle est professeure au Département de psychologie de l'Université du Québec à Trois-Rivières où elle supervise les stages en intervention auprès des adolescents. Ses recherches portent sur la dépression chez les adolescents et les enfants, l'abandon scolaire et l'anorexie mentale. Elle est membre du Centre de recherche et d'intervention sur la réussite scolaire (CRIRES) et de l'Institut universitaire sur les jeunes en difficulté.

Ann Ménard est psychoéducatrice, elle termine actuellement sa maîtrise en psychoéducation à l'Université de Montréal. Elle a travaillé dans différents milieux communautaires ainsi qu'en pédopsychiatrie dans un hôpital universitaire. Ses intérêts de recherche portent notamment sur la famille et sur le développement social et affectif des jeunes enfants.

Julien Morizot détient une maîtrise en psychologie de l'Université Laval et est présentement candidat au doctorat en psychologie à l'Université de Montréal. Ses travaux de recherche portent sur le rôle de la personnalité et des transitions sociales dans le processus de désistement des comportements antisociaux (délinquance, consommation de psychotropes, etc.). Il s'intéresse aussi aux caractéristiques individuelles (tempérament et personnalité) qui sont associées au développement de ces troubles. Il a collaboré à des travaux de recherche sur le développement d'instruments psychométriques de dépistage et d'évaluation des troubles du comportement chez l'enfant et l'adolescent.

Claude L. Normand a obtenu son doctorat en psychologie du développement de l'enfant de l'Université de Waterloo, Ontario en 1994. Elle s'est d'abord spécialisée dans l'étude du suicide et du deuil chez les enfants et les jeunes. Ce n'est que plus récemment qu'elle s'est tournée vers la problématique des troubles de comportement. Elle a œuvré comme chercheure au sein du Child, Family and Community Welfare Research Unit à l'Université de Victoria, le Groupe de recherche sur l'inadaptation psychosociale à l'Université de Montréal, ainsi qu'au département de psychiatrie de l'Hôpital Ste-Justine.

Sylvie Normandeau est professeure titulaire et chercheure à l'École de psychoéducation de l'Université de Montréal. Elle détient un doctorat en psychologie de l'Université du Québec à Montréal. Elle participe à plusieurs équipes de recherche, notamment l'équip GRISE (Groupe de recherche sur les inadaptations sociales de l'enfance), le GRIP (Groupe de recherche sur l'inadaptation psychosociale) et une équipe FCAR dont elle assume la direction. Ses recherches actuelles s'attachent aux caractéristiques cognitives et sociocognitives d'enfants distincts quant à leurs caractéristiques comportementales. Elle s'intéresse aux rôles des parents dans la socialisation des enfants, notamment les stratégies éducatives et la transmission des processus de résolution de problème des pères et des mères, et les interventions préventives faites avec et par l'entremise des parents. Finalement, elle s'intéresse à la transition de la maternelle à l'école primaire comme période charnière pour la qualité de l'adaptation ultérieure de l'enfant.

Sophie Parent est professeure agrégée à l'École de psychoéducation de l'Université de Montréal. Elle détient un doctorat en psychologie du développement de l'Université du Québec à Montréal. Ses travaux de recherche touchent le développement des compétences sociales, affectives et cognitives durant la période préscolaire, particulièrement dans le contexte des relations mère-enfant. Elle s'intéresse également à la prévention des problèmes d'adaptation sociale.

Sophie Pascal termine sa maîtrise en psychoéducation à l'Université de Montréal, après un baccalauréat en psychologie. Elle a effectué un stage à Nanterre (France) en sciences de l'éducation dans le cadre d'une bourse FCAR. Le développement social et affectif des jeunes enfants ainsi que les relations fraternelles constituent ses principaux intérêts de recherche.

Marie-Christine Saint-Jacques est spécialisée dans le domaine des transitions familiales. Ces recherches les plus récentes ont porté sur l'adaptation des adolescents de familles recomposées ainsi que sur la spécificité des risques associés aux transitions familiales multiples. Elle est professeure à l'École de service social de l'Université Laval et chercheure au sein de l'équipe Jeunes et familles en transition (CQRS) du Centre de recherche sur les services communautaires de l'Université Laval.

Caroline Tremblay a récemment complété ses études doctorales en psychologie clinique à l'Université Laval. Ses travaux ont porté sur l'adaptation des jeunes ayant dévoilé une situation d'agression sexuelle et sur les facteurs influençant l'adaptation des enfants. Elle poursuit actuellement des études post-doctorales à l'Université de Montréal et s'intéresse aux mécanismes liés à la transmission inter-générationnelle de la violence.

Lyse Turgeon détient un doctorat en psychologie clinique. Elle est chercheure boursière du FRSQ au Centre de recherche Fernand-Seguin de l'Hôpital Louis-H. Lafontaine, affilié au Département de psychiatrie de l'Université de Montréal. Elle est également superviseure de stages cliniques à l'Université du Québec à Montréal, à titre de spécialiste de la thérapie béhaviorale-cognitive auprès d'enfants et d'adolescents. Ses recherches portent surtout sur les troubles anxieux chez les jeunes.

Michèle Venet est titulaire d'un Ph.D. en psychologie de l'Université du Québec à Montréal. Elle est stagiaire post-doctorale à l'Université de Sherbrooke et, à ce titre, membre du Groupe de recherche sur les inadaptations sociales de l'enfance (GRISE). Sa spécialisation en psychologie du développement l'a amenée à s'intéresser à l'intervention clinique auprès des enfants dans un cadre théorique systémique, qui accorde une importance capitale aux interactions parents-enfants.

Frank Vitaro est professeur titulaire à l'École de psychoéducation de l'Université de Montréal. Il est également chercheur au Centre de recherche Fernand-Seguin et à l'Hôpital Sainte-Justine. Enfin, il est membre du Groupe de recherche sur l'inadaptation psychosociale chez l'enfant (Centre FCAR) et de l'Équipe de recherche sur la prévention des toxicomanies (Équipe CQRS). Il est l'auteur de plusieurs textes traitant de prévention et est associé de près à l'expérimentation et à l'évaluation de programmes préventifs dans les domaines de la délinquance, de l'abus de psychotropes, de l'abandon scolaire, du *gambling* et des troubles anxieux.

INDEX ONOMASTIQUE

A

B

C

D

E

F

G

H

I

J

K

L

M

N

O

P

R

S

INDEX THÉMATIQUE

H

I

J

L

M

N

P

CONTENU DU TOME II
LES PROBLÈMES EXTERNALISÉS